vogels in friesland

FRYSKE AKADEMY
Nr. 494
Dr. J. Botke-rige
Nr. 7

„Vogels in Friesland" is een publikatie van de Fryske Akademy te Leeuwarden in samenwerking met de Stichting Avifauna van Friesland. De verschijning van dit eerste deel is mogelijk gemaakt door het Provinciaal Elektriciteitsbedrijf in Friesland (PEB) ter gelegenheid van zijn zestigjarig bestaan in 1976. Gedrukt door B.V. de Handelsdrukkerij van 1874 te Leeuwarden. Uitgegeven door De Tille B.V. te Leeuwarden.
ISBN 90 70010 42 9

vogels in friesland

Avifaunistisch overzicht van
de op het vasteland van Friesland
voorkomende vogelsoorten
samengesteld onder redactie van de
Stichting Avifauna van Friesland

Deel 1

De Tille - Leeuwarden - 1976

EINDREDACTIE
D. T. E. van der Ploeg
W. de Jong
drs. M. J. Swart
mr. J. A. de Vries
J. H. P. Westhof
ing. A. G. Witteveen
Bauke van der Veen (secretaris)

©1976 Stichting Avifauna van Friesland/Fryske Akademy, Leeuwarden
Typografische verzorging: B.V. de Handelsdrukkerij van 1874, Leeuwarden.
Lay-out, band en omslag: Joop Pool - H.D. 1874.
Omslagfoto (Kemphaan): D. Franke.
De tekst is gezet uit de Times.
Het boek is gebonden door B.V. Boekbinderij v/h P. Abbringh te Groningen.

inleiding

De Stichting Avifauna van Friesland kwam op 13 februari 1971 tot stand uit een gezamenlijk initiatief van de Bond van Friese Vogelbeschermingswachten en het Biologysk Wurkforbân van de Fryske Akademy. Krachtens haar statuten is het doel van de stichting het tot stand brengen van een overzicht van de avifauna van Friesland.

In eerste aanleg ging het vooral om het bewerken en toegankelijk maken van het omvangrijke materiaal dat door de heer G. Bosch in een periode van ruim vijftig jaar was bijeengebracht en dat, volgens het oordeel van ter zake kundigen, zoveel waardevolle gegevens bevatte dat het niet ongebruikt zou mogen blijven liggen. Bij de voorbereidende werkzaamheden kwam het Stichtingsbestuur spoedig tot het inzicht dat een bredere opzet nuttig en wenselijk was. De literatuur zou moeten worden nagegaan op Friese gegevens, dagboek en excursierapporten zouden moeten worden bewerkt. Bovendien zou de huidige broedvogelstand gedurende een aantal jaren moeten worden geïnventariseerd. Daar de Waddeneilanden reeds hun „Avifauna" hebben of zeer binnenkort krijgen, zouden deze thans buiten beschouwing blijven.

De opzet van het documentatieapparaat werd aangevat onder leiding van ing. A. G. Witteveen, de inventarisatie van de broedvogels (het Atlasproject) onder leiding van mr. J. A. de Vries. Bij het vorderen van de werkzaamheden bleek duidelijk dat een streven naar absolute volledigheid de krachten van de stichting te boven zou gaan. Het bestuur is er zich dan ook van bewust dat het thans gereedgekomen eerste deel nog verschillende lacunes bevat. Dit doet echter niets af aan het feit dat het stichtingsbestuur zeer erkentelijk is voor wat de vele medewerkers hebben willen en kunnen bijdragen.

Men zal ontdekken dat het systematische gedeelte van het voorliggende deel vrij heterogeen van samenstelling is. Dit heeft nadelen, maar we hebben toch gemeend voor deze methode te moeten kiezen. Opgemerkt dient namelijk te worden dat de vogelkunde in Friesland evenals elders, op zeer verschillend niveau wordt bedreven: door de zuiver wetenschappelijke beoefenaar van een of meer onderdelen van de ornithologie; door de man die zich beroepshalve met de vogels en hun verspreiding bezighoudt en door de serieuze „veldman". Zij allen hebben vanuit hun kennis en werkwijze waardevolle bijdragen geleverd en wij zijn er van overtuigd dat juist deze weerspiegeling van alle facetten van „het kijken naar vogels" in onze provincie een van de aantrekkelijke kanten van dit boek kan zijn.

„Vogels in Friesland" heeft niet in de eerste plaats de pretentie een bijdrage te leveren tot de wetenschappelijke kennis betreffende de avifauna van

Nederland. Voorop bleef staan de wens de door de jaren vergaarde kennis betreffende de vogels in Friesland beschikbaar te stellen, ook voor de „veldman". Daar waar informatie over een bepaald onderdeel ontbreekt is dit aangegeven. „Vogels in Friesland" wil niet zijn een eindpunt, maar veeleer een uitgangspunt voor verdere studie en een stimulans om dit onderzoek voort te zetten. Iedere belangstellende kan zien wat wij menen te weten, wat er nog aan onze kennis ontbreekt en op welke wijze men de vogelstudie in Friesland kan bedrijven. Daarnaast wil het boek een bijdrage leveren tot de kennis van de verspreiding van de vogels in de provincie en achtergrondinformatie geven bij de bescherming van vogels.

Het bestuur zal er naar streven over twee of drie jaar het tweede deel gereed te hebben. In dat deel zullen naast het vervolg van het systematische deel, ook nog enkele algemene hoofdstukken en een uitgebreide literatuurlijst worden opgenomen.

Graag willen wij allen danken die ons bij het vele werk hebben willen helpen en die door financiële steun dit mede mogelijk hebben gemaakt. Zonder hun steun - en wij willen met name noemen de Fryske Akademy, de Bond van Friese Vogelbeschermingswachten (B.F.V.W.), beide te Leeuwarden, Staatsbosbeheer te Leeuwarden en Utrecht, het Fries Natuurhistorisch museum te Leeuwarden en het Provinciaal Elektriciteitsbedrijf (P.E.B.) te Leeuwarden - hadden wij dit werk niet kunnen doen.

Namens de Raad van Bestuur van de
Stichting Avifauna van Friesland,
D. T. E. van der Ploeg, voorzitter

verantwoording

Het werk van de stichting Avifauna van Friesland werd mogelijk gemaakt door financiële steun van de navolgende bedrijven, gemeenten, stichtingen en verenigingen, die mocht worden ontvangen naast die van een aantal particulieren.

Commerciële Club voor Zuidwest-Friesland te Heerenveen, Constructie-werkplaats Bergum te Bergum, Coöperatieve Condensfabriek Friesland te Leeuwarden, Douwe Egberts fabrieken te Joure, N.V. Enitor te Buiten-post, Friesland Bank te Leeuwarden, Lankhorst Touwfabrieken te Sneek, Mous' Constructiewerkplaats te Bakhuizen, Philips N.V. te Drachten, Thermochemische fabriek te Bergum, firma Westermann N.V. te Leeuwar-den.

De gemeenten Barradeel, Dantumadeel, Doniawerstal, Ferwerderadeel, Haskerland, Hindeloopen, Oostdongeradeel, Rauwerderhem, Vlieland en Wymbritseradeel.

Bangma-fonds, Culturele raad van Utingeradeel, Stichting Westermeer te Joure en het Waterschap Boarnferd te Heerenveen.

Bond van Friese Vogelbeschermingswachten, Stichting Vogelverzorgings-fonds Friesland, It Fryske Gea, en de navolgende bij de B.F.V.W. aange-sloten afdelingen: Akkerwoude, Arum, Het Bildt, Dokkum, Echten, Fra-neker, Gorredijk, Heerenveen, Idaarderadeel, St. Johannesga, Kollumer-zwaag, Jeugdvogelwacht Leeuwarden, Marssum, Oudehaske, Sneek & Om-streken, Wijnjeterp/Bakkeveen en Zwaagwesteinde.

Koninklijke Nederlandse Jagersvereniging afdeling Sneek.

De uitgave van dit eerste deel werd mogelijk door een belangrijke bijdrage van het P.E.B. van Friesland ter gelegenheid van zijn zestigjarig bestaan.

Dit boek oer de fûgels fan Fryslân wurdt
opdroegen oan Gerrit Bosch,
berne 15 maeije 1893.
De man dy't mear fan ús Fryske fûgels
wit as hwa oars en dy't safolle minsken
ynspirearre hat ta stúdzje fan dy fûgels.

9

medewerkers aan deel 1

Dyn fûgels ha ik leaf
dy 't piipje yn dyn struwellen
of júbljend sjitte omheech
nei 't fiere blau.

Simke Kloosterman

vogeljaar in friesland

Zo gewoon leek het. Al die vogels van meren en moerassen, gras- en bouwland, bos en heide. Vogels op trek, als wintergast of als blijvers. *Ze waren er*. Altijd, overal. Pas toen je buiten eigen grenzen reisde bleek dat het „gewone" erg bijzonder was . . .

We hebben nogal veelsoortige landschappen in onze provincie. *Pluriforme landschapstypen*, zegt men. Vanaf Riss- en andere ijstijden. Sedert de „stijgende" zee, de terpen en de Sint-Elizabethsvloed. Sedert Caspar de Robles „vrije" Friezen dijken liet bouwen. Na generaties boeren, schaapherders, turfstekers en baggelaars. De afsluiting van de Middelzee heeft een rol gespeeld en de „tichte" Lauwerszee . . .
Er is hier bijna geen landschap of mensen hebben het mee „gebouwd", gevormd, beïnvloed. Grote rivieren, bergen missen we. Zes zandheuveltjes noemen we Klein Zwitserland . . .

Toch pluriform en kleurrijk. Ga maar na:
   o Een trits van meren en rietmoerassen.
   o Veenpetten en -plassen.
   o Bossen, bosjes, bomenrijen, „dykswâllen", de intieme Wouden.
   o De open Greid- en Bouwhoek.
   o De buitendijkse waarden en „pollen".
   o Kliffen en glooiingen van Gaasterland.
   o Duinen in Appelscha en Bakkeveen.
   o Heide- en „pijpestrootje"velden.
   o Hoogveen bij Fochtelo.
   o De Terpen.
   o Het wonderlijke Wad.

Om verder, in het kader van dit boek, maar te kappen met lyriek over onze eilanden, met duinen, stranden, Boschplaten en . . . Voor vogels is dat erg fijn, voor mensen trouwens „niet minder". . .
Schilder daarbij: ruimte, licht, wolken, blauw. De zon op de golven, op de tinten voorjaarsgroen, op het voorjaarsveld. De grijze sfeer van de herfst. De vriesluchten, sneeuw en ijs in de winter, de cumulus-kastelen op een warme zomerdag. Boom en blad en bloem. Met dat alles blij te kunnen zijn engros of en detail geeft extra rijkdom.
En toch . . . de „levende wezens en de vogels, die langs het uitspansel van de hemel vliegen" uit Genesis maken het beeld pas compleet. Zo lees ik psalm 8 . . .

11

Vogels kunnen hier gelukkig dus terecht. Thijsse schreef eens: er zijn duizenden veldmuizen meer dan mezen. Van mezen kun je duizend keer meer genieten . . . Dat komt door al die aparte, boeiende eigenschappen die vogels bezitten.
Héél beknopt, enkele punten:

Vliegen

Zolang er mensen leven, hebben ze verbaasd, bewonderend, jaloers gekeken naar de min of meer van gravitas vrije, snelle, snel wendende vogelvluchten.
Wij ,,vliegen'' nu ook . . . Toch: Volg eens een bruinkop-kokmeeuw, vliegend, zwevend, zwenkend, cirkelend, duikend, stoppend in de hoge zomerlucht voor één vliegend minuscuul mierenbruidje . . .

Alle vogels hier vliegen. Snel, langzaam, ,,wikeljend'', linea recta, wendend, golvend, zwevend, gracieus en soepel, ,,moeilijk en onhandig''.
Zwaluwen, roeken, spechten, fazanten, visdieven, vlaamse gaaien, torenvalken, buizerds, elke vogel vliegt op eigen wijs, ,,út eigen fearren''. . .
Met eigen kenmerkend vliegbeeld, solitair of in gezamenlijke vlucht.

Vorm, kleur en gedrag

De gouden flits van een wielewaal door het dichte ,,lover''bos, de opgetipte snavel van een wit-zwart kluut, frisse, erg kleine, fijne goudhaantjes in de elzen, een roerloze ,,droevige'' reiger bij de sloot, mussen in de ,,skerpe hage'', ,,ljippen oer de wjok'', ,,skriezen op 'e hikke'', duizenden spreeuwen op avondtrek boven het slaapbos, een korhoenhaan ,,blazend'' op Delleburen, bergeenden ,,kopjeknikkend'' bij Veenklooster, kemphanen op toernooi in de Wildlanden, lepelaars bij de Mokkebank en . . . en . . .

De trek

Quo Vadis, denk je (op z'n Fries dan!) als je ganzen-V's hoort en ziet overtrekken.
Noordse sterns die per jaar meer dan 32.000 km afleggen om te overzomeren, in onze winter, in het Antarctisch pakijs en te broeden in het Noordpoolgebied.
Wilsters (goudplevieren), die via Friesland van Siberië naar Afrika vlie-

gen . . . Zwaluwen en ooievaars naar Zuid-Afrika. Bonte kraaien van Scandinavië naar onze herfst- en wintervelden.

Trekkers alleen, in grote groepen, vogels op trek in de nacht, overdag, elk met eigen vliegbeeld, route en ritme.

Wie wijst hun de trekroute, wie, wat bepaalt de tijd? Hoe oriënteren ze zich? Wat is de innerlijke drijfveer? Erg wonderlijk allemaal, boeiend ook. Maar één ding is zeker: het tracé van de grote, vaste vogelluchtwegen van Noord naar Zuid ligt vaak over Friesland. ,,Dat hie wol minder bislaen kind''. . .

Waarom is dat allemaal zo . . .

De zang

Hoor je een ,,Wâldtsjer'' kleurrijk en luidruchtig, een ,,klaeiker'' spaarzaam en meer ééntonig praten, dan zeg je: Nou ja, elk vogeltje zingt, zoals het gebekt is.

Welnu: het ret-tet-tet-tet van een optimistisch winters winterkoninkje. Die eerste blije voorjaars-uithaal van een spreeuw op de pannen. De plechtige avondkoralen van een merel in een voorjaarspopulier. Het grito-grito van een vreugdevolle, opgewonden grutto. Een leeuwerikzang uit hoge voorjaarshoogten. Het ,,klepperen'' (vroeger helaas) van feestvierende ooievaars. De fleurige ,,hôfrobyntsje-'' en rietzangertjes-zangen, de innig weemoedig tevreden oktober-zang van een roodborst. Een geelgors uit- en inhaaltje, een vinkeslag, het ,,kwetterjen'' van méér dan tevreden zwaluwen, het trommelen van een bonte specht . . .

Als slot een ,,eigen'' leeuwerikslied:

In ljurk dy't yn 'e súvre moarn
de lege lânnen efterlit,
dy't dronken fan syn eigen toan
oars net as sulvren blidens wit
en as syn liet nei d'ein ta rint
al wer bigjint.

Fedde Schurer

De balts

o Houtduiven letterlijk klapwiekend van levenslust.
o Kieviten in ,,full action'' boven de miede.

o Kiekendieven in suizende glij- en valvluchten boven het riet.
o Futen in de wonderlijkste bruiloftsposen op het meer.
o Snippen vliegend als ,,waerlamkes''.
o Kemphaantjes ,,vechtend''.
o Korhanen pronkend met ,,witte roos'' staartveren.
o (Elk pronkt met andere eigen veer).

Rietvelden hebben hun eigen baltsgeheimen van nogal verborgen vogelleven: waterrallen of roerdompen, karekieten en rietzangers.

Het nest

Nesten, op of in de grond, op het water, in de bomen, in de schuur, in de muur, in de brievenbus zelfs, op een afdak of overstek, in bomen zelf gehakt of rotte plekken benuttend, van takjes, ,,snilen'', mos, ragfijn spinsel, wol of haar. ,,Progressieven'' gebruiken zowaar en helaas plastic!
Als je over vogels vertelt, vraag je nu en dan: *,,Waarom leggen vogels eieren?''* Je ziet de mensen denken . . .
Kleine fijne, fragiele eitjes, grote, sterke eieren. Ovaal, bijna rond of spits. Glanzend of dof. Blauw, bruin, gespikkeld, gestippeld, gevlekt en ,,beschreven'' gorze-eitjes.
,,Dy't aeijen hat, kin doppen meitsje'' . . . ja, ja, maar ,,dy't doppen hat gjin aei'' . . .
,,Verborgen'' eieren zijn vaak wit, als van ijsvogeltjes en oeverzwaluwen.
Het aantal eieren per ,,broedtsje'' en het aantal keren broeden per jaar wisselt blijkbaar met de levensrisico-factor (Althans: een vroegere evenwichtssituatie . . .)

Er is zoveel!

Dit is zomaar ,,in taest yn in folle ponge''. De thema's en uitwerkingen zijn allemaal eindeloos gevarieerd en daardoor zo boeiend. Ook en vooral (hoop ik) voor ,,hurry-hurry/busy-busy'' mensen . . . We hebben wat vóór!
Er bestaat hier een vreugdevolle paradox: *In een der dichtst bevolkte streken ter wereld vinden we de grootste verscheidenheid aan vogels in West-Europa!*
Is Nederland (nog) een rijk vogelland in West-Europa, Friesland is niet de minst rijke vogelprovincie van Nederland. Noblesse oblige . . .
En *deze* ,,vermogensdeling'' is zo democratisch - eerlijk als goud. Zelfs of

je tien of tachtig bent, is onbelangrijk. ,,To foet'' kun je meer verdienen dan in de auto en één vogel in de lucht is meer dan tien in de hand . . . Vroege overuren worden extra beloond . . .

> 'k Woe foar gjin goune
> dat 'k jit to sliepen lei.
> 't Is my sa noflik, ier op 'e dei . . .

Ja-ja! Die gulden is intussen een inflatie-tientje. Desondanks: Vroege vorsers blijven zeldzame vogels . . . We zullen zien.

Globaal, in grote trekken gaan we nu de Friese-vogeljaar-maanden volgen. Ogen, oren en een blij hart open voor de stuwende drijfveren van leven en vogelleven. Voor het grote, kleine wonder in ,,bosk en iepen fjild'' en . . . eigen tuintje . . .

JANUARI

Hjoed is de winterdei, sa blank en klear . . .
Fedde Schurer

Het licht keert terug! ,,De dagen linge'', zeggen de mensen. En al zeggen ze er dan vaak iets over een strenge winter bij:
Het voorjaar begint in de winter!

Zo wensen de eksters elkaar al op Nieuwjaarsdag ,,lok en seine''. ,,Skatterjend'' rond het oude, verweerde nest in de hoge eik of iep. Vijanden plenty, vrienden honderd op een lood . . . Maar ,,opregt'' trouw aan elkaar (één ekster zie je niet), listig ook, lepe vogels . . . Vandaar dat ze de liefde-haatverhouding blijkbaar aankunnen, in ieder geval ruim overleven.
Bovendien, het ondernemende jongetjes-ras dat de hoge eksternestboom *en* zichzelf wil meten in een stoere klimpartij is blijkbaar zo ongeveer uitgestorven.

Niets klinkt *zo* opwekkend, *zo* ver in frisse vrieslucht, boven het besneeuwde dorp om ,,tsjerke en toer'' als het helder-optimistische ka-ka-ka-ka van

zestig vrolijke kauwtjes. In snelle of zwevende groepsvluchten vliegen ze zich in en hun vernieuwde levenslust uit.

Elke keer als zware klokslagen dreunen, gaan ze vol energie schielijk de lucht in. Blij met de aanleiding, de oorzaak ligt dieper . . .

Even zonne-pauze in de hoge iep en . . . ,,sjoch, sjoch" de *60 vogels* zijn opeens *30 paartjes* geworden. Trouw moet blijken . . . Voilà!

De permanente veiligheidsraad van mussen in de ,,skerpe hage" is duidelijk rumoeriger geworden bij intensiever licht. En vrieskou is beter dan waterkou.

Toch: Elke lepeltik tegen een kruimel-pan geeft snelle reflexen! Etende wekken ze eetlust bij allen . . .

Koolmezen en pimpelblauwe pimpeltjes (rhapsody in blue) zwerven in groepjes rond. Inspecteren nog eens - wat zijn het artistieke felle rakkertjes - de nu overjarige ,,joadeprûmen" (elzeproppen). Breken pinda's aan het lijntje driftig open, vinden in no time kokosnoot of spekzwoerd. Hun attente vlugge reacties en acrobatiek zijn de beloning voor gulle gaven en de gever.

Als in de eerste januari-week de winterzon nog maar net de eerste dooidruppels van de ijspegels aan de ,,oes" vallen, schettert de volledige koolmezen-heen-en-weer-ouverture alle winter-pessimisme weg. Voor hem . . . en voor mij . . . is het voorjaar!

Een roodborstje in de paarse meidoornhaag in de sneeuw. Bijzonder sfeervol midwinterschilderijtje.

Z'n houding en stemmingen wisselen met moment en omstandigheden: ,,opgepoft" en berustend, philosofisch met bijziende kraaloogjes, flitsend vlug en kwiek, ,,naïef" en ,,intelligent".

Als erudiet en aristocraat gulzige mussen, een tikje hautain, niet achtend. Maar ook en ineens: twee of drie mussen fel vliegensvlug verdrijvend van kruimeltjes brood. Meer vertrouwelijk dan achterdochtig, maar blijvend op z'n qui-vive . . .

Trekkende ganzen tegen paarsblauw gezoomde winterlucht. Altijd weer boeiende V-vliegsilhouetten, soms twee, drie achter elkaar, als ze ,,pratend" van revier tot revier vliegen.

Die trekganzen roepen blijkbaar iets in je wakker, de ,,onrust" in je eigen hart. ,,Yn 'e sliep hear ik se noch", zei een ,,guozzeflapper" eens tegen me.

„Yn ús hiele famylje is dat sa, by ús froulju is 't net oars . . ."
Geheimen over verre tijden, onbekende route en eenzame ijslanden zweven met de trekganzen mee. Schaatsers die op hun vreugdevolle of moeizame tocht door blinkende sneeuwvelden bij de rietzoom langs het ijsmeer genietend staan „út to pûsten" kijken . . .

De tekenen van komend, uitbundiger leven nemen toe met het licht, de dagen, de eerste sneeuwklokjes en bengelende „hazzenútkatsjes". Sneeuw, vorst en ijzige oostewinden blokkeren slechts tijdelijk de vroege voorjaarsbeloften.

Op open meerwater, desnoods in een wak, dobberen wilde eenden. Ook kwieke kuifeendjes, de woerden opvallend met blinkend witte flanken en zwart. Groepjes tafeleendjes grijs en roodgekopt zijn er ook.

Op het wad zie je kleurige bergeenden en nu en dan licht een grote wolk van duizend en meer overtijende scholeksters op in de zon.
Vlugge switches: zwarte rug voor, een donkere duizend-zwarte-stippenwolk . . . witte lijf en vleugels naar je toe, een blinkende wolk van echte levende glitters . . .
Langs de dijk vliegen, mocht je geluk hebben, een groep van twintig sneeuwgorzen golvend voor je uit. De oudere mannetjes pronken met veel wit.

Soms op een grijze winterdag glijdt majestueus een snoer van twintig wilde zwanen over je heen. Hun ietwat melancholieke hoe-hoe-hoe klinkt uit de grijze verte nog door.
Stil, zonder drukte zoeken arctische steenlopertjes eten tussen basalt en slik. Wolken strandlopertjes houden flitsende vliegoefeningen.
Een aparte aantekening krijgt een ijseend of roodkeel-duikers, die straks, in juli pas, op Blomstrandhalföya bij Spitsbergen zullen broeden . . .

Zeker, zo'n frisse Waddenwintertocht - „efkes trochsette" - loont de moeite.
Twintig roomwitte grote zaagbekken misschien, bij Lauwersoog vijf middelste zaagbekken en een paartje esthetische nonnetjes bij Dokkumer Nieuwezijlen, mooier dan in elk vogelboekje.
Grote wilde zwanen als witte blikvangers op grijs Waddenslijk. Een zwarte zeeëend bij het basalttalud.

Daar, als thuis en overal, onze excellente vliegkunstenaars: stormmeeuwen, kokmeeuwen en zilvers. De bruine vlek achter het oog van de kokmeeuwen (rode snavel, rode poten) groeit vanaf Nieuwjaar tot het bruine bruiloftskapje in maart of april. Stormmeeuwen (groen-gele snavel, groen-gele poten) houden ook in de zomer hun witte kop.

Dan bij het Anjumer Banthuisje: Een grote grijs-zwart-witte levende, gras-etende ,,deken" van 6000 of méér brandganzen uit Nova-Zembla of Spitsbergen. Ze zijn beroemd. Dit is wel een *heel apart* Fries vogeltafreel waar we *erg* zuinig op moeten zijn. Soms is er van de *hele wereldpopulatie van brandganzen*, wellicht 35000, *de helft bij Anjum*. Grote poldervelden bedekkend of in indrukwekkende wolken tegen elkaar invliegend. Hun ,,gakkerjen" kun je kilometers ver horen op heldere vorstdagen. Het is een phenomeen en . . . je kunt dat tegenwoordig, op weg naar Lauwersoog, vanuit je warme auto bekijken . . .

Heel vaak waarschuw ik mensen die, enthousiast geworden door vogelverhalen, er ook eens op uit willen: ,,Pas op, het is buiten geen etalage . . ." Maar hier, met al die duizenden brandganzen voor je autoruit, lijkt het er verdraaid veel op . . .

De reiger, thuis, als een ,,droevig" standbeeld bij de sloot, heb ik niet genoemd, de twee roerdompen roerloos tussen overjarig riet in de ,,sompen", de eenzame buizerd op de dampaal in het witte veld, het ,,wikeltsje" boven het bruin vervroren weiland, de koppel patrijzen ineengedoken in de sneeuw . . .

Dooiweer brengt de eerste voorjaarstrekkers al op de wieken, zanglijsters, leeuweriken langs de Afsluitdijk. Soms moeten ze terug voor sneeuw en vorst in noordelijker streken . . .

Als oostewinden strenger winterdagen brengen en ook het Wad ,,ijzig" wordt, vluchten scholeksters, wulpen, tureluurs, zilverplevieren naar open, zuidelijker water.

Houdt de vorst lang aan, dan vallen er slachtoffers: uilen, roerdompen, reigers, zelfs waterhoentjes en meerkoeten. En toch: de voorjaarstekenen zijn onmiskenbaar!

,,Du winskest foarjier en dêrom sjochst foarjier", zegt m'n vrouw . . .

Eén keer, op *nieuwjaarsmorgen*, gelukkig nieuwjaar, zong een merel héél zacht, drie meter van me af onder een witberijmde struik. Sub-song noemen ze dat . . .

19

Laat januari dan koud, stijf bevroren, guur, helder of kwakkelend grijs zijn, de wintervogels, gasten, zwervers of „standhouders" laten je niet in de steek. Laat ze niet in de steek . . . „Iljocd is de winterdei sa blank en klear". . .

FEBRUARI

De winterdei wie klear en koel
en lutsen fan in ljochter doel
streke er al ring út lyts gewimel
nei iepen fjild en wide himel.
Ype Poortinga

Winterdagen, de banen zijn uitgezet en „reedriders" gedrongen door sfeer, ruimte en licht meten blij-energiek eigen kracht aan „drege" ijskilometers. Elfstedentochten, alleen vroeger of misschien . . .

Maar altijd: leeuweriken zang-primeur, als die al niet op zachte januaridagen klonk en . . . de eerste eendeëieren, stuivende elzekatjes.

„IJs en weder dienende" worden de machtige eb en vloed vogelbewegingen, de trek, in gang gezet.

Dan: je hoopt er op, ziet er dagen scherp naar uit . . . *Ineens komen ze!*
Wit-zwart „wjokkeljend" tegen dieper blauw en witter wolken. Vogels, zó bekend, zó verwacht dat er, bij ons, over gesproken wordt zonder de naam te noemen . . . „*Se* binne der wer! Willem de Vries hat fan 'e moarn tweintich sjoen . . :" Kieviten! Soms na felle vorst, als de zon ineens „macht" krijgt, overal sneeuwwatervalletjes tinkelen, komen ze, gestuwd, in doelbewuste vluchten, groepen, „kloften", koppels, zwermen, 20, 100, 50, 20, twee individualisten alleen, en . . . en . . .

De energie, die moed, dat vertrouwen in nieuwe mogelijkheden springt over . . . Het eigen oog wordt blijer, de voet lichter, de onrust om „it fjild" in te trekken groter. De wintervelden, waar bonte kraai en reiger het wit-heldere of mistig-grijze winterbeeld bepaalden zijn ineens *totaal anders* . . . Ze zijn terug. Zonder kieviten, grutto's, tureluurs, snippen en . . . zou dit land wel Friesland heten, maar het niet meer zijn . . .

Het wachten is nu op de eerste „hij oer de wjok!!"
Het veld is „bezaaid", kieviten en spreeuwen die nu en dan tezamen en

20

ineens, met felle drift omhoog stuiven. Is hun instinct nog afgesteld op roofvogels, die niet meer bestaan?

Tussen fouragerende kieviten staan kok- en stormmeeuwen Let op: één kokmeeuw houdt tien, vijftien kieviten „op zicht". Trekt één van de kievi- ten aan een vette worm, dan glijdt de meeuw met twee, drie volle vleugel- slagen naar hem toe. Het vliegbeeld is dreiging genoeg: de kievit vliegt vijf meter weg. The wrong bird catches the worm . . . Zo is het leven . . .

Boven „tijwaer"-sneeuw trekken de leeuweriken. Eén, drie zingen al . . . De zon trekt, stuwt, ontplooit latente energie op duizend plaatsen . . . Je voelt het zelf! De differentiatie van blije „maitiidslûden" neemt eind febru- ari toe met licht, zon, warmte.

Je treft het op een windstille avond in de „mieden": ineens, heel hoog - proef de muziek - helder het „grito-grito-grito" van een gerepatrieerde grutto. Dit is z'n biotoop, z'n eigen land, z'n thuis.

Van *alle* Westeuropese grutto's broeden er 80 à 90% in Nederland. Meer dan 100.000 paartjes. Van die 100.000 broeden er dan 40.000 in onze „fjilden en mieden". Vreugde *en* verantwoordelijkheid . . .

Kieviten, tureluurs, snippen en grutto's, allemaal komen ze terug. Hebben een niet *te* barre winter ter plaatse of op het Wad doorstaan zoals tureluurs, watersnippen en graspiepers.

Na twee, drie mooie dagen gaat de „hij oerstjûr oer de wjok". Elke kievit- man reageert uitbundig op elk solitair of in gezelschap overtrekkend „sij- ke". Zo merk je al, voordat je ze kunt zien, dat er een vrouwtje op komst is. Haar hele vliegroute wordt barok versierd met baltsende „dofferts".

De eerste madeliefjes bloeien timide. De winterleegte in de mieden is gevuld, de ruimte heeft inhoudaccenten gekregen.

Als de ergste kou half februari is doorstaan, sneeuwklokjes en eerste cro- cussen uitbundig bloeien, kan er een stille mistige morgen volgen, met verwachting.

De zwarte elzen hebben lichte rijm-contouren. De sneeuw ligt nog in grep- pels en sloten en markeert de „landinrichting", en straks breekt de zon door!

Deze dag voegt nieuwe voorjaarselementen toe. Sfeer en love en luck bren- gen de houtduif tot z'n eerste zachte roe-koe-koe in de grote linde. Drup- pels kringelen in de gracht. Gespikkelde spreeuwen bepikken collectief uw groenende grasveldje. Dan - een blij schokje - zingt een merel z'n eerste voorjaarskoraal.

In de warme zon vliegt een citroentje langs de „elzemantel" en de katjes

Elzekatjes stuiven . . . - H. F. de Boer.

bloeien. Op een zuidewind-dag zullen miljoenen stuifmeelkorreltjes als een lichte gele sluier langs de elzewallen trekken. Eén korreltje op de honderd-duizend zal een rood stampertje bereiken. Een nieuw elzepropje in wor-ding . . .

Twee grote lijsters vliegen met ,,up en downs'' voorbij. Sedert ongeveer 1920 zijn ze ,,hôf en hiem'' meer en meer als eigen territoir gaan zien. Grof, krakend klinkt hun errrr . . . Wacht maar tot maart . . .

De roeken in het ,,Raerderbosk'' zijn met veel activiteit en geluid bezig hun oude kolonies te inspecteren. De eerste ganzen, gestuwd door sterke, onbekende trekkrachten, vliegen van voorvlieger wisselend, over op weg naar poolstreek-broedplaatsen.

Meerkoeten, soms massaal als een deken en donker tegen groen gras afstekend, pikkend of als zwarte wintervloten dobberend bij Kornwerderzand of Grote Wielen vinden poel, riet, meer en moeras terug. Je hoort opnieuw op stille avonden, zelfs kilometers ver, hun ,,klap op het paaltje''.

Futen zijn er nog of weer. In de schemer vliegt flitsend een donker klein roofvogeltje, een smelleken, voorbij.

De tekenen, aanzet voor het grote feest, zijn duidelijk.

MAART

Nou 't op 'e nij oer de âlde wrâld
it jonge jier syn tochten hâldt
fan winen dreaun en droegen.
Douwe A. Tamminga

,,Sterk, skrok en droegjend waeije Noardewinen.'' Of ook, het kan best en allemaal: sneeuw op de velden, ijs nog of opnieuw in de sloten. Boreas, de scherpe drogende wind uit het noordoosten, kan dagen baas zijn. Hagelbuien kunnen striemen. De ene ,,stouwer'' jaagt de andere. De greiden mogen er dan winters-,,wytferzen'' uitzien, maart is een eerlijke, ,,rechtvaardige'' voorjaarsmaand.

Op een zonnige maartmorgen - alle grassen glinsteren en fonkelen - is in het veld het voorjaar realiteit in beweging en geluiden. Maar spectaculair is het veel meer na storm, felle regen en hagel, waterplassen op ,,splis'' land. Snelle vegen schaduw en zonlicht vliegen over het veld. Dan is er overal beweging van komen, gaan, overvliegen, dalen, opvliegen en driftig voedsel zoeken . . . Er zijn nachten vol vogeltrekgeluiden.

De onrust is er en brengt tot de daad: ,,himmelje, wierje, dongride'', en . . . polsen uit de hanebalken, de neus in de koude wind, met nieuwe energie over sloot en hek, *het veld in:* de ,,rook'' (geur) van het veld, het nieuwe groen, het licht, de wolken, de dorpssilhouetten, de geluiden, ook van leeuweriken, die nu zingen tegen witter wolken in dieper blauw decor.

Kievit-mannen die duikelend, kraaien, lokkend, zwevend, hun broedterritoir uitzoeken en bepalen. Overal het bewegende silhouet van twee ,,wjokkeljende dofferts'', 50 cm schuin boven elkaar in de lucht, die boven hun broedterritoria frequent een ,,luchtig'' gevecht voeren, om dan elk, barok

23

buitelend, het eigen gebied vliegend af te tekenen. En intussen ook met veel vertoon proberen „sijkes" uit de lucht te lokken. Het mogen er per „hij", ook twee zijn!

Stil, zonder fanfare, geluid of amper geruis, trekken groepjes kemphaantjes over en voorbij. Ze zoeken de baltsplaatsen (hoantserid) van jaren her weer op, om daar en dan met heel apart en individueel uiterlijk, gedrag en kleurvertoon hun schijnbaar nog al doelloze voorjaarsgevechten op te voeren. Wellicht is *hun* te verdedigen territoir tot een halve vierkante meter ingekrompen!
Erg goed voor kemphaantjes is het dat „Staatsbos" en „It Fryske Gea" natuurgraslanden en halve rietlanden beschermen, zoals de Wildlanden bij Eernewoude en de Noordwaard bij Makkum.
Ze zijn „fûgelfaei" geworden in grote delen van onze provincie. Kemphaantjes, nou ja, de hennetjes dan, broeden later dan andere weidevogels en gedijen uiterst slecht bij vroege moderne agrarische activiteiten. Vandaar.
En dan: in de stille avond met paarsrode horizon een nieuw en karakteristiek voorjaarsgeluid. Een watersnip-man baltst. Hij trekt sinusoïden in de hoge ruimte. Zet op de hoogtepunten staartpennen en vleugels even vast . . . In de snelle scheervlucht naar beneden, klinkt ver en doordringend een wonderlijke bruilofts-sonate zonder vocale begeleiding . . . „Hark", zeggen de mensen, „it waerlamke blettert . . .".

Boven meer en riet, boven bossen of velden, zweven duizenden en duizenden spreeuwen, er komen steeds kilometers lange wolken en wolkjes bij. Auto's stoppen, mensen kijken, als naar een natuurverschijnsel . . . En dat is het. We schatten na velerlei berekeningen hun aantal zo tussen 60.000 en 80.000. (Ureterp 1975.) Zo'n aantal is gemakkelijk te schrijven, te lezen, maar onbeschrijflijk is de realiteit.
Drukke „tsjetter"-vergaderingen in de hoge iepen of eiken in 100 dorpen waren het begin. Nu, na de slaaptrek, vliegen ze in lange wolken van horizon tot zenith aan, zonder geluid. Tot ze er allemaal zijn. Een pikzwarte deken op het land, jagende wolken in de lucht.
Soms als een sperwer of slechtvalk probeert één uit de duizenden te slaan wordt het imposante natuurgebeuren uniek. De pulserende wolk heeft ineens golvingen van grijs naar donker naar zwart, balt samen, dijt uit, zwiept voor een part als een windhoosstaart weg . . . Duizenden vogels, in een fractie van een seconde, gehoorzamen één bevel . . . Wie gaf het en hoe?

24

Als een vogelstorm, een zwarte sneeuwjacht, met luid geruis, jagen ze boven en in het bos. Wolken vliegen tegen elkaar in, waaieren uit, vegen over het bos. Tienduizend vallen schreeuwend in, vijſduizend gaan als een stroom zwarte vuurwerkvonken weer omhoog en . . . en . . .

Om half acht lijkt alles weer gewoon, de heldere maartlucht, de schemer, de stilte . . . Het dennenbos bewaart het geheim van tienduizendvoudig leven.

De auto schreeuwt om een wasbeurt . . .

Al heeft Friesland dan ,,liggende leeuwen" in z'n wapen, een ,,spantsje" kieviten had zeker groter recht . . . Vanellus vanellus is onze provinciaal-nationale vogel! Iedereen leeft mee: De Bilt, prijsvragen, oorkonden en ,,silveren ljippen" komen er aan te pas. Wanneer, waar, wie: het eerste kievitsei! Het kan bij uitzondering 4 maart zijn, maar ook 26 . . . De Bilt rekent het soms uit aan de hand van te verwachten temperaturen of isothermen.

,,De belangstelling voor kieviten in Friesland schijnt uitsluitend via kievits-eieren te lopen . . ." Ja, dat had u gedacht. De realiteit is complex. Steeds blijkt dat opnieuw: ,,dy't it net wit, is it net to sizzen". Een ding staat vast: Die kievitseieren hebben voor de betrokkenheid van onze bevolking bij vogelbescherming en natuurbehoud een geweldig positieve invloed gehad. En dat is voor de weidevogels *erg* belangrijk. Zo ongeveer het ergste wat kieviten en grutto's kan overkomen in deze provincie is onverschilligheid, onwetendheid en nonchalance. Een weidevogel in cultuurland zal zonder interesse en zorg van de bevolking ,,in swiere sile lûke" . . .

Geen voorjaar trekt zich iets aan van een datum, toch zo tegen 21 maart als op een morgen de zon door mist en dauw breekt, dan verwacht ik het. De grote lijsters zingen reeds weken melodieus en luid als geen ander. Kwik-staartjes, ook terug, vliegen met lange golfhalen over schuur en erf, vinken ,,slaan" in de eiken, de eerste ,,titelroazen" (narcis) bloeien. Daar *is* het dan: zacht en ijl, later duidelijker, pregnanter, een tjif-tjif-tjif-tjaf-tjaf. *De tjif-tjaf vertelt dat hij terug is.*

Omdat alle groen-geel, bruingrijs en groen-grijze voorjaarszangers als ,,hôfrobyntsjes, hôfsjongers, toarnhipperkes of nettelkrûperkes" moeilijk uit elkaar zijn te houden is dit tenminste een erg duidelijke onomatopee . . . Ze zijn of komen terug: tjif-tjaf, fitis, fluiter, tuinfluiter, grasmus, alles wat vedelt en tiereliert om met Guido Gezelle te spreken. Nu in de knoppende bomen zijn ze nog goed te zien.

,,Kloften" goudplevieren in bruidskleed talmend op weg naar Noorwegen of Siberië vliegen flitsend boven veld en ,,bûtendyks lân". Hoe weemoedig hun fluitje ook klinkt, het vertolkt nieuwe vreugde . . . Soms na een sneeuwjacht-nacht kun je hun slaapplaats terugvinden in het veld: 40 holletjes in de sneeuw achter 40 hoger uitgegroeide graspollen . . .
Bonte strandloperswolken trekken voortdurend langs de land- en watergrens.
Vroeger, helaas vroeger, kwamen hier 120-140 ooievaars uit Transvaal op hun wagenwiel terug. Hun eerste klepperen is me bijgebleven: een van de mooiste voorjaarsgeluiden.
Ik troost me als ik op een maartmorgen het zware oe-wroemm . . . oe-wroemm van een roerdomp van ver uit de rietkragen bij het meer hoor doorklinken.
Het preludium zwelt . . .

APRIL

> Hoe sil ik sizze, hwat myn herte fielt . . .
>
> *Rixt*

De grote vogelbewegingen uit Centraal- en Zuid-Afrika, die afhankelijk van temperatuur, wind en weer al maanden op gang zijn naar het noorden, raken, bereiken ons meer en meer. Ze brengen, ,,swellestoarm as net", nieuwe voorjaarsherauten mee. Vertrouwde wintergasten verlangen naar zonlicht bij dag en bij nacht . . . naar taiga of toendra . . .
Het gras groeit! Goudgeel pronken de dotters langs de veenslootjes. Wilgekatjes bloeien, ook speenkruid en bosanemoontjes. Nog voor het eind van de maand zullen honderd tere tinten groen alleman blij maken.
Nog zijn veel vogels niet ,,toplak". Va et vient . . .

Wilsters, prachtig uitgekleurd, zetten vliegende vaart, ook achter hun noordelijke reisplannen.
Koperwieken in de ,,dykswâllen", je hoort soms iets als zang, trekken straks naar Scandinavië.
De wolken kramsvogels ,,tjakkerend" op het veld, in de bomen of in de lucht zoeken en vinden ook hun broedterritoir in Noorwegen of Zweden.
,,Fjildlysters" broeden trouwens ook in het Schwarzwald of Zwitserland, koperwieken weer niet . . .

„Skierroeken", bonte kraaien dus, trekken ook naar fjord en fjell. Waarom, denk je, als je ze in Israël, hartje voorjaar, ziet broeden . . .

De „âld-roeken", zwarte kraaien, blijven hier speurend boven het kievitenen gruttoveld vliegen. Niet in vrede trouwens . . .

Op een dag met frisse wind, zon, blauwe plekken tussen witte wolken, drijven tien, twintig buizerden erg hoog, zwevend, cirkelend op thermiek gracieus voorbij . . . We winnen elke dag in tal en lust . . .

Eén zwaluw maakt geen lente. Ze zijn niettemin ineens terug, helemaal uit Zuid-Afrika. Alle drie. De kwetterende buiten- maar ook binnenzanger in de schuur (zingen in huis, welke „wilde" vogel doet hem dat na?). De metselaar („Wytgat") die zonder bouwvergunning onder onze overstekken bouwt en de aardkleurige holengraver met sneeuwwitte eitjes . . .

Boven kanaal, sloot en meer zweven rank, slank grote witte „zeezwaluwen", visdieven. Noordse sterns misschien, terug of nog bezig met een wonderlijk lange jaarlijkse reis.

Zwarte sterns die mugjes vingen in Mozambique vinden hetzelfde poeltje in „Lytse mar" of „it Súd" terug waar krabbescheer net van de veilige winterbodem omhoog durfde drijven . . . Ondergrond voor hun nest.

Hun familie, de fijne dwergsterntjes of de grote sterns, ook trekkers langs verre kusten, zullen de Skelpebank bij Makkumer Waard of het Griend terugvinden. De rampen door onze gemene chloor-koolwaterstofvergiffen in de jaren zestig, zijn hun niet voorbij gegaan . . .! Het gaat nu beter.

„Hastû de koekoek wol ris yn maeije roppen heard?" Dat was een oud doordenkgrapje. Soms roept hij in april! Al voor het eind van de maand hoor je, als achtergrond van uitbundige vogelzangen en geluiden, z'n zomerse eigen naam. Net of hij nooit was weggeweest . . .

Wilgekatjes - H. F. de Boer

Als iemand uitbundig, heerlijk blij is, kan jubelen, dan is hij, bij ons, „sa bliid as in protter". Steeds minder past dat spreekwoord blijkbaar, maar dat ligt niet aan de „protter". Kijk en luister: glanzend in de voorjaarszon met blauwe, groene en paarse weerschijnkleuren, in extase afhangende vleugelpunten en de „tsjotterjende" snavel en opgezette keel hemelwaarts gericht, is hij allerduidelijkst symbool van alles wat blij is met leven en licht.

Alle „tophits" van de week worden vreugdevol zonder plagiaatproblemen geïmiteerd . . . zelfs een wulpenjodel!

's Nachts is de lucht vol vogeltrekgeluiden: Witgatjes, bosruiters, zwarte ruiters, groenpootruiters, eenden, scholeksters. In stille nachten hoor je zelfs ook het suizen van vlugge vleugels.

De „nieuwe" wintervaste tortel sedert 1949, Turkse tortel heet hij, krijgt gezelschap van een familielid dat hier al lang thuis was. Ons eigen, bescheiden, fijne torteltje, mooi getekend, met witgezoomde staart vindt de Gaasterlandse of Dutours bossen terug. Z'n slaperige toerr . . . toerr . . . toerr . . . introduceert straks de sfeer van hoogzomer . . .

Het zangersfeest in bos en wal nadert het hoogtepunt: zwartkoppen, braamsluipers, fluiters, roodstaarten, grasmussen zingen nu mee met vinken, tjif-tjafjes, fitissen, mezen, zanglijsters, merels, grote lijsters, geelgorzen en meer. Ieder op eigen wijs en voor eigen broedterritoir. Ken je de zangen, dan ken je de zangers. Tel je de zangers dan kun je het aantal gevestigde paartjes aardig benaderen.

Veel Friezen zijn „fjildlju". Dit is hun tijd . . . Ze zoeken, vinden kievitseieren, ja zeker! Maar ook: brede sloten, de lengte van je pols en je eigen maat . . . Kou, striemende regen, hagel, blauwe luchten, de sfeer van de morgenschemer, de zon die de dauw elimineert, de letterlijk schitterende velden, verte, vrijheid, trillende voorjaarswarmte boven de mieden.

Leeuweriken als stipjes muziek tegen witte wolken, kievit-mannen „wach" en in glanzend wit-groen-blauw-zwart-purper ornaat.

Je hebt binnen plezier aan het grito-grito-grito van een grutto op baltsvlucht. Dan op de rechter, dan weer op de linker vleugel vreugde uitzingend en vliegend.

De snelle rumoerige jacht van drie grutto's met partner-problemen . . .

„De skries op 'e hikke", geen kievit zal zich ook maar één keer vergissen en het nadoen . . ., tureluurs met afhangende trillende vleugels, hun aprillove zang als een welluidend „bingeltsje" in de verte.

Het tsjikke-tsjikke-tsjikke van een meer dan verloofde watersnip.

Kemphanen, ,,foddeboskjend" op hun ,,lek".

Scholeksters in timide ,,bejaarden-groepen" op de ,,polderdyk", (elk jaar dezelfde plaats), of als lawaaierige tieners in de lucht, een rietgorsje in het wilgenbosje, graspiepers ,,oerstjûr" met gespreide vleugeltjes dalend naar het beste plekje op aarde . . .

Twee bruine kiekendieven, stijgend in vloeiende curven, vallend, zwetend in geweldige baltsvlucht boven de ,,reidsompen" . . .

Drie slobben in een kleurrijke vliegakte: cherchez la femme . . .

Een ,,doofstom" bokje schiet, één meter voor je, flitsend weg, zonder ,,zig-zag" overigens.

Ruimte, licht, blauwe luchten, witte wolken, geluiden, zangers, kleuren . . .
,,Hoe sil ik sizze hwat myn herte fielt?"

Toegegeven: Het ,,evenwichts"beeld van vroeger wordt aangevreten door een heel complex van negatieve factoren. Maar kennis, interesse, zorg en nazorg horen nog steeds bij elkaar. Die kennis moet vroeger trouwens enorm zijn geweest . . . Je had, vertelt men, in Bergum ,,tûke aeisikers" die aan het gedrag van dat ,,douke" konden zien of er een ,,rode star" dan wel een ,,bintsje" als ,,koai" (fopei) in het kievitsnest lag . . .

MEI

> Maeimoanne pronkseal binne de Wâlden . . .
> *Harmen Sytstra*

En ,,de Wâlden" niet alleen . . . De laatste trekkers, tegelijk met hogere isothermen, komen nu aan. En, al voor het eind van de maand is een *alternatieve* trek op gang: de voortrek van de kieviten . . .

Alles groeit, bloeit, alles wat ,,wjok en fear" heeft, zingt, baltst, nestelt, broedt. In de eerste weken zijn de ,,kampkes" in de Wouden goudgeel van duizend paardebloemen, soms paars van ,,pinksters". Klauwieren en spot-vogels zijn terug.

Op 1 mei, het mist nooit meer dan enkele dagen, zijn de gierzwaluwen terug, muurzeilers heten ze in Duitsland. Virtuoze, onstuimige, stille, soms luidruchtige, haarscherpe vliegers om kerk en toren.

Water is levensnoodzaak voor vissen, de lucht is *het* element voor deze zwaluwen, die geen zwaluwen zijn. Ze vliegen om te eten, eten om te

30

vliegen . . . Vrijen, rusten, slapen, spelen, jagen, eten, alles in de lucht. Dat broeden op een vast plekje in de muizetandspleet van een Romaans kerkje moet dan wel een *erg* moeilijke opgave zijn. Zelfs hun nestmateriaal vliegen ze bijeen. Ook vroeger viel dat op, men meende zelfs dat ze geen poten hadden en dat komt leuk terug in hun Genus-species naam apus-apus (pootloos).

Deze dynamische, snelle, suizende sikkeltjes horen bij het „life"zomertafereel van toren, dorp en stad. Bij restauraties zouden we hun nestgelegenheid moet sparen of maken . . .

In het bos hoor je ineens het geluid dat je aan „rikeljuwe" herinnert, de nogal mensenschuwe „gielgou", de wielewaal, schitterend geel met zwart is aangekomen.

„Better let as net", en erg „gewoon" is hij jammer genoeg niet meer . . . Straks erg verborgen in een takvork hangt het wonderlijke, geweven wolnest.

Vroeg, in en na de schemer, op het grasveld naast het Fochteloër hoogveen baltsen in geheimzinnige, ongezien afgepaalde rijkjes de korhanen! Vliegen twee op nog onbekende hennen verliefde hanen in „a fluttering jump" tegen elkaar op, blazen (letterlijk) het liefdesvuur aan en uit . . .

De sterkste hanen in de kleinste rijkjes centraal in het baltsgebied. Mocht een haan dit jaar het loodje leggen, hij wordt vervangen, maar de voor ons ondefinieerbare wetten van het jaren oude territoir veranderen nagenoeg niet . . .

De hennen draaien net als bij kemphennetjes, voor alle huiselijke zorgen op. Niet geëmancipeerd of is het matriarchaat?

In de avondlucht, scherp getekend tegen het rood van de ondergaande zon, trekken rijen regenwulpen langs eeuwenoude routes: Noord Oost. Het bi-bi-bi-bi van de ene groep echoot nog na als de volgende groep al weer fluitend in zicht komt. Dr. Eeltsje Halbertsma wist dat ook. Lees z'n „Geale sliepke" er maar eens op na.

Midden april begon het, nu op sommige avonden, begin mei, in Buitenpost tenminste, is de trek spectaculair en sterk. Bij windkracht 8 en regen sparen ze energie door laag te vliegen.

Op de Duurswoudsterheide of ook in de Wildlanden bij Eernewoude jodelt „onze" wulp al boven vrouw en nest.

31

Juichend klagen of klagend jubelen?
Onder de reigerkolonie in het bos liggen al een poosje lichtblauwe doppen.
De jongen produceren de gekste dissonanten . . .

Het permanente seizoengevecht tussen roeken (zwarte kraaien) en weidevogels wordt met élan, energie, slimheid en bekwaamheid boeiend gevoerd.
Dertig tot veertig kieviten, grutto's, scholeksters, schreeuwend, priemend,
flitsend, stijgend, duikend, flapperend, klappend achter één ,,âld roek'', een
kiekendief, buizerd of meeuw desnoods. Typisch is, dat tureluurs niet erg
van ,,beschermend vechten'' houden. Nestelen ze daarom soms zo dicht bij
een kievitsnest?
Soms, waar komen ze ineens vandaan, ,,hangen'' vijftig kieviten, grutto's
en tureluurs schreeuwend, poten omlaag, en masse laag boven het gras.
Ze hebben een hermelijntje of wezeltje ontdekt, z'n relatief oneerbare be-
doelingen worden luidruchtig ontmaskerd . . . Als hij alle getier zat, onder-
aardse veiligheid vindt, keert ,,op slag'' de waakzame rust terug . . .
Als in de tweede week van mei de meidoorn bloeit, het goudgeel van
paardebloesem verandert in duizenden witte, ingenieus geconstrueerde
,,lampkes'' (,,blaesblomkes'', zegt kleine Libbe), is voor mij het hoogtepunt
van voorjaarsbloei en -activiteit bereikt. Kieviten en grutto's, scholeksters,
tureluurs en snippen proberen luidruchtig klagend hun jonge nestvlieders te
beschermen tegen honderd gevaren. Afweerstrategie en moed tegen kraaien
en wezeltjes is ruim voorhanden.
Wat kun je tegen hokkelingen, cyclomaaiers, economische wetten en los-
lopende honden en nonchalance van mensen beginnen . . . De mensen *zelf*
zullen de helpende beschermende hand moeten bieden. Nazorg noemen ze
dat in de B.F.V.W. (Bond van Friese Vogelbeschermingswachten). Good
luck, indeed!

Land met vee ziet goudgeel van uit eigen belang gespaarde boterbloemen,
soms is (was) er een hooiland prachtig rood-bruin van ,,sûre surken'' (zu-
ring).
Steeds vroeger, steeds efficiënter, zelfs 's nachts met zoeklicht ronken loon-
cyclomaaiers rond . . . Harde economische regels opgelegd, vaak tegen wil
en dank, aan hardwerkende, voor hun bestaan vechtende boeren, kosten
duizenden jonge vogellevens in deze mooiste maand! Boer *en* nazorg-bur-
ger voelen zich vaak machteloos . . . *Hoe moet dat?*
Toch: zorg bereikt meer dan nonchalance. Modern rekenen sluit een warm
hart niet uit. Een ,,silent spring'' in greiden en mieden is een verschrikke-

Fuut, - J. H. P. Westhof

lijk schrikbeeld, dat nooit, nooit realiteit mag worden. *Hoe moet het?*
Ontsluitingen, ruilverkavelingen, wegen, auto's en mensen overal, diepont-
wateringen, grondverbeteringen, vroegere, meer intensieve, meer frequente
grondbewerkingen . . . Meer „It Fryske-Gea" en Staatsbos-natuurgraslan-
den. Zeker! Maar *hoeveel* en *waar?* En *wie* betaalt, onderhoudt, beschermt?
Mochten er „aves frisica", bestaan - Ts. Gs. de Vries dacht het - dan de
greidevogels wel het eerst en meest . . .

Als het meeste gras gemaaid, in „rijkuil-plastic bulten" opgeslagen of weg-
geraspt is, komt er een boeiende voortrek op gang tot midden juli.
Meest jonge, ook ouderejaars kieviten uit het oosten van Europa trekken
bij duizenden in koppels, groepjes op onze malse voedselrijke weiden aan.
Sommige kort-gras-weilanden staan „vol". Wolken kieviten en verdere familie vliegen als de weerlicht energiek omhoog voor elk vermeend of werkelijk roofvogel- of vliegtuiggevaar. Ze zullen kostelijke internationale
kostgangers blijven tot de vorst. Geleidelijk of in een snelle „rush" al naar
het weer, zullen ze dan naar de Garonne in Frankrijk, de Douro in Portugal, Las Marismas in Spanje of nog verder uitwijken. Jagers zorgen daar
voor vannaux-aanbiedingen bij de „marchands de vollaille". . .

De eendekuikens sneppen naar mugjes, groeien als kool, al slinkt hun
aantal met de dagen . . .
In de poel zwemmen zwarte duveltjes, met rode blesjes, meerkoetjongen.
In de rietkraag aan het meer verbergt een in 't broeden gestoorde fuut zijn
van blauw tot bruin geworden eieren voor een vroege roei-recreant. Gauw
een bruin, rottend „snile"dekentje erover . . .
Zomertalinkjes en slobben leggen grasmatjes over hun 10-15 eieren in de
weelderige graspol.
Karekieten en andere rietzangers zingen eigennamen en vlugge zangen,
vlechten kunstig nesten in het bijna volgroeide riet.
Merels en koolmezen zijn al actief met hun tweede broedsel bezig, om
mussen maar niet te noemen, die broeden soms vier keer . . .
Vorig jaar broedden spreeuwen in onze tuin na hun april-mei jongen ook
nog juni-jongen uit. Dat doen ze niet altijd.
In bos en heg verminderen de zangen. Die zijn soms minder functioneel
geworden en altijd sperrende vogelbekjes laten trouwens weinig tijd . . . In
veel huizen met tuinen wenst men eksters en katten menige grimmige
dood . . .

Maar boven de weilanden zingen de leeuweriken nog steeds!

JUNI

Ik ken't net keare dat de floed fan sinnepracht
myn hert birint . . .
Fedde Schurer

De dagen lengen tot „de zon keert". De grote vogeltrek is zo ongeveer tot stilstand gekomen. Hoewel, sommige vogelgebeurtenissen komen verrassend ongedacht. Wie weet meldt „Fûgeltsje Bosch" - bijnaam met ere - een kruisbekkeninvasie. Ze broeden vroeg en zo kunnen nu en dan en onverwacht, zelfs in juni al, scharen jonge kruisbekken op invasie-kruistocht gaan vanuit Finland of Zweden naar de rijpende zaden in het coniferen-luilekkerland van Beetsterzwaag of Bakkeveen. De hoofdmacht komt dan in juli.

Mijn eerste prachtig rood gekleurde kruisgebekte kruisbek zag ik tussen glanzend oranje-rode, dus vroeg rijpe „koetsekralen" in augustus. Die sorbus aucuparia kan ik u, na zoveel jaar, nog erg goed aanwijzen . . .

In elzewallen en bosjes „tilt it op" van luidruchtige, vale, jonge spreeuwen. Het jeugd-geel nog om de snavels. Uit Baltische landen en Duitsland vinden jonge spreeuwen hun weg naar de lage landen en . . . rijpe kersen! En dan nauwelijks vier weken oud!

In de „kobbeflecht", de kokmeeuwenkolonie, zijn jongen. Het mag dan in het Diaconieveen bij Oldeberkoop zijn, of op een pollen-meertje in de Duurswoudsterheide, het is een geweldig lawaai. Tevredenheid, liefde, afgunst, ruzie of honger, klein of groot alarm, je hoort het allemaal . . .

In het aparte open nestkastje met overstek tegen de garagemuur tussen klimop en bramen broedt, nu jaren, een stille laatkomer. Een grauwe vliegenvanger is het. Eind mei ongeveer, behendig, zonder enige ceremonie of fanfare zijn ze gearriveerd. Zo behendig dat ze - hoe bestaat het - al een nest hadden voor ik het merkte . . .

Het timide ijle haastige zangversje had ik niet gehoord. Maar prachtig in deze stiller wordende maand zijn de snelle, speelse trefzekere vliegenvang blitzvluchten . . . Stukjes van hyperbolen, parabolen, sinusoïden en, geloof ik, alle andere geometrische en mathematische figuren en lijnen. Het eind is meestal een hoorbare snavelklap en het slot van een vluchtig vliegenleventje.

Ze geven het juni-tuintje schaal, beweging en „leven". Zo, dat ik er elk jaar meer naar uit zie. Vorig jaar broedden ze twee keer; 3 augustus vloog de tweede generatie uit.

Verrassend mooi is het hoeveel je in een „sljocht en rjocht" dorpstuintje (aan een sloot) van 20x30 meter aan vogelleven kunt meemaken. Wilt u het resultaat van één vogelbroedjaar rondom „Fûgelflecht"? Hier is het fleurige lijstje: 15 wilde eenden, 5 waterhoentjes, 10 merels, 10 spreeuwen, zeker 5 mussen, 12 koolmezen en 10 grauwe vliegenvangers. 67 jonge vogels . . .! Alzo: bij alle boeiende vogelreizen en avonturen „fier om utens", vergeet het eigen tuintje niet . . .

Evenwel het loont ook nu weer de moeite en maak een juni-ontdekkingstocht naar Waard, Wad en slik. Vanaf de slaperdijk heb je een goed overzicht over een wijdse strook „buitendijks" land. Behalve ontelbare witte meeuwen-puntjes ontdek je ook kluten. Prachtige wit-zwart concepties met hoge blauwgrijze poten en sierlijk opgetipte snavel. Ze hebben jongen.

Als reactie op de „indringer" voeren tien tot twintig kluten een allerwonderlijkst pias-spelletje op. Ze slepen dan weer met de ene, dan weer met de andere vleugel door het gras. Dan weer vliegen, dan weer slepen. „Dodelijk gewond", draaien en wringen ze zich in bochten. „It rint om it lêste". . .

„Geloven" ze het zelf? In ieder geval: met die gekke vertoningen en een luid en eindeloos kluut-kluut lokken ze argelozen van nest of jongen vandaan. Het zal wel instinctief toneel zijn. Injury feigning noemen de Engelsen het. Zodra je retireert, worden ze sierlijk en zeer charmant als steeds . . .

Strandpleviertjes en bontbekjes bij Makkum op de „Skelpebank" doen naar eigen wijs en eer, óók aan die „injury feigning".

Hun „binnenlandse" familie, de kleine plevier op een zandberging of zandopspuiting in Sneek of Buitenpost is niet anders. Zo ineens, mèt het zand, zijn ze verschenen, klein, kwiek, wit bruin-zwart, geel randje om het oog. Raakt het zand begroeid, dan moet je ze volgend jaar op kalere zandplaatsen zoeken. Net als de andere pleviertjes, scholeksters in de duinen en vele anderen broeden ze ook en nog in juni.

Soms zelfs kunnen kieviten, eerder verstoord door rijkuil- of andere agrarische activiteiten dan nog eieren hebben. Je zou wensen dat ze zich op die manier gingen aanpassen . . .

Visdieven en dwergsterntjes broeden ook vrij laat. Op het wad trippelen of vliegen groepen steltlopers, kanoetstrandlopers, steenlopers, rosse grutto's en wolkjes bonte strandlopers. Ze broeden niet. Overzomeraars noemen we ze. Wellicht zijn ze nog niet „broedrijp".

Nu, in 1975, voor het eerst na het begin van deze eeuw, oefenen vier jonge lepelaars zich in de „It Fryske Gea"-eendenkooi bij Anjum voor hun vliegbevret in het 8 meter hoge nest . . . Voor „fûgelers" een erg apart evenement.
Artistiek helder grijs met zwart-gestreepte, jonge bergeenden zijn uit de dop gekropen in de tot bergeendenest ingerichte konijneholen in het Veenkloosterbos. Door sloten en weilanden, Kollumer dorpsstraten desnoods, zoeken ze hun uiterst gevaarvolle, all-risk-weg naar Dokkumer Nieuwezijlen. De twee bergeendouders, hij met knobbel, zij iets kleiner, vooraan in de vlucht, doorstaan duizend angsten en zorgen. Terecht! Hoeveel „pykjes" zullen het Lauwersmeer, het Wad bereiken . . .?

JULI

De rûge holders sûzen
Troch blomkes en troch krûd
En troch de stânnen rûzen
de simmertwirkes lûd.
Dr. Eeltsje

Hoogzomer. Toch lijkt het een beetje op dood-tij in het vogeljaar. Toegegeven, juli is niet mijn favoriete vogelmaand, hoewel er meer trekbeweging is dan in juni. Maar dat merkt niet iedereen.
De dwergmeeuwtjes, ze broeden soms en zeldzaam in nieuwe Lauwersmeersteppen, gaan al op rui-reis. Groepen snippen, kemphaantjes, de aparte kragen „verslijten" al, ook grutto's komen in beweging voor de grote Afrika-reis. Al op het eind van de maand zijn veel grutto's verdwenen. Een snelle nachttrek geeft buitenlandse jachtgeweren kleinere kansen. Je zou het de kieviten willen influisteren . . . Echter doordat grutto's ontkiemende rijstkorrels in Senegal bovenaan op hun wens-menu hebben staan, zijn ze daar meer dan vogelvrij . . .

Met erg veel plezier zou ik nu een mooi verhaal schrijven over een heel aparte juli-broedvogel, de kwartelkoning, onze „teapert" of „kreakhintsje", de crex-crex. Helaas . . .
Men nam aan dat Grieken, die meenden dat hij als koning „kwartel-wolken" aanvoerde, hem die naam gaven voor zijn erg opvallende zomernacht- en dagroep: Rerrp-rerrp . . . rerrp-rerrp . . . Geheimzinnig, eentonig, doordringend, aanhoudend . . . Eén keer zag ik hem als een schim . . .

Jaren heb ik nu en dan op fijne afkoel-avonden geboeid geluisterd naar dat aparte vol-zomer geluid uit het volle hooiland in Augustinusga of Buitenpost. Nog één keer hoorde ik dat ,,kreakjen" op een zomerse middag op ,,de Hoorn" bij Delleburen. Nu al in geen jaren meer . . . De moderne agrarische omstandigheden zijn hem bijna noodlottig geworden.

In het idyllische zomervers van Dr. Eeltsje, zonet even aangehaald, hoort hij zo vanzelfsprekend bij zon, zomer, warmte, ,,twirkes" en hooiland: ,,De skouwe teaperts songen d'âlde, lange team . . ." Dat lijkt voorgoed voltooid, verleden tijd . . . De verhalen over ,,teaperts", doodgemaaid op het verborgen nooit te vinden nest, werden ook te frequent . . . Geen mooi verhaal dus.

Een ander met legende omgeven vogelgeluid op stille, zwoele sfeervolle zomeravonden is, jammer, ook erg zeldzaam geworden: het appellerende pieuw . . . pieuw . . . pieuw . . . van een steenuiltje op de nok van een boerenschuur of uit een ,,wylgemûs" (knotwilg).
Laat men dan vroeger in dat geheimzinnige schemergeklaag iets van dreigend onheil gehoord hebben, rouw of dood . . ., ik hoor het graag. Het past bij de ietwat weemoedige sfeer van zomerschemer. Bij zomernachten, stil en windstil en feeërieke volle maan . . .
Strenge winters kan hij slecht tegen, maar die waren er de laatste jaren niet . . . Zijn onze ,,ûlebuorden" nog wel echte uileborden met een vriendelijk uitnodigend gat? Zijn knotwilgen, z'n lievelingsboom, te schaars geworden, of . . . zijn insecticiden zijn indirecte sluipmoordenaars?

Waar ineens zijn al die prachtig-glanzende woerden gebleven? Je ziet alleen maar vrouwtjes . . . Het lijkt zo. De heren zijn vermomd! In de zomerrui. Eclipskleed noemen we dat. Ze trekken vaak naar veilige rietmoerassen en meren. Hun slagpennen zijn ze kwijt. Invalide dus. En dat gedekte vrouwenpakje camoufleert beter nu ze een tijd niet op de wieken kunnen.

Wonderlijk, maar toch . . .: de wijfjes ruien pas *als de jongen zich zelf kunnen redden!* Dat is dan zo'n detail, één uit duizenden. Een klein, groot wonder . . . Voor scherpe ogen: woerden houden hun gele snavel, bij wijfjes is die wat groeniger, bij jongen rossiger.

Straks in oktober ruien ze opnieuw. Nu blijven de slagpennen. En dan, fonkelnieuw, glanzen alle kleuren: groen, wit, bruin, beige, zwart en grijs. Hun voorjaar is begonnen . . . voor de winter!

Vandaag, midden juli, een zomermorgen met dauw, lauw, laag en traag, half drijvend, half vliegend, glijdt een groep kieviten over het veld. Als ze roepen klinkt het wat droef. „De brân is der út" en inderdaad, ze zijn bijna ongeslachtelijk.

Uit de verte roekoet een tevreden houtduif. Z'n wijfje broedt nog op de twee smetteloos witte eieren. Zo ijl is het dunne takjesnest in de meidoorn, dat we vroeger soms al van onderen konden zien of ze eieren hadden . . . Zelfs als je bramen zoekt in september, kan het gebeuren dat je ineens schrikt van een met een klap wegstuivende houtduif, die nog broedt.

Op slik en Wad is volop leven en beweging. Grote wolken rosse grutto's, bonte strandlopers, bontbekjes, scholeksters, houden geweldige vliegma-noeuvres.
Zwarte sterns, pas in april-mei gekomen, trekken, de jongen groot, in wat lichter kleuren, nu al weer over en door naar tropisch Afrika. Doorzetter-tjes!

De slootkant bloeit: zachtrode zwanebloemen, romig witte moerasspirea, purperrode kattestaarten, felgele wederik, zachtrose leverkruid. Tussen de gele plompen scharrelen twee waterhoentjes met drie vlugge vaalbruine jongen, die behendig duiken bij gevaar.
Het mannetje baltst, z'n kwieke staartje gaat omhoog. Met de witte staart-zomen pronkt hij als een pauw . . . Wie weet komt er nog een tweede nest met vijf roodbruine stippeleieren. Men zegt dat soms de eerste generatie meehelpt om het tweede zomerkroost mee groot te brengen . . .

Vakantie: Duitsland, Zwitserland, Joegoslavië . . . Daar en dan dringt het pas goed tot je door hoe rijk, hoe gevarieerd, hoe groot onze vogelpopulatie is.
In Italië aan de Arno vond ik op een mooie zomermorgen drie patronen, zag ik één kwikstaart en één meeuw en enkele rietzangers.
In de rietlagunen voor Venetië had ik na een halfuur varen bijna nog geen meeuw gezien . . .

Dan besef je eerst goed, hoe uniek, hoe apart onze weilanden, meren, moerassen, wadden en slikken zijn . . . En . . . wat vogelbescherming en natuurbehoud hier *kan en moet doen.*

38

Jonge Grauwe Vliegenvanger   -   H. F. de Boer.

AUGUSTUS

It wetter blinkt yn mylde rêst,
de joun dy hat syn fjurren dwêst
en 't barnend libben is forstoarn.
Sjoerd Spanninga

In deze maand trekken hele ritsen vogels weg. Richting: zuid! Grote sterns, noordse sterns, visdieven, zwaluwen langs de kusten. Ook de eerste groepen gierzwaluwen en de virtuoze zangers. Bijna allemaal trekken in de nacht.

In de zomernacht hoor je nu en dan verre trekgeluiden. Je blijft staan, luistert, denkt . . . Ze zijn gekomen, met vlag en wimpel, ze manifesteerden zich uitbundig met zang en balts. ,,Tiden ha tiden". . . Nu dit afscheid met erg stille trom, zonder ophef, in het donker . . . Sneeuw en ijs, ,,fûle froast", ze hebben er geen weet van, toch gaan ze . . .

Waarom? In Afrika is ruimte, warmte, een heel jaar lang volop te eten, toch vliegen ze straks de lange weg terug. Vaak dezelfde vogels zoeken op hun route naar b.v. Oldeboorn, Ferwerd of Appelscha . . . Waarom en hoe? Ook het augustus-deeltje in mijn jaarlijks vogeldagboek - de stapel is nogal gegroeid - is altijd erg dun.

Soms en dat mag: bij een ,,broeiske" vochtige maand zijn paddestoelen meer in tel dan vogels: russula's, zadelzwammen, viltige maggizwammen, scherpe marasmius, parelamanieten, cantharellen, champignons, ridderzwammen of kastanjeboleten. Er zijn buiten, boven je, dichtbij, veraf, zoveel machtige kleine en grote dingen. Al ben je met zes jaar, via kievitseieren, met vogels begonnen: bloemen en bomen horen er bij en stenen, sterren, vlinders, schelpen, fossielen, kevers, gemzen, steenbokken, rendieren, muskusossen. Dichtbij: wezeltjes, reeën, hazen, egels . . . en . . . Psalm 8, vers 9, zal ik maar zeggen. Maar . . . Akkoord, tot de orde: het gaat hier en nu over vogels het jaar rond!

Vaak staat er in ,,augustus" een verhaal over ,,swierwaerwolken", ,,moaije tongerkoppen", *mieren en vogels* . . .

Dan, op een drukkend warme dag gaan vliegende mieren ter bruiloft. Geweldige activiteit beneden: onophoudelijk stijgen honderden mieren met zilvervleugeltjes op voor hun grootste feest . . . En boven flitsen, vliegen, zweven in verschillende hoogtelagen de feestgasten als gastronomen . . . Soms zo onwaarschijnlijk veel dat de mensen vragen: ,,Hwat is dat mei al dy fûgels boppe it doarp?"

Ze hebben het op de minuscule mierenbruid en -bruidegom voorzien . . .
Door de durend omhoog stijgende stroom schieten kris-kras, her en der
zwaluwen met witte stuitjes. Boerenzwaluwen hebben het sierlijke „swel-
tsjetippen" boven de vaart gestaakt voor blijkbaar lucratiever bezigheid. Bij
sommige mankeren de „swellesturten", dat zijn de jongen. Daar boven een
verspreid spreeuwenleger: vliegend, zwevend happend . . .
Soms hoger, lager, zuidelijker, noordelijker, drijvend op thermiek, zweven
cirkelend, kokmeeuwen, wellicht ook stormmeeuwen. Nu en dan, plotseling
onderbreekt er een zijn zweefvlucht. Een paar vleugelslagen, even „stil-
staan" een pik . . . De duizenden jaren oude stamboom van althans deze
mier vindt hier een definitief eind . . .
Hoe komen er mieren door dit verschrikkelijke cordon? Als je de mensen
die 's zomers met spuitbussen mierenlegers te lijf gaan, mag geloven, blijven er echter voldoende . . .

Er komen warme, stille avonden met veel „neven en nichten". Er fladderen
(nog?) vleermuizen om je huis.
Ineens in de schemer, langzaam, het vliegend silhouet van een geweldig
grote vogel. Absoluut geruisloos. Een uil moet het geweest zijn. Opvallend
groot, te groot zou je zeggen.
Echter, schemer en mist geven vogels een andere dimensie. Op een mistige
aprilmorgen, in spanning turend, kan het gebeuren dat je een kievit ziet die
bij nadere determinatie Sturnus vulgaris heet . . . Enfin: soms waant ieder
zijn uil een valk te zijn . . .
Maar dit is dan een „goudûle", een kerkuil. Jammer, lang niet elke zomer
zult u hem zien. Door onze vergiffen was de kerkuil in ons land van
1960-1970 van *3000* tot *300* paartjes gereduceerd . . . We hopen . . .

Wellicht was het u opgevallen bij het IJsselmeer of in het veld, dat er meer
slobben, wilde eenden en zomertalingen gekomen zijn. Zo'n paartje zomertalinkjes vliegt al vroeg in het voorjaar - je schrikt - vlak voor je weg uit de
sloot. Klein maar fijn. Zo'n paartje heb ik eens kunnen besluipen tot op
vier à vijf meter. Het woerdje was schitterend, de verenstructuur en de
afhangende vleugelveren maakten diepe indruk op me.
Nu vertrekken ze, bij eenden hebben ze de primeur, naar de evenaar.
Duizenden nòg kleinere eendjes, de kleinste, wintertalingen komen hier
juist nu, op bezoek. Ze blijven voorlopig. Het is een tref, maar mocht u
eens op een heldere februaridag duizenden wintertalingen in stromen en
wolken vliegmanoeuvres zien uitvoeren, blinkend in de zon, dan is dat

indrukwekkend. Om aantal, verbluffende wendbaarheid, blinkend licht, op de binnenwieken, levenskracht en levensdrift.

Dit is ook de tijd van leuke, doch moeilijke, extra vogeltelefoontjes. Veel jonge vogels zien er heel anders uit dan ,,heit en mem''. Bij vogels is dat allang modern. Bovendien is het helemaal niet zo simpel. Niet alleen *kan* één vogelsoort, species staat in de boeken, er als man en vrouw totaal verschillend uitzien (b.v. bij kemphaantjes, zelfs óók in grootte). Ze hebben ook een *jeugdkleed*. Meeuwen b.v. 2 jaar, elk jaar verschillend. Verder is er een prachtkleed, een eclipskleed, een winterkleed met *alle* overgangen . . . Weer andere vogels blijven het gehele vogeljaar door praktisch gelijk. Moeilijk, soms zelfs voor échte vogelaars . . .

Het telefoonverhaal kan zó luiden: ,,Bij ons in de straat loopt een grote bruine kip, net een fazanthen. Als hij niet zo bruin was zou het ook een *zeevogel* kunnen zijn . . .'' Het blijkt dan een eerstejaars bruine zilvermeeuw te zijn, die blijkbaar al vlug door de ouders was meegenomen naar het luilekkerland, dat de mensen dwinger, vuilnisbelt noemen . . .

Nog één grappig voorval. Vanaf de eerste verdieping zie ik twee goede vogelwachters ons paadje opkomen. Een open doos met een lei-grijze vogel wordt voorzichtig meegedragen. Jong waterhoentje, zie ik . . . Kleurrijk worden, bij de voordeur, mijn vrouw vindplaats en omstandigheden van deze zo ,,frjemde'' vogel meegedeeld.

Dus, een jong ,,reidhintsje'' gevonden, constateer ik laconiek even later. Opperste verbazing, resolute ontkenning. Een waterhoentje met rode bles, kenden ze ,,fierstogoed'' en bovendien: ,,Jo ha de fûgel net iens sjoen . . .''

Toen de vogelboeken geopend, onweerlegbare bewijzen geleverd waren, zijn ze lachend, zij het wat ,,biskamsum'', vertrokken . . .

SEPTEMBER

De groun is gêrstlich fan in ier bidjerren . . . Hoe lij is jit septimbers lêste skyn,
André R. Scholten

Schaduwen worden langer. Het nazomerzonlicht schept soms een milde, dromerige, filosofische sfeer.

Verval, vervulling, nostalgie of alle drie?

De lijsterbessen gloeien warm oranje-rood. Bramen rijpen, donkerblauw glanzende invitatie voor mensen en vogels. Atalanta's pronken op de eikestam, gamma-uiltjes - ,,nachtvlinders'' die ook overdag vliegen - peuren

Kleine vos - H. F. de Boer.

honing uit mignon dahlia's, zandoogjes zonnen op het bramenblad. Argus-
vlindertjes, dagpauwogen en kleine vossen hebben de rose sedumschermen
gevonden. Bij vochtig weer zijn er paddestoelen in heksekringen of solitair
in alle vormen en kleuren. Spreeuwen, blij met zon en sfeer, vrij van dure
plichten imiteren onbezorgde voorjaarszangen. Een koolmeesje zingt . . .
Op het niet gemaaide gras en onkruid van braakliggende bouwterreinen,
laissez faire Gemeente, zoeken groepjes bijna exotisch gekleurde puttertjes
hun zaadjes. Kwieke ringmusjes en kneutjes snoepen van veenwortelzaden.
Straks zijn er ook vinken en bij het opvliegen ontdek je acht of tien vogels
met heldere witte stuit: kepen, familie en vaste vinken-vrienden. Allerlei
verwachte en ook onverwachte dingen kunnen er gebeuren. In het poeltje
bij de vaart rusten, zonnen, pikken wel 200 watersnippen.
In de Anjumerkolken zie ik uit naar de eerste grauwe ganzen. Vroeger
hebben ze hier gebroed (tot 1904 in Eernewoude). Nu broeden ze hier en
daar opnieuw. Tot dusver hebben mensen daar de hand in gehad, maar wie
weet . . .
Woon je in Gaasterland: bij Steilebank en Mokkebank zijn gakkerende
zomerse grauwe ganzen heel gewoon. Al jaren overzomeren en grazen ze

43

hier. De boeren zijn uiteraard belangrijk minder enthousiast dan de ornithologen om het maar eufemistisch te zeggen . . . Toch: ze *moeten* blijven. De grasscha moet billijk vergoed worden.

In „Fûgelflecht" hangt een foto, 100x120 cm. Op de korstmossentak van een oude appelboom uit het hof van Veenklooster staat, naproevend, een wit gespikkelde notekraker een uitgebroken witte hazelnoot in z'n klauw. Om z'n dikke roekesnavel witte hazelnootpuntjes. Bon appétit, hoe zeg je dat in 't Russisch . . .
Zo'n foto is een blijvende herinnering aan spannende waarnemingen en gelukkige fotojachtdagen. Een bewijs ook dat je als je op „gewone" dingen let, „ier as let" aparte gebeurtenissen kunt beleven. Dat geeft elk vogeljaar een tikje extra spanning . . .
In 1913 was er een notekrakerinvasie uit Siberië, toen in 1954-1955, het laatst in 1968. Deze Avifauna zal er zeker getrouw verslag van doen.

Nog iets dat je zo gauw niet merkt. Een waarneming in het negatieve. *De bergeenden zijn bijna weg!* Weggetrokken . . ., op ruitrek. De volwassen jongen trekken niet! *Omdat ze niet ruien . . .*
Zo functioneert dat! Het wonderlijke is dat Engelse, Duitse, Deense en „onze" bergeenden één grote gezamenlijke ruiplaats hebben. Vijf, zes weken in juli-augustus zijn ze „flugunfähig". Ze trekken naar de eindeloze zand- en slikvelden van het „Groszer Knechtsand" westelijk van Cuxhafen. Daar in eenzame ruimte voelen ze zich veilig in machteloosheid. Midden in augustus met nieuwe veer en kracht en moed komen ze terug . . .

Erg blij met, en nooit uitgekeken op zoveel „gewone" vogels zijn er toch bijzondere waarnemingen die je nooit zult vergeten. Twee keer een hop - op Schiermonnikoog en in Harkema; notekrakers in het Veenkloosterbos; twee koereigers in de Anjumerkolken; een grijze snip, primeur voor Nederland, op 5 september 1971 bij de Bantpolder; een ijseend, middelste jager en honderden strandleeuweriken bij Lauwersoog en . . . 16 november 1963 twee zwarte ibissen op 8 meter afstand bij Kollumerpomp . . .
Telefoon: „twee zwarte reigers bij Veenwouden . . ." Je reist er naar toe. Het blijken twee purperreigers te zijn, slank en bruin. Alle recht en reden is er om te stellen dat het trekkers uit de Oude Venen bij Eernewoude zijn. Soms vliegen er in het najaar meer dan 50 vogels uit en weg. Zo'n kostelijk stukje vogelweelde vergt extra zorg! De wilgebosjes en omgeving waar ze broeden beschouwt „It Fryske Gea" dan ook als strikt-reservaat. Wie weet

ziet u ze nog eens met futen, tafeleendjes, kuifeenden, aalscholvers, blauwe reigers, en . . . vanaf een rondvaartboot.

Als 't even kan ga ik laat in september een zaterdag met „fûgelman" Westhof uit Sneek naar de Mokkebank. Half vijf het bed uit. Zes uur op de Bank. Tref je het met weer en wind, dan is de trek verrassend sterk. Al in de schemer vliegen lijsters, kramsvogels en koperwieken over de rietvelden langs het IJsselmeer. Hele groepen kool- en pimpelmeesjes, soms zwarte mezen, zijn op reis. Ook heggemussen, kleine karekieten, roodborsten, vinken, rietgorzen, gekraagde roodstaarten, kleine barmsijzen, goudhaantjes (ook die met extra vuur!) . . .
Je ziet rijen langzaam vliegende zwarte kruis-silhouetten tegen de door mist versluierde ochtendzon. Honderden aalscholvers! Voedseltrek van Steilebank naar de Fluessen. Ze hebben weer gebroed in de elzen van het Princehof bij Eernewoude. Onze hoop is, dat ze het meer blijvend gaan doen.
Om negen uur hoor en zie ik naar de kostelijke „optocht door de lucht met ping-ping-muziek" van acht tot twaalf baardmannetjes. Ze broeden hier al weer jaren en eten rietzaadjes. De lepelaars reppen hun lepels. Afrika is nog een heel eind. Veraf drijft een „eiland" van duizend of meer futen. Hun wonderlijke geluiden zijn achtergrond voor alle vogelgeluiden dichtbij, zelfs voor de „gilletjes" van een verborgen waterral 6 meter ver . . .

OKTOBER

> Skynt de sinne jit oer myn lôf,
> mei koarten fâlle de blêdden ôf -
> dan sil de winterwyn komme . . .
> *Piter Jelles Troelstra*

Voor een ieder die de grote veranderingen in seizoenen, lichtnuances, sfeer, wind en wolken diep doorleeft, is oktober „tige by tige", erg fijn. Kleur van herfstbossen, zon na mist of nachtvorst. Scherp begrensde hagelbuien in diep blauwe luchten. Vogeltrek van komen en gaan, vogelconcentraties in het veld of het Wad. Nieuwe beweging, frissere lucht . . . „Snúf it op en fyn de wei nei bosk en iepen fjild". . .

Nooit vind je zo'n tevreden-berustende harmonie-sfeer als op een morgen, puur met zon, als in het geel-gouden berkenbosje een roodborst weemoedig-blij zingt . . .

Je staat achter de wilster-ringers-skûle op het Noorderleeg, het mag ook bij Anjum zijn. Het is fris zeg je, maar dat is dan wel enkele graden meer dan je voeten registreren. In de verdwijnende schemer komen wolken goudplevieren op de snelle wieken, fel uitwaaierend, dan weer concentrerend. Als een vogelstorm zwiepen ze omhoog, omlaag. Zwermen kieviten aangestoken door driftige bewegingslust gaan mee de lucht in, vallen ,,lauwer'', weer neer . . . Een lint spreeuwen, 200 meter lang, zoekt de herfsttrekroute van honderden jaren zuidwest. Wulpen trekken naar zee. Repos ailleurs . . . Wellicht komen er wilster-ringen terug uit Marokko of Archangelsk . . .

De zestiende oktober is de jaren door mijn ,,skierroekedei''. Het is avifaunistisch lang niet exact. Al vanaf begin oktober komen de bonte kraaien in hun en ons winterrevier. Die ene zestiende oktober echter heeft het gedaan . . . Soms scheen fel met hard licht de zon, dan weer striemden hagelstenen. In het donkergrijs of diepblauw, heel hoog, overal stippen. Trekkende bonte kraaien. In het blauw leek hun grijs bijna feestelijk wit . . .

Elk najaar en winter geven ze accenten aan Wad en slik, heldere sneeuwvelden en mistroostig natte kleibouwstreken. ,,In fleanende krie fangt altyd hwat.'' Ze zullen mossels veroveren op het Wad, ze stuk laten vallen op de steenglooiing, opeten in het grastalud van de zeedijk. Op slaaptrek met roeken en kauwen, één alleen of in grote groepen naar het bos, zullen de bewegende zwarte silhouetten in de vallende schemer horen bij stormachtige herfstdagen, kale bomen en een stille heldere vriesavond.

Bij Laaxum sta je op de oude Zuiderzeedijk. Grote groepen *knobbelzwanen* zwemmen voor de kust. Straks, soms 200, trekken ze naar de graslanden. Ongenood . . . Een extra agrarisch en natuurbehoudprobleem van de laatste jaren. Die knobbelzwanen zijn vroeger in Friesland ook al onderwerp geweest in zwanerechten, -wetten, -jachten en ,,swaeneboeken''. Ook toen waren er heel wat ,,zwaneproblemen''.

Nu en hier is er ook een nieuw muzikaal geluid dat ver klinkt: iets als hoe-hoe-hoe . . . hoe-hoe-hoe. De eerste *kleine zwanen* uit Waigatz of Nova Zembla zijn er. In hun zuidelijke vliegvoedsel-route zijn ook de malse fonteinkruid-wortelstokken van het IJsselmeer opgenomen.

Met wat geluk zie je straks ook enkele grotere *wilde zwanen* ,,dy't gûle yn 'e flecht''.

Maar dat zou best ook in Terwispel kunnen treffen op winterland onder water, al zie je dat ,,ûnderstrûpte lân'' steeds minder.

Vlaamse gaaien, in los verband, op herfsttrek, vliegen schijnbaar onhandig, maar o zo ,,op har iepenst'' langs de boomwal. Eikels zijn er plenty en wie

spaart, vergaart. Prachtig zijn ze, al verraadt dat dissonante schràààk . . .
ook andere kanten van hun ,,karakter''. Elke jachtopziener heeft ze definitief ,,vogelvrij'' verklaard . . . Maar vaak is de lepe vogel gevlogen . . .
Uit de ,,dykswâl'', rijke biotoop voor dieren en planten schiet, vooral na
oostewinden, soms een ,,grote'' goed gecamoufleerde houtsnip weg.
Uit de hoge beuken en dichte eiken van het bos klapwieken, letterlijk,
honderden houtduiven omhoog, cirkelen en masse hoog boven de bomen.
Het is een echt oktober-november gebeuren dat bij tijd en sfeer hoort.
Ook deze vredige vredesymbolen zijn vanwege scha op de bouw, in de ban
gedaan. Zo zelfs dat je vleugels of staartpennen kon inleveren voor een
premie . . .
Stille oktobernachten geven signalen door van machtige vogelbewegingen.
Soms hoor je snelle vleugels voorbij suizen zonder geluid. Maar is er ook
het snelle tepiet-tepiet van communicerende scholeksters. Wellicht hoor je
eenden roepen, koperwieken of ruiters. Ook leeuweriken, spreeuwen, rood-
borstjes alléén, of goudhaantjes trekken in de nacht . . .
Op mussen te letten vergt het hele jaar door, meer concentratie en intelli-
gentie dan je zou denken. In oktober zou je kunnen starten. Ze hebben zich
deze zomer ,,vermaakt als mussen in het zand'', ,,moudzje'' noemen we dat.
Het zomercostuum is versleten. Nu hebben ze een fris verenpakje en zijn
veel leuker getekend en gekleurd dan sleur en onverschilligheid het ons
ingegeven hebben of ,,geleerd''. Ja, het *is* zo: mannetjesmussen (met wit
puntje achter het oog) zijn mooier dan die al meer egaal isabel bruine
vrouwtjes . . . Dat is bij erg veel vogels zo. Ten opzichte van onze vrouwen
zou je daaruit aparte, zij het niet erg charmante conclusies kunnen trekken . . .
Een fonkelende fazantehaan vergelijk je dan met een bruin-bruiner gevlek-
te hen. Wat is de zin, vraag je, tot je in het bos bij toeval een broedende
hen gecamoufleerd tussen verdord eikeblad hebt bewonderd. Dan blijken
dessin en kleur wonderlijk functioneel te zijn. Maar bij rosse franjepoten,
hier zijn ze 's winters zeldzaam, is dat trouwens weer net andersom . . .
Maar daar broedt dan ook de man! Op Spitsbergen heb ik beide van een
meter afstand kunnen zien. De mooie bruinrode dame snel paraderend, de
eenvoudiger ,,haan'' stug broedend . . . Zoiets scherpt op, ook bij het zien
van ,,gewone'' vogels.
Spreeuwen, de jongen ook al, hebben nu zo'n apart gespikkeld pak, dat
mensen in de war raken: ,,Typische vogels heb ik in onze tuin, als ze niet
zo gespikkeld waren, zou je haast aan spreeuwen denken''. . .
Niet te voorspellen is een vroege pestvogelinvasie in oktober. Toch gebeur-

de het: de cotoneasterbessen, hier hun favoriete lunch en diner, waren amper rijp. Ze aten soms, hangend, bladluisjes van verkleurend berke-blad . . . Vingen vliegende vliegen met vliegenvangersacrobatiek.

Geheimzinnig, niet te doorgronden, maar geweldig die grote pestvogelinva-sie, duizenden, uit de immense Siberische taiga's naar West-Europa.

Elk vogelboekje geeft hun zacht wijnrode kleur en kuifje, gele staartband en de rode lakstukjes (geen veer maar hoorn). Twintig ,,sidesturten'', dik suffend of ineens slank-actief, kuif omhoog, glanzend in heldere oktober-zon tegen blauw is een miniatuurtje, dat het beste vogelboek je niet voor-schildert . . .

Dit wou ik maar zeggen: oktober is voor vogellui en ,,fjildlju'' een specta-culaire maand. Alleen èrg kort . . .

NOVEMBER

Ljea it wurdt bitter tinken
Bûtendoarren binuttiget de hjerst de roazebedden
spint er de paden ticht . . .
Douwe A. Tamminga

Na begin november zijn de grote vogelbewegingen voorbij. De bossen kaal, nat en triest, de velden vaak verlaten en even melancholiek als de compac-te, bewegingsloze reiger (,,deabidder'' zegt men hier) in de mist bij de sloot. Soms brengen zware stormen bewegingen tegen wil en dank. Zwarte zee-eenden, met olievlekken, aangespoeld op het slik, een uit de koers geslagen papagaaiduiker of alk, een pareleduiker of Jan van Gent. Een enkele keer kan het ook een verwaaid klein alkje zijn, niet veel groter dan een spreeuw, dat op Spitsbergen bij duizenden broedt.

Sijsjes brengen geluid, leven, vlugge acrobatiek in zwarte elze-,,mantels''.
,,In protte siis, in bulte iis . . .''
Een boompieper glijdt inspecterend langs de kale eikestam. Hij houdt een altijd monter, steeds bedrijvig, immer bewegend groepje mezen gezelschap.
Soms komen er groepen barmsijsjes, bruin met charmante rode blesjes op bezoek, ook in de elzen.
Uit de zeggepollen vlak voor je voet, zigzaggen drie watersnippen. Grijze luchten absorberen beweging en geluid . . .
Lome kieviten, vol en rond, wachten op een vorstsein om te gaan.

48

Koereigers Kolken onder Anjum, september 1974,   -   H. F. de Boer

Een eenzame buizerd krijgt, hoe kan het, in de grote lege ruimte ruzie met twee bonte kraaien.

Storm en windvlagen jagen over de open velden of door het Wouden-coulissenland. Regen valt uit loodzware luchten. De westcirculatie heerst. Maar meeuwen zijn, als in elk seizoen, en meer dan vroeger, present. Kok- en stormmeeuwen vooral, veel minder de grote Zilvers. Vrij zeldzaam, behalve bij zee, de nog grotere mantelmeeuwen, ,,zwartrugmeeuw'' zeggen de Engelsen. Nu staan de ,,gewone'' meeuwen als verspreide witte puntjes op de weilanden. Observeer je ze nauwkeuriger, dan zijn het beslist geen roerloze stoïcijnse standbeeldjes. De poten ,,trappelen'' in behoorlijk tempo, nu en dan afgewisseld met een vlugge pik. Wormtrappen noemen ze dat, enfin het systeem is hengelsporters niet vreemd. Vanavond zullen ze met of tegen de storm laag, virtuoos zwenkend, vallend, stijgend op slaaptrek gaan naar meer- of zeeoever. Heel wat anders dan de hoge rustige, vlieg-, zwerf-, slaaptrek op serene zomeravonden . . .

Dit zijn de tijden en dit is het land om ganzen te zien (niet te dichtbij). In de winter is Nederland (nog) het ganzenland van Europa. Friesland is toch wel de ganzenprovincie van Nederland, dank zij de laatste open ,,rustruimten'' in West-Europa. Die rust is een duidelijk ,,bitingst''. Steeds meer jagers gaan dat inzien en stellen zelf jachtregels op.
Soms fantaseer je wat over natuurbeelden uit prehistorische tijden . . . Wisenten, mammoets en geweldige vogellegers in wilde ongerepte streken. Maar als bij de Bant, luid gakkerend, in twee, drie wolken tien- of vijftienduizend brandganzen over je heen drijven - de lucht is vol - dan sta je met wijdopen ogen . . . Zo, zo moet het geweest zijn . . .
Steeds meer kolganzen komen aan met rietganzen, kleine rietganzen en soms dwergganzen. Eén roodhalsgans tussen brandganzen kàn, maar vergt soms jaren van oplettendheid. Ook kan er een enkele Canadese gans, een Indische gans of een Nijlgans naar Friesland komen. Het zou best kunnen zijn dat Peter Scott in Slimbridge daar meer van weet . . . Straks, in februari, kunnen er in de Mersken bij Beetsterzwaag best concentraties kolganzen zijn van duizenden en duizenden. Men heeft wel eens 25.000 geteld . . .

Hoe vaal en grijs, kil en koud alles lijkt of is, misschien zie je een roerdomp - kom ik om, dan kom ik om - uit het rietmoerasje ,,wjokkeljend'' wegvluchten. Maar vast zie je, fel ,,wikeljend'' op één punt, een actief torenvalkje speurend naar veldmuizen. Een moedig trotseren van regen, kou en mist inspireert . . .

Voor wie desondanks neiging mòcht hebben tot enige novembermelancholie is er nog een remedie: Luister naar de moedige, optimistische, muzikale trillers van een van onze kleinste, dapperste vogeltjes, het winterkoninkje. Hij houdt vandaag niet op, in december niet en in januari niet . . . Zie, wat goede courage vermag . . .

DECEMBER

Jit skout der soms in skimer melodij
en soms in skaed fan harmonij foarbij.
Yke R. Boarnstra

Nog één keer Thijsse's stelling: het voorjaar begint in de winter. Hoop en vreugde voor natuuroptimisten, ook al zijn veel dagen om Kerstmis nog zo donker, koud en kort . . .

Buiten moet je het, net als binnen, hebben van sfeer, van het detail:
   o Vijf fazanten in besneeuwd rietland.
   o Grote en middelste zaagbekken en twee dodaarsjes in het grote wak bij de sluis.
   o Kauwtjes cirkelend boven het dorp.
   o Koolmezen en pimpeltjes bij de pinda's.
   o Een heggemusje timide maar bewust en snel pikkend onder de gele bloempjes van de winterjasmijn.
   o Merels en kramsvogels bij de appels.
   o Een vlaamse gaai in de berk.
   o Koperwieken bij de „smoarbeijen".
   o Een sperwer die als een felle flits uit de hemel valt.
   o Alle mussen zwijgen . . .

Komt er vorst, een witte Kerst? Als plotseling oostewinden gaan waaien, kan er een geweldige rush komen, urenlang. In groepen van 20, 50, 100 trekken kieviten „in a hurry" naar zoeler zuiden.
's Nachts in de vrieslucht hoor je het hieuw-hieuw-hieuw van trekkende smienten. Wintergeluiden dragen ver. In de schemer tsjyng-tsyngt een lijster uit hulst of sparren.
Een roodborstje in de witbesneeuwde cotoneaster, opgepoft en schijnbaar inactief, schijnt te filosoferen over seizoenen en tijden, tot hij in felle bewegingen innerlijke dynamiek verraadt.

50

Bonte kraaien en enkele zwartrokken pikken aan iets donkers op het wijde stille sneeuwveld.

Op een elzetak over het wak in de vaart bij Surhuizum staart roerloos een flonkerend ijsvogeltje naar spiegelbeeld en ,,toarnfiskjes''. We zijn bij eind- èn beginpunt van de seizoenen. Het is goed, het is geweldig . . .

Bij een groots bergpanorama in de Dolomieten is in natuursteen gebeiteld:

Halleluja
Die Werke des Herrn sind grosz
zum staunen für alle, die daran
ihre Freude haben. (Ps. 111)

Dat kan op ons, uw, mijn Fries vogeljaar van toepassing zijn . . .

De knoppen van sneeuwklokken zijn te zien. Eksters ,,skatterje'' op Oude- jaarsdag om het nest in de hoge wilg. De dagen lengen . . . Als het meezit zingen in januari nog de eerste leeuweriken . . .

H. F. de Boer

de bodem van friesland

Inleiding

We kunnen in Friesland drie landschappen onderscheiden:
1. het zandlandschap - de Friese Wouden en Gaasterland;
2. het kleilandschap - *a* de Friese Bouwstreek, *b* het Klei-weide gebied;
3. het veenlandschap - het Lage Midden.

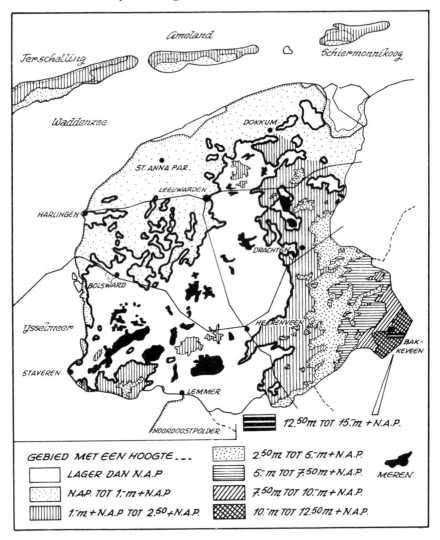

De ligging van deze landschappen is bepaald door bewegingen in de diepe aardkorst. Volgens recente geologische onderzoekingen[1] blijkt het noordelijk deel van de provincie Friesland een sterkere bodemdaling te ondergaan dan het zuidelijk en oostelijk deel.
Dit zou tevens een verklaring zijn waarom de Friese Wouden hoger liggen dan het kleigebied.
De invloed van de zee zou in dit deel van Friesland vóór de bedijking het sterkst zijn geweest. De grote oppervlakte klei en de dikke kleilagen in het noordwestelijk deel van Friesland zou hiermee dan tevens verklaard zijn.

Het zandlandschap

Ongeveer 200.000 jaar geleden heerste in Friesland de derde IJstijd, ook wel Riss-ijstijd of Saalien genoemd. In grote delen van de wereld lagen enorme dikke ijs- en sneeuwkappen. Dit was ook het geval in Scandinavië. Het ijs raakte in beweging door het grote eigen gewicht en begon te ,,stromen''. Ook Friesland raakte bedolven onder een ijslaag van 200 à 300 meter dik.
De gletsjers werden vooraf gegaan door ijslobben, die op verscheidene plaatsen de ondergrond tientallen meters omhoogstuwden. De resultaten van deze stuwing zijn nog duidelijk te herkennen in het heuvelachtige landschap van Gaasterland en Koudum. Ook de rug vanaf Sloten via Tjerkgaast naar Joure is door stuwing hoger in het landschap komen te liggen. In de Friese Wouden is de invloed van de ijslobben nog te zien aan de brede rivierdalen van de Boorne, de Tjonger en de Linde. Het naderende ijs heeft de aanwezige stroomdalen als glijbaan naar het westen gekozen. De zeer brede ijslobben hebben de dalen sterk verbreed door de zijkanten weg te drukken en omhoog te stuwen.
Ook het merencomplex - Heegermeer, Fluessen en Morra - zou volgens ter Wee[2] een restant zijn van een oud gletsjerdal, met aan weerskanten hoog opgestuwde ruggen (zijmorenen): Koudum aan de noordkant en Gaasterland (Harich) aan de zuidkant. De rug van Warns, loodrecht op de lengterichting van het dal is als een eindmorene te beschouwen.
Na de gletsjertongen volgde de totale ijsbedekking. Friesland lag toen onder de dikke ijskap. Nadat er in het Eemien een flinke klimaatsverbetering intrad smolt het ijs weg. Al het materiaal dat door het ijs was meegevoerd, bleef achter. Dit wordt de *keileem* genoemd. In principe behoort de keileem overal in Friesland in de bodem aanwezig te zijn. Door latere erosie kan de keileem plaatselijk zeer dun of zelfs geheel verdwenen zijn, bijv. in stroomdalen van riviertjes of op hogere delen in het landschap.

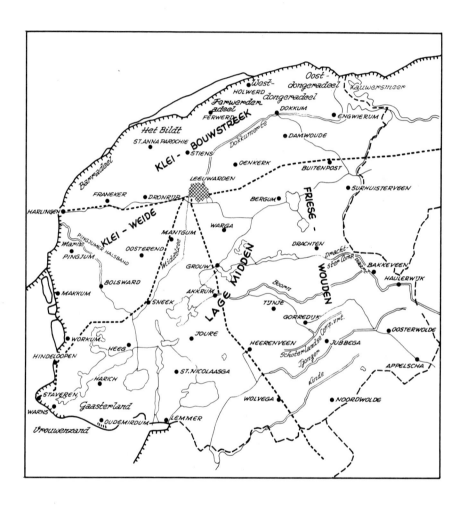

De keileem is zeer heterogeen van samenstelling. We treffen er in aan de zeer dikke hunebedkeien, zwerfkeien, grind, zand en uiterst fijne kleideeltjes.

De in het ijs aanwezige materialen zijn tijdens het transport door het ijs verzameld en hierheen gebracht. De herkomst kan zijn: Noorwegen, Zweden, Finland, Oostzee, Botnische Golf etc. Tijdens het transport is veel gesteente onder en in het ijs vermalen tot klei, zand en grind.

De keileem is oorspronkelijk kalkrijk afgezet. In de lange periode dat ze

aan de oppervlakte heeft gelegen zijn veelal de bovenste meters kalk-
loos geworden door ontkalking. De kleur van de keileem is overwegend
grijs. Plaatselijk komt *rode* keileem voor, voornamelijk in Gaasterland in
en rond het Oudemirdumer Klif[3]. Naast verschil in kleur verschilt de rode
keileem van de grijze keileem in de volgende punten:
a de rode keileem is zeer kalkrijk;
b de rode keileem bevat meer kleideeltjes, is dus zwaarder.
De grijze keileem bevat meer zanddelen en is dus lichter. Een kenmerken-
de eigenschap van keileem is de geringe doorlatendheid voor water. Indien
de keileem hoog in het profiel aanwezig is geeft dit moeilijkheden bij de
waterbeheersing. De stenen in de keileem worden als zwerfstenen, veldkei-
en, flinten of ,,balstiennen'' betiteld. Ze zijn een begeerd object voor de
,,stiensikers'', die middels studie en determinatie de herkomst uit Scandinavië of het Oostzeegebied trachten terug te vinden. Ook is de keileem de
rijke leverancier geweest van de vuursteenbrokken, waar de eerste bewoners van deze streken hun gebruiksvoorwerpen van hebben gemaakt zoals
bijlen, messen, pijlpunten etc[4].
De zeer grote keien in de keileem werden reeds door de hunebedbouwers
benut voor hun grafkelders, terwijl de kleinere exemplaren als lastige voorwerpen uit het bouwland werden verwijderd om dienst te kunnen doen als
erf- en wegverharding.

Het Eemien is de periode die volgde op de Saale-ijstijd. Deze periode is
gekenmerkt door hogere temperaturen met een flinke hoeveelheid neerslag.
Het oppervlak van het toen aanwezige land werd door een vegetatie bedekt. De gestegen zeespiegel overspoelde een flink deel van de provincie
Friesland en sedimenteerde dikke kleipakketten.
Ongeveer 100.000 jaar geleden begon echter het klimaat weer slechter te
worden. Een nieuwe ijstijd is op komst. Dit is de Vierde of Würmijstijd,
ook wel Weichselien genoemd.
Op de polen en op de bergen in de hele wereld ontstonden dikke ijskappen
als gevolg van opgehoopte dikke sneeuwlagen. Hierdoor zakte de zeespiegel over de gehele wereld circa 80 à 100 m. Dit betekent, dat in die tijd de
Noordzee grotendeels droog lag. Het ijs vanuit Scandinavië heeft Friesland
niet bereikt. Wel heerste hier een toendraklimaat met felle koude, zeer
harde stormen, veel sneeuwval en sneeuwjacht. In deze omstandigheden
gingen de droge bevroren gronden met een geringe vegetatie op grote
schaal verstuiven. De aan het oppervlak liggende keileem en de zandbodem
van de drooggevallen Noordzee leverden veel materiaal. In die periode

werd geheel Friesland door een zanddek bedekt. Dit zand wordt *dekzand* genoemd.

In de Friese Wouden en Gaasterland ligt het dekzand aan de oppervlakte (kaarteenheden 12,13,14 en 15). In het Lage Midden en in het kleilandschap bevindt het dekzand zich op één of meerdere meters onder het maaiveld.

Nadat circa 10.000 jaar geleden het klimaat gunstiger werd, kwam er een einde aan de heerschappij van de IJstijd. Tevens eindigt nu het Pleistoceen en begint het Holoceen (zie tabel A).

	Perioden		jaren		afzettingen in Friesland
Holoceen			heden		
	Subatlanticum				klei
			−700		
	Subboreaal				en
			−3000		
	Atlanticum				veen
			−5500		
	Boreaal				veen
			−7500		
	Preboreaal				jong dekzand
			−8100		
Pleistoceen					jong
	Würm / Weichsel	IJstijd		dekzand	
			−30.000		oud
	Eem-interstadiaal			erosie	
			−100.000		
	Riss / Saale	IJstijd		keileem	
			−200.000		
	Holstein- interstadiaal		−300.000		
	Elster IJstijd			potklei*	

Tabel A. Globaal overzicht van de tijdsindeling van het Holoceen en een gedeelte van het Pleistoceen met de in die perioden gevormde afzettingen in Friesland.

* In de ondergrond van Friesland bevindt zich een oude afzetting die *potklei* wordt genoemd. Dit is een smeltwaterafzetting uit een nog oudere IJstijd dan de Saale, te weten de *Elsterijstijd*, meer dan 300.000 jaar geleden. Potklei is een taaie zware klei, donkerbruin tot zwart gekleurd en in vele gevallen kalkrijk. De potkleilaag kan soms zeer dik zijn, plaatselijk meer dan 100 m[1].

De klimaatsverbetering had voor Friesland grote gevolgen:

a Op het kale dekzandlandschap ontstond een vegetatie die de oorzaak is geweest, dat er in het zand een podzolprofiel ontstond en tevens dat er in eerste instantie in de laagste delen veengroei optrad, waardoor uiteindelijk in geheel Midden-, Noord- en Westelijk Friesland alsmede in grote delen van de Noordzee zich een dik veenpakket ontwikkelde.

b Het steeds stijgende zeepeil was er de oorzaak van dat grote delen van dit veenlandschap werden overspoeld, soms plaatselijk weggeslagen of met een kleilaag bedekt.

Beschrijving van de kaarteenheden 9, 12, 13, 14, 15 en 16

K.e. 9: *Keileemgronden.*

Het betreft hier gronden waar de keileem dicht onder of soms in het maaiveld aanwezig is. Het gevolg is een lemiger en dus zwaardere grondsoort dikwijls rijkelijk voorzien van stenen. Deze gronden komen voor op die plaatsen waar de dekzandafzettingen of slechts weinig aanwezig zijn geweest, of later zijn geërodeerd. Op de kaart komen de keileemgronden alleen in Gaasterland voor. Ze zijn daar gelegen op de hoge stuwwallen. In de Friese Wouden komen ze ook voor maar zijn door hun geringe oppervlakte niet op de kaart aangegeven. Bij een vlakke ligging hebben keileemgronden spoedig wateroverlast als gevolg van de slechte doorlatendheid van de keileemondergrond.

K.e. 14 en 15: *Zwak lemig fijn dekzand met een lage of een hoge humuspodzol.*
K.e. 12 en 13: *Matig fijn jong dekzand met een hoge of een lage humuspodzol.*

In deze kaarteenheden komen twee karakteristieken van het dekzand naar voren:

1. de grofheid en lemigheid van het zand;
2. de aanwezigheid van een humuspodzolprofiel, dat ontstaan is of in een hoge, of in een lage positie ten opzichte van het grondwater.

Over deze typen dekzand kunnen nog de volgende nadere gegevens worden verstrekt:

1a. Het dekzand is afgezet in de Würmijstijd door het verstuiven van materiaal dat aan de oppervlakte lag. De aan de oppervlakte liggende en inmiddels sterk verweerde keileem met zijn gevarieerde samenstelling leverde naast dikke zandkorrels ook veel fijn materiaal o.a. de leemdeeltjes*. Het ontstane dekzand wordt het *oude dekzand* genoemd. Het is fijn van korrelgrootte en bevat een zekere mate van lemigheid. Dieper in het profiel komen meestal dikke banden lemig materiaal voor.

1b. In het laatste deel van het Pleistoceen en in het begin van het Holoceen is het oude dekzand plaatselijk weer gaan stuiven. De fijnere delen werden door de wind afgevoerd, waardoor het zand grover en leemarmer werd. Hierdoor ontstond het matig fijne *jonge dekzand*. Het komt voor op de ruggen in het zandlandschap en als een zône op de grens tussen de Friese Wouden en het Lage Midden. Deze zône is ontstaan uit naar het oosten verstoven materiaal, dat door de riviertjes Drait, Boorne en Tjonger eerst vanuit de Friese Wouden naar het Westen was getransporteerd.

De grens tussen het oude en het jonge dekzand wordt gevormd door de zgn. Allerød- of Usselolaag. Deze Allerødlaag was circa 10.000 jaar geleden het oppervlak van het zandlandschap. In deze laag worden nog resten van de vegetatie als stukjes houtskool gevonden. In lagere gebieden heeft de vegetatie een veenlaag gevormd (het Hotteveen.) In de hogere gebieden is deze laag te herkennen als een wit-grijze laag, waarin soms resten van menselijke bewoning worden aangetroffen in de vorm van stenen gebruiksvoorwerpen zoals mesjes, schrabbers, pijlpunten etc.

2. In beide typen dekzand - het oude en het jonge - is een humuspodzol profiel ontstaan. Door de zich ontwikkelde vegetatie werd organische stof geproduceerd. Bij de afbraak hiervan kwamen allerlei zuren vrij. Naarmate de gronden hoger gelegen waren was de vegetatie armer, o.a. heide. Hoe armer de vegetatie, des te meer zuren ontstonden er bij de afbraak. Met het regenwater percoleerden ze door de bodem. Allerlei stoffen werden hierbij opgelost en verdwenen naar het grondwater, waardoor de gronden steeds armer en zuurder werden. Een groot deel van de naar beneden afgevoerde organische stoffen dat met het regenwater naar beneden werd afgevoerd, sloeg op een bepaalde diepte in het profiel neer.

De laag in een podzol-profiel met een duidelijke uitspoeling wordt de loodzandlaag (,,skiersân'') of A_2-laag genoemd.

De laag waar de organische stof zich ophoopt noemen we de humusinspoelingslaag of humusoerlaag (,,felslaech'') of B_2-horizont.

Afhankelijk van de hoogteligging ten opzichte van het grondwater is de ontwikkeling van de humuspodzolen onderling verschillend en zijn de horizonten meer of minder uitgesproken.

---

* Leem wordt gevormd door de deeltjes kleiner dan 50 mu (1 mu = 0,001 mm).

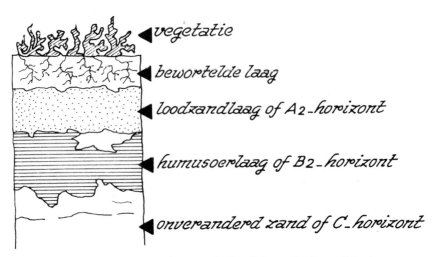

vegetatie

bewortelde laag

loodzandlaag of A2-horizont

humusoerlaag of B2-horizont

onveranderd zand of C-horizont

Schematische tekening van een humuspodzolprofiel met A-, B- en C-horizonten.

De zandgronden bevatten van nature weinig plantenvoedende stoffen. Door het podzoleringsproces zijn ze nog meer verarmd en tevens verzuurd. Het zandlandschap heeft de bewoners vanaf de eerste nederzetting tot circa 1900 dan ook slechts een uiterst karige bestaansmogelijkheid geboden.

De enige methode die hem in staat stelde zich in leven te houden was het verhogen van de bodemvruchtbaarheid van de gronden. Hij heeft dit door de eeuwen heen gedaan middels het heideschaap waarvan de mest in de potstal met plaggen werd gemengd en dat diende als bemesting op het bouwland, waar de voor de mens noodzakelijke produkten werden geteeld.

Middels deze potstalbemesting zijn door de vele eeuwen - soms van voor de jaartelling - dikke humeuse bouwlanddekken ontstaan. De dikste hebben een dek van meer dan een meter. Ze worden *essen* of *enken* genoemd en komen voor o.a. bij Oosterwolde en Appelscha en in Gaasterland. Een vrij grote oppervlakte heeft een dunner dek, circa 30 tot 50 cm dik.

Een typisch kenmerk van de oude ontginningsgronden zijn de *wildwallen*. Dit is een soort polderdijk tussen twee percelen die dienst deed als vee- en wildkering. De wildwal werd als volgt opgebouwd. Aan iedere kant van de perceelsscheiding werd een sloot gegraven. Het vrijkomend materiaal werd op de perceelsgrens gedeponeerd, waardoor hier een soort polderdijk ontstond. Op deze polderdijk werd een beplanting aangebracht van meidoorn-

Boomwal bij Oostermeer, Hoogzand   -   C. Reitsma.

struiken. In het Fries komt de oude functie nog in de naam voor ,,hage-doarn'' (hage=heg).

Dit systeem werkte perfect in een gebied waar geen water was om als veekering te dienen en in een tijd dat het prikkel- en schrikdraad er nog niet waren. Door de sloten voor de polderdijk waagden de dieren de sprong niet, terwijl de ,,hagedoarn'' de doorgang belette. In menig deel van het zandlandschap komen de wildwallen nog voor als een zichtbare herinnering aan de vroegere bewoners van deze streken.

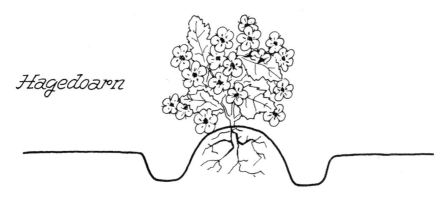

Hagedoarn

Schematische tekening van een wildwal.

K.e. 16: *Laaggelegen zand- en veengronden in de beekdalen.*

In de dalen van de aanwezige riviertjes in de Friese Wouden komen gronden voor die zeer typisch zijn voor deze gebieden. Doordat de riviertjes reeds bestonden in de Riss-ijstijd (circa 200.000 jaar geleden) heeft er nog al eens een verschuiving van de stroom plaatsgevonden. Hierdoor is de samenstelling van de rivierdalen zeer gevarieerd en wisselt op korte afstand.

In het natte en vochtige dal ontwikkelde zich een weelderige vegetatie, die aanleiding gaf tot veenvorming. Het veen belemmerde de afvoer van het water, waardoor overstromingen plaatsvonden waarbij de meegevoerde slib- en kleideeltjes werden afgezet en de beekleem deed ontstaan als een soort kleilaagje.

Voor de mens waren vroeger de beekdalen van zeer groot belang. Hier waren op deze ,,rijkere'' gronden van nature ,,graslanden'' aanwezig, die aan het vee veel meer voedsel verschaften dan de arme heidegronden. De oude veldnamen Mersken en Mieden herinneren er nog aan. Ook bij de oude kavelindeling komt het naar voren dat de meestal veraf gelegen gronden langs de beken belangrijk waren, gezien het feit dat iedere ,,plaats'' hiervan een deel in zijn bezit had.

Opmerkelijk is dat in Gaasterland deze kaarteenheid niet voorkomt. Op de hoge gronden werd het overtollige water ondergronds afgevoerd, dus zonder beken.

Het kleilandschap

Het stijgende zeewater drong Friesland binnen op de laagste plaatsen. Dit was uiteraard het gebied dat onderhevig is aan de sterkste bodemdaling, dus het noordwestelijke deel. Het gevolg van de zee-invloed was het afsterven van de landvegetatie en daardoor het stoppen van de veengroei. Plaatselijk werden stukken uit het veenpakket geslagen en kleilagen afgezet. Door de stijging van de zeespiegel worden deze gevolgen steeds verder landinwaarts gebracht. Ongeveer 4 à 5000 jaar geleden was de zee-invloed al landinwaarts gevorderd tot en met het gebied dat op de kaart globaal wordt weergegeven door de kaarteenheden 1, 2, 3, 4 en 5. In deze periode vormde zich voor de kust een schoorwal van zandbanken. Door verstuiven van het zand ontstond hier een *duinenrij*. Op den duur gaf deze duinenrij een zodanige bescherming aan het achtergelegen kleigebied, dat bewoning op de kwelder - dus zonder menselijke ingrepen - mogelijk was. De oudste vondsten van bewoning in het kleigebied dateren uit de tijd van circa 600 jaar voor de jaartelling.

De steeds stijgende zeespiegel en de dalende ondergrond zijn de oorzaak geweest dat de zee door de duinenrij brak. Dit had voor Friesland grote konsekwenties:

1. Een groot deel van het bestaande kleigebied achter de duinenkust werd weggeslagen. Op den duur ontstond hier de *Waddenzee*.

2. In het bestaande kleigebied werden grote en diepe geulen uitgeslepen. We noemen de Middelzee, de Marne en de Dokkumer Ee met hun vele vertakkingen.

Folsgare - Paul Vogt.

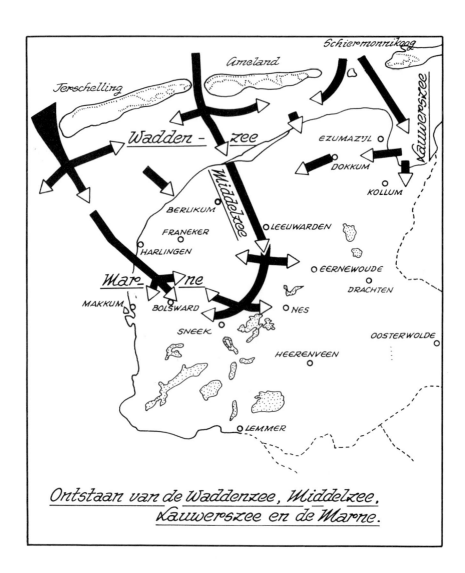

Ontstaan van de Waddenzee, Middelzee, Kauwerszee en de Marne.

Nu was de zee in staat zijn invloed zeer ver in het achterland te doen gelden. De tot nu toe nog onbereikbare en levende veengebieden in Het Lage Midden werden door het zeewater gedood en met een meer of minder dikke kleilaag bedekt (kaarteenheden 6 en 7).

3. Het overstromen van het kleigebied werd een bedreiging voor de daar reeds wonende mens. Door het opwerpen van terpen trachtte hij zich in het kleilandschap te handhaven, uiteraard met wisselend succes.

De steeds stijgende zeespiegel maakte de situatie in Friesland er niet beter op. De Waddenzee breidde zich sterk uit evenals de Lauwerszee, de Middelzee en de Marne in het gebied van de Pingjumer Halsband, alles ten koste van het reeds bestaande zeekleigebied. Dokkum, Sneek en Bolsward komen daardoor aan zee te liggen.
Op den duur kreeg de Waddenzee vat op het grote veengebied tussen Friesland en Noord-Holland dat geheel werd weggeslagen, waardoor de Zuiderzee - later IJsselmeer - ontstond. De gevolgen hiervan waren voor Friesland zeer groot:
1. De zee die oorspronkelijk in hoofdzaak vanuit het noorden het gebied bedreigde, viel nu ook aan vanuit het westen.

Wierum - Paul Vogt.

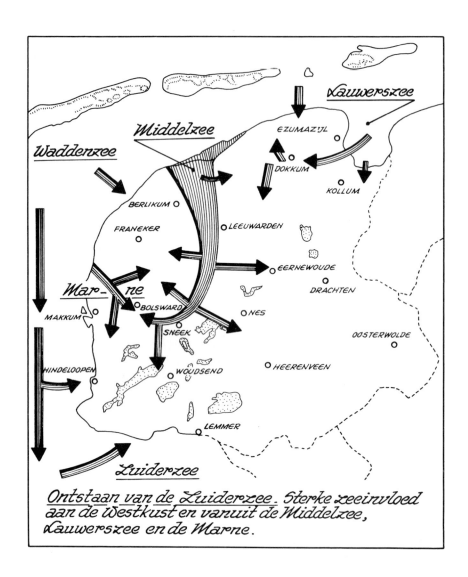

Ontstaan van de Zuiderzee. Sterke zeeinvloed aan de Westkust en vanuit de Middelzee, Lauwerszee en de Marne.

2. Door *erosie* werden grote oppervlakten land ongeschikt voor de landbouw. Of er ontstonden meren zoals in de Zuidwesthoek bijv. de Makku- mer- en Workumer meren, of er ontstonden meer of minder diep afgeëro- deerde gebieden bijv. de Kolken in het noordwesten en de „legen of me-

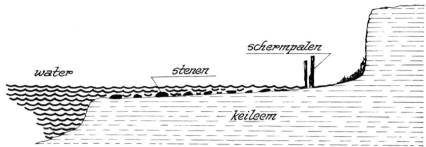

Schematische weergave van de geërodeerde kust in Gaasterland met steile klifwand en zeer brede erosiestrook.

ren" die in het gehele kleilandschap voorkomen, uitgezonderd op de jonge kweldergronden (kaarteenheid 3). Het zeewater bracht grote schade aan het cultuurlandschap toe door de *zoutschade*, waardoor de gebruikswaarde sterk verminderde.

3. Het sedimenteren van nieuwe kleilagen. Hierdoor werd het kleilandschap geheel vernieuwd.

In de periode van circa 300 - 800 na Chr. werd door de zee de bekende knipklei-laag (kaarteenheden 5, 6 en 7) afgezet.

In de periode van 1000 - 1200 na Chr. werd de jonge zeeklei in de Middelzee, de Lauwerszee en langs de Waddenzee afgezet (kaarteenheid 3 - jonge kweldergronden).

4. Doordat het wonen in het kleigebied steeds gevaarlijker werd en de landbouwgronden gevaar liepen òf te worden weggeërodeerd òf door het zoute water voor de boer onbruikbaar te worden, ging de mens over tot de aanval. Hoewel eerst op bescheiden schaal werden *dijken* aangelegd om het zeewater te keren. De eerste zeedijken zijn vergelijkbaar met de huidige polderdijken. De Middelzee is een van de eerste bedijkingen in Friesland om de eroderende invloed van de zee op deze manier te beteugelen[5].

5. Doordat de ontstane Zuiderzee als opvangcentrum voor het zeewater fungeerde werd het in Friesland rustiger. Hierdoor slibden de grote geulen zoals Middelzee, Marne en Lauwerszee meer of minder dicht (kaarteenheid 3).

Langs de westkust vond echter sterke erosie plaats. Kaarteenheid 4 tussen Harlingen en Staveren is goeddeels een kustwal, die opgebouwd is uit elders geërodeerd materiaal.

Als voorbeeld van de sterke erosie van de Zuiderzee willen we hier noemen het kustgebied tussen Staveren en Oudemirdum. Het zand-keileemlandschap is plaatselijk enkele kilometers weggeslagen. Een brede ondiepe kuststrook ,,het Vrouwenzand" is er van overgebleven. De vele stenen in deze kuststrook herinneren nog aan het vroeger aanwezige keileem, waarvan de fijnere delen zijn weggespoeld en de grovere stenen zijn achter gebleven.

Ter plaatse van de hoge stuwwallen (kaarteenheid 9) ontstonden de kliffen als een metershoge steile kust. De meest bekende zijn het Oudemirdumer-, het Mirnser- en het Rode klif.

Beschrijving van de kaarteenheden 1, 2, 3, 4, 5 en 6

Met deze eenheden is aangegeven de bovenste kleilaag van circa 1 m dikte.

K.e. 1: *Duinen en stranden.*

Door de zee aangevoerd zand uit de Noordzee is door de wind tot meer of minder hoge duinen opgewaaid. De stranden en de strook jonge duinen zijn kalkrijk. De oudere duinen zijn kalkarm. Kaarteenheid 1 komt alleen voor op de Waddeneilanden.

K.e. 2 en 4: *Kwelder-, kwelderbekken- en kwelderrug-gronden.*

Het zeewater neemt klei- en zanddeeltjes met zich mee naar de kust. De zwaardere zandkorrels bezinken eerder dan de lichtere kleideeltjes. Dit gebeurt overal waar water over land stroomt. Er zijn nu twee mogelijkheden:

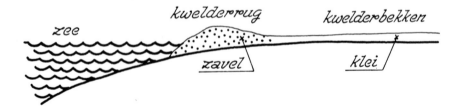

Door de overstromingen vanuit zee wordt een hoger gelegen kwelderrug of kustwal opgebouwd als gevolg van het bezinken van de grovere delen (kaarteenheid 4). Verder landinwaarts in een rustig milieu komen de kleine kleideeltjes tot bezinken en ontstaan lagergelegen gebieden met klei-afzettingen, de kwelderbekkengronden.
Voorbeelden: Barradeel, Ferwerderadeel, Oost- en Westdongeradeel.

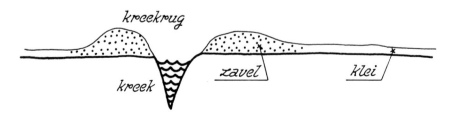

Wanneer de kreek buiten zijn oevers treedt wordt er langs de randen een zandige (zavelige) kreekrug opgebouwd. Verder landinwaarts komen meer kleideeltjes tot bezinken, waardoor de afzettingen landinwaarts steeds zwaarder worden. De ruggen liggen altijd hoger in het landschap.
Voorbeelden: De kreekrug ter weerszijden van de Middelzee en ten zuiden van Harlingen ,,De Pingjumer Halsband''.

K.e. 3: *De jonge kweldergronden, waaronder ook de wat oudere Middel-zee- en Lauwerszeegronden.*

Het betreft hier de sedimenten, afgezet in voormalige zeeboezems. Het jonge karakter van deze gronden is vaak herkenbaar aan de kalkrijkdom van de profielen. Ook hier geldt hoe verder van zee, hoe zwaarder de klei.
Dicht bij zee, in het Bildt en dicht onder de Lauwerszee komen vrij veel zavelgronden voor, die als bouwland in gebruik zijn.

K.e. 5 en 6: *De knip- en knippige gronden en de 40 - 80 cm knipklei-op-veen en de minder dan 40 cm dikke knip- en humeuze kleidekken-op-veen.*

De bovengemelde kleidekken zijn allemaal afgezet in een zeer rustig milieu, ver van de aanvoerkreken. Ze zijn afgezet via de Dokkumer Ee vanuit de Lauwers en via allerlei kreken vanuit de Middelzee en de Marne. De gronden zijn herkenbaar als zware kalkarme kleigronden, die onder natte omstandigheden spoedig te nat zijn, waardoor er gevaar ontstaat voor het vertrappen van de zode. In de zomer hebben ze spoedig watergebrek en leveren daardoor gevaar voor oogstdepressies.

Het veenlandschap

Veengroei ontstaat wanneer de produktie van organische stof door de planten groter is dan de afbraak. Deze situatie kan door verschillende oorzaken plaatsvinden. De meestvoorkomende oorzaak in Friesland is het-te-nat-zijn van een gebied geweest.
De veengroei begon in de laagste delen in het noorden en westen waar de grondwaterstanden het eerst omhoog kwamen na het droge begin van het Holoceen. Door de uitbreiding van de veengroei raakten de afvoergeulen, die het water uit het achterland moesten afvoeren verstopt. Hierdoor kreeg de factor ,,te-nat'' de overhand. Ook bij de veengroei in Friesland heeft de vegetatie zich steeds aangepast indien de omstandigheden zich wijzigden.

De eerste vegetatie wortelt in de minerale ondergrond. Nadat zich een veenlaag heeft ontwikkeld is dit niet meer mogelijk. Er ontstaat nu een vegetatie die zich zonder de bodem in stand kan houden. Dit zijn de veenmossen, die praktisch alleen van regenwater kunnen groeien.

Doordat de veenmossen de mogelijkheid hebben hun benodigd water zelf vast te houden, kunnen ze in betrekkelijk korte tijd dikke veenpakketten doen ontstaan. Tevens zijn ze in staat een veengebied uit te breiden zelfs over hoger gelegen gronden heen. Deze uitbreiding wordt voorafgegaan door het ,,verdrinken'' van de naastliggende gebieden door het uit het veen vrijgekomen water.

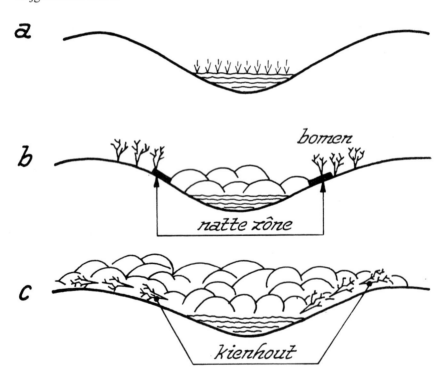

Schematische weergave van de uitbreiding van een veengebied:

a Laag terreingedeelte met begin van veengroei.

b Het veenmos is in opmars. Door het uittredende water wordt de omgeving geïnundeerd en wordt de vegetatie vernietigd.

c Het veenmos rukt verder op, nu al over de zandruggen. De bomen zijn reeds dood en bedekt door veen (,,kienhout'')

Toen de zee zijn invloed in het westen en noorden reeds liet gelden, groeide het veen in het midden van Friesland ongestoord door. De sterke veengroei deed het veenoppervlak dusdanig stijgen, dat we in die tijd kunnen spreken van het „Hoge Midden". Dit had tot gevolg:
1. De zee kon bij de toen nog lage stand het veengebied niet bereiken en overstromen.
2. Het hoog gelegen veengebied bood een woonplaats aan de mens. Vooral langs de stroompjes moet dit mogelijk geweest zijn.
Doordat de zeespiegel bleef stijgen en de zee steeds hoger klei-afzettingen langs de kust deponeerde werd de waterafvoer van het veengebied bemoeilijkt. De veengroei stagneerde. Door de sterk landinwaarts gedrongen zee kwam het zoute water in het veengebied via de Middelzee, Lauwerszee en de Zuiderzee. De vegetatie werd gedood en het veen werd met een meer of minder dikke (knip)kleilaag afgedekt (kaarteenheid 7).
Het kleidek gaf aan het veengebied een goede bodemvruchtbaarheid waardoor de mens het in cultuur ging nemen. Inklinken van het veenpakket was hiervan het gevolg. In diezelfde periode begon men het zeekleigebied te bedijken, waardoor het afstromen van het overtollig water erg werd bemoeilijkt. Aangezien de hogere zandgebieden hun water onbeperkt naar het westen lieten stromen veranderde het midden van Friesland in een laag gelegen en nat veengebied, het „Lage Midden". Het gebied strekt zich uit tussen Dokkum en Staveren.
Ook in het zandgebied van de Friese Wouden hadden zich vanuit lage en natte terreingedeelten grote veengebieden ontwikkeld. Zelfs gebieden die 5 tot 12 m boven N.A.P. waren gelegen, verdwenen onder dikke veenpakketten o.a. bij Bakkeveen, Haulerwijk, Fochteloo en Appelscha. De ondoorlatende keileemondergrond en het verstopt geraken van de stroompjes gaven de veengroei optimale kansen. De veengroei bedreigde zelfs de daar reeds wonende mens, die *leidijken* opwierp om het aanwezige bouwland te beschermen tegen het zure veenwater.
Het verschil in hoogteligging van de veengebieden heeft geleid tot de indeling van hoog- en laagveen. Het is echter beter het veen te benoemen naar het milieu waarin het veen is ontstaan. We onderscheiden dan: 1. Voedselrijk, 2. matig-voedselrijk, 3. voedselarm. Uiteraard is de vegetatie aan het milieu aangepast.
Het meeste veen in Friesland behoort tot de groep die in voedselarm milieu is ontstaan uit o.a. veenmos, wollegras en heide. Langs riviertjes en beekjes komt voedselrijk tot matig voedselrijk veen voor met resten van zeggen, grassen en houtvegetatie.

Princehof - D. Franke.

De mens heeft het veen reeds zeer vroeg benut als brandstof. Toen de vraag naar energie groter werd en de turf een handelsprodukt werd ging men op grote schaal vervenen.

In het Lage Midden werd de veenspecie onder het wateroppervlak gewonnen. Na de vervening bleven de grote met water gevulde gaten in het terrein achter als *petgaten*, onderling gescheiden door smalle stroken land, de *ribben* of *zethagen* (Princehof)[6].

In de hoger gelegen veengebieden werd de exploitatie door de Compagnons vanuit Heerenveen, Gorredijk en Drachten ter hand genomen. Door het graven van de Compagnonsvaarten en de vele vaarten en wijken werden de veengebieden ontwaterd en werd tevens transport mogelijk.

Het vergraven van het veen geschiedde „in den droge''. Zo spoedig mogelijk na de vervening werden de weer aan de oppervlakte gekomen zandgronden in cultuur gebracht.

Beschrijving van de kaarteenheden 8, 10 en 11

K.e. 8: *Laagveen ontginningsgronden* (ondergronden).

Bij de ontginning van de door de vervening ontstane petgaten, werden de gronden eerst drooggemalen. Na doorspitten van de ondergrond en het egaliseren van de ribben en zethagen werden deze gebieden weer in cultuur gebracht. Het maaiveld van de laagveenontginningsgronden ligt dikwijls meer dan een meter beneden de omgeving, vandaar de naam ondergronden.

72

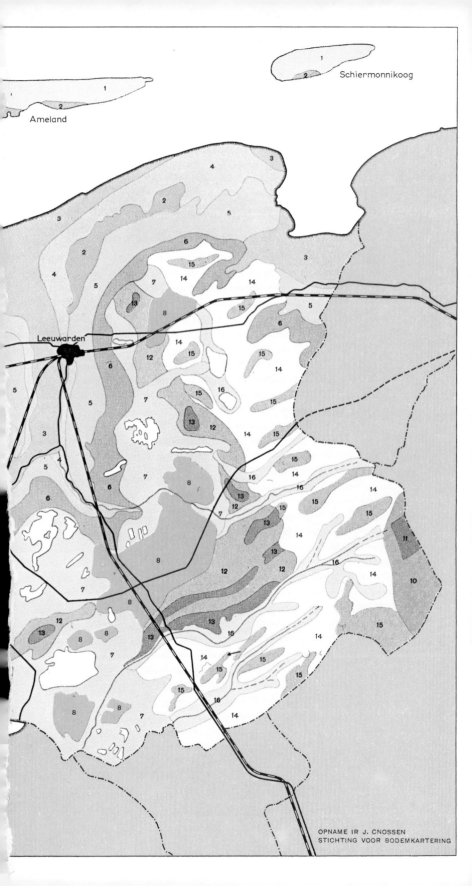

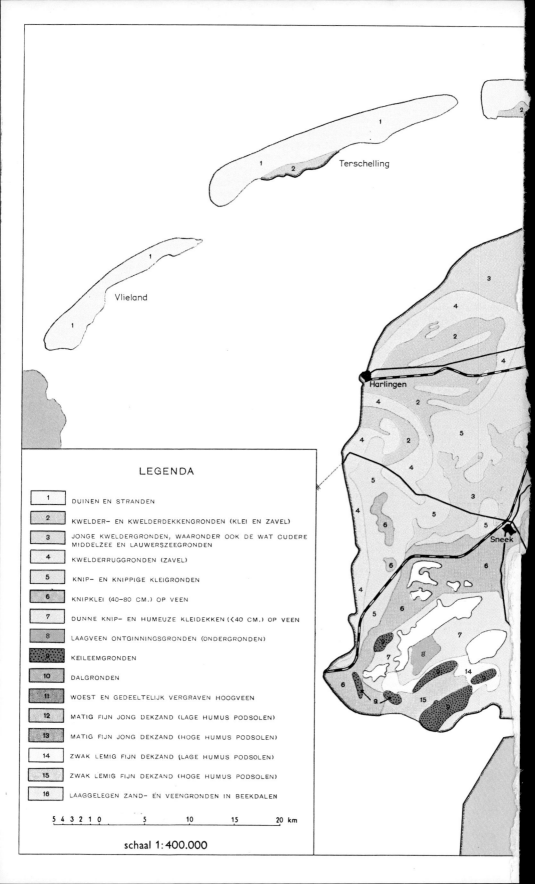

LEGENDA

1	DUINEN EN STRANDEN
2	KWELDER- EN KWELDERDEKKENGRONDEN (KLEI EN ZAVEL)
3	JONGE KWELDERGRONDEN, WAARONDER OOK DE WAT CUDERE MIDDELZEE EN LAUWERSZEEGRONDEN
4	KWELDERRUGGRONDEN (ZAVEL)
5	KNIP- EN KNIPPIGE KLEIGRONDEN
6	KNIPKLEI (40-80 CM.) OP VEEN
7	DUNNE KNIP- EN HUMEUZE KLEIDEKKEN (<40 CM.) OP VEEN
8	LAAGVEEN ONTGINNINGSGRONDEN (ONDERGRONDEN)
9	KEILEEMGRONDEN
10	DALGRONDEN
11	WOEST EN GEDEELTELIJK VERGRAVEN HOOGVEEN
12	MATIG FIJN JONG DEKZAND (LAGE HUMUS PODSOLEN)
13	MATIG FIJN JONG DEKZAND (HOGE HUMUS PODSOLEN)
14	ZWAK LEMIG FIJN DEKZAND (LAGE HUMUS PODSOLEN)
15	ZWAK LEMIG FIJN DEKZAND (HOGE HUMUS PODSOLEN)
16	LAAGGELEGEN ZAND- EN VEENGRONDEN IN BEEKDALEN

5 4 3 2 1 0   5   10   15   20 km

schaal 1:400.000

De profielen hebben meestal een dunne venige bovengrond op een veen ondergrond.

K.e. 10: *Dalgronden.*

Hiermee worden de jongste veenontginningsgronden bedoeld, waarin hij het ontginnen minstens 60 cm bolsterveen aanwezig is, dat door de verveners was achtergelaten. Na egalisatie, doorspitten en het aanbrengen van een zanddek op het bolsterveen ontstonden goede landbouwgronden. Ze komen alleen voor in de omgeving van Fochteloo.

In de oude verveningsgebieden tussen Heerenveen, Gorredijk, Drachten, Surhuisterveen etc. heeft men praktisch alle veen bij de vervening weggehaald. Alleen aan de wijken en vaarten is een herinnering aan de vervening achter gebleven. We spreken in deze gebieden dan ook niet van dalgronden.

K.e. 11: *Woest en gedeeltelijk vergraven hoogveen.*

Deze kaarteenheid heeft betrekking op een restant van het grote veengebied op de grens tussen Friesland en Drente ten oosten van Oosterwolde.

Het veen heeft zich ontwikkeld in een voedselarm milieu. Het profiel bestaat uit een ongeveer 1½ à 2 m dik veenpakket op de zandondergrond. De bovenste laag bestaat uit het jonge mosveen of *bolsterveen.* Plaatselijk wordt dit jonge bolsterveen gewonnen voor de bereiding van potgrond. De fabricage van turf is geheel beëindigd. Door toedoen van de mens begint het veen zich weer te herstellen en groeit op het levende veen een vegetatie van veenmos, heide, wollegras etc. die is aangepast aan het voedselarme milieu.

ir. J. Cnossen

Literatuur:
1. Rijks Geologische Dienst, Geologische overzichtskaarten, 1975.
2. M. W. ter Wee, The Saalien Glaciation in the Netherlands. Meded. v.d. Geol. Stichting N.S. 15, 1962, 57-76.
3. J. G. Zandstra, Over de uitkomsten van Nieuwe Zwerfsteentellingen en een keileemtypeindeling in Nederland. Grondboor en Hamer, 28, 1974, 95-108.
4. A. Bohmers en G. Houtsma, De praehistorie, in: Boven-Boorngebied, Drachten, 1961, 126-151.
5. K. Rienks en G. L. Walther, Binnendiken en Slieperdiken yn Fryslân, Boalswert, 1954.
6. J. Cnossen, De Bodem van Friesland, Wageningen, 1971.
7. J. J. Spahr van der Hoek, Verdeling van het Landschap, in: Boven-Boorngebied, Drachten, 1965, 170-196.

fryske fûgelnammen

„Ik mag echter niet nalaten te wijzen op eene eigenaardige moeilijkheid waarmede niet-Friesche onderzoekers rekening moeten houden, n.l. op het verschil in taal. Wel is waar leeren de Friezen op school het Nederlandsch, maar daar buiten wordt, behalve in enkele steden (waar men echter ook nog alles behalve Nederlandsch spreekt) uitsluitend Friesch gesproken. En zelfs aan de meer ontwikkelden in de steden zijn, bijna zonder uitzondering, de officieele Nederlandsche vogelnamen onbekend. Welke Fries, uitgezonderd de enkeling die er eenige studie van maakte, weet b.v. wat een Torenvalk, Kiekendief, Gierzwaluw, Kwartelkoning, Scholekster of Fuut; welke niet-Fries wat een Reade Wiekel, Hoanskrobber, Toerswjel, Teapert, Strânljiep of Hjerringslynder is. Het is daarom aan te bevelen dat ieder, die zich door mijne kleine voordracht tot eene excursie in Friesland voelt aangetrokken, en ik hoop dat het er zeer velen zullen zijn, de hulp inroept van iemand, die met taal en locale toestanden bekend is." (Ts. Gs. de Vries, 1907)[1].

Net allinne Ts. Gs. de Vries, mar ek Albarda al hie in heap niget oan de Fryske nammen foar de Fûgels. Fansels dat ek yn dit boek omtinken jown wurdt oan de Fryske fûgelnammen en de taelkundige aspekten dêrfan.
As wy in fûgelnamme taelkundich bisjen wolle, dan moatte wy goed op 'e hichte wêze mei:
a âldere foarmen fan de namme;
b de wittenskiplike namme;
c de nammen fan de fûgel, ek yn de oare talen en tongslaggen om ús hinne;
d de lûden dy't de fûgel makket;
e de anatomy fan de fûgel, kleuren, foarmen en opfallende ûnderdielen;
f it dwaen en litten fan de fûgel yn de frije natuer.

Aldere nammen

Fryske fûgelnammen út de tiid fan it Aldfrysk binne ús hast net bikend. Foar 1550 kenne wy in mannich toponimen dêr't fûgelnammen yn foarkomme. Yn it tydskrift „It Heitelân" fan 1948 stiet in artikel fan Sneuper oer: 16de-ieuske Fûgelnammen[2].
De skriuwer fynt: Kukuytsboem (1541), koebelland (1511), Coebelwiel (1543), oulecamp (1543), Tyrcksnest (1543), Lipencomp (1431), oppe Lieppen (1543), Swalestirt (1543). De skriuwer neamt Wilstergen en tinkt dêrby oan de wilster, mar dat is in forsin: de namme is Wils-tergen. By „Lipencomp" en „oppe Lieppen" kin ek tocht wurde oan 'e lânmjitte „ljippen".

74

Yn it begjin fan de 17de ieu ha wy it hânskrift fan *Burmania*: „Der oude vrije friesen Spreeckwoorden" (1614). Hjiryn komme de folgjende fûgel-nammen foar: Exter, finck, lirts (= ljurk), Gies, kukuyt, Swan, uwle, li-ourck, wink, teeling, aeberre en berre, hin, leep, kaa, hoane, hauck, reijger, Aercke, eijnfuggel, falck, eern. Wy nimme inkelde sprekwurden oer³:
Sa gled as ien *Aercke* stirt.
Dat schoe ien *Eern* zyn jongen naet todraghe.
Hij beklugge him, as *d'aeberre* de pod (Hy bignaude him, as de earrebarre de pod).
Hij seijnt ien *teeling* uijt, om ien *einfugel* te faen.
Al te let, zeij de *Exter*, en hie de bout ijne eers (De pylk yn it efterlichem).
Better *fincken* ploacke, as leegh sitten.
De blijne recket de *lirts* wol (Men wit nea net hoe't it giet, in blinen-ien kin de ljurk noch wolris reitsje).
De *gies* meilcke (De guozzen melke).
De *kukuyt* ropt hier in Friesland nimmermeer voor maije.
De *Swan* behoeft syn feeren zoo wol as de mosck zyns.
De ûle komt seis kear yn de Burmania-sprekwurden foar:
De wirden binne goed, seij d'uwle en seagh ijnne sauter (it psalmboek).
De uwle en de berre hawwe naet alijcke graet lock (It slagget de iene soms better as de oare).
Hij leckettet (bisjocht it) as d'uwl de maargh (it binnenst, it fleis fan syn proai).

Yn de „Friesche Boere-Practica" fan Petrus Baardt (earste printinge yn 1640) fine wy in hiele rige fûgelnammen⁴. Dêr komme û.o. foar: Kobel, Duwkers („lijts en graet"), Ouwl(le), Wijckel, Ljurck, Ka, Leep, Swan, Pau, Swael, Gies, Eyn en Ravens.
It is opfallend dat dizze fûgelnammen de ieuwen troch hast gelyk bleaun binne.

Ek by *Gysbert Japicx* (1603-1666) komme in mannich fûgels foar it ljocht, binammen yn de twadde ôfdieling fan syn „Friesche Rymlerye" ntl. it „Gemiene aef Huwzmanne Petear, in ore Katerye", dat om 1650 hinne skreaun is. Yn Egge, Wyneringh in Goadsfruen:
Hier drayt in Ljeap, dear fluecht in Duw.
Dat toetjen (ntl. de muzyk yn 'e stêd) het by 't Ljuerck nin lijck;
By 't Ouls-holtje, by Cijs æf Swealtje;
In jiette min by 't Nachtegealtje.
Fierder founen wy noch: Aebare (en de boartlike namme: Reaschonck),

Schiere-Krie, Krie (Fangt de fleande Krie aerne' aet, Yen dy sit dy krijgget naet), Môsck en Swealtje (yn Ps. 84), Uwlle-koffe, Eyn, Gies en Hauck (Ps. 79).

It ûlsholtsje

Fan de fûgelnammen dy't Gysbert Japicx brûkt is der ien by dy't swierrich-heden jowt, ntl. it „Ouls-holtje". Yn E. Epkema syn wurdboek op Gysbert Japicx lêze wy: „Uwls-holtje, zekere vogel, denkelijk de *leeuwerik*, wiens kopje wel gelijkt naar dat van den uil". De ljurk wurdt lykwols al earder neamd en liket hoegenamt net op in ûle. D. Kalma jowt yn syn útjefte fan it „Húsmanne-Petear" as taljochting: „in sjongfûgeltsje hwaens kop hwet op in ûle sines liket". W. Dykstra (Friesch Woordenboek), Ts. Gs. de Vries (Aves Frisicae) en J. H. Brouwer (Oantekeningen op Gysbert Japicx Wur-ken) jowe by ûlsholtsje: *tûfmies*. Hjir binne lykwols in pear biswieren oan forboun. De túfmies liket net folle op in ûle, ek de kop net. Yn de tekst dêr't Gysbert Japicx it ûlsholtsje brûkt[5] komt de bidoeling dúdlik út; Wy-neringh neamt inkelde *bikende* fûgels (ljurk, syske, sweltsje, nachtegeal en ek it ûlsholtsje) om oan boer Egge to fortellen dat dy lûden útbringe, dy't folle moaijer klinke as it oargel en de muzyk yn 'e stêd. It ien mei it oar makket de túfmies hjir in twivelich gefal.

Nou is der in hiel oare fûgel dy't hwat namme en gelikenis oangiet earder yn oanmerking komt, ntl. de *ûlekop*. De ûlekop is in folksnamme dy't yn 'e Súdwesthoek nou noch bikend is foar de *Houtsnip*, Scolopax rusticola Linnaeus (Twerda 1948)[6].

De fûgel is en wie tige bikend yn Gaesterlân en by de westlike sékant lâns. De greate bolsteande eagen binne krekt as dy fan 'e ûle. By it fleanen hat er de snavel nei ûnderen en de kop hwat ynlutsen en liket sa op in ûle. It lûd dat de fûgel útbringt is in: orrt-tsiwip, tige aerdich om to hearren. De ûlekoppen waerden fongen mei falnetten (Twerda 1948)[6]. Under gunstige omstannichheden fongen hja eartiids mei 50 netten wol in 200 yn in heal-ûre foar't de sinne opkaem en in healûre nei't de sinne ûnder gyng[7]. De measte biswieren foar de túfmies jilde dus net foar de Houtsnip. Al bliuwt der oer dat it twadde diel „-holtsje" net gelyk is oan „-kop", mar de bitsjutting is wol itselde.

Folksnammen

De wittenskiplike nammen hawwe forbân mei de systematyske yndieling fan de fûgels yn geslachts- en soartnammen. Der moat goed om tocht wurde dat soks by de *folksnammen* net sa hoecht to wêzen. Om inkelde foarbylden to neamen: In wylpreager heart net by it geslacht reagers. In toarnmosk net by de mosken. In skatekster net by de eksters. By it Neder-lânsk en it Dútsk binne ek sokke foarbylden to finen. De kritearia foar de folksnammen lizze hiel oars. It is tige nijsgjirrich om nei to gean hoe't bipaelde fûgelnammen ûntstien binne.

1. Guon fûgelnammen binne *ûntlienings* fan it Latyn, bygelyks Pau, fan Lat. pavo; Fazant, fan Lat. phasianus; Mosk, fan Lat. muscio. (Musca is mich, muscio is migge-iter.)
2. In bulte nammen binne ûntstien nei it *lûd* dat de fûgels útbringe. Ono-matopéen binne: ka, klút, koekoek, sewyt, didyt, goars, tsjiftsjaf, hûpe, gril, gielegou, skoet, fink, dou, wink.
Soms is mar in diel fan 'e namme in lûdneibauwing: kwêkfink, rotgoes, kuorhin, karein, hôfdou, reiddomp. Nei it lûd dat mei de wjokken makke wurdt: bletterlamke, rinkelein, belein. Nei oanlieding fan it roppen, skreauwen, razen, dat se dogge: skries, wilster, wylp, tjirk, reager, raven, roek.
3. In hiele poarsje nammen komt in opfallende *kleur* fan de fûgel yn foar:
Read: readkop, readskonk, readboarstke, readsturtsje, readwjok, reade wi-kel, reade halsdûker, reade protter, reade reager, reade swel, reade glé, reade gril, reade mosk, reade patriis.
Swart: swartlyster, swartkopgoars, swartkopmiuw, swartsnavelmok, swart boumantsje, swarte earrebarre, swarte glé.
Wyt: wytstirns, wytgatsweltsje, wytkopein, wytbânkrúsbek, wytwangstirns.
Blau: blauboarstke, blaudouke, blaumieske, blaupoatsje, blauspjocht, blaustirns, blauwe wikel.
Giel: gielfink, gielkopbouman, gielskonk, gielboarstke, giel boumantsje, giele hôfsjonger, gielsnaveldûker, gielsnavelmok.
Brún: brune dûkein, brune hoanskrobber, brune reager, brúnkopgoars.
Goud: goudûle, goudfink, goudtúfke, goudeachje, goudlyster.
Grau: graupiper, grautsjer.
Skier: skierroek, skiere mok, skiertjilling, skiere wettergril, skiere goes.
Bûnt: bûnte dûkein, bûnte gril, bûnte lyster, bûnte miggesnapper, bûnte sédûker, bûnte wettergril, bûnte wilster, bûnt reidhintsje.
4. Nei de *foarm*, it *model*, de *greatte* binne ek in hiele rige fûgels bineamd.
Great: great bûnte dûkein, greate bûnte wilster, greate séein, greate skraits, greate piper, greate mok, greate eksterspjocht.
Lyts: lytse bosksjonger, lytse bûnte gril, lytse bûnte wilster, lytse earûle,

lytse goars, lytse miggesnapper, lytse wylp. Yn „It wylde fûgelt" (1972) steane 26 nammen mei „lytse".

Soms jowe de wurden sels al oan dat de fûgel in lyts stal hat: smjunt (=smelle ein), tomke, tommelid, dwerchreidhintsje. Ek troch in forlytsingsútgong: blauboarstke, blaudouke, mieske, griltsje.

Lang en smel: skraits.

Koart en breed: dûbele lyster, dûbele snip.

Fûgels mei in *koart, grou, roun lichem:* kobben, mokken, koffe.

5. Nei in *aparte tekening* of nei oare *opfallende kenmerken.*

Burd (streek ûnder de snavel): burdmantsje.

Snavel: leppelbek, krúsbek, heakbek, seachdûker (mei in seachfoarmige bek), gielsnaveldûker, snip (nei de skerpe, spitse snavel), spjocht (fûgel mei spitse bek).

Túfke: túfein, túfmies, túfljurk, túfkoekoek, goudtúfke, fjûrtúfke.

Sturt: pylksturt, sidesturt, readsturtsje, langsturtmies.

Kraech: kraechdou, kraechtrapgoes, kraechman.

Hoarnen: (earplûmen): hoarnûle.

Poaten: blaupoatsje, readpoatfalk, rûchpoatmûzefalk.

Brandganzen boven het Banthuisje bij Anjum - H. F. de Boer.

Bân: bâniisfûgel, wytbânkrúsbek.

Blok: blokfink.

Bril: brilséein, brildûker.

Knobbel: knobbelswan, knobbelein.

Bles: blesein, blesgoes.

6. Bineaming yn forbân mei *planten:* bjintesjonger, reidlyster, flaeksfink, wylgesyske, koarnmosk, nôtfink, heidebarmke, reidhintsje, kersebiter, appelfink, nutekreaker, snilekrûper, houtekster, reiddomp.

7. Nei de *biotoop* fan de fûgel: bosksjonger, boskfazant, hôfsjonger, heidbarmke, strânljip, strânljurk, fjildlyster, hagekrûper, haechrobyntsje, wâldspjocht, wâldûle, wâldmies, toerswel, séfalkje, wetterlyster, heawylp (sit faek yn it haeilân). In oantsjutting fan sompich lân ha wy yn: haersnip, earrebarre en mearn.

8. Nei in *toponym:* Sibearyske lyster, Sibearyske wilster, Noarske ein, wylde kanarje (Kanaryske eilannen), Alpenka, Turkske toarteldou.

9. Nei it *iten* fan de fûgels: appelfretter, kersebiter, fiskefanger, hjerringslynder (winters op sé; eartiids ek yn 'e Sudersé), ielslynder, ielreager, miggesnapper, flaeksfink, huningfalk, mosk (= miggefanger), stienpikker (keart de stiennen om; dêrûnder is libben guod).

10. Nei de *libbenswize,* de aparte manier fan dwaen: deislieper, beamkrûper, beambikker, beampikker, draeinekke (fgl. Dútsk Wendehals), skeefnekke, dûker, paugoes (rint op in pau-eftige manier).

11. Nei it *waer:* wintermiuw, winterljurk, stoarmfûgel, ûnwaersfûgel, wetterwylp, waerlamke (noardewyn), tongerswel.

12. Mei nammen fan oare *fûgels.* Gearstallings mei twa fûgelnammen: paugoes, eksterspjocht, wikelswel, hoannemosk, earnfalk, finkefalk, eidergoes, toarteldou, wylpreager, goesearn. Mei trije fûgelnammen: sparwerûle, ntl. sparwa (= mosk), aran (= earn) en ûle.

13. Mei nammen fan oare *dieren:* katûle, mûzefalk, mûzebiter, bûnte liuw, fiskearn, fiskedief, ielgoes, hjerringslynder, ielreager, miggesnapper, reidimerke, waerlamke.

14. Nei de manier fan *fleanen* of *rinnen:* rôlder (tûmelt yn 'e baltsflecht), glé (in glydzjende sweefflecht), swel (jin draeijend biwege), bletterlamke, rinkelein, earsfuttel(er), paugoes (rint as in pau).

15. *Humoristyske* nammen of nammen mei *affekt:* kraechman, boumantsje-wipsturt, pettepikkerke, dominylyster, paepke, kninebeul, dikskiter, kealekonters, aeijefretter, skytjager, foddebosk. Oebele (spuitkont) is de protter, Akke, Akke-wytgat, Akke-swartgat, langskonk, readskonk, Harnzer

boargers, Slim syn hinnen, Brand syn douwen, Kúnder douwen, Amelander hinnen (de lêste fiif binne séfûgels,) bûnte Pyt, Jakobus (wytstirns), Alde Jitse of Aldbaitsje (ielreager).

De nammen fan de aparte fûgelsoarten en alles dêromhinne komme by de soarten sels oan 'e oarder.

J. Boersma

Noaten:

1. De tafeleend, Nyroca ferina (L.), in Friesland, Versl. en Med. der N.O.V., 4, 1907, 13-22.
2. It Heitelân 63, 1948, 63.
3. J. H. Brouwer en P. Sipma, De Sprekwirden fen Burmania (1614), Assen 1940.
4. J. H. Brouwer, Petri Baardt, Friesche Boere-practica, Magnusrige 9, Boalsert 1960.
5. Gysbert Japicx Wurken, bisoarge fan J. H. Brouwer, J. Haantjes en P. Sipma, Boalsert 1966, 68.
6. H. Twerda, Gaesterlân, fan fûgeljen, fiskjen en ikeboskjen, Assen 1948, 31.
7. H. Albarda, Naamlijst der in de provincie Friesland in wilden staat waargenomen vogels, yn: Bouwstoffen voor eene Fauna van Nederland, bijeengebracht door J. Herklots, Leiden 1866, 3e deel, 4e stuk.

lijst van gebruikte bronnen en statusaanduidingen

Bij het samenstellen van het boek zijn de onderstaande bronnen benut:

A. 1 Archief Inlichtingendienst van de Bond van Friese Vogelbeschermingswachten (B.F.V.W.) (G. Bosch).

A. 2 Archief Inlichtingendienst van de Bond van Friese Vogelbeschermingswachten (B.F.V.W.) (W. de Jong).

A. 3 Dagboek mr. T. Lebret, Middelburg.

A. 4 Dagboek D. T. E. van der Ploeg, Sneek.

A. 5 Dagboek ing. A. G. Witteveen, Buitenpost.

A. 6 Archief H. Bergsma, Harlingen.

A. 9 Archief drs. G. P. Hekstra, Voorburg.

A. 10 Dagboek M. J. van Kammen, Kootstertille.

A. 12 Dagboek dr. P. Tilma, Norg.

A. 14 Dagboek mr. F. Haverschmidt, Ommen.

A. 15 Dagboek Sj. Braaksma, Vreeswijk.

A. 16 Dagboek J. D. Brada, Wijnjewoude.

A. 17 Dagboek J. Peetsma, Heerenveen.

A. 18 Archief Atlasproject, Joure.

A. 19 Dagboek J. Wisman, Leusden.

A. 20 Dagboek mr. J. A. de Vries, Joure.

A. 21 Dagboek J. de Jong, Joure.

A. 22 Dagboek J. H. P. Westhof, Sneek.

A. 23 Dagboek H. Siebenga, Bakkeveen.

A. 24 Dagboek drs. M. J. Swart, Drachten.

A. 25 Dagboek A. Timmerman Azn., Oenkerk.

A. 26 Dagboek H. T. van der Meulen, Joure.

B. 1 De Levende Natuur 1 (1896) - 77 (1974).

B. 2 Verslagen en Mededeelingen der Nederlandsche Ornithologische
Vereeniging 1 (1904) - 6 (1909).
Jaarboekje uitgegeven door het Bestuur der Nederlandsche Ornitho-
logische Vereeniging 7 (1910) - 8 (1912).
Ardea 1 (1912) - 62 (1974).

B. 3 Jaarbericht der Club van Nederlandsche Vogelkundigen 1 (1911) - 17 (1928).
Orgaan der Club van Nederlandsche Vogelkundigen 1 (1928) - 9 (1936).
Limosa 10 (1937) - 47 (1974).

B. 4 Wiek en Sneb 1 (1953)- 4 (1956).
Het Vogeljaar 5 (1957) - 22 (1974).

B. 5 Natura 1 (1902) - 71 (1974).

B. 6 Amoeba 1 (1922) - 50 (1974).

B. 7 Mededeelingen van de Club van Zuiderzeewaarnemers (1927-1954).

B. 8 Veld en Vitrine (1956-1974).

B. 9 Tijdschrift der Nederlandsche Dierkundige Vereeniging serie I (1873) - serie III (1933).

B. 11 De vogels van het Zuiderzeegebied, C. G. B. ten Kate, 1936, met aanvullingen (1938, 1939, 1942 en 1947).

G. 5 Rapporten Staatsbosbeheer, Leeuwarden en Utrecht.

G. 6 Collecties van het Rijksmuseum van Natuurlijke Historie, Leiden.

D. 1 H. Albarda, Naamlijst der in de provincie Friesland in wilden staat waargenomen vogels, 1884.

D. 2 G. A. Brouwer, (in) Het Princehof 1948, 214-246.

D. 3 Rapport Wadvogelwerkgroep Friesland over de betekenis van de Friese Waddenkust voor de Wad- en Watervogels, 1974.

H. 1 Beschrijving vogelcollectie Fries Natuurhistorisch Museum te Leeuwarden.

Toelichting tot het bepalen van de status

Bij het bepalen van de status van de vogelsoort met betrekking tot de provincie Friesland is gebruik gemaakt van de volgende criteria:

1. Jaarvogel: de soort is regelmatige broedvogel in Friesland en is hier het hele jaar aanwezig;
2. Zomervogel: regelmatige broedvogel, welke in de winter niet of slechts incidenteel in Friesland voorkomt;

3. Jaargast: regelmatige, gedurende het gehele jaar voorkomende vogel, welke niet of slechts incidenteel in Friesland broedt;

4. Wintergast: regelmatig in Friesland doortrekkende en overwinterende vogel, welke buiten zijn trektijden in de zomer niet of slechts incidenteel voorkomt;

5. Doortrekker: regelmatig in Friesland doortrekkende vogel welke buiten zijn trektijden in de zomer of winter niet of slechts incidenteel voorkomt;

6. Onregelmatige gast: niet in Friesland voorkomende of broedende vogel, sedert 1900 meer dan vijf keer in Friesland vastgesteld, maar niet ieder jaar voorkomend;

7. Dwaalgast: vogel, welke na 1900 niet meer dan vijf maal in Friesland is vastgesteld.

Ten aanzien van de status van de vogel als niet jaarlijkse broedvogel in Friesland is de volgende onderscheiding gebruikt:

1. Toevallige broedvogel: een soort waarvan na 1900 in Friesland niet vaker dan vijf maal een broedvogel is vastgesteld;

2. Onregelmatige broedvogel: een soort, waarvan na 1900 in Friesland tenminste vijf broedgevallen zijn vastgesteld maar welke hier niet elk jaar broedt;

3. Voormalige broedvogel: een soort, welke in de loop van deze eeuw in Friesland als broedvogel is uitgestorven.

Bij de opgave van de aantallen waarin een soort in Friesland jaarlijks broedt, wordt de onderstaande indeling gebezigd:

a	zeer schaars	: 1-5 broedparen;
b	schaars	: 5-25 broedparen;
c	vrij schaars	: 25-250 broedparen;
d	vrij talrijk	: 250-1000 broedparen;
e	talrijk	: 1000-5000 broedparen;
f	zeer talrijk	: 5000 of meer broedparen.

Van de in kolonies broedende soorten wordt een zo nauwkeurig mogelijke opgave van het aantal broedparen gedaan, gespecificeerd per kolonie.

Van de hier doortrekkende, overzomerende of overwinterende soorten wordt een waardering gegeven van de aantallen. Deze waardering geschiedt overeenkomstig de volgende schaal:

a in zeer klein aantal	: 1-10.	
b in klein aantal	: 10-50.	
c in vrij klein aantal	: 50-500.	
d in vrij groot aantal	: 500-2000.	
e in groot aantal	: 2000-10000.	
f in zeer groot aantal	: 10000 of meer.	

Deze schaalverdeling geeft een ruwe schatting van het maximale aantal individuen dat op het hoogtepunt van de trek, overzomering of overwintering op één dag op het vasteland van Friesland aanwezig kan zijn.

Van de soorten welke hier groepsgewijs overwinteren en waarbij het mogelijk was met een redelijke nauwkeurigheid de aantallen te tellen, werden deze vermeld.

Er dient op te worden gewezen, dat het in vele gevallen ,,momentopnamen" betreft.

het ornithologisch atlasproject in friesland

(De inventarisatie van broedvogels in de provincie Friesland van 1972 tot en met 1975 op kwalitatieve basis)

Inleiding

Uit de in dit boek opgenomen verspreidingskaarten bij diverse van de beschreven vogelsoorten blijkt waar (in welke blokken) deze vogelsoorten in Friesland in een of meer van de jaren 1972 tot en met 1975 zeker, waarschijnlijk of mogelijk hebben gebroed. Het doel van het opnemen van deze kaarten is informatie te geven over de geografische verspreiding van de broedvogelsoorten in Friesland. Het Atlasproject draagt derhalve een duidelijk kwalitatief karakter. Het criterium hierbij is of een vogelsoort wel (waarschijnlijk, mogelijk) of geen broedvogel is van het betrokken gebied (Friesland). Het aantal broedparen per soort wordt in dit systeem niet vastgesteld.

Van begin mei 1972 af hebben ongeveer 250 inventariseerders-medewerkers van de Stichting Avifauna van Friesland gegevens voor deze verspreidingskaarten in dit boek bijeengebracht. Aan deze ongeveer 250 vogelliefhebbers is dan ook grote dank verschuldigd voor het vele inventarisatiewerk, dat zij zowel overdag, als 's avonds en soms 's nachts in de broedseizoenen in het Friese veld en bos ten behoeve van de Stichting Avifauna van Friesland hebben verricht.

Het nut van het ornithologisch Atlasproject

Zoals gezegd beoogt het project een overzicht te geven van de geografische verspreiding van de broedvogelsoorten in een bepaald gebied, in dit geval de provincie Friesland zonder de eilanden.

De hierbij verzamelde gegevens dragen bij tot de kennis van de geografische verspreiding van de broedvogels, de gegevens verschaffen inzicht in bepaalde aspecten van de kwaliteit van het milieu, de gegevens kunnen dienstig worden gemaakt bij de milieukartering en de gegevens kunnen een stimulans zijn tot een meer gedetailleerd oecologisch onderzoek naar de biotoopkeus en de populatiedichtheid van bepaalde vogelsoorten.

Voorts is het mogelijk de inventarisatie na een aantal jaren te herhalen om inzicht te krijgen in de avifaunistische veranderingen (bijv. voor- en achteruitgang van bepaalde soorten, verdwijning van soorten, broedgevallen van nieuwe soorten en wijziging van de verspreiding), welke er gedurende die tussenliggende periode in Friesland zijn opgetreden.

De belangrijkheid van het project ligt verder in het vaststellen van broedplaatsen van zeldzame vogelsoorten.

Het inventarisatieproject verhoogt bovendien voor de inventariseerders amateur-veldornithologen - hun kennis over en hun enthousiasme voor de vogels en de natuur in het algemeen.

Algemeen

Het European Ornithological Atlas Committee (EOAC) organiseert thans een project, met het doel een Europese ornithologische Atlas samen te stellen op basis van 50 x 50 km-kwadraten over de geografische versprei-ding van alle broedvogelsoorten in de Europese landen op basis van aan- of afwezigheid. Deze Atlas is reeds grotendeels gereed voor b.v. Groot Brit-tannië. In vele andere landen wordt hieraan nog gewerkt.

De Stichting Ornithologisch Veldonderzoek Nederland (SOVON) organi-seert het Atlasproject in Nederland (van 1973 af). Nederland is hiertoe verdeeld in 18 districten (Friesland, zonder de eilanden, vormt district 2).

De Stichting Avifauna van Friesland heeft van 1972 af zelfstandig het project in Friesland tot uitvoering gebracht. Uiteraard worden de verza-melde gegevens uit Friesland ook ter beschikking gesteld aan de voornoem-de Stichting SOVON ten behoeve van de Nederlandse ornithologische At-las.

Op advies van een Commissie van de Nederlandse Ornithologische Unie (NOU) besloot het bestuur van de Stichting Avifauna van Friesland de vogelkundige inventarisatie in Friesland te doen plaatsvinden op basis van het 5 x 5 km-blokkensysteem (het 5 x 5 km-kwadraatnet). In Groot Brit-tannië werd een 10 x 10 km-net gebruikt, terwijl in de rest van Nederland ook het 5 x 5 km-net wordt gebruikt. Er werd een kaart samengesteld, waarop de provincie Friesland zonder de eilanden is overdekt met een netwerk van lijnen of ongeveer 160 blokken van 5 x 5 km (ieder blok groot: 2500 ha). Voor het vaststellen van de begrenzing van deze blokken werd gebruik gemaakt van de coördinaten, voorkomend op de topografi-sche kaarten, schaal 1 : 50.000. Op deze kaarten is een 1 km wijd coördi-natennet afgebeeld door middel van dunne, zwarte lijnen.

De eventuele aanwezigheid van broedvogels is dus vastgesteld in blokken van 5 x 5 km, welke blokken ontstaan door samenvoeging van 25 op de topografische kaarten afgebeelde vierkanten met een zijde van 1 km. Op de topografische kaarten 1 : 50.000 zijn deze blokken 10 x 10 cm groot.

De Topografische Dienst te Delft geeft de kaartbladen 1 : 50.000 uit in sets van twee, die samen een West- en Oostblad vormen, die hetzelfde nummer dragen. Op elk blad komen twintig 5 x 5 km-blokken voor, die volgens een bepaald systeem worden genummerd. Elk 5 x 5 km-blok heeft een num-

mer, dat uit twee getallen bestaat waarmee de ligging dus gecodeerd is. Het eerste getal is het zelfde als het nummer van het kaartblad en het tweede geeft de plaats van het blok op dat kaartblad weer.

De nummering van de blokken komt overeen met die van het zogenaamde „uurhokken-systeem" van de floristen.

Uitvoering van het Atlasproject in Friesland

Begin mei 1972 is het ornithologisch Atlasproject door het bestuur van de Stichting Avifauna van Friesland bij haar medewerkers geïntroduceerd. In de jaren 1972 tot en met 1975 hebben, zoals reeds is gezegd, ongeveer 250 vogelliefhebbers aan de inventarisatie meegedaan. Sommige inventariseerders hebben hun blok(ken) zeer intensief onderzocht, andere inventariseerders deden incidentele waarnemingen in één of meer blokken. In sommige van de ongeveer 160 blokken van 5 x 5 km is door een groep (b.v. leraar met leerlingen van een school, een vogelwerkgroep) geïnventariseerd, in andere blokken is één inventariseerder werkzaam geweest.

De indruk wordt gewekt, dat het Atlasproject door de inventariseerders - soms beroepsmensen (It Fryske Gea, SBB), meestal amateur-ornithologen, in ieder geval vogelliefhebbers - met enthousiasme is uitgevoerd. Het inventariseren is een bijzondere vorm van ontspanning in de natuur en verhoogt de kennis van de vogels. Het moet voor de medewerkers aan het Atlasproject een genoegen geweest zijn in de vier inventarisatiejaren in hun blokken het vogelleven te ontdekken, te observeren, te beschermen en te stimuleren (b.v. met nestkasten).

Ook in 1976 en daarna zal weer een beroep worden gedaan op de vogelliefhebbers om mede te werken - volgens het Atlasprojectsysteem - aan de verdere inventarisatie van die broedvogels van Friesland, welke zullen worden beschreven in deel II.

De medewerkers aan het onderzoek kregen van de Stichting Avifauna van Friesland een overzichtskaart van Friesland, waarop alle blokken zijn aangegeven, met daarin één of meer plaatsnamen en het hiervoor aangehaalde nummer.

Na keuze van een blok (of blokken) kregen de inventariseerders de beschikking over:

a dat deel (die delen) van het kaartblad 1 : 50.000 (zie hiervoor), dat (die) het blok (de blokken) omvat(ten), met op de achterzijde het bloknummer (de bloknummers), zodat de medewerkers zich volledig in het veld konden oriënteren;

				LAUWERSOOG	
2-53 SCHOOR	**2-54** WAERUM, NES	**2-55** MOODERGAT		**2-56**	
HOLWERD **6-12** BLIJA	TERNAARD **6-13** HANTUM, FOUDGUM	O.NIJKERK **6-14** WETZENS	ANJUM **6-15** METSLAWIER	OOSTMAHORN **6-16**	**6-17**
HOOGEBEINTUM **6-22** REITSUM, WANSWERD	BORNWIRD **6-23** RINSUMAGEEST	DOKKUM **6-24** DRIESUM	GE **6-25** OOSTWOUD	**6-26** KOLLUMERPOMP	**6-27** MUNNEKEZIJL WARFSTER-MOLEN
BIRDAARD **6-32** OUDKERK	AKKERWOUDE DAMWOUDE **6-33** ROODKERK	MURMERWOUDE DAMWOUDE DE **6-34** BROEKSTERW. ZW.WESTEINDE	OUDWOUDE **6-35** KOLL.ZWAAG	KOLLUM **6-36** BUITENPOST	BURUM **6-37**
GIEKERK **6-42**	**6-43** RIJPERKERK HARDEGARIJP	VEENWOUDEN **6-44** NOORDBERGUM EESTEN	TWIJZEL **6-45** EESTRUM	GERKESKLOOSTER **6-46** AUGUSTINUSGA	**6-47** SURHUIZUMERMIEDEN
KLEINE GEEST **6-52** HEMPENS	**6-53** SUAWOUDE GARIJP	BERGUM **6-54** VEENHUIZEN	**6-55** HARKEMA	**6-56** SURHUISTERVEEN, BOELENSLAAN	DOEZUM **6-57**
WARTENA **11-12**	SIEGERSWOUDE **11-13**	DE TIKE **11-14** OUDEGA	ROTTEVALLE **11-15** FOLGEREN	HOUTIGE-HAGE **11-16** DRACHTSTER.C.	
11-22	DE VEENHOOP **11-23**	**11-24** BOORNBERGUM	DRACHTEN **11-25** ZANDBUREN	URETERP A/D VAART URETERP **11-26**	FRIESCHE PALEN **11-27** BAKKEVEEN	ALLARDSOOG **11-28**
OLDEBOORN **11-32**	**11-33** ULESPRONG	OUD BEETS **11-34** TIJNJE	OLTERTERP BEETSTERZW. **11-35**	WIJNJE WOUDE **11-36** WIJNJE-TERRSTREEK HEMRIK	WOUDE **11-37**	HAULERWIJK **11-38** HAULE	**12-31**
11-42 NIEUWEBRUG	**11-43** TJALLEBERD	TERWISPEL **11-44** LANGEZWAAG	LIPPENHUIZEN GORREDIJK **11-45**	**11-46** HOORNSTERZW.	DONKERBROEK **11-47** MAKKINGA	NW.WEPER **11-48** OOSTERWOLDE MAKKINGA	**12-41**
11-52 OUDEHASKE	WINJEBERD HEERENVEEN **11-53**	**11-54** KATLIJK	OUDEHORNER-COMPAGNIE **11-55** OLDEBERKOOP	MIDDELBUREN NIJEBERKOOP **11-56**	**11-57** TRONDE ELSLOO	**11-58** OUD-APPELSCHA	**12-51**
ST.JOH'S GA **16-12**	OUDESCHOOT **16-13**	**16-14** TERIDZARD	**16-15** NIJEHOLTPA KONINGSBERGEN	ZANDHUIZEN **16-16** BOYL NOORDWOLDE	RIJSBERKAMP **16-17**	**16-18**	**17-11**
DELFSTRAHUIZEN **16-22** MUNNEKEBUREN	**16-23** OLDELAMER OLDETRIJNE	WOLVEGA **16-24** PEPERGA	DE HOEVE VINKEGA **16-25** STEGGERDA	LOMBOK **16-26**			
NIJETRIJNE **16-32** SCHERPENZEEL	**16-33**	BLESDIJKE **16-34**	**16-35**				

			5-18	6-1
				FERWERD MARRL
	5-26	5-27	5-28	6-2
			N.W. BILDTZIJL	HALL
		ZWARTEHAAN	OUDE B.ZIJL	HIJUM
	5-36	ST. ANNA PAR.	VROUWENPAR.	
5-35		5-37	5-38	6-31
	ST. JAC.PAR.		STIENS	WIJN
KOEHOOL		WIER		

ROPTA-ZIJL

OOSTER-BIERUM · PIETERS-BIERUM

5-44	5-45	5-46	BERLIKUM 5-47	BEETGUM 5-48	JELSUM 6-4
		BOER	MENALDUM	MARSSUM	
5-54	5-55	5-56	DRONRIJP	DEINUM	LEEUWAR
HARLIN-GEN	HERBAIJUM	FRANEKER	5-57	5-58	6-5
	HITZUM	WELSRIJP	BAIJUM	HIJLAARD	GOUTU
	KIMS-WERD	ACHLUM	TZUM	WINSUM	BEERS	WIRDU
10-13	10-14	10-15	10-16	10-17	10-18	11-1
		LOLLUM	KUBAARD		MANTGUM	IDAAR
ZURICH 10-23	PINGJUM 10-24	WITMARSUM 10-25	WOMMELS 10-26	BRITSWERD OOSTEREND 10-27	OOSTERWIE RIJM 10-28	FRIEN 11-2
	WONS	HICHTUM	BURGWERD		BOZUM TERZOOL	
10-33	10-34 MAKKUM	BOLSWARD 10-35	10-36	SCHARNEGOU-TUM 10-37	10-38	11-3 AKKR
	PIAAM	TJERKWERD	WOLSUM	SNEEK		
10-43	10-44 FERWOUDE WORKUM	DEDGUM 10-45	WESTHEM 10-46	IJLST 10-47	OPPENHUIZEN 10-48	11-4 AKMARU
10-53	10-54 HINDE-LOOPEN	10-55 BRANDEBUREN	GAASTMEER 10-56	10-57 WOUDSEND	LANGWEER 10-58	JOURE 11-5 SCHARS BR
15-13	15-14 KOUDUM	15-15	ELAHUIZEN 15-16 HARICH	15-17 TJERKGAAST SLOTEN	ST.NIC.GA 15-18 DONIAGA	OUWS NIE 16-
	MOLKWERUM	OUDEGA	BALK	WIJCKEL		
STAVEREN 15-23	BAKHUIZEN 15-24	15-25 RIJS OUDEMIRDUM	BARGEBEK 15-26 NIJEMIRDUM	15-27	15-28 OOSTERZEE	KRON 16-
		15-35	15-36	15-37	LEMMER 15-38	BAH 16

Tabel A

Broedvogellijst
Stichting Avifauna van Friesland
ATLAS PROJECT
U. Boonstralaan 7, Joure

Naam en adres Jaar...............

Bloknr.
Bezoekdatum
Uur
Grootste plaats in blok

Code	A B C D	Code	A B C D	Code	A B C D	Code	A B C D	Code	A B C D
5 Fuut		108 Kwar		210 Tort		275 Merel		328 ZwaM	
8 GeFu		109 Faza		211 TuTo		279 Tapu		329 KuiM	
9 Doda		111 WRal		212 KoeK		281 RoTa		330 Glan	
20 BlaR		112 Pors		214 KerU		282 Paap		331 Matk	
21 PurR		113 KlnW		219 SteU		283 GeRo		332 StaM	
26 Kwak		114 KlsW		221 RanU		284 ZwRo		333 Baard	
27 Woud		115 KwKo		222 VelU		286 Nacht		335 BoKl	
28 Roer		116 WaHo		223 NaZw		288 Blau		337 BoKr	
29 Ooie		117 Koet		224 GiZw		289 Rood		338 GrGo	
34 WilE		121 Scho		226 IJsv		291 SpRi		339 Geelg	
35 Wint		123 Kiev		232 GrSp		295 Snor		351 Rietg	
37 ZomT		128 BoPl		234 GrBS		296 GrKa		357 Groe	
39 Krak		129 KlPl		237 ZwSp		297 KlKa		358 Putt	
41 Pijls		130 StPl		238 Draai		298 Bosr		359 Sijs	
42 Slob		132 WaSn		241 KuLe		300 Rietz		360 Kneu	
45 Kuif		135 HoSn		242 BoLe		301 WaRi		362 KlBa	
47 Tafel		137 Wulp		243 VeLe		302 Spot		365 GouV	
48 Wito		140 Grut		245 BoZw		304 ZwKo		371 Vink	
60 Berg		146 Ture		247 HuZw		306 Tuin		373 HuMu	
62 GraG		158 BonS		248 OeZw		307 Gras		374 RiMu	
72 Knob		163 Kemp		251 BooP		308 Braa		377 Sprw	
83 Buiz		164 Kluu		253 GrasP		311 Fiti		379 Wiel	
86 Sper		186 Kokm		256 WiKw		313 Tjif		381 ZwKr	
92 BrKi		187 DweM		256b RokW		314 Flui		382 Roek	
93 BlKi		191 ZwSt		258 GeKw		319 GoHa		383 Kauw	
95 GrKi		196 Visd		262 GrKl		320 VuGo		384 Ekst	
101 BooV		197 NoSt		265 Wint		321 GrVl		386 Gaai	
103 TorV		199 DwSt		266 Hegg		322 BoVl			
104 Korh		208 HolD		267 Grol		325 Kool			
107 Patr		209 HouD		269 Zang		326 Pimp			

89

b de richtlijnen van het Atlasproject met instructies en een uitvoerige uitleg over het systeem;
c broedvogellijsten (zie tabel A);
d de codelijst (zie tabel B).

Op de broedvogellijsten zijn de soortnamen van 147 vogels vermeld, waarvan mag worden verwacht dat deze tot de broedvogelpopulatie van Friesland behoren of behoorden (de meeste van de op de lijsten voorkomende soorten zijn regelmatige broedvogels van Friesland, terwijl sommige tot de vroegere en andere tot de mogelijke of waarschijnlijke broedvogels van Friesland gerekend moeten worden) en waarvan uiteraard een gedeelte betrekking heeft op de in dit boek beschreven soorten.
De soortnamen zijn op de broedvogellijsten afgekort weergegeven. De volgorde is ontleend aan de AVN (1970), de nummering aan de Avifauna van Midden-Nederland (1971). Eventuele aanvullingen van soorten konden zelf worden aangebracht op de broedvogellijsten.

Tureluur op wad Anjum, september 1972 - P. Munsterman.

Op de broedvogellijsten zijn drie kolommen beschikbaar, te weten A, B en C, waarin respectievelijk mogelijke, waarschijnlijke en zekere broedvogel-soorten genoteerd werden per blok en per jaar.

In deze kolommen A, B en C dienden de waarnemingen te worden geno-teerd volgens de codes 1 t/m 19, welke staan op de codelijst van het Atlasproject (tabel B).

Tabel B

Codelijst Atlas Project
Gebaseerd op gegevens van het European Ornithological Atlas Committee.

Kolom A: (mogelijk broedend)
Code 1.   Soort waargenomen in het broedseizoen.
        2.   Soort waargenomen in het broedseizoen in een mogelijk broedbiotoop.
        3.   Eenmalige waarneming van zingende man in het broedseizoen.

Kolom B: (waarschijnlijk broedend)
Code 4.   Waarneming van een paar in geschikt broedbiotoop in het broedseizoen.
        5.   Territoriumgedrag (zang. gevechten e.d.) op tenminste twee dagen op dezelf-de plaats vastgesteld.
        6.   Baltsgedrag.
        7.   Opzoeken van een waarschijnlijke nestplaats.
        8.   Angstkreten en ander gedrag dat wijst op de aanwezigheid van nest of jon-gen.
        9.   Vangst van wijfje met broedvlekken.
      10.   Transport van nestmateriaal. nestbouw of uithakken van nestholte.

Kolom C: (zeker broedend)
    Code
      11.   Afleidingsgedrag (zoals gesimuleerde verlammingsverschijnselen. waardoor de waarnemer van nest of jongen wordt weggelokt).
      12.   Pas gebruikt nest gevonden.
      13.   Pas uitgevlogen jongen van nestblijvers of donsjongen van nestvlieders waar-genomen.
      14.   Bezoek door ouders aan een nest waarvan de inhoud niet vastgesteld kan worden.
      15.   Transport van faeces.
      16.   Oude vogel met voer voor jongen.
      17.   Vondst van eischaal.
      18.   Broedende vogel op nest.
      19.   Nest met eieren of jongen gezien (of jongen gehoord).

De waarnemer had tot taak vast te stellen of een bepaalde vogelsoort in zijn 5 x 5 km-blok (-blokken) als broedvogel (waarschijnlijke broedvogel, mogelijke broedvogel) voorkomen. De codering - op de codelijst weerge-

91

geven - die aldus samenhangt met de kolommen A, B, en C op de broedvogellijsten, is ingevoerd om de mate van zekerheid van het broedgeval vast te stellen. De waarnemingen in kolom C geven de beste garantie dat een soort in een blok gebroed heeft en hebben dan ook de hoogste waarde.

Na het einde van ieder broedseizoen (1972 t/m 1975) werden de broedvogellijsten door de waarnemers opgestuurd naar de Stichting Avifauna van Friesland, met daarop vermeld voor iedere gesignaleerde broedvogel het hoogste codenummer (de hoogste zekerheid) in dat broedseizoen (dat jaar) in een bepaald blok vastgesteld. Uiteindelijk werd er een overzicht over vier jaren verkregen door middel van de diverse broedvogellijsten van de ongeveer 160 blokken. Natuurlijk zijn er blokken bij, waar in die jaren niet voldoende is geïnventariseerd. Naar aanleiding van de verkregen gegevens zijn de verspreidingskaarten per broedvogelsoort gemaakt.

Opgemerkt moet worden, dat code 1 van de codelijst niet werd verwerkt in de verspreidingskaarten omdat de aanwezigheid van een vogel buiten zijn broedbiotoop geen indicatie voor broeden is.

Begrippen kwalitatieve en kwantitatieve inventarisatie

Het systeem van het ornithologisch Atlasproject komt er in de eerste plaats op neer om per 5 x 5 km-blok het mogelijk, waarschijnlijk of zeker broeden van de vogelsoorten vast te stellen, ongeacht het aantal paren, waarin de verschillende soorten voorkomen (de kwalitatieve inventarisatie).

Het is mogelijk (b.v. bij kolonievogels, bij zeldzame soorten enz.) om een schatting te maken van het aantal broedparen van een broedvogelsoort in een blok. Voor dit doel is op de broedvogellijsten een kolom D opgenomen, waarin deze schatting in een code kan worden weergegeven en wel als volgt: 1 = 1 broedpaar; 2 = 2-10 broedparen; 3 = 11-100 broedparen; 4 = 101-1000 broedparen; 5 = 1.001-10.000 broedparen; 6 = meer dan 10.000 broedparen, en wel per blok.

Verschillende inventariseerders hebben van deze mogelijkheid gebruik gemaakt betreffende sommige (soms ook alle) broedvogelsoorten. Tenslotte: wanneer een waarnemer het precieze aantal broedgevallen van een bepaalde soort in een blok kende, bestond de mogelijkheid dit aantal ook in kolom D te noteren door middel van een cirkeltje om dat aantal.

De aldus uit kolom D verkregen gegevens (de kwantitatieve inventarisatie) zijn per vogel op kaart gezet en verstrekt aan de bewerkers van de in dit boek beschreven vogelsoorten, evenals de door de inventarisatie-medewerkers, naast de Atlasgegevens, doorgegeven wetenswaardigheden van en bij-

Wulp, Oude Venen, mei 1974. - Rens Veenstra.

zonderheden over de door hen waargenomen vogels of hun inventarisatiegebied.

Het bestuur van de Stichting Avifauna van Friesland en de organisatoren van het Atlasproject in Friesland hebben - met alle middelen, die de Stichting ten dienste stonden - gestreefd naar een zo volledig, betrouwbaar en consequent mogelijk geheel, samengevat op de verspreidingskaarten, behorende bij de daarvoor in aanmerking komende broedvogelsoorten. Het Bestuur van de Stichting en de organisatoren van het Atlasproject zijn zich echter ten volle bewust, dat een en ander niet onfeilbaar is en dat de verspreidingskaarten zeker voor verbetering en aanvulling vatbaar zijn.

J. A. de Vries

93

overzicht van de op het vasteland van friesland waargenomen vogelsoorten

IJsduiker - *Gavia immer* (Brünnich)

Iisdûker

Oare namme: Greate Iisdûker. Gavia is de Latynske bineaming foar in séfûgel. (J.B.)

Dwaalgast.

Aan de vaste wal van Friesland wordt de IJsduiker, die o.a. op IJsland en Groenland broedt, zelden aangetroffen.

Volgens Albarda (1884) zou er een exemplaar zijn geschoten bij Zwarte Haan onder St. Jacobiparochie (ook in Jaarbericht C.N.V., 5, 1915, 110).

Verder worden nog de volgende vondsten vermeld:

25 december 1891	1 ex. geschoten en gevonden bij Sneekermeer (Albarda (1892) en Jaarbericht C.N.V., 5, 1915, 110)
9 november 1896	1 ex. Waddenkust bij Hallum (Albarda (1897) en Jaarbericht C.N.V., 5, 1915, 111)
21 november 1925	1 ex. geschoten omgeving Workum (Vogels Z.G., 1936, 59)
14 oktober 1926	1 ♀ ex. in prachtkleed geschoten omgeving Roodkerk, coll. FNM (A. 1 en Ard. 17, 1928, 30)

Van de IJsduiker zijn voorts nog onderstaande waarnemingen bekend:

begin november 1913	1 ex. omgeving Leeuwarden (A. 1)
24 juni 1933	1 ex. omgeving Tjeukemeer (Org. VI, 1933, 77)

P. de Br.

Parelduiker - *Gavia arctica arctica* (Linnaeus)

Bûnte Sédûker

Oare namme: Iisdûker. (J.B.)

Doortrekker en wintergast in zeer klein aantal vanuit Noord-Europa en Schotland.

94

Albarda schrijft in zijn Naamlijst (1884) over deze duiker, dat de vogel soms in klein aantal aan de kust wordt waargenomen.

Van deze soort zijn in deze eeuw de volgende waarnemingen bekend geworden:

19 april 1936	1 ex. Afsluitdijk, IJsselmeerkust (Ard. 26, 1937, 68)
25 december 1941	1 ex. bij Afsluitdijk (Ard. 31, 1942, 111)
11 december 1959	1 ex. Nijetrijne (G. 5)
4 maart 1960	1 dood ex. Nijetrijne (idem)
13 december 1960	1 ex. omgeving Kornwerd (Vj. 9, 1961, 169)
28 oktober 1967	1 ex. Dijkvaart bij Harlingen (Lim. 35, 1962, en dagboek P. de Br.)
2-22 januari 1960	1 ex. in vaargeul bij Makkum (A. 2)
5 maart 1970	1 dood ex. Nijetrijne (G. 5)
20 maart 1970	1 ex. in haven Lauwersoog (A. 4)
2 januari 1971	1 ex. in haven Lauwersoog (Vj. 19, 1971, 452)
28 november 1973	1 ex. in de ringvaart bij Terhorne (A. 2)

Verder zijn er enige vondsten van de Parelduikers bekend:

18 februari 1940	1 ♀ ex. gevonden bij Boksum, coll. FNM
5 februari 1954	1 ♂ ex. levend gevonden te Leeuwarden, coll. FNM
19 januari 1963	1 ex. gevonden omgeving Deinum, coll. FNM
6 oktober 1973	1 ex. levend gevonden omgeving Kollum, daarna weer losgelaten (A. 5)
15 december 1973	1 ex. dood gevonden op kwelder bij Ternaard (A. 2)

Stellig bevinden zich onder de (vaak moeilijk herkenbare) olieslachtoffers langs de kust meer exemplaren van deze soort. In de collecties van het FNM te Leeuwarden bevindt zich een op 14 februari 1940 te Winsum (Fri.) gevonden ♂ adult exemplaar. Dit is het tweede voor Nederland vastgestelde exemplaar van *Gavia arctica viridigilaris* Dwight (Hekstra en Voous 1961).

P. de Br.

Roodkeelduiker - *Gavia stellata* (Pontoppidan)

Lytse Sédûker

Oare nammen: Lytse Iisdûker, Lom; Hynljippen: Lûmp. Foar „Lom" binne twa forskillende etymologyen: It is in onomatopé of „Lom" slacht op 'e lome manier fan rinnen. De fûgel kin him mei syn wraggeljende gong op 'e fêste wâl amper rêdde. (J.B.)

Doortrekker en wintergast in zeer klein aantal.

De Roodkeelduiker, die in het noorden van de Oude en de Nieuwe wereld en. in het noorden van de Britse eilanden broedt, wordt door Albarda (1884) in zijn Naamlijst vermeld, als des winters niet zeldzaam op de meren in Zuidwest-Friesland en (1897) als wintergast. ,,Van October tot Màart, langs de kust, op de rivieren en de groote meren''. Thans wordt de soort vrijwel alleen nog op zee waargenomen. Destijds was de nabijheid van Zuiderzee zonder twijfel van invloed op het voorkomen van de soort op de grote meren in Zuidwest-Friesland. De doortrek vindt voornamelijk plaats in de maanden oktober tot in december en februari tot in mei. Het overwinteringsgebied van de Roodkeelduiker bevindt zich langs de kusten van de Atlantische Oceaan (tot in Marokko).

Er zijn ook enkele zomerwaarnemingen geregistreerd, zoals: 7 juli 1937 een exemplaar waargenomen in de omgeving van Stiens (Lim. 11, 1938, 49); 12 en 13 juli 1975 op het IJsselmeer één exemplaar in prachtkleed waargenomen in de luwte van de Westelijke basaltdam die leidt naar de schutsluizen van Kornwerderzand (Van. 28, 1975, 166); 1 augustus 1968 twee exemplaren in de Waddenzee bij Harlingen waargenomen (Vj. 16, 1968, 640).

Buiten de hierna te noemen waarnemingen en vondsten van de kust vanaf 1970 zijn de volgende waarnemingen bekend van IJsselmeer- en Wadden-kust uit de periode 1937-1974:

	I	II	III	IV	V	VI	VII	VIII	IX	X	XI	XII	Totaal
Aantal waarn.	3	5	1	4	3	2		1	1	3	1	4	28
Aantal ex.	3	5	1	5	6	2		2	1	3	1	7	36

Maximaal werden vier exemplaren in één gebied aangetroffen, namelijk op 16 mei 1937 in de omgeving van de Dokkumer Nieuwezijlen (olieslachtoffers) (Lim. 11, 1938, 49).

Van de meren, kanalen en andere binnenwateren in Friesland zijn een zeventiental waarnemingen bekend. In de periode 1920-1966 zijn deze als volgt verdeeld over de maanden:

maand	I	II	III	IV	V	VI	VII	VIII	IX	X	XI	XII
aantal ex.	2	2	3	2	4	-	-	-	-	-	1	2

Nadien zijn ook nog diverse waarnemingen en vondsten in het binnenland gedaan, zoals:

13 februari 1968	1 ex. gevonden onder Giekerk (A. 2)
2 februari 1970	1 ex. gezien onder Leeuwarden (idem)
29 november 1970	1 ex. gezien onder Veenwouden (idem)
19 maart 1972	1 ex. gevonden te Opeinde (Sm.) (idem)
3 februari 1973	1 ex. gezien op de Kleine Wielen onder Tietjerk (idem)
22 maart 1973	1 ex. gezien onder Nijbeets, op 11 april aldaar nog aanwezig (idem)
18 november 1973	1 ex. gezien onder Terhorne (idem)
15 december 1973	1 ex. gevonden te Sexbierum (idem)
23 november 1974	2 ex. gezien bij het Pikmeer onder Grouw (Van. 28, 1975, 18)

Van de kust langs Waddenzee en IJsselmeer zijn - vanaf 1970 - de navolgende vondsten en waarnemingen bekend:

19 april 1970	vondst van één exemplaar bij Zwarte Haan (A. 2)
26 oktober 1970	1 ex. waargenomen bij Kornwerderzand, op 7 november nog aanwezig (idem)
25 december 1971	1 ex. waargenomen bij Makkum (idem)
9 januari 1972	2 ex. waargenomen op het Lauwersmeer (idem)
12 maart 1972	1 ex. gevonden op het Lauwersmeer (idem)
7 februari 1972	1 ex. waargenomen bij Lauwersoog (idem)
6 maart 1973	1 ex. gevonden onder Kornwerderzand (idem)
11 maart 1973	2 ex. gevonden aan de Waddenzeezijde van de Afsluitdijk onder Breezanddijk, waarvan een olieslachtoffer (A. 21)
24 december 1973	1 ex. gevonden aan de IJsselmeerkant van de Afsluitdijk onder Breezanddijk, olieslachtoffer (idem)
31 december 1973	1 ex. waargenomen bij Makkum (A. 2)
14 april 1974	1 ex. gevonden aan de Waddenkant van de Afsluitdijk onder Kornwerderzand (A. 21)
29 november 1974	1 ex. waargenomen in de haven van Lauwersoog (A. 2)
28 december 1974	2 ex. waargenomen bij Lauwersoog op het Wad (idem)
22 maart 1975	1 ex. gevonden aan de Waddenkant van de Afsluitdijk onder Breezanddijk (A. 21)
26 december 1975	1 versuft ex. op 3 meter afstand van de kant in de binnenhaven bij Kornwerderzand (A. 20)

De Roodkeelduiker gaat in aantal in Europa vermoedelijk achteruit door de stookolie (Lippens, 1972).

Op het strand van Terschelling werden er in januari en februari 1950 43 stookolieslachtoffers van deze soort gevonden (Van. 3, 1950, 43). Op het IJsselmeer verongelukken soms Roodkeelduikers in het want van vissers.

P. de Br./J.A. de V.

Fuut - *Podiceps cristatus cristatus* (Linnaeus)

Hjerringslynder

Oare nammen: Dûker, Greate Dûker, Ielsliner, Ielslynder, Kroandûker, Greate Hjer-ringslynder, Greate Ieldûker. By de namme Hjerringslynder moatte wy miskien noch oan de âlde Sudersé tinke, dêr't eartiids wol hjerrings wiene. Hynljippen hat: Herring-slynder. (J.B.)

Jaarvogel; vrij talrijke broedvogel.

Albarda (1884) schrijft dat de Fuut „broedt op alle eenigszins uitgestrekte meren en plassen". Van aantallen in zijn tijd is niets bekend. Wel is bekend dat in Nederland vanaf het midden van de vorige eeuw tot in het begin van deze eeuw veel Futen zijn gedood omwille van het met grof geld betaalde futenbont. Hiervoor werden de satijnzachte veren van borst en buik ge-bruikt, getuigde de ook door Albarda vermelde volksnaam „satijnduiker" voor de Fuut.

In 1933 taxeerde G.A. Brouwer de futenstand van de Oude Venen op „ruim 2 dozijn" (Ard. 23, 1934, 16), waar hij aan toevoegt: „verschei-dene nesten worden door de vissers vernield" (in 1934 werd het Princehof door It Fryske Gea aangekocht, en later ook andere delen van de Oude Venen). In 1948 schrijft Brouwer dat de Fuut „zich gedurende de laatste twee decennia vrij goed heeft kunnen handhaven; naar schatting fluctueert de stand tussen de 25 en 35 paren, inclusief de plm. 6 families die de Veertig Mad en het Eernewoudster Wijd binnen het waterschap bewonen". Voor de vergelijking met 1933 vallen deze zes families af. In 1966 werden in hetzelfde gebied van de Oude Venen ongeveer 30 à 32 paren geteld (Van. 20, 1967, 79-80). De Grote Wielen, inclusief de Houtwielen, en de Kleine Wielen telden in 1942 tezamen tien à elf paren (Ard. 32, 1943, 191); in 1966 constateerde men op de Grote en Kleine Wielen acht paren (Van. 20, 1967, 80). Uit dezelfde bronnen blijkt dat de Terhornster en Terkaplester Poelen in 1942 dertig paren en in 1966 „minstens vijfentwin-tig à dertig" paren herbergden.

Uit deze gegevens, die ongeveer 10% van de Friese futen betreffen, mag wel afgeleid worden dat de stand de laatste 40 jaren, binnen de natuurlijke aantalsschommelingen, minstens stabiel is gebleven. In ieder geval kan niet van een achteruitgang worden gesproken.

Bij de inventarisatie van 1966 in Friesland kwamen Leys en De Wilde tot een totaal voor de hele provincie van 525-583 getelde broedparen. In 1967 kwamen zij, na een voorzichtige extrapolatie voor niet gecontroleerde gebieden, tot 601-620 paren, waarop zij dan nog een correctie van 10% voor onderschatting wilden toepassen; dus 660-680 paren (Leys 1971). Sindsdien is in slechts één gebied van redelijke omvang een telling verricht, en wel in 1972 op de Leijen onder Oostermeer, een zeer ondiep, maar voor Futen toch aantrekkelijk meer van plm. 300 ha, met enige eilandjes en met rondom een brede rietkraag. Op dit meer werden toen 55 à 60 paren geteld (archief AVF); dit cijfer is enigszins geflatteerd, doordat hierin een kolonie van 15 à 20 paren, die juist in datzelfde jaar in de zuidoostelijke hoek van het meer broedde, is inbegrepen (med. W. Blauw). De geregelde bevolking van de Leijen zal ongeveer 35 à 45 paren omvatten. In 1966 echter werden hier 18 à 20 paren geteld. Een verdubbeling in zes jaren is niet erg waarschijnlijk. Veeleer wordt Leys' correctie van 10% voor onderschatting hierdoor meer dan gerechtvaardigd. Nu is de situatie op één meer slechts een vingerwijzing. Maar men blijft zeker aan de veilige kant, als men stelt dat in Friesland tenminste 700 paren broeden.

De broedbiotoop van de Fuut is de oeverzone van wat grotere wateroppervlakten. Het kleinste, geïsoleerde, wateroppervlak waarop nog een brbedpaar kan voorkomen, is plm. 8000 à 10.000 m², afhankelijk van de vorm van de plas (Leys 1969). Deze minimum-maat van bijna 1 ha voor één paar geldt alleen als de plas geen deel uitmaakt van een groter complex van plassen. Verder is een brede kraag van riet en/of biezen een gunstige factor. Ook mag, terwille van het nest, de waterstand niet te veel wisselen; even schadelijk is een sterke golfslag. Dit is een reden, waarom in kanalen méér Futen tot broeden komen, naarmate er minder scheepvaart is. Evenzo is op meren de westzijde het gunstigst, omdat daar bij de heersende westenwinden de minste golfslag en het meeste riet is. Volgens de tellingen van 1967 komt van de in Friesland broedende Futen plm. 86% voor op de grote en kleine meren, plm. 4% in petgaten, minder dan 1% in kleiputten, plm. 1% in kanalen en plm. 9% in het buitendijkse gebied langs het IJsselmeer (Leys 1971).

Het nest wordt doorgaans verankerd tussen de begroeiing, waarbij de buitenste zone van de rietkraag dekking en bescherming moet bieden. In 1967 verwerkten Leys en De Wilde 758 nestgegevens, waarvan 58 uit Friesland kwamen (Leys 1968). Hierbij bleek dat ruim 64% van de futenesten tussen riet- en mattenbiesvegetaties voorkwam; als nestmateriaal waren in de meeste nesten riet, kleine lisdodde en mattenbies gebruikt. Maar tevens bleek dat de Fuut in praktisch elke soort begroeiing kan gaan nestelen (bijvoorbeeld onder overhangende wilgetakken), terwijl ook de dekking beslist geen absolute vereiste is: open en bloot liggende nesten komen vrij geregeld voor. En wat het nestmateriaal betrof, bleek dat heel wat Futen een voorkeur hebben voor bepaalde planten of een combinatie daarvan: Futen, die nestelen in rietkragen waarin ook andere moerasplanten voorkomen, kunnen een nest bouwen dat voor 100% uit riet bestaat, terwijl andere Futen, op dezelfde plaats nestelend, uitsluitend die andere moerasplanten gebruiken, of een combinatie van riet en andere planten.

Soms worden de nesten in kolonieverband gebouwd. Berndt (1974) merkt op dat van alle 2600 paren Futen in Sleeswijk-Holstein 10-20% in kolonies broedt, maar dat op twee met name genoemde meren dit percentage 50-60 is. De neiging tot kolonievorming is daar sterker, doordat die meren een royale voedselrijkdom, maar slechts enkele rietkragen hebben, waardoor een concentratie-effect ontstaat. Los daarvan is het een feit dat, wanneer van een meetkundige figuur de oppervlakte met de factor vier toeneemt de omtrek slechts met de factor twee toeneemt, met andere woorden als een voedselrijk meer groot is, ontstaan er concentratietendenzen, óók als hier héél de oever met riet is omzoomd. Wanneer dan Melde (1973) vaststelt dat in Europa de kolonievorming van West naar Oost toeneemt, wordt dat grotendeels, zo niet geheel verklaard doordat ook de gemiddelde grootte van de meren van West naar Oost toeneemt. Uit Friesland zijn van kolonies tot dusverre slechts enkele gevallen bekend, deels omdat de zoëven genoemde concentratieverschijnselen zich hier nauwelijks voordoen, deels wellicht ook omdat niet alle gevallen gemeld worden. In 1957 zijn aan de westkant van de Leijen in plm. 1000 m² licht rietgewas meer dan 20 nesten met ongeveer 80 eieren, waaronder twee nesten met elk zes eieren, gevonden (Van. 10, 1957, 210), wat een zeer gunstig aantal eieren per nest betekent. Dat deze kolonie hier ontstond, kan komen door de beschutting tegen de westenwinden, maar dit kan hoogstens ten dele de verklaring zijn, want in 1972 was aan de zuidoostelijke kant van het meer de reeds boven vermelde broedkolonie van 15 à 20 paren.

Het derde en tevens best gedocumenteerde geval van kolonievorming betreft het meertje de Vogelhoek nabij Hemelum in Zuidwest-Friesland. De Vogelhoek ligt ten oosten van het grotere meer de Morra en wordt hiervan gescheiden door een dam met fietspad. Vergeleken met de Morra en de nabijgelegen Fluessen is de Vogelhoek zeer rustig: er wordt niet gevaren. De Vogelhoek beslaat 50 ha, waarvan plm. 35 ha open water is en plm. 15 ha riet. In het oostelijke deel van de Vogelhoek, waar de rietkraag tot 30 m breed is, werden in 1975 over een lengte van 100-150 m 31 futenesten (met 12 x 2, 16 x 3 en 3 x 4 eieren) bij elkaar gevonden; tussen deze nesten lagen nog 4 meerkoetenesten met tezamen 22 eieren. De afstand tussen de

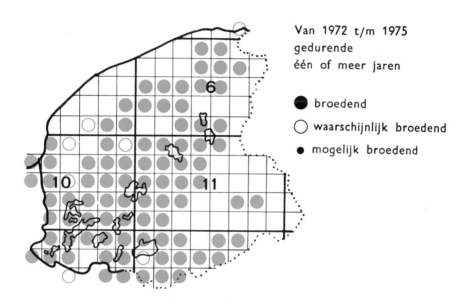

Van 1972 t/m 1975
gedurende
één of meer jaren

● broedend

○ waarschijnlijk broedend

• mogelijk broedend

futenesten onderling varieerde van 1 tot 10 meter (gegevens van IJ. Kuipers in brief).

Waarom de Futen juist in dit deel van de Vogelhoek een kolonie vormden, en dan nog alléén in 1975, valt niet uit te maken: heel de Vogelhoek lijkt gunstig. En om op de kolonie van 1972 in het zuidoosten van de Leijen terug te komen, ook die plaats is onverklaarbaar. Misschien zijn er bepaalde nog onbekende uitwendige factoren, die de aanleiding zijn voor het ontstaan van dergelijke broedkolonies. Overigens krijgt men de indruk dat de Fuut een geringe neiging tot kolonievorming heeft, die nog stamt uit zijn vroegere areaal. In recente tijd namelijk heeft de Fuut zich naar het noorden uitgebreid, speciaal in Groot-Brittannië en Zweden (Voous 1960); het is voorts zeer aannemelijk dat in de 16de eeuw de soort in Nederland nog onbekend was (Engel 1943). Het lijkt daarom gerechtvaardigd te veronderstellen dat de Fuut zich in de laatste eeuwen over Noordwest-Europa heeft uitgebreid. In het oorspronkelijke areaal werd sociaal broeden sterk in de hand gewerkt doordat het gunstig was voor de soort vanwege de relatief kleine broedplaatsen tegenover het grote voedselaanbod. Toen de Fuut echter in Nederland kwam heeft het solitair broeden de overhand gekregen doordat het veelal resulteerde in meer jongen per jaar, terwijl er voldoende broedgelegenheid was voor alle paren die, gezien het voedselaanbod, tot nestelen konden komen.

De gemiddelde legselgrootte van de kolonie op de Vogelhoek was 2.71, wat minder is dan het gemiddelde van 2.98 voor 35 willekeurige en niet voltallige Friese nesten in 1967 (Leys 1971). In dit verband is het vermeldenswaard dat Leys, Marbus en De Wilde constateren dat per broedpaar in een kolonie minder eieren gelegd en minder jongen grootgebracht worden dan bij solitair broedende paren (Leys 1969); legsels van vijf en zes eieren worden vooral aangetroffen bij solitaire broedparen in zeer voedselrijke gebieden (Leys 1971). Zo werd onder Eernewoude in juni 1966 zelfs een paar met zes jongen gezien (A. 2). De kolonie van 1957 op de Leijen was dus, alleen al vanwege de tweemaal zes eieren, een gunstige uitzondering. Overigens zijn Friese niet-voltallige legsels gemiddeld kleiner dan niet-voltallige legsels in heel Nederland: tegenover het cijfer van 2.98 voor Friesland (zie boven) staat een landelijk cijfer van 3.45 (Leys 1971). Voltallige legsels bevatten in het algemeen 3 of 4, soms 2 of 5 en minder vaak 1 of 6 eieren.

Bijna steeds zullen Futen daar gaan broeden, waar voldoende nestelgelegenheid en tevens voldoende voedsel is. In 1959 bleek echter onder Stiens een futenpaar tot broeden te zijn gekomen op een plas met weinig vis. Bij het opgroeien van de jongen brachten de ouders visjes uit de Stienser vaart in de snavel al vliegend naar de jongen op de plas (A. 2). Een soortgelijke situatie met voedselvluchten beschrijven Leys, Marbus en De Wilde (Leys 1969). Deze voedselvluchten zijn vrij zeldzaam en uit de onderzoekingen van Leys c.s. blijkt wel dat de Fuut op deze situatie niet goed is ingesteld, zodat door een hongerrantsoen er zeer weinig jongen groot worden.

De relatie tussen Fuut en Meerkoet in de broedtijd wordt door de volgende gegevens enigszins geïllustreerd. In 1972 werd op het Bokkumermeer onder Akkrum een futenest viermaal door een meerkoetenpaar in beslag genomen; tussen hun tweede en derde legsel namen de Futen een rustpauze van ruim 14 dagen; tenslotte gaven de Futen het op en broedden op een elders gebouwd nest omstreeks half juli twee jongen uit (Van. 25, 1972, 256). In mei 1935 werden enkele futenesten gevonden met één meerkoetei; ook hier trok dus de Meerkoet aan het langste eind (A. 1). Anderzijds kan gewezen worden op de kolonie van 1975 op de Vogelhoek, waar tussen de 31 nesten van de Fuut nog vier van de Meerkoet lagen. Op 3 juni 1968 zag men op de Grote Brekken twee futenesten, die elk op minder dan twee meter afstand van een meerkoetenest lagen (A. 15). In 1933 had tussen de Wijde Ee en de Hooidamssloot onder Oudega (Sm.) een jonge Fuut zich

aangesloten bij een Meerkoet met jongen; een week later was hij er nog, nu halfwas (A. 1).
De voorjaarstrek van de Fuut verloopt, volgens de AVN (1970) van begin februari tot eind april, de najaarstrek van begin augustus tot in november. In de winter worden vrij geregeld Futen gezien; in december en januari vooral op het IJsselmeer, maar toch ook wel op de binnenwateren. Enkele min of meer opvallende waarnemingen zijn:

27 december 1952	± 75 ex. Kornwerderzand (A. 1)
16 december 1958	40 ex. bij het Hondennest, Gaasterland (G. 5)
2 januari 1968	5 ex. op de Grote Wielen (A. 2)

Eind januari (in zachte winters) en in de loop van februari worden ook in het binnenland de waarnemingen weer talrijker.
In het voorjaar begint de paarvorming reeds als de vogels nog in voorjaars-concentraties bijeen zijn, zodat men bij die groepen al balts kan waarnemen. Op 30 maart 1944 bijv. was een groep van zeker 100 Futen vóór de Makkumer Kooiwaard ver op het IJsselmeer te zien, terwijl een deel der vogels baltste (A. 3). In het broedgebied komen de Futen vaak reeds gepaard aan.

Vanaf midden april kunnen de eerste eieren verwacht worden. Een voor Friesland vroege datum is 16 april 1950, toen drie eieren op de Kruisdob-be bij Warga werden gevonden (A. 1). Op 15 april 1952 werd tijdens het eierzoeken één ei gevonden in het Akkrumerrak tussen Akkrum en Terhor-ne (A. 20). Daarmee zijn de Friese Futen vrij laat. Uitgesproken laat zijn een aantal Friese meren, en vooral de IJsselmeerkust (Leys 1971). Dit komt mede doordat, onder invloed van de watertemperatuur, de oevervege-tatie op de grotere meren later begint te groeien dan op de kleinere plassen. Voor Sleeswijk-Holstein toont Berndt (1974) aan dat op de meren van minder dan 50 ha het broeden een tiental dagen eerder begint dan op de meren van meer dan 50 ha. Pas in mei, juni en juli wordt er volop gebroed. In 1948 schrijft G.A. Brouwer: ,,zolang de vegetatie nog kort is, kan een broedende Fuut zich amper verbergen; later in het seizoen gaat dit beter. Men krijgt de indruk dat de eerste legsels 'gedeeltelijk door mensen ver-nield worden en dat pas de eerste of tweede vervolglegsels tot hun recht komen''. Tweede legsels kunnen worden geproduceerd als de eerste jongen bijna of geheel vliegvlug zijn (Leys 1971). Hierop wijst ook de waarneming van 31 augustus 1968, toen op de Grote Wielen onder Giekerk een paar Futen aanwezig was met grote jongen, reeds in hun jeugdkleed, èn met twee zeer kleine, ongeveer een week oude donsjongen (A. 2). Het broeden vindt meermalen plaats tot in de nazomer. Late data zijn:

10 september 1967	legsel op Zwarte Brekken en onder Sneek
15 oktober 1967	futenpaar (wellicht hetzelfde) met jongen (dezelfde plaats)
14 oktober 1967	Fuut met jongen op Langstaartenpoel onder Sneek (Leys 1971).

Zomerconcentraties van Futen zijn alleen van het IJsselmeer bekend, najaars- en winterconcentraties, evenals voorjaarsconcentraties komen op meer plaatsen voor. Een oude waarneming is die van 14 juli 1937, toen op het IJsselmeer bij de Afsluitdijk ,,enige honderden" exemplaren waren; ,,de hele zomer kan men aan weerszijden van de Afsluitdijk Futen in prachtkleed zien, maar schaars; dat kunnen overzomeraars zijn" (Ard. 27, 1938, 104). Op 24 juni 1950 waren er zeker 25 exemplaren bij Kornwerderzand; ,,de vogels waren hier ook reeds omstreeks 1 juni" (A. 1). Tegenwoordig ligt het zwaartepunt aan de Friese IJsselmeerkust tussen Staveren en Lemmer. Hier waren wellicht vroeger ook reeds futenconcentraties, want op 23 augustus 1945 werd genoteerd dat er ,,veel" exemplaren waren bij de Mokkebank (A. 1). Maar pas later is het een rui- en verzamelplaats van werkelijk groot belang geworden. Geteld is hier pas sinds 1965; een samenvatting van telgegevens tot en met 1972 geeft Vlug (1974). De aantallen zijn sinds 1971 nog sterk toegenomen (A. 22). Met name het traject Mokkebank tot en met Steile Bank is bij de Futen in trek. Als de periode van doortrek (t/m april) buiten beschouwing wordt gelaten, ziet men dat er in mei en juni al tientallen Futen zijn:

4 mei 1974	20 ex. bij Mokkebank, begin gemaakt met nesten (A. 22)
11 mei 1974	vele tientallen ex., alle nesten door golfslag vernield (idem)
8 mei 1971	zeker 20 ex. bij Mokkebank (A. 5)
11 mei 1973	zeker 50 ex. bij Mokkebank (A. 5)
25 mei 1974	35 ex., meest in troepjes, enkele paren (A. 22)
25 mei 1968	100 ex. in langgerekte groep onder Mirns, daar geen nesten te vinden (A. 2)
1 juni 1974	150-200 ex. bij Mokkebank (A. 22)
23 juni 1975	vele tientallen ex. bij Mokkebank (idem)

Deze in mei en juni aanwezige vogels kan men grotendeels als echte overzomeraars beschouwen. Het is waarschijnlijk zo, dat éénjarige vogels deels wel, deels niet tot broeden komen (Bauer, Glutz 1966). Misschien doet een klein deel van deze vroegst aanwezige vogels later in het seizoen toch nog ergens een broedpoging. Het is nl. van veel soorten bekend dat eerstejaars

vogels later tot broeden komen dan de oudere. Van de maximale concentratie maken uiteindelijk de overzomeraars maar een gering deel uit. De aantallen worden namelijk omstreeks midden juli groter (in 1973 was dat reeds eind juni).
Enkele data:

30 juni 1973	2000 ex. bij Mokkebank (A. 22)
11 juli 1972	± 1500 ex. bij de Mokkebank (Vlug 1974)
29 juli 1972	± 3500 ex. (idem)

Deze toeloop betreft Futen die hun broedcyclus al dan niet met succes hebben afgesloten. Praktisch alle jongen die men hier ziet, zijn elders uitgebroed. Het percentage jongen in de concentratie alhier bedraagt nooit meer dan 25% (Vlug 1974). Daar Leys (1971) vermeldt dat in 54 broedgebieden in juli en augustus 1967 op een totaal van 3362 Futen, 1762 oude en 1600 (d.i. 47,6%) jonge vogels waren, mag men wel concluderen dat vooral de niet succesvolle broedvogels zich hier verzamelen. Voor vogels met jongen schijnt het normaler te zijn om in het broedgebied te ruien (zie ook Bauer, Glutz 1966). Van augustus tot in oktober zijn de aantallen het grootst. In deze periode (volgens Berndt 1974 voor de meeste vogels van half augustus tot half september) valt de vleugelrui, dan kunnen ze tijdelijk niet vliegen. Enkele getallen:

10 augustus 1972	± 15.000 ex. bij Mokkebank (Vlug 1974)
8 september 1972	14.000 ex. bij Mokkebank (idem)
7 oktober 1972	20.000 ex. van Mokkebank tot Steile Bank (idem)

In de tweede helft van oktober verdwijnt de hoofdmacht en nadien zijn er nog slechts kleine groepjes te zien.
Het maximale aantal van 20.000 Futen overtreft het totaal van de Nederlandse broedvogels: in 1967 kwamen Leys en De Wilde tot 3700 paren. Kennelijk is de Friese zuidkust niet alleen voor Nederlandse vogels een ruiplaats en een rust- en verzamelplaats vóór de trek, maar ook voor buitenlandse vogels, die uit het noordoosten afkomstig moeten zijn, met name uit Sleeswijk-Holstein, Denemarken, Zuid-Noorwegen, Zweden en misschien Finland. Er is slechts één ringgegeven dat op Friesland betrekking heeft (en meteen ook op de Friese zuidkust): één op 19 mei 1975 op de Westeinderplassen als adult geringde vogel werd op 23 september 1975 onder Laaxum aangetroffen, verdronken in een visfuik (A. 22). De herfsttrek van noordoost naar zuidwest is bewezen door o.a. ringgegevens Noorwegen/Nederland, Zweden/Nederland en Sleeswijk-Holstein/Nederland.

Het ringonderzoek aan in Nederland broedende Futen heeft nog maar weinig opgeleverd. Maar intussen is wel waarschijnlijk geworden dat de Nederlandse Futen tenminste voor een deel op het zuidelijk gedeelte van de Noordzee (dit wijst eveneens op een herfsttrek in zuidwestelijke richting), en ook op de meren van Zwitserland en in Zuid-Europa overwinteren. (Leys 1971).

Ter vergelijking met de Zuidfriese ruiplaats kan Berndt (1974) geciteerd worden, die van twee Sleeswijk-Holsteinse meren, waar in augustus-september ten hoogste 2500 Futen komen ruien en op doortrek in oktober maximaal 6000 à 8000 Futen zijn, zegt dat het daar gaat om de twee enig bekende grote ruiplaatsen in Europa. Deze Sleeswijk-Holsteinse ruiplaatsen worden tussen 20 september en 10 oktober verlaten, wat mooi aansluit bij het verlaten van de Zuidfriese kust in de tweede helft van oktober. In 1973 begon in Sleeswijk-Holstein de ruiconcentratie 14 dagen vroeger dan in voorgaande jaren en ook de rui zelf was 14 dagen eerder. En uit het dagboek van Westhof blijkt dat ook aan de Friese zuidkust de Futen in 1973 enkele weken eerder dan in 1972 waren weggetrokken. Voorts is hierboven reeds vermeld dat ook de eerste toeloop in 1973 omstreeks eind juni viel, en niet midden juli zoals in de voorafgaande jaren.

Ten aanzien van afwijkend verenkleed valt een bijna-albino te vermelden die op 8 september 1941 op de Terhornster Poel was (A. 1).

De toekomst van de Fuut is voorlopig nog vrij gunstig. Na de futebontrage die in het begin van deze eeuw uitgewoed raakte en na de nu vrijwel verdwenen vervolging van de kant van menselijke vissers komt echter tegenwoordig de waterrecreatie sterk opzetten. Deze heeft nog geen aantoonbare achteruitgang veroorzaakt, wel reeds de Futen naar rustiger uithoeken verdreven. Het enige tot dusver bekende geval dat menselijke activiteiten de futenstand duidelijk negatief beinvloedden, was in 1958, toen op de reeds meermalen genoemde Leijen in juni slechts drie paren aanwezig waren; de oorzaak lag in baggerwerkzaamheden op een in de Leijen uitmondend kanaal, die het water ook op de Leijen vertroebelden en zo waarschijnlijk het voedselzoeken van de Futen bemoeilijkten (A. 15). Gelukkig was deze verstoring slechts tijdelijk, wat van de nog steeds toenemende waterrecreatie niet gezegd kan worden.

M.J.S.

Roodhalsfuut - *Podiceps griseigena griseigena* (Boddaert)

Readhalsdûker

Doortrekker en wintergast in zeer klein aantal.

De Roodhalsfuut broedt in Noord- en Midden-Europa, oostwaarts vanaf Denemarken en West-Duitsland. Wanneer Fuut en Roodhalsfuut in dezelfde streek voorkomen, nestelt de Fuut vooral op de diepere wateren.

Volgens Albarda (1884) zou deze soort éénmaal onder Tietjerk hebben gebroed. Uit de rest van Nederland vermeldt de AVN (1970) drie broedgevallen na 1900.

De doortrek vindt voornamelijk plaats aan de kust (de meeste meldingen komen van Harlingen, Kornwerderzand en IJsselmeerkust) van eind september tot in november en van half februari tot eind april. Een zeer vroege trekker werd op 18 augustus 1969 waargenomen in een dijksput bij Roptazijl onder Harlingen (dagboek P. de B.), terwijl verder nog twee zomerwaarnemingen (vermoedelijk ook op zeer vroege trek wijzend) bekend zijn:

juli 1927	2 ex. onder Workum (Med. Club Zuiderzeewaarn. VII, 1929, 3)
14 juli 1957	1 ex. onder Kornwerd (Lim. 32, 1959, 37)

In het binnenland is de Roodhalsfuut waargenomen op de volgende plaatsen:

5 maart 1929	1 ex. in winterkleed bij Wijnjeterp, coll. FNM
11 februari 1942	1 ♀ ex. bij Wijns, coll. FNM
5 maart 1950	1 ex. op Grote Wielen onder Giekerk (A. 19)
13 februari 1953	1 ♂ ex. bij Duurswoude, coll. FNM
3 april 1960	1 ex. op Houtwielen onder Giekerk „bijna in prachtkleed" (A. 1)
26 februari 1966	1 ♂ ex. in winterkleed bij Joure, coll. FNM
30 en 31 maart 1966	2 ex. bij Siteburen (A. 2)
18 april 1968	1 ex. onder Eernewoude (A. 2)
22 februari 1970	1 ex. in jachthaven Leeuwarden (Van. 23, 1970, 97)
27 september 1970	1 ex. op Wijde Ee onder Grouw (Van. 23, 1970, 201)
19 oktober 1970	1 ex. binnendijks bij Molkwerum (Van. 23, 1970, 229)
6 november 1970	1 ex. in zandgat bij Sneekermeer (A. 2)
14 maart 1971	1 ex. Oude Venen onder Eernewoude (Van. 24, 1971, 139)
9 mei 1971	1 ex. op ondergelopen land bij de Wijde Saiter (Van. 24, 1971, 139)
15 maart 1973	2 ex. Gauwsterhoppen onder Sneek (Van. 26, 1973, 107)
29 december 1973	1 ex. op Botmeer onder Akkrum (Van. 27, 1974, 56)
26 februari 1975	2 ex. op de Fluessen (Van. 28, 1975, 99)
10 oktober 1975	1 ex. onder Tacozijl (oude sluis) (A. 4)

Er zijn 45 waarnemingen gedaan aan de Wadden- en de IJsselmeerkust (1886-1974), terwijl de soort ook bij Dokkumer Nieuwezijlen - voor de afsluiting in 1969 - werd gezien.
Tenslotte volgt nog een overzicht van de maanden waarin de Roodhalsfuut werd genoteerd:

Januari	5	Augustus	2
Februari	16	September	1
Maart	11	Oktober	6
April	7	November	2
Mei	1	December	7
Juli	3		

P. de Br.

Kuifduiker - *Podiceps auritus auritus* (Linnaeus)

Túfdûker

Oare nammen: Tûfkedûker, Stintling. Etymology fan Stintling: Stintling is in ôflieding fan it haedwurd „stint" en it efterheaksel „ling". It Ingelske „stint" is Bûnte Gril - *Calidris alpina*. Stint wurdt werom brocht nei it Germaenske *stenta, dat stomp bitsjut. Stintling bitsjut dus: fûgel mei in stomp efterein (W. J. Buma, Us wurk, 48 (1965). De wittenskiplike namme *Podiceps* wiist ek dy kant út. Podex is de ears. (J.B.)

Doortrekker en wintergast in zeer klein aantal.

De doortrek van deze, o.a. op IJsland, in Schotland en in Scandinavië broedende duiker vindt voornamelijk plaats langs de kust en wel van oktober tot in april, soms tot in mei. De vroegste datum is 3 september 1963 (1 ex. in een poel bij Haskerhorne (A. 1) en de laatste data zijn: 12 mei 1935, 1 ex. aan de Dokkumer Nieuwezijlen (A. 12) en 1 juni 1935, 1 ex. onder Eernewoude (Lim. 29, 1956, 55).
Vanaf 1922 werd de Kuifduiker 9 maal in januari, 8 maal in februari, 3 maal in maart, 10 maal in april, 4 maal in mei, éénmaal in juni, éénmaal in september, 2 maal in oktober, 2 maal in november en 7 maal in december waargenomen.
De meeste vogels werden aan de kust, de rest werd in het binnenland gezien. Op het IJsselmeer verongelukt nogal eens een exemplaar aan hoekwant of in staand want (bijv. maart 1972 onder Staveren - part. coll. (arch. AVF)). Behalve de hierboven reeds genoemde „binnenlandse" waarnemingen zijn nog de volgende bekend:

108

4 en 7 januari 1959	1 en 2 ex. onder Giekerk (A. 1)
30 maart 1959	1 ex. ten noorden van de Grote Wielen onder Giekerk (idem)
5 mei 1960	1 ex. op de Leijen, onder Oostermeer, in prachtkleed (idem)
1 mei 1961	1 ex. op het Sneekermeer (idem)
11 april 1966	1 ex. in een kanaaltje bij Tacozijl (A. 2)
16 april 1966	3 ex. (??) op het Holstmeer onder Eernewoude (idem)
25 april 1966	1 ex. onder Hardegarijp (idem)
21 december 1968	1 ex. onder Stiens, levend bemachtigd. Het dier miste de lin-kerpoot; aan de andere had de vogel een ring uit Zweden. Een dag later is de vogel losgelaten. Na informatie bleek dat deze vogel op 9 mei 1968 als overjarig exemplaar te Motala in Östergötland was geringd (idem)
6 april 1970	1 ex. op het Nannewiid onder Oudehaske (idem)

In de collecties van het FNM te Leeuwarden bevinden zich twee exempla-ren; t.w. een ♀ uit Hardegarijp (17 december 1929) en een ♂ exemplaar uit Makkum (22 december 1954).

P. de Br.

Geoorde Fuut - *Podiceps nigricollis nigricollis* Brehm

Swartnekdûker

Jaarvogel; zeer schaarse tot schaarse broedvogel; doortrekker in klein aan-tal; wintervogel in zeer klein aantal.

Volgens de AVN (1970) is de Geoorde Fuut in Nederland broedvogel sinds 1918. De soort hoort oorspronkelijk in Oost-Europa thuis, maar heeft zich aan het eind van de vorige, en het begin van deze eeuw sprongs-gewijze en invasieachtig over Noordwest-Europa verbreid. Dit „invasie-achtige" komt thans nog tot uiting in de wisseling van het aantal broedpa-ren. De biotoop wordt gevormd door ondiepe zoetwaterplassen met een rijke begroeiing en voedselrijk water. Dit laatste kan mede de verklaring vormen van de opmerkelijke binding van de Geoorde Fuut aan kokmeeu-wenkolonies. Een tweede verklaring voor het samengaan van beide soorten ligt in de veiligheid die de fel alarmerende Kokmeeuwen bieden.
Het eerste broedgeval in Friesland was misschien in 1938, toen op 21 mei van dat jaar een paartje op het Holstmeer onder Eernewoude werd gezien (Ard. 28, 1939, 91). De mogelijkheid is niet uitgesloten dat er reeds eerder broedgevallen zijn geweest, getuige de volgende waarnemingen:

3 mei 1926	1 ex. Binnenleijen onder Oostermeer (Ard. 17. 1928. 30)
16 mei 1927	3 ex. dezelfde plaats
5 juli 1938	1 ♀ ex. doodgevonden bij Oldeberkoop, coll. FNM. ,,sinds eni- ge tijd broedend in veenplassen tussen Olde- en Nijeberkoop" (arch. FNM)

Recentere broedgevallen zijn o.a. bekend uit de omgeving van Bergum (1947 en 1948), de heidepoelen op de Duurswoudsterheide (onder meer in de jaren 1951, 1952, 1953, 1954, 1955, 1959 en 1969) (A. 1, A. 2). In de collecties van het FNM te Leeuwarden zijn eieren opgenomen die afkomstig zijn van Duurswoude (juni 1954).

Tijdens de inventarisatie voor het Atlasproject zijn broedgevallen vastgesteld in de omgeving van Bakkeveen, Duurswoude en de Veenhoop. In de omgeving van Bakkeveen valt een ,,gestage toename" op te merken (A. 18).

Tijdens de trek (eind augustus tot in november en midden februari tot in april) en tijdens de overwintering wordt deze soort lang niet zo vaak op zout water gevonden als de Kuifduiker.

P. de Br.

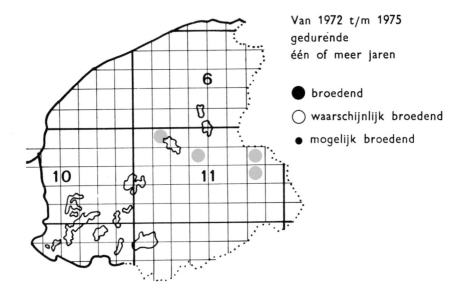

Van 1972 t/m 1975
gedurende
één of meer jaren

● broedend

○ waarschijnlijk broedend

• mogelijk broedend

110

Dodaars - *Podiceps ruficollis ruficollis* (Pallas)

Dûkerke.
Oare nammen: Earsfutteler, Earsfuttel, Earsfutteltsje, Ieldûkerke, Lytse Hjerringslynder. Etymology fan Earsfuttel: „ears" is it efterein en „futtel" is immen dy't mei lytse stapkes rint. (J.B.).

Vrij schaarse broedvogel; doortrekker en wintervogel in vrij klein aantal.

De Dodaars broedt in voedselarme vennetjes, eendenkooien, brede kleisloten met en soms zelfs zonder oevervegetatie en op poelen en meertjes. Het aantal broedparen varieert jaarlijks en per biotoop. Omdat het waarnemen van de soort erg moeilijk is, worden bij het inventariseren de aantallen bijna steeds onderschat.

De historische gegevens zijn gering. Albarda (1866, 1884) noemt de Dodaars een algemene broedvogel op veenplassen. Snouckaert (1908) merkt op dat de soort op een groot aantal plaatsen broedt. Brouwer (1948) vermeldt dat de Dodaars in het Noorden van het land vrijwel uitsluitend de voedselarme heideplassen bewoont, terwijl hij op de voedselrijke petten ontbreekt. In het najaar van eind augustus tot oktober verblijft, volgens Brouwer, een klein aantal in de Oude Venen.

Het eerste gegeven in het archief van de AVF over de Dodaars als broedvogel komt uit Franeker, waar op 26 april 1915 een legsel werd gevonden (nu in de collecties van het FNM te Leeuwarden). Uit de archiefgegevens is het volgende overzicht samen te stellen (A. 1):

1933	Sint Jacobiparochie
1943	Harlingertrekvaart
1944	Ezumazijl
1947	Wommels
1948	Hantum, Anjum („broedt er jaarlijks")
1950	Boksum
1952	Duurswoude, minstens vijf paar
1960	Kollumerpomp
1961	Kollumerpomp

Een enquête uit 1966 (M. van Erp en D. Dekker 1967) geeft slechts broedgevallen van Duurswoude (1), Sneek (1) en Dongjum (2). In datzelfde jaar werd een paar met jongen aangetroffen in Nijetrijne (G. 5). In 1967 worden broedgevallen vermeld uit Barradeel (7), Franeker (5), Oost-Dongeradeel (1 à 2) en Wonseradeel (1). (Vj. 16, 1968, 514-516).
In 1968 werden in de omgeving van Harlingen acht paren met jongen

vastgesteld, op de Zuidwaard te Makkum één paar en bij Franeker twee paren.

Het lijkt wel zeker dat met bovenvermelde broedgevallen slechts een deel van het werkelijk aanwezige aantal is genoemd. Overigens schijnen de aantallen broedvogels iets toe te nemen. Een duidelijk voorbeeld van toename van de broedpopulatie in een bepaald gebied, hoewel versluierd door de natuurlijke jaarlijkse aantalsschommelingen, is de ontwikkeling van de Dodaarzen-populatie in de omgeving van Bakkeveen en Duurswoude. Hier broedden in 1969 zes paren, in 1970 drie, in 1971 acht, in 1972 zeven, in 1973 veertien, in 1974 negen en in 1975 twaalf paren. In een wat ruimere omgeving van beide plaatsen waren in 1975 zelfs achttien paren aanwezig (A. 23).

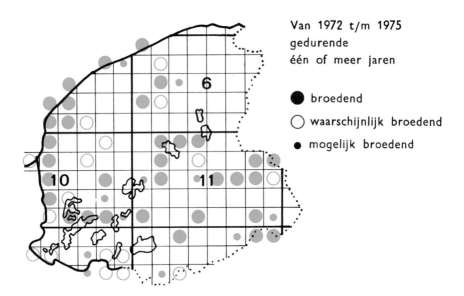

Van 1972 t/m 1975 gedurende één of meer jaren

● broedend

○ waarschijnlijk broedend

• mogelijk broedend

Ten aanzien van de hier geconstateerde toename is het opmerkelijk dat ook in Sleeswijk-Holstein sinds 1972 een aanzienlijke aantalstoename is geconstateerd (Berndt 1974). Opvallend was het broeden van de Dodaars in parkvijvertjes in Leeuwarden (Van. 5, 1952, 110). De laatste jaren is dit vaker gezien.

De Dodaars trekt vooral door van september tot in november en van

Eend op korf ,,Fûgelflecht'' Buitenpost,   -   H. F. de Boer

Wilde Eend (woerd), Veenklooster,   -   H. F. de Boer

februari tot in april. De hoogste aantallen worden dan waargenomen langs de Waddenkust, vooral van Harlingen tot in de havens van Kornwerderzand en op het IJsselmeer. Andere plaatsen waar 's winters regelmatig deze soort is waar te nemen zijn het Sneekermeer, Grouw, de Oude Venen onder Eernewoude en de dijksvaart van de Kop van de Afsluitdijk tot Workum. Om een indruk te geven van de hoogste aantallen per maand het volgende lijstje:

oktober 1967	50 ex. bij Harlingen (A. 2)
november 1968	44 ex. haven van Harlingen (idem)
december 1968	70 ex. Kornwerderzand, tijdens strenge vorst (idem)
januari 1968	35 ex. haven van Harlingen (idem)
januari 1968	12 ex. Kornwerderzand (idem)
januari 1968	8 ex. Afsluitdijk, IJsselmeerkust (idem)
januari 1968	16 ex. Harlingen-Roptazijl (A. 19)
februari 1968	13 ex. Harlingen (A. 2)
maart 1968	30 ex. Kornwerderzand (idem)
april 1969	9 ex. Harlingen (idem)
26 december 1975	18 ex. binnenhaven Kornwerderzand (A. 20)

Ook bij Lauwersoog is de Dodaars in de winterperiode regelmatig aanwezig. Evenals andere futesoorten verdrinkt ook de Dodaars een enkele maal in staande netten en fuiken van de IJsselmeervissers.

M.W.

Vaal Stormvogeltje - *Oceanodroma leucorhoa leucorhoa* (Vieillot)

Stoarmswel

Oare nammen: Séswel, Stoarmfûgeltsje. De Stoarmfûgels neame wy yn it algemien ,,mokken". It wurd ,,mok" kin etymologysk gearhingje mei it Middelheech dútske ,,mocke" dat klompe, klute en ek súch (baerch) bitsjutte. De grounbitsjutting fan dit wurd slacht op de koarte, dûbele foarm fan guon fan dizze fûgels, dat fral by de Mallemok goed útkomt. (J.B.)

Doortrekker in zeer klein aantal.

Van deze soort is in de loop der jaren een groot aantal waarnemingen verzameld. Niet in de laatste plaats doordat vroeger vele exemplaren aan de kust in staltnetten werden gevangen. Deze trekkers komen mogelijk van de broedplaatsen op de Orkneys, de Färoër en de kust van Noordwest Schotland (ook op de eilandjes voor de Amerikaanse kust bevinden zich

113

grote kolonies). De vangst werd naar de poeliers verkocht, die de huiden doorverkochten voor modedoeleinden.

Albarda (1884) schrijft „In November 1872 ontvingen wij een voorwerp, hetwelk bij Hallum in een steekgaren was gevangen. In December 1882 zagen wij een ander voorwerp bij een poelier".

Ook in latere notities vindt men aantekeningen over exemplaren bij de poeliers. Snouckaert (1908) merkt nog op dat de soort niet zoals Albarda schrijft zeldzamer is dan het Stormvogeltje (*H. pelagicus*), maar dat hij in tegendeel veel meer exemplaren van het Vaal Stormvogeltje ontving dan van het Stormvogeltje. In de winter van 1904 zelfs twaalf stuks.

Een notitie van Bosch vermeldt: „De eerste jaren na 1909 heb ik bij de poeliers verscheidene in handen gehad, soms twee tegelijk, uit de staltnetten" (A. 1).

Andere waarnemingen zijn:

± 14 oktober 1901	1 ♂ ex. bij Ferwerd (Snouckaert, 1902); ook vermeld in DLN 1902/03, 186, echter met het jaartal 1902.
7 november 1902	1 ♀ ex. in Friesland, in netten van strandjutter (Snouckaert, 1904)
27 november 1905	1 ex. bij Makkum (Snouckaert, 1908) in coll. Museum Natura Docet te Denekamp. (Versl. en Med. 3, 1906, 38)
15 november 1910	1 ex. bij een poelier te Leeuwarden (A. 1)
3 oktober 1911	1 ex. bij poelier te Leeuwarden (idem)
12 november 1914	1 ♀ ex. aan zeedijk bij Workum, gevangen, coll. RML (Ard. IV, 1915, 113)
4 januari 1915	2 ex. bij poelier te Leeuwarden (idem)
1 januari 1916	hetzelfde (idem)
9 januari 1916	hetzelfde (idem)
29 november 1922	1 ex. bij Workum, coll. RML (idem)
13 oktober 1934	1 ex. Lemmer, kon niet worden geprepareerd (idem)
13 oktober 1935	1 ex. Lemmer, gevonden, coll. FNM (Org. 8, 1936, 136; Club ZW XXII, 1936, 11)
9 november 1936	1 ex. Franeker, gevonden met gebroken vleugel (A. 1)
30 oktober 1948	1 ex. Tacozijl (idem)
14 november 1949	1 dood ex. aan weg Hindeloopen-Koudum, draadslachtoffer, coll. FNM (Van. 2, 1949, 140; Lim. 22, 1949, 389)
1 november 1959	1 ex. bij Makkumerwaard (Lim. 34, 1961, 190)
30 oktober 1961	1 ex. Friesche Palen, nog levend, gevonden op het eendekroos van een sluiskolk (A. 1)
23 november 1963	1 ex. Kortezwaag, gevonden in weiland (Van. 16, 1963, 283)
3 november 1965	1 ex. op de Waddenzee bij Oostmahorn (Lim. 40, 1967, 15)
22 december 1965	1 dood ex. Sneek, doodgevlogen
30 december 1965	1 ex. Sneek, stormslachtoffer, (A. 4)
27 september 1969	1 ex. op zee, op een Urker vissersboot levend gegrepen en naar Kornwerderzand gebracht (A. 2)

5 oktober 1970	1 ex. Nieuwehorne, gevonden onder hoogspanningsleiding, coll. ZMA (idem)
10 oktober 1972	1 ex. Hitzum, gevonden (idem)
14 november 1972	1 ex. Vrouwbuurtstermolen, gevonden (idem)
29 september 1973	1 ex. Lauwersoog, gevonden (A. 5)

In 1965 werden drie exemplaren bij een erkend preparateur gebracht, ook een exemplaar van Griend (30 aug. 1965).

Het grootste aantal waarnemingen is gedaan in de maanden oktober en november, respectievelijk 10 en 12. Slechts één vondst is bekend uit september, drie uit december en drie uit januari. Het hoogtepunt van de trek langs de Friese Waddenkust valt dus, afgaande op de vorenstaande waarnemingen, vanaf de tweede helft van oktober tot eind november.

W. de J.

Stormvogeltje - *Hydrobates pelagicus* (Linnaeus)

Sémokje

Dwaalgast.

Deze soort wordt zeer zelden gezien. Albarda zegt echter in zijn ,,Naamlijst'' (1884), evenals in zijn ,,Aves Neerlandica'' (1897) dat het Stormvogeltje niet zelden aan de kust gevangen, geschoten of dood gevonden wordt. Het veel op het Stormvogeltje gelijkende Vaal Stormvogeltje zou veel zeldzamer zijn. Dit is echter niet juist, wat ook reeds door Snouckaert in zijn ,,Avifauna Neerlandica'' (1908) wordt opgemerkt. De grootste kans bestaat dan ook, dat er bij Albarda een soortverwisseling heeft plaatsgevonden.
Er zijn drie waarnemingen bekend:

4-5 december 1885	10 ex. buitengronden onder Hallum en Ferwerd, ,,deels gevangen, deels dood gevonden'' opgave twijfelachtig (Albarda, 1886, 11)
7 oktober 1967	1 ex. tussen de Kop van de Afsluitdijk en Makkum (A. 1)
25 oktober 1967	1 ex. boven het IJsselmeer bij Makkum (idem)

W. de J.

115

Noordse Pijlstormvogel - *Puffinus puffinus puffinus* (Brünnich)

Swartsnavelmok

Dwaalgast.

Het broedgebied van deze soort ligt op IJsland, langs de Britse kust, in Ierland, in Bretagne en op de Azoren.
Albarda vermeldt in zijn „Naamlijst" (1884) dat de soort een paar maal na zware stormen aan de kust is waargenomen. Sindsdien zijn voor Friesland de volgende vondsten en waarnemingen bekend geworden:

1 oktober 1950	1 ex. bij Westhoek onder St. Jacobiparochie, in zuidwestelijke richting langsvliegend (A. 1)
8 oktober 1950	1 ♂ ex. Lemmer, gevonden (Coll. FNM)

Betreffende de laatste opgave kan nog worden medegedeeld dat er ongeveer een week eerder een langsvliegend exemplaar gezien was (A. 1); mogelijk betreffen waarneming en vondst hetzelfde exemplaar.

W. de J.

Grote Pijlstormvogel - *Puffinus gravis* (O'Reilly)

Greate Mok

Dwaalgast.

Deze soort broedt op de Tristan da Cunha-eilanden.
Van de Grote Pijlstormvogel is één onbevestigde waarneming bekend:
begin december 1936 werd een exemplaar niet ver van de Warnserbrug onder Koudum waargenomen (A. 1).

W. de J.

Noordse Stormvogel - *Fulmaris glacialis glacialis* (Linnaeus)

Mallemok

Ek: Stoarmmok, Sémok, Mok, Stoarmfûgel.

Mallemok is gearstald út it eigenskipswurd „mal" (healwiis, dwaes, gek, mâl) en it haedwurk „mok". Faeks hat er de namme krige fanwege syn nuvere manier fan rinnen en fleanen. Nei inkelde wjokslaggen sweeft er mei wiid útsprate wjokken, nou ris op 'e lofter kant, dan wer op 'e rjochter kant, meastal net al to fier boppe it séwetter. Hy kin min rinne, brûkt dêrby de hiele rinfoet en kin net lang op 'e teannen stean. (J.B.)

Onregelmatige gast.

De Noordse Stormvogel is in deze eeuw enorm in aantal toegenomen. Dit vindt zijn verklaring in het feit dat deze soort zich aangepast heeft aan een nieuwe voedselbron, namelijk het afval van de vistrawlers en van de walvisvangst. Door deze toename aan individuen is ook het aantal broedkolonies in Groot-Brittannië veel groter geworden en deze zijn nu rondom de gehele Britse kust te vinden.

Ondanks deze enorme toename is het aantal waarnemingen in Friesland nog steeds gering, zeker voor de vaste wal. Als vogels van de open zeeën worden ze vaker aan de Noordzeekust gezien. Het betreft in de meeste gevallen vondsten van dode, met stookolie besmeurde, exemplaren.

Voor Friesland noemt Albarda in zijn Naamlijst (1866) ,,een dood voorwerp aan de kust bij Zwarte Haan gevonden''. In zijn Aves Neerlandicae (1897) noemt hij vijf exemplaren aan de Noordzeekust bij Zandvoort geschoten; de vondst bij Zwarte Haan wordt echter niet meer vermeld. Ook Snouckaert (1908) noemt geen exemplaren uit Friesland.

De tot heden bekende waarnemingen en vondsten zijn:

zonder datum	1 ex. gevonden aan de kust bij Zwarte Haan (Albarda 1866)
17 juli 1926	1 ex. gevonden bij Nieuwe Bildtzijl, uitgedroogd (Ard. 17, 1928, 31)
13 februari 1944	1 ex. gevonden op de Oude Begraafplaats te Leeuwarden, coll. FNM (Lim. 17, 1944, 77)
10 april 1947	1 ♀ ex. gevonden bij Eernewoude, draadslachtoffer, coll. FNM (Brouwer, 1948)
28 oktober 1947	1 ex. gevonden aan de zeedijk Holwerd-Ternaard (A. 2)
1 mei 1965	1 ex. bij Ferwerd (idem)
4 april 1968	1 ex. op een weiland bij Terhorne, verdween na opvliegen in westelijke richting (idem)
31 juli 1968	1 ex. gevonden aan de Afsluitdijk (idem)
13 juni 1970	1 dood ex. op de kwelder ter hoogte van Ternaard (idem)
6 juni 1972	1 dood ex. te Harlingen op de Zuiderpier (idem)
18 september 1972	1 ex. gevonden op het slikveld oostelijk van de pier bij Holwerd (idem)
27 oktober 1973	1 ex. gevonden bij Lauwersoog (idem)
24 november 1973	1 ex. gevonden bij Pietersbierum (idem)
15 december 1973	3 ex. gevonden op de kwelder bij Ternaard (idem)
25 december 1973	2 ex. in de vloedlijn bij Kornwerderzand (idem)
9 februari 1975	1 ex. gevonden bij de Steile Bank in Gaasterland (idem)
11 april 1975	1 ex. gevonden bij Paesens (idem)

Stellig worden er als olieslachtoffer meer exemplaren gevonden, maar vaak niet door de waarnemer gemeld. Soms zijn ze door de olie ook bijna onherkenbaar. Zo zijn er bijv. twee februarivondsten respectievelijk uit 1953 en 1954 (A. 22).

In 1960 en 1962 werden respectievelijk één en zeven exemplaren ter prepareringbij een erkende preparateur afgegeven. De herkomst van deze vogels is echter niet na te gaan. In laatstgenoemd jaar werd er een ongekend groot aantal Noordse Stormvogels aan de Noordzeekust waargenomen.

W. de J.

Jan van Gent (jong) door noordwester stormen landinwaarts gedreven. Deze had stukken visnet om lichaam en poten, Suameer. - D. Franke.

Jan van Gent - *Sula bassana* (Linnaeus)

Gint
Ek: Gek.
Gint is etymologysk itselde wurd as gint foar de mantsjegoes; út Germaensk *gandro, fgl. Aldingelsk gandra. (J.B.)

Onregelmatige gast.

De Jan van Gent heeft zijn broedgebied o.a. in IJsland, Groot-Brittannië en Ierland.
Albarda (1891) schrijft: ,,omstreeks denzelfden tijd (okt.-nov.) verschillende voorwerpen gevangen'', maar vermeldt geen plaatsen.
Voornamelijk na stormachtig weer komt de Jan van Gent aan de kust voor, hetgeen blijkt uit het aantal september- en oktoberwaarnemingen, respectievelijk 7 en 8. Dikwijls zijn het stookolieslachtoffers.
De vroegste datum is januari 1927 (1 exemplaar Workum, Ten Kate 1936, 57), de laatste datum is 10 december 1965 (een bijna volwassen exemplaar, Kop Afsluitdijk (A. 2).
De waarnemingen en vondsten, die in het binnenland zijn gedaan, volgen hieronder:

augustus 1940	1 ex. Hallum en Twijzel (Ard. 30, 1941, 237; Lim. 13, 1940, 147)
20 oktober 1940	1 juv. ex. Hardegarijp, coll. FNM
1 december 1950	1 ex. Sneek, coll. FNM
22 september 1952	1 juv. ex. tussen Harlingen en Bolsward (Lim. 25, 1952, 163)
23 september 1954	1 juv. ex. Oosterlittens, coll. FNM (Van. 8, 1955, 65)
15 februari 1965	1 ex. Peperga-Blesse (A. 2)
29 oktober 1967	1 eerstejaars ex. Bozum (idem)
4 november 1969	1 juv. ex. Rinsumageest (idem)
4 oktober 1970	1 derdejaars ex. Suawoude, 18 oktober dood (idem)
7 november 1973	1 ex. gegrepen te Offingawier, 9 november dood (idem)
25 december 1973	2 ex. dood in vloedlijn Kornwerderzand (idem)

Ve.

Aalscholver - *Phalacrocorax carbo sinensis* (Blumenbach)

Ielgoes
Oare nammen: Ielskolfer, Skolfer; de Súdwesthoeke Ielgâns, soms Rotgâns; Gaesterlân Kur(re)gâns. In hiele rige fûgelnammen hâldt forbân mei it iten fan de fûgels (appel-fretter, kersebiter, ielslynder, miggesnapper) en sa sil it ek wêze mei it earste diel fan Ielgoes, Ielgâns, Ielskolfer. Skolfer is to forbinen mei in rige âlde wurden, dy't krite, skreauwe, raze bitsjutte. (J.B.)

Voormalige broedvogel; thans overzomeraar, plaatselijk in vrij groot tot soms groot aantal.

Oudere auteurs weten niet veel over het broeden van de Aalscholver in Friesland mee te delen. Albarda (1896, 1897) meldt alleen (mislukte) broedpogingen bij Oldeberkoop. Snouckaert (1908) kent in Friesland geen broedkolonies terwijl Van Oordt (1919) Rijs noemt, maar blijkbaar niet over zekere gegevens beschikt.

In 1914 was er aan de Luts onder Oudemirdum een kolonie van ongeveer 200 nesten in naaldbos (sparren) (A.16). Later is deze kolonie waarschijnlijk verhuisd naar het bos bij Rijs, waar de vogels zich vrij lange tijd konden handhaven (foto van G. Bosch in: 12½ jaar Natuurbescherming in Friesland, 1942).

Van een aantal jaren zijn getallen bekend (o.a. uit publikaties van Brouwer, 1926, 1927, 1948 en uit het archief van It Fryske Gea):

1918	enige? nesten
1926	± 40 nesten
1927	± 50 nesten
1932	52 nesten
1933	± 300 nesten
1934	± 350 nesten (A.12)
1935	600 à 700 nesten (Ts.Gs. de Vries in Lw.Crt. 1 mei 1936)
1936	enkele nesten
1940	218 nesten

Op 21 juni 1942 werd door de toenmalige Arbeidsdienst de kolonie aanzienlijk beperkt (waarschijnlijk ook reeds in 1936) en in 1943 waren de Aalscholvers op onverklaarbare wijze verdwenen (jaarverslag It Fryske Gea). Zeker is wel dat toenemende onrust: schieten, bezoek, en ook het gedrag van nog niet geslachtsrijpe vogels een grote rol in de ondergang van deze kolonie heeft gespeeld. In 1944 zijn er opnieuw enkele pogingen tot nestelen geweest. In 1947 meldt het jaarverslag van It Fryske Gea dat de Aalscholvers met succes werden geweerd en in 1948 dat ze geen pogingen deden zich in het bos te vestigen. Daarmee valt het doek over de geschiedenis van deze kolonie. Aan te nemen valt (men vergelijke de jaartallen) dat de kolonie uiteindelijk uitgeweken is naar het Naardermeer. Daar broedden de Aalscholvers voor het eerst in 1942. Aanvankelijk probeerde men daar de vogels te verdrijven, maar in 1947 kwamen ze opnieuw terug, en nu werden ze daar geduld. Blijkbaar raakten door de ontbinding van de Gaasterlandse kolonie de vogels in de veertiger jaren aan het zwerven.

Broedpogingen werden in die jaren gedaan bij Eernewoude en bij Rauwerd.

Bij Eernewoude werden reeds in 1938 pogingen tot vestiging gesignaleerd. In 1940 waren daar ± 45 nesten (o.a. Brouwer, 1941) die later ten dele werden uitgestoten. In 1942 waren er 15 nesten (A.16). In de oorlogswinter van 1944 werden bij de algehele kaalslag van de Oude Venen ook de nestbomen omgehakt, waardoor verdere vestigingspogingen uitbleven. Waarschijnlijk hebben ook de vissers meegewerkt aan het mislukken van de eerste pogingen, hoewel de vogels ook elkaars nesten telkens afbraken.

In Rauwerd (Jongema-State) constateerde men in 1944 de eerste bescheiden vestiging (± 3 nesten). In 1945 waren er reeds ongeveer 12 nesten, terwijl in 1946 er circa 35 nesten waren en er verder honderden vogels in het bos verbleven. Pogingen de vogels te verdrijven wegens de overlast die ze bezorgden gelukten niet. In 1947 werd er volgens het jaarverslag van It Fryske Gea reeds zeer vroeg een energieke strijd aangebonden om de vogels te verdrijven. Iedere poging tot nestelen werd verijdeld. In 1948 lieten de vogels het geheel afweten.

Misschien zijn er in deze jaren ook broedpogingen geweest op Vijversburg bij Zwartewegsend (15 mei 1947 bijv. ± 30 ex. in de bomen aldaar (A.4)). Het is niet onmogelijk dat er ver voor 1940 ook Aalscholvers hebben genesteld in Oranjewoud (A.19).

Van de allerlaatste tijd dateren pogingen opnieuw een kolonie in Friesland te krijgen. Bij Eernewoude houdt men sinds 1972 een achttal geleewiekte exemplaren in een petgat. In 1973 werd er gebroed en kwamen er op twee nesten jongen uit. In 1974 werd er niet gebroed. Veel succes lijken deze pogingen niet te beloven. Wel verblijven er de laatste jaren in augustus en september vaak een 60 à 70 of nog meer vogels in het terrein.

Rooth en Jonkers (1972) suggereren het bevorderen van het broeden in het Lauwersmeer en De Boer (1972) noemt bovendien als mogelijke vestigingsplaats het Tjeukemeer.

Vooral in de zomer worden sinds lang overal in Friesland van de Waddenzee tot in het Tjeukemeer, in het meren- en plassengebied maar ook in Dokkumer Ee en Dokkumerdiep vissende vogels aangetroffen. Soms betreft dit aanzienlijke aantallen, bijv. in september 1968 een vijftigtal in de Vogelhoek aan de Morra of 150 à 160 in de Fluessen bij Elahuizen. Op bepaalde plaatsen kan dit overzomeren zelfs spectaculaire vormen aannemen. Bekend zijn reeds lang de concentraties op de Waddenzee (overtijen o.a. op Griend, Rooth 1966), in de Lauwerszee en thans op het Lauwersmeer (A.5) en reeds lange jaren langs de IJsselmeerkust op Makkumer- en

Workumerwaard en in het bijzonder op de Steile Bank bij Gaasterland. In augustus 1960 werden op de Mokkebank reeds 1200 ex. (A.3) en in 1969 op de Steile Bank aantallen van ongeveer 3000 ex. genoteerd (A.2). In de laatste jaren is aan deze concentratie geregeld aandacht besteed: Bosch, W. de Jong, Hendriksma, De Boer, Engelmoer, Timmerman en vooral Westhof.

In het laatst van juni verschijnen hier de eerste concentraties; in augustus en september zijn de aantallen het grootst. Aantallen van 2000 tot 3000 werden in deze maanden meermalen vastgesteld. Engelmoer (1974) noemt zelfs een aantal van 4500 vogels. Bijzonder boeiend is 's morgens vroeg het uitvliegen der vogels in lange slierten (50 tot 150 stuks) richting west naar de visgronden. De terugkeer in de middag geschiedt veel minder geconcentreerd. Men mag aannemen dat een groot deel van de Nederlandse aalscholverpopulatie in deze tijd de kolonie heeft verlaten, op het IJsselmeer rondzwerft en o.a. de nacht doorbrengt op de Steile Bank. Waarschijnlijk zal hier een groot aantal jonge vogels bij zijn. Uit het ringonderzoek bleek dat in Friesland in juli 7, in september 1 en in november 2 elders in Nederland geringde jonge vogels werden aangetroffen. Het is niet onmogelijk dat zich onder de vogels van de Steile Bank ook doortrekkers bevinden. Volgens Timmerman (1962) werd op 21 augustus 1958 bij de Steile Bank een dood exemplaar aangetroffen dat in juni 1952 geringd was in de, inmiddels verdwenen, kolonie Lütetsburg bij Norden in Nedersaksen.

In oktober nemen de aantallen Aalscholvers op de Steile Bank snel af en in november worden nog slechts enkele exemplaren waargenomen. Ook elders in de provincie zijn novemberwaarnemingen schaars, terwijl slechts één decemberwaarneming (24 december 1967 Giekerk, A.2) en eveneens slechts één januariwaarneming (8 januari 1970, A.22) bekend zijn. De eerste vogels worden in de regel omstreeks half maart in Friesland gesignaleerd (arch. AVF, G.5).

Van de vroeger in Friesland broedende vogels werd een tweetal in november in Frankrijk en één in december in Portugal teruggemeld. In mei 1938 werd bij Rijs een Aalscholver geschoten, die in februari 1932 in Tunis was geringd (Lim. 14, 1941, 73).

D.T.E. v.d. P.

Grote Aalscholver - *Phalacrocorax carbo carbo* (Linnaeus)

Greate Ielgoes

Dwaalgast.

In Friesland werd één vondst bekend: een ♂ ex. 19 mei 1936 bij Ooster-meer. Het bevindt zich in de collectie van FNM te Leeuwarden en werd herkend door Hekstra (Lim. 34, 1961, 16). Het betreft het derde bekende Nederlandse exemplaar.
De Grote Aalscholver is broedvogel van o.a. de Britse eilanden en Noorwegen.

D.T.F. v.d. P.

Kuifaalscholver - *Phalacrocorax aristotelis aristotelis* (Linnaeus)

Túf-ielgoes

Dwaalgast.

Het broedgebied van deze vogel ligt op IJsland, en langs de Britse, Ierse en Westeuropese kust.
Slechts één vondst in Friesland, namelijk een juv. ♂ exemplaar, 24 december 1936 gevangen bij Beetsterzwaag, 28 december 1936 gestorven (coll. FNM).
De vogel is gefilmd door B. Sterkenburg, toen men probeerde het dier met vis in leven te houden (Lim. 10, 1937, 64; DNV, II, 1941).

D.T.E. v.d. P.

Blauwe Reiger - *Ardea cinerea cinerea* (Linnaeus)

Ielreager

Oare nammen: Reager, Reagel, Riger, Ielstrôt. De meast oannimlike forklearring fan reager is dat it forbân hâldt mei de Yndogermaenske woartel *kerei, dat in ôflieding is fan de onomatopé *ker, *kor. Ek nammen as Raven en Roek hingje hjir mei gear.
Hynljippen: Eelriiger en Eelreager. Skiermuontseach: Riegel. Gaesterlân: Ielrieger.
It Bildt: Aalriger en Aalraiger. Skylge: Ielreager (it Easten) en Iilreiger (it Westen).
Humoristyske nammen foar de fûgel binne: Alde Jitse en Aldbaitsje. Yn 'e folkstael heart men: Spuije as in ielreager, ek: Koarje, skite, gapje as in ielreager. (J.B.

124

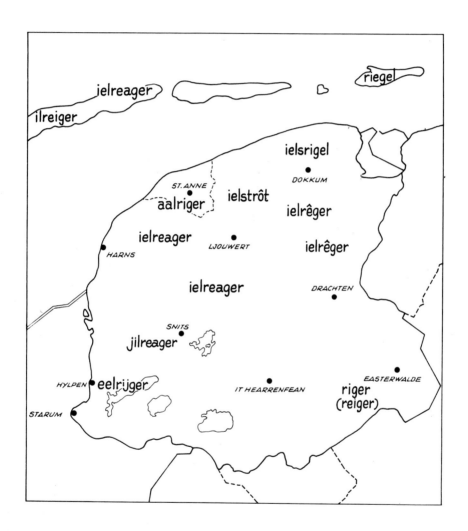

ielreager
ilreiger
riegel
ielsrigel
DOKKUM
ST.ANNE
aalriger
ielstrôt
ielrêger
ielreager
LJOUWERT
ielrêger
HARNS
ielreager
DRACHTEN
SNITS
jilreager
eelrijger
HYLPEN
STARUM
IT HEARRENFEAN
EASTERWALDE
riger
(reiger)

Jaarvogel; na strenge winters vrij talrijke broedvogel, overigens talrijke broedvogel, die de laatste jaren sterk toeneemt; overwintert in groot aantal; doortrekker in groot tot zeer groot aantal.

Over de terugkeer van de Friese broedvogels in de kolonie, over eerste eidata enz., is weinig gepubliceerd. De eerste sexuele aktiviteit wordt vaak voorafgegaan door een toename van in de kolonie slapende, volwassen vogels. Aangezien deze in de schemering arriveren en vertrekken wordt dit vaak niet opgemerkt (Eikhoudt 1973 en '74). Het eerste begin van het broedseizoen wordt het best aangegeven door het eerste ♂ dat zijn territorium vestigt en dit te kennen geeft door het uiten van de bekende reigerschreeuw vanaf het overjarig nest (Eikhoudt 1974). Zodra op hetzelfde nest tegelijk twee vogels rustig bijeen worden aangetroffen is de vorming van het eerste paar een feit. Vanaf dat moment is het nest permanent door minstens één van de vogels bezet. In deze eerste fase van het broedseizoen zijn de vogels uiterst weergevoelig. Uit de aankomstdata is de invloed van het weer reeds op te maken. De vroegst bekende (berekende) legdatum is die van het legsel dat in 1935 op Dekemastate te Jelsum gevonden is (A. 1), n.l. op of vòòr 25 januari, mogelijk zelfs één à twee dagen eerder. Deze legdatum behoort tot de vroegstbekende legdata uit Nederland.

De opbouw van een gemiddeld broedseizoen van de Blauwe Reiger in Friesland kan als volgt worden weergegeven:

Vanaf de tweede decade van februari vindt een snelle invasie van broedvogels plaats, zodat begin maart al bijna de helft aanwezig is. Tot omstreeks half mei arriveert wekelijks nog 5 à 10% van het bestand. De eerste eieren worden gelegd in de 2e helft van februari, waarna van half maart tot half april de ♀ ♀ „en masse" eieren leggen en de meeste nesten reeds eieren bevatten. In toenemende mate zijn dit vervolglegsels van mislukte eerste broedsels (één wijfje kan zeker twee, mogelijk tot vier legsels per seizoen produceren). Vanaf half mei kunnen het ook echte tweede legsels zijn. Een en ander is zeer afhankelijk van de weerssituatie. De legactiviteit neemt in mei snel af, maar tot eind juni, soms zelfs tot ver in juli, zijn er nog eieren aanwezig. De geboorte van de jongen strekt zich uit van half maart tot begin juli, bij uitzondering tot in de tweede helft van juli. De grote massa van de jongen wordt echter tussen begin april en half mei geboren. Van de vroegste broedsels vliegen de eerste jongen begin mei (in een enkel geval mogelijk eind april) uit, de meerderheid volgt tussen half mei en half juli.

Is er onder de eerste broedsels een hoog mislukkingspercentage (in een koud voorjaar bijvoorbeeld) dan verschuiven geboorte- en uitvliegpieken binnen de aangegeven periodes naar een later tijdstip.

Met een broedtijd die zich kan uitstrekken van begin januari tot in begin september, meer dan een half jaar lang, is de Blauwe Reiger wel een Friese broedvogel met een uitzonderlijk aanpassingsvermogen.

In deze eeuw is herhaaldelijk getracht inzicht te krijgen in de Nederlandse reigerbevolking. Thijsse plaatste in 1908 en 1909 oproepen in DLN (jrg. 13 en 14). Daarna volgden pogingen van De Beaufort (1914, 1915) en tenslotte pakte Brouwer de zaken aan: van 1925 tot en met 1946 publiceerde hij reeksen telgegevens, waaronder landelijke in 1925 en 1935-'37. Friese kolonies kregen hierbij ruime aandacht, zodat ook nog uit andere jaren (1928, 1929, 1942-'44, 1966) over vaak vrij volledige tellingen beschikt kan worden (Ard. 1926-1946). In de jaren 1949 tot '64 neemt Staatsbosbeheer, later het RIVON, het werk over. Drie landelijke onderzoekingen worden uitgevoerd: in 1949 (Braaksma en Mörzer Bruyns 1950), in 1956 en in 1961-1964 (Van der Ven 1962 en 1964). Brada (1951) geeft de resultaten van de telling uit 1949 in Vanellus weer. Recent werden door de Stichting AVF in samenwerking met de organisatie van de landelijke Blauwe Reigertelling (Blok/Roos) uitvoerige gegevens verzameld, die nog aangevuld konden worden uit de enquêteformulieren van de SBB-RIVON-tellingen en uit de interne rapporten van de RIVON-tellingen. De aldus verzamelde gegevens bleken nogal wisselvallig van samenstelling en terwille van de interpretatie van dit materiaal moest een uitgebreide schifting en correctie plaats hebben.

Overziet men de beschikbare gegevens, dan blijkt het volgende: Behalve uit de „ordonnantie op de Jagt" uit 1579 is uit historische tijden niets bekend. Gezien de aard van het Friese landschap mag echter aangenomen worden, dat ook in vroeger eeuwen hier belangrijke kolonies en flinke aantallen reigers aanwezig waren.

Over de periode rond de eeuwwisseling is dank zij Thijsse en Brouwer meer bekend. Grote kolonies kwamen ook toen voor. Schatzenburg bijv. moet in het eind van de 19e eeuw wel 200 paar geteld hebben, terwijl Hantumeruitburen (100 à 150 paar), Hichtum (plm. 80 paar rond 1910; Mavo-onderzoek Bolsward) en Piaam (± 100) er ook mochten zijn.

Vanaf 1925 zijn de ontwikkelingen beter te volgen. Hoewel uit 1936 tot 1942, 1947 en 1948 en in mindere mate uit 1965 tot 1970 weinig gegevens bekend zijn, is toch een redelijk inzicht te verkrijgen in de veranderingen in de Friese reigerstand sinds 1925.*

Bij beschouwing van fig. 2 blijkt dat er gedurende meerdere jaren nauwelijks sprake is geweest van stabiliteit. Vooral strenge winters (1929, 1940-'41 en '42, 1947, 1956, 1963) veroorzaken een terugval. Deze terugval bedroeg, vergeleken met 1928, 1955 en 1962 resp. 28%, 18% en 26%. Deze grote teruggang moet in eerste instantie het gevolg zijn van sterfte onder de overwinteraars. Ook in de periode 1940 t/m '42 moet er

---

* De volgende reconstructie-methode wordt in een latere publikatie beschreven.

127

wel een terugval van 30% of meer geweest zijn. Aangenomen mag immers worden dat door de reeks zachte tot zeer zachte winters sinds 1935 een voortgezette toename plaats vond en dat juist de reeks koude winters van 1940-'42 daarom extra hard aankwam (zie stippellijnen in fig. 2).

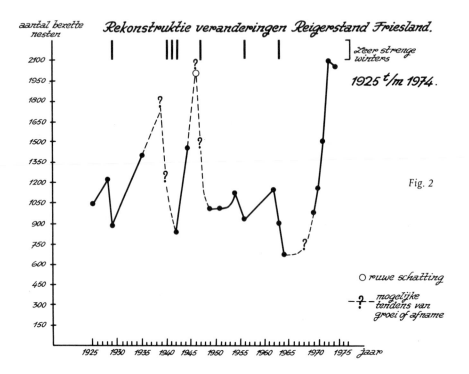

In de volgende jaren echter herstellen de reigers zich in ongekend tempo en in twee jaar neemt de populatie met minstens 30 à 40%, waarschijnlijk meer, toe (tabel A). De gegevens wijzen er op dat deze groei zich tot en met 1946 onverminderd voortzet, zodat tegen die tijd een stand van ongeveer 2000 broedparen aanwezig moet zijn geweest. Een belangrijke oorzaak van dit opvallende herstel in de oorlogsjaren zou wel eens het vrijwel stopzetten van jacht c.q. afschot in de broedtijd kunnen zijn geweest.
Na de beëindiging van de tweede wereldoorlog treden voor de reigers vrijwel tegelijk twee rampen op: er komt in 1946/47 weer een strenge winter en jacht en wapenbezit worden weer genormaliseerd, waardoor een

Wintertaling ♂ - D. Franke

Krakeend ♂ en Wilde Eend ♀ Leeuwarden, januari 1975, - S. Visser

massale en ongekend felle vervolging kan worden ingezet. De telling van 1949 geeft dan ook een vrij somber beeld te zien. Uit de gegevens van 1953-'55 valt op te maken dat er dan weer iets meer reigers zijn, maar voor het noorden van de provincie was daar nauwelijks of geen sprake van. De volgende strenge winter (1956) heeft dan ook op de toch al minimale bevolking duidelijk minder invloed dan zijn voorgangers. Na 1956 herhaalt zich de geschiedenis: nauwelijks of slechts gering herstel; de verstoringen en het afschot nemen blijkbaar vrijwel het gehele herstelvermogen weg.

Tabel A: Overzicht Friese Blauwe Reigers 1925 t/m 1974

Jaar	*kolonies* Friesland	Aantal Friesland	In het noorden om Friesland	Aantal bezette nesten* per km²) geheel Friesland	In het noorden om Friesland	*Gem. grootte kolonies*
1925	22	±1050	±450	0.32	0.32	47.7
1928	22	±1230	±510	0.37	0.36	55.7
1929	19-21	± 880	±440	0.27	0.31	43.0
1935	18-20	13-1500	±575	0.42	0.41	73.7
1942	19-22	750-900	300-325	0.25	0.22	32.6
1943	19-22	13-1600	±400	0.44	0.40	45.2
1944	19-22		550-575			
1945/46	19-22	18-2200	750-800	0.60	0.55	93.0
1949	19-22	9-1100	500-550	0.30	0.38	44.2
1950/52	23-26	9-1100		0.30		
1953/55	23-26	1000-1250	500-600	0.34	0.39	44.9
1956	22-24	900-950	325-350	0.28	0.24	39.1
1962	22-24	1050-1250	500-600	0.34	0.39	53.5
1963	21-22	850-950	±400	0.27	0.29	43.0
1964	21-23	625-700	±335	0.20	0.24	32.6
1970	27-28	850-1100	450-600	0.29	0.38	35.5
1971	28-29	±1150	±600	0.35	0.43	41.2
1972	29-30	±1500	800-850	0.45	0.59	50.9
1973	33	±2100	±1250	0.63	0.89	62.9
1974	35-36	±2050	±1150	0.62	0.82	57.0

* gecorrigeerde aantallen.

De record-winter van 1962-1963 en de daarop volgende vrij strenge winter van 1963-'64 zorgen voor een dieptepunt in de reigerbezetting gedurende de 50 jaar die de gegevens bestrijken. De visstand is eveneens slecht en de voedselsituatie is blijkbaar zodanig dat er weinig jongen worden grootgebracht (Van der Ven 1964). Ook in de volgende jaren wijzen de gegevens niet op herstel. Pas in 1967 en 1968 is er waarschijnlijk sprake van enige verbetering. Sinds 1970 zijn er betere gegevens en sinds 1972 zelfs uitvoerige en goed gecontroleerde en gedocumenteerde tellingen. Daardoor kunnen wij getuige zijn van een ongedachte en uitermate spectaculaire groei van de reigerstand. In twee broedseizoenen na 1971 blijkt de populatie zich praktisch te verdubbelen. De „Noord-Friese" reigers doen het zelfs nog beter en in 1973 wordt het ongekende aantal van 2100 paren in geheel Friesland (waaronder 1250 in het noorden van Friesland) bereikt. In 1974 (en voorzover te overzien ook in 1975) blijkt dat hetzelfde peil vrijwel gehandhaafd blijft. De Friese polders kunnen enorme aantallen reigers huisvesten en voeden. Immers, als wordt uitgegaan van een gemiddelde produktie van 2-3 jongen per paar, dan betekent dit dat in de zomermaanden een kleine 10.000 reigers in het Friese land rondzwerven, of wel drie ex. /km².

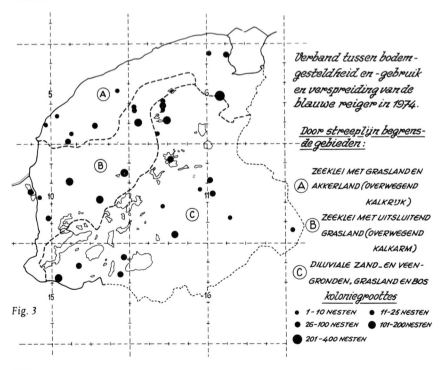

Verband tussen bodem-
gesteldheid en -gebruik
en verspreiding van de
blauwe reiger in 1974.

Door streeplijn begrens-
de gebieden:

(A) ZEEKLEI MET GRASLAND EN
AKKERLAND (OVERWEGEND
KALKRIJK)

(B) ZEEKLEI MET UITSLUITEND
GRASLAND (OVERWEGEND
KALKARM)

(C) DILUVIALE ZAND- EN VEEN-
GRONDEN, GRASLAND EN BOS

koloniegroottes

• 1-10 NESTEN   • 11-25 NESTEN
• 26-100 NESTEN   ● 101-200 NESTEN
● 201-400 NESTEN

Fig. 3

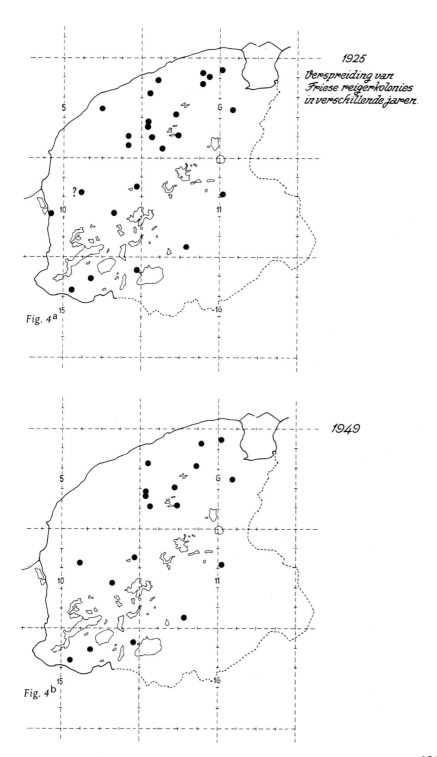

1925
Verspreiding van
Friese reigerkolonies
in verschillende jaren.

Fig. 4ᵃ

1949

Fig. 4ᵇ

Bij het bekijken van de verspreidingskaartjes (fig. 3, 4 a t/m d en 5) vallen drie zaken op, die bepalend lijken voor het verspreidingspatroon der kolonies:

a. *De terreingesteldheid*. In fig. 3 is een indeling voor Friesland in drie zones gemaakt, die berust op een combinatie van bodemgesteldheid, bodemgebruik en geologische herkomst. Hiermee hangt de aard van het landschap en de aanwezige hoeveelheid voedsel samen. Zone A toont minder waterlopen en meertjes dan zone B en bevat meest hoger gelegen weilanden, ook akkerland.

Zone B omvat de uit lager gelegen graslanden bestaande, drassiger en van veel oppervlaktewater voorziene weidestrook van Dokkum tot de westelijke IJsselmeerkust en zone C het gedeeltelijk beboste, zandige diluviale weidegebied, vaak ontgonnen veen, dat van zone B gescheiden is door talrijke grote en kleine meren en moerassen. Gemeten naar de situatie in 1974 (fig. 3), bevat zone A de minste vestigingen, die bovendien sterk gespreid liggen en waarvan de belangrijkste in het grensgebied met het betere reigergebied van zone B liggen. De koloniegrootte in aanmerking genomen, is gebied A zelfs zeer reigerarm.

Veel beter is de situatie in gebied B en het overgangsgebied van B en C met de grote meren. Hier liggen duidelijk de beste fourageermogelijkheden en hebben de reigers zich gevestigd in opvallend regelmatig gespreide kolonies, waarbij ze profiteren van de uitstekende nestgelegenheid die ze vinden in de diluviale bossen, die nabij de voedselrijkere meren- en poldergebieden liggen.

Naast de combinatie van de aanwezigheid van op het diluvium gelegen bossen in de nabijheid van uitstekende fourageergebieden (vergelijk de ligging van kolonies in Gaasterland, Sint-Nicolaasga, Oranjewoud, Beetsterzwaag en Veenklooster) moet ook het kustgebied van het IJsselmeer genoemd worden. Weliswaar liggen de meeste kolonies te ver van dit gebied om daar nog voedsel vandaan te halen, toch zullen de broedvogels in dit kustgebied (Makkumerwaard, Gaasterland) nog wel profiteren van de voedselvoorraad in het IJsselmeergebied. De aanwezigheid van kolonies langs het IJsselmeer heeft echter vermoedelijk meer te maken met gebrek aan nestgelegenheid meer naar het binnenland. Aangenomen mag worden, dat het merendeel van deze vogels, zoals alle andere Friese Blauwe Reigers, hun voedsel in het binnenland zoeken. Ook het wad is als voedselgebied en dus als plaats om in de omgeving ervan te broeden voor de Blauwe Reigers tegenwoordig van geen belang.

132

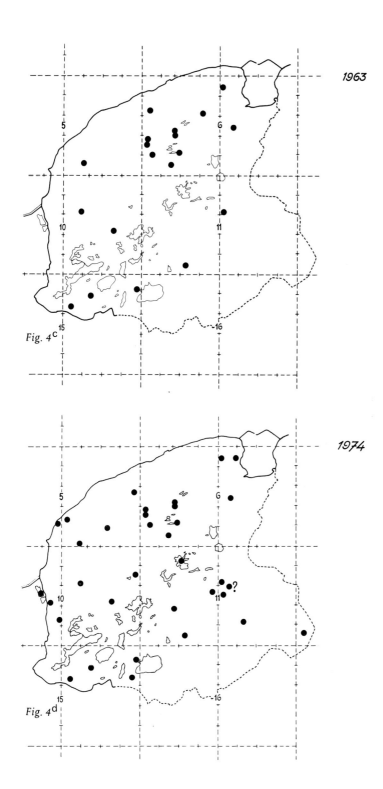

1963

Fig. 4 c

1974

Fig. 4 d

b. *De onderlinge afstand der kolonies*. Naast de terreingesteldheid is dit de tweede factor, die bij bestudering van de verspreidingskaartjes opvalt. Uit fig. 6 blijkt, dat tegenwoordig 68% van de kolonies op afstanden tussen 8 en 14 km van elkaar liggen. In feite is dit aantal nog hoger omdat diverse kolonies, die slechts op enkele kilometers of zelfs minder van elkaar liggen in werkelijkheid als één vestiging beschouwd kunnen worden (vgl. de situatie rond Oenkerk, Cornjum-Jelsum, Makkum-Piaam, Beetsterzwaag). In het gebied van en rond zone B lijkt het wel alsof de kolonie-afstanden met de liniaal op 10 km van elkaar uitgezet zijn, zo gelijkmatig is de verdeling ervan. Deze gelijkmatige ,,schaakbord''-achtige verdeling van de kolonies is zeer karakteristiek voor vrijwel geheel Friesland en is zelfs ten opzichte van overig Nederland (laat staan daarbuiten) uitzonderlijk. Duidelijk wijst dit op een streven van de reigers hun fourageerafstand over niet meer dan 5 hooguit 10 km. uit te willen strekken.

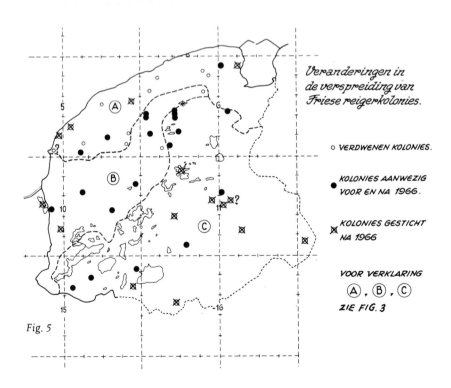

Veranderingen in de verspreiding van Friese reigerkolonies.

○ VERDWENEN KOLONIES.

● KOLONIES AANWEZIG VOOR EN NA 1966.

⊠ KOLONIES GESTICHT NA 1966

VOOR VERKLARING
Ⓐ , Ⓑ , Ⓒ
ZIE FIG. 3

Fig. 5

c. *De aanwezigheid van geschikte nestgelegenheid.* Gewezen werd al op het belang van de aanwezigheid der diluviale bossen in Zuid- en Oost-Friesland, omdat de ligging der kolonies nabij fourageergebieden vooral daarvan afhankelijk is. Het is bijzonder gelukkig, dat juist in de meest open en boomarme Friese polders belangrijke nestgelegenheid geboden wordt in de vorm van boerderijsingels of parkbossen bij buitenplaatsen (Epema-, Wibranda- en Jongema-State).

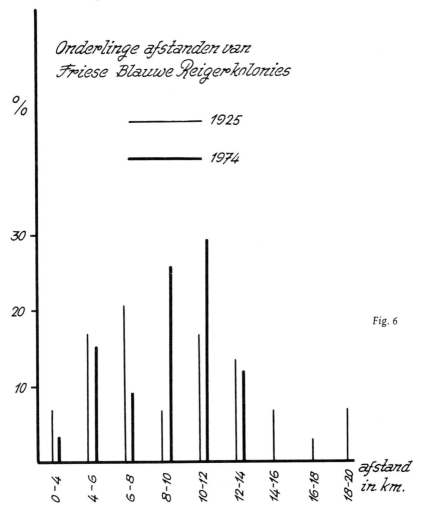

Fig. 6

135

Bovengenoemde factoren hebben ook vroeger al grote invloed gehad op de veranderingen in het spreidingspatroon der kolonies (fig. 4 en 5). De volgende tabel illustreert dit voorzover het de invloed van de terreingesteldheid betreft:

Tabel 1	Totaal aantal vestigingsplaat-sen 1925-1974	Verdwe-nen (1)	Nieuw (2) incl. her-vestigin-gen	Totaal aantal veranderingen (+2)	
Zone A	17	9-10	5	14-15	85%
Zone B	11	2	2	4	36%
Zone C	20	0	7-8	7-8	38%
Laaggelegen weidegebieden (zone B + omringen-de gebieden)	22	4-5	3	7-8	34%

In het noorden van Friesland hebben de meeste veranderingen plaats gehad. Reeds vanaf 1925 (zie ook fig. 4 a t/m d) is er sprake van een verdwijnen uit dit gebied. Enige blijver gedurende 50 jaar is de kolonie te Metslawier, die tegenwoordig echter bepaald niet meer floreert.

In de overige gebieden valt de enorme stabiliteit van de ligging der kolonies op. Gedurende een halve eeuw en ondanks zware vervolgingen hebben de reigers zich weten te handhaven.

Veranderingen hebben vrijwel uitsluitend betrekking op het vinden van nabij gelegen broedplaatsen na verdrijving óf op een door bevolkingstoename mogelijk geworden opvulling van de lacunes tussen bestaande kolonies. Hierbij is vooral weer de afstand tot de al bestaande kolonies bepalend voor de vestiging. Tekenend voor de spreiding op onderling gelijke afstand is het verschijnsel dat ondanks de recente sterke toename van het aantal kolonies de gemiddelde kolonie-afstand sinds 1925 niet wezenlijk veranderd is: toen was deze 11.67 km, thans 10.91 km.

Ten aanzien van de recente en bloeiende vestiging Makkumer Noordwaard spelen beide bovengenoemde verschijnselen een rol: reeds sinds Thijsse's enquête hebben reigers getracht bij Piaam in de eendenkooien te broeden, omdat deze plaats voor hen ideaal gelegen was, maar dit werd tot rond de zestiger jaren consequent verhinderd. Toen nu in de zeventiger jaren een geboorteoverschot kolonisatie mogelijk maakte, was de boomgroei in de

Jonge Blauwe Reiger Makkumer Noordwaard, mei 1974 - W. Grond.

beschermde buitendijkse waard hoog genoeg geworden om het daar te proberen.

Tenslotte nog iets over de invloed van milieuveranderingen. Al eerder is opgemerkt, dat de Noordfriese klei blijkbaar een voortdurend verslechterend biotoop is geweest. Dit blijkt niet alleen uit de terugloop van het aantal kolonies, maar ook uit de gemiddelde grootte ervan, die, met uitzondering van de kolonie te Ezumazijl (waar vestiging en sterke ontwikkeling ongetwijfeld gevolg zijn van de Lauwerszee-inpoldering), alle tot de kleinste kolonies van Friesland behoren. Voorts is het interessant om de ontwikkeling in de van oudsher belangrijke reigervestigingen rond Leeuwarden, in Gaasterland en Zuid-Friesland te vergelijken. Vroeger behoorden de kolonies in deze streken altijd tot de grootste van Friesland en herbergden samen het merendeel van de reigers, zoals blijkt uit de volgende cijfers:

Tabel 2	*Aandeel in totaal aantal broedvogels:*	
	1925	*1974*
Omgeving Leeuwarden	27%	10%
Zuidwest-Friesland (Gaasterland en omgeving, incl. Oranjewoud).	51%	23%
Totaal	78%	33%

137

Hier blijkt wel een zeer drastische verandering te zijn opgetreden. Enig licht op deze zaak kan geworpen worden door de tegengestelde verandering in het gebied tussen Harlingen-Leeuwarden-Sneek en de IJsselmeerkust. In 1925 huisden hier hooguit enkele procenten van de Friese reigers, nu is hier echter 27% van alle reigers te vinden. Het lijkt duidelijk wat er gebeurd is: de vestiging en uitbreiding van de kolonies in de nog onderbezette polders, waarvan het bovenstaande gebied een voorbeeld is, is gegaan ten koste van de vroegere vestigingen rond Leeuwarden en in het zuiden. Klassieke Leeuwarder kolonies zijn verdwenen of staan op instorten (Hempens, Marssum, respectievelijk Jelsum en Cornjum).

Nieuwe kolonies zijn blijkbaar van tweeërlei aard: ter vervanging van oude verloren gegane vestigingsplaatsen of als kolonisatie van een tevoren ,,maagdelijk'' gebied.

Van het eerste type zijn vooral voorbeelden te vinden in het gebied ten noorden en westen van Leeuwarden in de jaren 1900-1940. Voorafgaand aan het door menselijk ingrijpen of door tekort aan nestgelegenheid geforceerde verlaten van de kolonie en stichting van een nieuwe in de omtrek, ontstaan veelal tijdelijke afsplitsingen, waarbij soms dubbelkolonies ontstaan (Ferwerd, Jellum, Marssum, zie ook Brouwer 1926). Tegenwoordig doet zich rond Beetsterzwaag iets vergelijkbaars voor. Door het verminderen van de nestgelegenheid te Kortehemmen zijn de vogels duidelijk op zoek naar nieuwe en nabijgelegen nestplaatsen.

Merkwaardig is wel dat de felle vervolgingen na de oorlog vrijwel niet leidden tot stichting van nieuwe kolonies. Rond 1950 is er enige toename (Driesum, Ternaard, Ezumazijl en enkele solitaire vestigingen). Pas tegen het einde van de jaren zestig treedt hierin een even snelle als fundamentele verandering op. In minder dan 10 jaar ontstaan 15 nieuwe kolonies, meestal op geheel nieuwe locaties en met een opvallende groei. Voorbeelden zijn Hitzum, Makkumer Noordwaard, Princehof en vooral het Hof van Holland te Eesterga (in twee seizoenen van 2 naar 62 nesten).

Als geheel ontstaat het beeld, dat vooral in jaren met relatief lage bezetting de reigers zich in mogelijk gunstiger en onbezette gebieden vestigen. Eerst worden de beste plaatsen verkozen, later dringen de reigers ook door in minder goede gebieden (Sexbierum, Roptazijl, Makkinga, Ravenswoud). Enige malen is sprake van hernieuwde vestiging op al eerder gekoloniseerde plaatsen. Het fraaiste voorbeeld hiervan is wel de Van Asperen-eendenkooi bij Tietjerk waar tenminste vier keer in 50 jaar een kolonietje werd gesticht.

Van de huidige (1974) kolonies bevinden zich 12 op landgoederen, 5 in

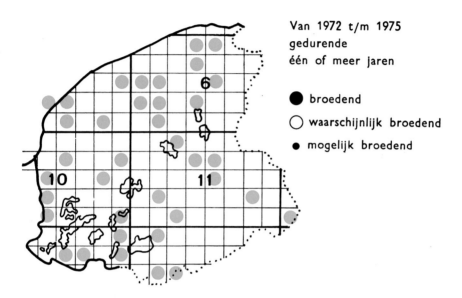

Van 1972 t/m 1975
gedurende
één of meer jaren

● broedend
○ waarschijnlijk broedend
● mogelijk broedend

singels van boerderijen, 4 in eendenkooien en 4 in moerasbosjes. Dit betreft alle kolonies in de uitgestrekte lage weidegebieden (zone B, fig. 3). Waar de kans zich voordoet broeden de reigers in de aan de polders grenzende bosgebieden op het diluvium.

Gemengde kolonies van Blauwe Reigers en Aalscholvers kwamen vroeger voor (Rijs, Nijemirdum, Rauwerd), thans echter niet meer. In het Princehof onder Eernewoude was een gecombineerde purper- en blauwe reigerkolonie, maar al spoedig weken de purperreigers uit naar een naburig terrein (Franke 1972). In Centraal-Friesland komen nog enkele gemengde kolonies van Roeken en reigers voor (Ysbrechtum, Rauwerd). In Friesland werd tweemaal het broeden op de grond geconstateerd: te Ferwerd in weiland (Brouwer 1928) en in 1972 in moerasgebied (Vegelinsoord, Monnikenrak) een grondnest na boomnesten in 2 voorgaande jaren (A. 20).

Blok (in voorbereiding) heeft uitvoerig de geschiedenis van alle Friese kolonies gereconstrueerd. Hier kan slechts een zeer verkorte opsomming worden gegeven.

Kolonies die vanaf 1925 tot heden aanwezig zijn bevinden zich te:

Beetsterzwaag (zeer stabiel) (1974 29 nesten).
Cornjum (Martena-State) (vroegste vermelding uit 1907; thans een vegeterende kleine nederzetting). (1974 ± 9 nesten).
Driesum (Rinsma State) (waarschijnlijk ontstaan gedurende 2e helft periode 1940/'45).

139

Dronrijp-Schatzenburg. In de laatste 100 jaar zeker driemaal vestiging van een kolonie. Geregeld verstoord (A. 1).

Hallum-Lunia State. Stichting omstreeks 1920. Altijd klein, in 1971 voor het laatst één paar broedend.

Hantumeruitburen. Voor het laatst in 1970 één paar, was eens (begin deze eeuw) de grootste kolonie op de klei in het noorden van Friesland (100, mogelijk 200 nesten).

Hichtum (Wibranda State). Waarschijnlijk heeft deze kolonie al sinds 1900 bestaan en toen ± 80 nesten geteld. Gezien de huidige omvang van de kolonie lijkt het waarschijnlijk dat de vogels nog tot ver in de zestiger jaren niet met rust worden gelaten (1974 120 nesten).

Jelsum Dekema State. Thans een noodlijdende kolonie. (1974 7 nesten).

Leeuwarden (Oude Begraafplaats). De best bekende Friese kolonie (zie o.a. Eikhoudt 1972-1974. (1974 120-160 bezette nesten).

Metslawier Reigershof. Sedert 1922 de meest standvastige en stabiele kolonie in Noordoost-Friesland. Na 1963 op lager niveau gebleven. (1974 ± 10 nesten).

Nijemirdum-Kippenburg, Lycklama bossen, Luts, Star Numansbos. Een aantal vestigingen die snel groeien. (1973 ± 100 nesten).

Oenkerk Heemstra State. Sinds ± 1970 opbloeiend. (1974 6 nesten).

Oenkerk Stania-State. Waarschijnlijk reeds lang bestaand. Vaak vervolgd. (1975 34 nesten).

Oudkerk De Klinze. Pas zeer onlangs in sterkte toenemend. (1974 ± 20 nesten).

Tietjerk Van Asperen eendenkooi. Sterk wisselende bezetting.

Rauwerd Jongema State. Vanaf 1933 versnelde ontwikkeling. Vaak werd er ingegrepen, vooral toen er ook Aalscholvers nestelden. Rauwerd blijft echter grote aantrekkingskracht op de Reigers uitoefenen. (1974 140 à 160 nesten).

St. Nicolaasga. Vegelinsbossen. In 1945 krachtig bestreden. De laatste jaren weer opleving. (1974 31 à 35 nesten).

Oranjewoud. Bestond in 1908 ,,al jaren". Misschien de oudste kolonie in Friesland. Na openstelling van het bos voor het publiek verhuizen de vogels in snel tempo naar de wel afgesloten Harinxmabossen. (1974 ± 160 nesten).

Rijs. Van 1950 tot 1970 de grootste Friese kolonie. Maximale bezetting tot mogelijk wel 500 nesten. Thans nog ± 200 nesten.

Veenklooster. Fogelsangh State. Nu een van de vijf grootste reigerkolonies in Nederland en veruit de grootste in Friesland. Ook internationaal bezien zeer belangrijk. In 1974 338 nesten.

Ysbrechtum Epema State. Bestaat ondanks systematische en zware vervolgingen al tenminste een halve eeuw. De kolonie is een sieraad voor het Friese landschap. 1975 138 bezette nesten.

Zwartewegsend. Vaak verstoord. De kolonie ontwikkelt zich thans goed. (op 5 na de grootste van Friesland).

Vóór 1925 zijn er kolonies verdwenen te Weidum, Waaxens, Kollum, Terwispel, Langweer, Oldeholtpade.

Tussen 1925 en 1949 verdwenen kolonies te Sint Jacobiparochie, Marssum, Jellum, Wetzens, Ferwerd en Hempens.

Na 1949 vestigden zich nieuwe kolonies in Ternaard, Franeker, Slijkenburg, (die inmiddels reeds weer verdwenen zijn en de volgende in tabelvorm (*Tabel 3*) opgenomen kolonies waarvan tevens de ontwikkeling in de laatste jaren is aangegeven.

Zo nu en dan worden enkele solitaire broedgevallen geconstateerd.

141

Recente gegevens kolonie:	1967	1968	1969	1970	1971	1972	1973	1974	Blok no.
Hitzum		≥10	20	19	31	53	17/5	60/67	5-55
								76	
Ezumazijl-Noord-Kooi					V4		18	37	6-15
Makkum-Noordwaard				≥2	3/4	16	29	32	10-33
Workum-boerderij J. Bakker		18		11/41		5/3		15/6	10-44
				1		±3		12	
Eernewoude-Princehof	1967V	18/5		18/5			4/6	10/5	11-13
	29/4 6	15		23	52	61	82	88	
Nijbeets-Van Oordt's Mersken						1	2	2	11-34
Lippenhuizen-Tolheksbos				3	11	20	20	25	11-35
Vegelinsoord-Monnikenrak				1	3	1	1?	27/4	11-42
								1	
Makkinga						1	1	5	11-47
Ravenswoud-				V					
Compagnonsbossen				+		+	±10 13/14	16/22	12-51
Eesterga-Hof v. Holland		23/5			2	+	31/5	4-18/5	
		2					62	64-68	15-22
Sexbierum-Liauckemastate							V1	2	
							1	3-2	

V = 1e vestiging.   Tabel 3

In de zomer (tot in begin september) zwerven de reigers in alle richtingen uit. Daarna volgt voor een deel der vogels de zuidwest gerichte herfsttrek in de maanden augustus (een Friese reiger werd in augustus in Frankrijk teruggevonden), tot ver in oktober. Een tiental waarnemingen van flinke groepen trekkende reigers is uit Friesland bekend (o.a. Bosch 1950). De voorjaarstrek vindt plaats van februari, mogelijk tweede helft van januari tot ver in mei.

Via het Vogeltrekstation te Arnhem werden ringgegevens van Friese Blauwe Reigers ontvangen. Hiervan hadden 52 meldingen betrekking op in Friesland geringde nestjongen, 10 waren als volgroeide vogel hier geringd en 29 elders in Nederland geringde nestjongen waren uit Friesland teruggemeld (gegevens over de periode 1911-1974). Van de eerste groep werd 33% (17 stuks) gedurende de winter (november tot en met januari) uit Nederland teruggemeld tegenover half zoveel, nl. 15% uit het buitenland (berekend over het hele jaar). Hoewel summier, wijzen deze gegevens toch op een belangrijke neiging tot overwintering binnen onze landgrenzen. De

Blauwe Reiger Leeuwarden - Leeuwarder Courant.

vondsten in het buitenland betreffen België en Groot-Brittannië (ieder 1x), Duitsland (2x), Frankrijk (3x) en Noord-Afrika (1x Marokko). Dit geeft een aanwijzing van het overwinteringsgebied van de Friese broedvogels. Beschouwt men alleen de Nederlandse terugmeldingen (44 in Friesland geringde pulli) dan blijkt 41% daarvan vroeger of later weer in Friesland aangetroffen te worden, hetgeen een flinke plaatstrouw doet vermoeden. Daartegenover staan 29 vondsten in Friesland van elders in Nederland geringde nestjongen. Aangezien het totale aantal in de rest van Nederland geringde nestjongen onevenredig veel groter is dan het Friese ringtotaal, lijkt het erop, dat meer Friese reigers zich elders vestigen, dan er omgekeerd uit de rest van Nederland voor in de plaats komen. Dus een vertrekoverschot.

Tenslotte zijn ook in het buitenland geringde reigers uit Friesland teruggemeld. Informatie hierover werd verkregen uit de publikaties van Ten Kate e.a. (1935 t/m 1960). Het betreft tien vondsten van als jong geringde reigers: zes uit Duitsland (vier uit het Wesergebied), twee uit Zweden (omgeving van Göteborg), één uit Noorwegen (Bergen) en één uit Stettin in Polen. Hierbij is één exemplaar uit augustus (het Poolse) en van de overige zijn er zes in de periode november t/m februari gevonden (vier uit Duitsland en de twee Zweedse). Blijkbaar zijn dit allemaal overwinteraars. Op één na betrof het uitsluitend eerstejaars individuen. Het belang van de Friese polders, ook als overwinteringsgebied voor noordelijke, respectievelijk oostelijke broedvogels, blijkt duidelijk.

Het aantal ter beschikking staande veldwaarnemingen betreffende overwintering is gering. Duidelijk is echter dat de kust van het IJsselmeer een belangrijk overwinteringsgebied is. Voorbeelden zijn waarnemingen op de Makkumerwaard: 17 februari 1966 25 ex.; gedurende de winter van 1973 hier 35 ex. (A. 18). Gewoonlijk ziet men slechts solitaire reigers en wie tegenwoordig 's winters door Friesland reist, kan ze niet missen.

Uit de ringgegevens is reeds op te maken dat de grootste sterfte in de maanden november t/m februari valt. Van alle terugmeldingen betreft bijna de helft genoemde periode, hetgeen overigens een normaal verschijnsel is: ook in normale winters sterft ongeveer 2/3 van de reigers in het eerste levensjaar. Bij aanhoudende vorst wordt de situatie ernstiger. De reigers concentreren zich dan bij wakken en voerplaatsen, zoals in de winter van 1963 bij Harlingen waar in januari en februari 40 à 50 ex. aanwezig waren en bij Kornwerderzand waar 40 ex. verbleven. Van deze laatste groep van 40 haalden slechts drie het einde van de winter (AVF).

De meeste mededelingen die in Vanellus in de loop der jaren over de Blauwe Reiger zijn verschenen, betroffen het voedsel en de jachtgewoonten. Veelal betrof het beschrijvingen van de vangst van muizen, ratten of mollen. Meestal wordt de reiger als een viseter gezien. Dit is echter een misverstand, dat voornamelijk ontstaat door waarnemingen in de broedtijd. Onder de nestbomen worden dan vaak visresten aangetroffen. Zoals echter door Eikhoudt (1972 t/m '74) reeds is gemeld kunnen zelfs in het voorjaar een groot aantal resten van andere prooidieren in de kolonie worden gevonden, terwijl ook de braakballen wijzen op het veelvuldig consumeren van kleine zoogdieren (Bosch 1967). De Blauwe Reiger is een zeer weinig kieskeurige jager, die beschikt over jachtmethoden, die doeltreffend zijn voor iedere in aanmerking komende prooisoort. In principe jaagt hij alleen, maar toch kunnen grote aantallen reigers reageren op belangrijke voedselconcentraties (muizenplagen, afstervende vismassa's). Ook is meermalen waargenomen dat reigers vliegend boven water of zwemmend in het water vis weten te pakken, of op bijna ijsvogelachtige manier, vanaf boven de waterspiegel uitstekende palen e.d. op prooien te wachten om deze dan al klapwiekend te bemachtigen (Hendriksma 1973).

Ook wat de prooigrootte betreft is de Blauwe Reiger niet kieskeurig. Hoewel meestal prooien tot 1 à 2 decimeter bemachtigend, komen ook grotere afmetingen voor. Diverse als extreem te beschouwen gevallen worden ge-

144

noemd door Eikhoudt, die o.m. een haas van 1 jaar, een paling van één meter lengte bij een omvang van ± 12 cm en een zeelt van 41 cm noemt (Eikhoudt 1973 en med. 1975). Dat we hier echter dicht bij de limiet van de mogelijkheden zijn, blijkt wel uit de waarneming van een reiger met een snoekbaars van ongeveer 40 cm in de slokdarm die door de daarbij opgelopen verwondingen moest worden afgemaakt (med. dierenarts D. Talsma).

Als bijzondere fourageermethode en blijk van aanpassing aan de menselijke cultuur dient nog het ,,vissen bij de lamp'' vermeld te worden, waarbij de reigers profiteren van de straatverlichting (Otto 1973, Otter 1949, Archief AVF). Een andere vorm van cultuurvolgen die de laatste jaren de aandacht trekt is het vissen in tuinvijvertjes en stadsgrachten of het op wacht staan in de nabijheid van sportvissers.

Pas sinds 1963 is de Blauwe Reiger het gehele jaar door beschermd. Daarvoor heeft de soort aan velerlei vervolging blootgestaan. Het meest hadden de reigers te lijden van vervolging in het broedseizoen.

De gebruikelijke methodes waren het uitstoten van nesten of doorschieten ervan met hagel en vooral het afschieten van de broedvogels. De laatste maatregel komt het hardst aan omdat deze nog jarenlang door blijft werken via het verminderde voortplantingspotentieel van de soort. Immers, bij afschot wordt niet alleen de jongenproduktie van één broedseizoen verlaagd, maar ook van alle volgende, waarin de oude broedvogel nog in leven had kunnen zijn en legsels had kunnen produceren, evenals trouwens zijn eventuele jongen. Bovendien worden ook nog eens vele legsels van de vogels, die weten te ontsnappen, verstoord. Het is duidelijk dat het effect van afschot in de broedtijd jarenlange teruggang kan veroorzaken.

Hoe moeilijk het overigens is reigers te verjagen, die zich per sé op een bepaalde plaats willen vestigen, is wel gebleken uit de hardnekkigheid waarmee, ondanks de enorme vervolging, de vogels op sommige plaatsen tientallen jaren of zelfs langer bleven terugkomen (bijvoorbeeld de geschienissen van de kolonies te Hichtum, Zwartewegsend, Ysbrechtum en Oenkerk). Op Stania-State en waarschijnlijk ook te Hichtum hebben de vogels, ondanks meer dan een halve eeuw vervolging, volgehouden. Zeer illustratief is ook de geschiedenis van de halsstarrige vestigingspoging van reigers op Herema-State te Joure: van 1942 tot 1956 werd op last van de gemeente systematisch het nestelen ieder jaar weer verhinderd, toch duurde het 14 jaar voor de vogels definitief opgaven (zie ook Bosch 1951).

In de jaren onmiddellijk na 1945 bereikt de uitroeiing van broedvogels een hoogtepunt. Een ongekend zware vervolging breekt los in de sterk opgelopen kolonies. Vooral op Stania-State, Epema-State en Vijversburg zijn grote slachtingen aangericht. Een getuigenis: Vijversburg 22 april 1953: 30 vogels afgeschoten. Op 24 april weer een aantal, waarschijnlijk door jagers uit Leeuwarden. De volgende morgen werden de dode dieren met kruiwagens opgehaald (A. 1). Na dergelijke moordpartijen lag de grond meestal bezaaid met eiresten en met jongen.

Na 1963 verandert de situatie. De opzettelijke verdrijving verdwijnt; nu worden cultuurtechnische maatregelen en de toenemende recreatie de bedreigingen. Verlies van goede biotopen (ruilverkaveling), watervervuiling en milieuvergiften zijn de moderne sluipende vijanden, ook van de Blauwe Reiger.

A.A.B.

Purperreiger - *Ardea purpurea purpurea* (Linnaeus)

Reade reager

Schaarse tot vrij schaarse broedvogel.

Het is niet bekend of de Purperreiger in vorige eeuwen in Friesland gebroed heeft. Het lijkt aannemelijk dat het broeden van de laatste tijd dateert, gezien het feit dat de broedplaatsen in Friesland aan de uiterste noordgrens van het areaal van deze soort liggen (Voous 1960). Het aantal broedparen schommelt tussen de 20 en 50.

Albarda (1884) kent de Purperreiger niet als broedvogel in Friesland: hij vermeldt slechts dat er jaren geleden een voorwerp bij Wolvega geschoten werd. Eykman (1941) noemt geen kolonies in Friesland, maar dit berust niet op juiste informatie; uit het archief Bosch (A. 1) is bekend dat in elk geval reeds in 1936 de Purperreiger broedde in de Lindevallei bij Wolvega. Volgens de opzichter van It Fryske Gea, G. Gooijer, die dit gebied sinds lang uitstekend kent, zou reeds in de jaren 1930-1934 de Purperreiger in een behoorlijk aantal in het moerasgebied langs de Linde gebroed hebben. Zekerheid hierover is moeilijk meer te verkrijgen. Haverschmidt (Ard. 23, 1934) heeft in 1933 één of meer broedparen genoemd ,,in een uitgeveende polder, in het zuidoosten van de provincie''. Het blijft wel merkwaardig dat Ts. Gs. de Vries in 1940 in Friesland nog maar één maal een Purperreiger had waargenomen. Hij was dus, wanneer de kolonie in de Lindevallei toen reeds bestond, daarvan niet op de hoogte. Wel sprak hij in een artikel in de Leeuwarder Courant (augustus 1940) het vermoeden uit dat de Purperreiger nog wel eens in de Lindevallei zou kunnen gaan broeden.

Men krijgt de indruk, dat het ontstaan van de kolonie in de Lindevallei wel eens het gevolg zou kunnen zijn van het verstoren van diverse gebieden in de Kop van Overijsel, waar door ontginningen omstreeks 1940 diverse kolonies verloren gingen. Vanaf die tijd begon in elk geval het wat wisselvallige broedvoorkomen door de Friese moerasgebieden. Het aantal broedvogels in de oudste kolonie, de Lindevallei, is langzamerhand teruggelopen. Volgens de gegevens van It Fryske Gea bedroeg het aantal nesten in 1950 omstreeks 30. Daarna begint een geleidelijke teruggang, waarvoor misschien het hoger worden van de boomgroei, althans ten dele, als een oorzakelijke factor gezien kan worden. Ook schijnt verontrusting gedurende de broedtijd nadelig te zijn. Meermalen werd geconstateerd dat Zwarte Kraaien de eieren poogden te roven, wanneer de schuwe reigers op de wieken gingen.

In 1957 bedroeg het aantal nesten nog ± 20. Over de laatste jaren is volgens gegevens van It Fryske Gea het verloop als volgt geweest:

jaar	1962	1963	1964	1965	1966	1967	1968
aantal broedparen	14	11 à 12	13	8	7	8	5

jaar	1969	1970	1971	1972	1973	1974
aantal broedparen	4	4	6 à 7	2	3	5

Waarschijnlijk heeft een deel van deze kolonie zich elders gevestigd.

Brouwer (1948) noemde de Purperreiger een potentiële broedvogel voor het gebied rondom Eernewoude. Reeds in 1928 was daar een eenzame vogel, kennelijk een zwerver, waargenomen (Ard. 19, 1929, 16). Later werden in de zomer geregeld Purperreigers in de Oude Venen aangetroffen (Brouwer l.c.). De voorspelling van Brouwer werd inderdaad bewaarheid; het eerste nest in Eernewoude werd in 1955 gevonden. In 1956 bedroeg het aantal broedparen hier reeds vijf. Uit de beschikbare - niet volledige - gegevens valt voorts af te leiden dat ook deze kolonie klein bleef. Meestal bedroeg het aantal nesten minder dan twintig. Alleen omstreeks 1967 zou het aantal tegen de dertig hebben gelopen. Daarna is het aantal broedparen weer verminderd, zodat het zich de laatste jaren meestal tussen de tien en vijftien paren beweegt.

Opmerkelijk in de kolonie Eernewoude is, dat de nesten van de Purperreiger zich soms in de onmiddellijke nabijheid van die van de Blauwe Reiger bevinden. De nesten van de Purperreiger zitten laag in de elze- of wilgestruikjes, die van de Blauwe Reiger een aantal meters hoger in flink uitgegroeide elzen in het moerasbos. In latere jaren werd de purperreigerkolonie min of meer verstrooid. De Purperreigers werden verstoord door de veel eerder arriverende Blauwe Reigers, die daar thans in groot aantal broeden (1974 ± 100 paar).

Omstreeks 1955 werden ook de eerste broedgevallen geconstateerd onder Nijetrijne in de Scheene (Rottige Meenthe). Hoewel hier in 1956 een vijftien à twintig paren gebroed hebben, in 1959 meer dan twintig en in 1967 ongeveer dertig paren, bedraagt het aantal nesten thans minder dan tien (G. 5).

Een vrij nicuwe kolonie bevindt zich voorts in complexen petgaten onder Oldelamer. Het aantal nesten bedroeg hier de laatste jaren omstreeks 20, maar neemt eveneens af.

In het Schar onder St. Johannesga broeden sinds 1960 ook enkele exemplaren, evenals in de Deelen onder Oldeboorn. Na 1972 zijn er in het Schar evenwel geen broedgevallen geconstateerd.

Het geheel overziende krijgt men de indruk dat de Purperreigers in Friesland, om welke reden dan ook, nog al eens verhuizen. Tot het vormen van een sterke kolonie komt het tot nu toe niet.

De bezetting van de verschillende kolonies over de laatste twee jaren (naar gegevens van Staatsbosbeheer en It Fryske Gea) is in de volgende tabel samengevat:

	1971	1972	1973	1974	1975
Rottige Meenthe	3	3 à 5	—	4	
Brandemeer	20	19	7	8	
De Deelen	2	6	4	3 à 4	
Lindevallei	6 à 7	2	3	5	
Steggerda	—	—	1	—	
Sippenfennen	—	—	1?	—	
het Schar	4	2	—	—	—
Oude Venen	14	14	6-11	16	16
totaal	45 à 46	46 à 47	21 à 27	36 à 37	

De kolonies bevinden zich alle in uitgestrekte, moeilijk toegankelijke moerasgebieden, gelegen in beschermde natuurterreinen. Wat de neststand be-

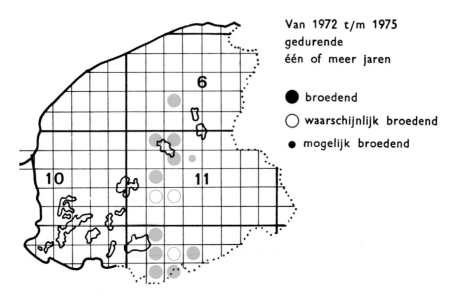

Van 1972 t/m 1975
gedurende
één of meer jaren

● broedend
○ waarschijnlijk broedend
• mogelijk broedend

treft, vertonen de Purperreigers in Friesland een lichte voorkeur voor in het riet gelegen nesten, hoewel zowel in de Lindevallei als in Eernewoude de nesten nogal eens in lage elzen of wilgen worden aangetroffen.

Haverschmidt vond in 1942 in de Lindevallei een ei van een Purperreiger in het nest van een Bruine Kiekendief. Hij zag dit als bewijs voor de veronderstelling dat Purperreigers geneigd zijn hun eieren in andere nesten te deponeren. Een 8-legsel dat hij in 1944 in de Lindevallei vond, beschouwt Haverschmidt als een waarschijnlijk legsel van twee wijfjes (Haverschmidt 1949).

De vogels arriveren op de broedplaatsen meestal vrij laat, namelijk omstreeks half april. Er zijn echter ook verschillende meer vroege aankomstdata bekend: 1957 op 17 maart in Eernewoude, 1972 op 14 maart eveneens in Eernewoude (med. D. Franke).

In een vrij ruim gebied rond de broedkolonies kan men in de zomer voedselzoekende en overvliegende Purperreigers waarnemen. Buiten de omgeving van de kolonies worden de vogels slechts zelden gesignaleerd. Er zijn waarnemingen bekend langs de IJsselmeerkust, aan het Nannewijd, op de Leijen bij Oostermeer.

Doortrek van Purperreigers is, gezien het voorkomen aan de noordgrens van het areaal, niet te verwachten. De weinige terugmeldingen (slechts drie in Friesland geringde vogels werden teruggemeld) passen in het bekende beeld: twee terugmeldingen kwamen uit Frankrijk (januari en september) en één uit West-Duitsland (april).

D.T.E. v.d. P.

Grote Zilverreiger - *Egretta alba alba* Linnaeus

Greate Wite Reager

Dwaalgast.

Van deze dwaal- of mogelijk onregelmatige gast, waarvan de dichtstbijzijnde broedplaatsen in Zuidoost-Europa liggen, zijn in Friesland drie zekere gevallen bekend, namelijk één vondst en twee waarnemingen. Verder zijn er vijf onbevestigde waarnemingen.

Het merendeel hiervan, namelijk één vondst, twee waarnemingen en vier van de vijf onbevestigde waarnemingen zijn ook vermeld in de AVN (1970), waarin deze soort wordt omschreven als een dwaalgast waarvan in ons land na 1900 tenminste twaalf gevallen - namelijk twee vondsten en tien waarnemingen, alsmede tien onbevestigde waarnemingen - bekend zijn.

De vondst betreft een vogel, die op 2 november 1949 werd gevonden in centraal Friesland. Deze is later in een particuliere verzameling opgenomen (Lim. 25, 1952, 160). Het vermoeden is uitgesproken dat dit dezelfde witte reiger was die op 22 april 1949 te Oldetrijne werd gezien (Van. 2, 1949, 125; Lim. 22, 1949, 387). In de oorspronkelijke bron van beide meldingen, namelijk de archiefgegevens van G. Bosch (A. 1) is echter sprake van een op 2 november 1948 bij Teroele gevonden Grote Zilverreiger. Deze vogel is in 1956 verhuisd naar het FNM te Leeuwarden.

De beide in de AVN genoemde bevestigde waarnemingen betreffen de vogel(s) die van eind mei tot 2 juni 1957 te Akmarijp en begin september 1957 bij Oldeboorn werd(en) gezien (Van. 10, 1957, 204; Lim. 31, 1958, 80). Ook laatstgenoemde mededeling behoeft wellicht een correctie. In het archief Bosch (A. 1) is namelijk een op 10 september 1957 ontvangen bericht opgenomen van een witte reiger die ,,een week of drie geleden" - dus niet in september, maar in augustus - bij Oldeboorn is gezien. Overigens is deze vogel vermoedelijk nog langer in die omgeving gebleven. In archief Bosch (A. 1) bevindt zich namelijk nog een ongepubliceerde waarneming van een witte reiger, die op 4 oktober 1957 werd gezien bij Eernewoude. Verder is op 19 oktober 1957 een Grote Zilverreiger gezien bij Terhorne (Lim. 32, 1959, 39).

De beide overige in de AVN vermelde onbevestigde waarnemingen dateren respectievelijk uit 1954, toen op 27 maart een exemplaar werd gezien bij Warns (Van. 7, 1954, 90; Lim. 27, 1954, 148) en uit 1963, toen op 20 en 27 september en 1 oktober een exemplaar werd gezien bij Bantega (Van. 16, 1963, 282; Van. 17, 1964, 15; Lim. 38, 1965, 27).

S.B.

Kleine Zilverreiger - *Egretta garzetta garzetta* (Linnaeus)

Lytse Wite Reager

Onregelmatige gast.

Van de Kleine Zilverreiger waarvan het broedgebied o.a. in Spanje, Frankrijk en Zuidoost-Europa ligt zijn in Friesland na 1900 een aantal waarnemingen in voorjaar en zomer bekend geworden. In tenminste vijf jaren waren er twee (eenmaal zelfs drie) exemplaren tegelijkertijd aanwezig.

De AVN (1970) vermeldt deze soort als een onregelmatige, vrij zeldzame gast in het zomerhalfjaar, waarvan in deze eeuw één vondst en 32 waarnemingen in de periode van 31 mei tot en met augustus zijn geregistreerd, terwijl verder twee vondsten van voor 1900 bekend zijn. Een van de beide vondsten van voor 1900 betreft een in Friesland aangetroffen exemplaar dat ,,weinig jaren'' voor 1856 tussen Burum en Kollum is geschoten. De opgezette vogel is later bij een museumbrand in Groningen verloren gegaan (Snouckaert, 1908).

Het hiervoor genoemde aantal van 32 betreft verder waarschijnlijk ook enkele van de hierna in chronologische volgorde vermelde waarnemingen in Friesland in de loop van deze eeuw: (ze zijn merendeels al eerder gepubliceerd in Vanellus (W. de Jong 1974).

2 en 5 juli 1930	1 ex. Workumerwaard, vermoedelijk al voor 28 juni aanwezig (Med. Club van Zuiderzee waarnemers XII, 3; DLN 35, 143 en Ard. 20, 1931, 72)
juli 1941	1 ex. bij Goïngarijp (A. 1)
22 augustus 1953	1 ex. Staveren, vermoedelijk (idem)
28 augustus 1953	2 ex. bij Staveren, vermoedelijk, ook vorige ex. (idem)
19 april 1954	1 ex. bij Dronrijp (idem)
30 mei 1964	1 ex. Makkumerwaard (idem)
6 en 7 juni 1964	1 ex. bij Staveren, hetzelfde ex.? (idem)
16, 19 juni 1964	1 ex. Makkumer Noordwaard, hetzelfde ex.? (idem)
3 juni 1968	1 ex. op Kwelder onder Blija (A. 2)

28 juni 1968	2 ex. bij Piaam (Van. 21, 1968, 178)
11 juli 1968	2 ex. bij Piaam, vorig ex.? (idem)
± 15 augustus 1968	Noorderleeg, enkele dagen, wellicht deze soort, hetzelfde ex. van 3 juni? (A. 2)
6 juni 1970	1 ex. langs de rietzoom van de Mokkebank onder Laaxum (A. 22)
21 mei 1971	1 ex. bij het Hoogzand tussen Hindeloopen en Molkwerum (Van. 24, 1971, 186)
9 juni 1971	1 ex. op de schelpenbank van de Noordwaard onder Makkum, hetzelfde ex.? (idem)
27-29 mei 1972	1 ex. in Lauwerszeepolder, fouragerend (A. 2)
10 juni 1972	2 ex. in Lauwerszeepolder, ook vorig ex.? (idem)
10 juni 1972	1 ex. bij Oostmahorn, westelijk vliegend, ex. van vorige? (idem)
7 juli 1972	2 ex. op ondergelopen land bij de nieuwe PEB-centrale onder Bergum (idem)
27 juli 1972	3 ex. Workumerwaard, fouragerend tussen de biezen (idem)
18 augustus 1973	1 ex. op de kwelder onder Holwerd tussen de meeuwen (idem)
1 september 1973	1 ex. dezelfde plaats, hetzelfde ex.? (idem)

De Kleine Zilverreiger is een trekvogel, die in Afrika overwintert. Voor de definitieve trek naar het overwinteringsgebied is er nog een zogenaamde tussentrek, waarbij enkelingen in Friesland kunnen terechtkomen. De exemplaren die hier in het voorjaar worden aangetroffen, zijn bij de terugkeer naar de broedgebieden te ver gegaan.

S.B./W. de J.

Ralreiger - *Ardeola ralloides* (Scopoli)

Brune Reager

Dwaalgast.

De Ralreiger heeft zijn broedgebied o.a. in Zuid- en Zuidwest-Europa.
Van deze vogel zijn in Friesland alleen drie onbevestigde waarnemingen bekend.
In AVN (1970) wordt de Ralreiger vermeld als een dwaalgast, waarvan ná 1900 in ons land drie vondsten en tenminste zeven waarnemingen, alsmede vijf onbevestigde waarnemingen bekend zijn.
Van deze vijf onbevestigde waarnemingen heeft er één betrekking op Friesland, namelijk op één waargenomen exemplaar bij Piaam op 4 juli 1968 (Van. 21, 1968, 178). De beide overige betreffen de meldingen van een exemplaar in de eendenkooi te Bakhuizen in de zomer van 1932 en van een op 26 november 1962 bij Akkerwoude (A. 1).

S.B.

Koereigers in de Kolken bij Anjum, 16 september 1974 - H. F. de Boer.

Koereiger - *Bubulcus ibis ibis* (Linnaeus)

Féreager

Dwaalgast, van Zuid-Spanje, Portugal, Noord- en tropisch Afrika, die slechts op één plaats in Friesland is waargenomen.

Blijkens AVN (1970) is de Koereiger in Nederland een dwaalgast, waarvan drie waarnemingen bekend zijn. Het eerste exemplaar werd in 1961 waargenomen bij Harderwijk (Lim. 35, 1962, 154). Ook de beide andere waarnemingen hebben betrekking op vogels die buiten Friesland zijn gezien. Na het verschijnen van de AVN zijn in Nederland nog op diverse andere plaatsen Koereigers gezien. Het is aannemelijk dat de soort inmiddels landelijk bezien al als een onregelmatige gast mag worden beschouwd. Velen verwachten, gelet op de snelle uitbreiding van het broedareaal binnen enkele jaren ook broedgevallen binnen de grenzen.
Voor Friesland zijn de volgende zich tot een klein locatieveld beperkende waarnemingen bekend:

18 augustus 1974	1 ex. bij Anjum
12-15 september 1974	2 ex. bij Anjum (Van. 27, 1974, 249)
18 oktober 1974	1 ex. bij Anjum (Vj. 23, 1975, 46)
27 oktober 1974	1 ex. bij Anjum (Vj. 23, 1975, 46)
8 november 1974	1 ex. bij Anjum (Van. 27, 1974, 249)

S.B.

Kwak - *Nycticorax nycticorax nycticorax* (Linnaeus)

Nachtreager

Onregelmatige gast.

De Kwak broedt in Afrika, Azië, Zuid- en Centraal-Europa en wordt in de AVN (1970) genoemd als een zeer schaarse koloniebroedvogel in de Biesbosch en bovendien een enkele kleine vestiging in Limburg. Er zijn ook elders enkele broedgevallen bekend, zoals in 1958 te Heelsum (Sluiters (1975). Het laatst bekende broedgeval van vóór 1900 dateert uit 1876 bij Lekkerkerk. De Kwak wordt verder omschreven als zomergast in zeer klein aantal. In het winterhalfjaar zijn de volgende waarnemingen bekend: 8 in oktober, 4 in november, 3 in december, 1 in januari, 2 in maart en 5 in april.

In Friesland zijn in deze eeuw een zestiental waarnemingen bekend geworden, waarvan er enkele op meer dan één exemplaar en/of meer dan één
datum betrekking hebben. De enige vondst van een dood exemplaar in
deze provincie betreft vermoedelijk een vogel die eerder elders in dezelfde
omgeving werd waargenomen. Er is wel vermoed dat de Kwak incidenteel
in Friesland broedt.

Hoewel het geenszins onmogelijk is, dat deze vooral 's nachts actieve vogel
hier als broedvogel over het hoofd is gezien, lijkt het echter vooralsnog
aannemelijker dat de duidelijke toename van het aantal zomerwaarnemingen gedurende het laatste decennium verband houdt met het toenemende
aantal goede veldwaarnemers en met recente broedgevallen in andere provincies.

De navolgende waarnemingen zijn bekend:

29 april 1917	1 ex. Friesland (Ard. 8, 1919, 130)
19 mei 1925	1 ex. Rinsumageest, coll. FNM (Ard. 15, 1926, 48)
15 september 1928	1 ex. Laaxum (Org. 1, 1929, 110)
16 september 1952	1 ex. Zurich, waarschijnlijk (Bosch, G. 1952: 149)
30 september 1959	1 ex. Lemmer (Vj. 7, 1959, 239)
18 februari 1961	1 ex. Rinsumageest
3 oktober 1961	1 ex. Jelsum (Van. 14, 1961, 230)
12 oktober 1961	1 juv. ex. Wommels (idem)
5 september 1964	1 ad. ex. Sexbierum (A. 2)
2 mei 1965	1 ex. Kollum (A. 5)
na 15 augustus 1965	1 ex. Eernewoude (A. 2)
13 en 21 mei 1966	1 ex. Oude Venen onder Eernewoude (A. 2)
5 juli 1967	1 ex. Roptazijl onder Harlingen (A. 2)
26 en 27 april 1968	1 juv. ex. Piaam (A. 2)
27 april 1971	1 ex. onder Piaam in de Buismankooi (Van. 24, 1971, 163)
28 april 1971	2 ex. op dezelfde plaats (idem)
2 mei 1971	1 ex. op dezelfde plaats (idem)
3-7 september 1971	waarschijnlijk 1 ex. Nijetrije (G. 5)
28 februari 1973	1 ex. Bakkeveen (G. 5)
1 juli 1974	1 ex. Rinsumageest (idem)
9 november 1974	4 ex. Brandemeer bij Rotstergaast (idem)
28 november 1974	3 ex. op dezelfde plaats (idem)

S.B.

Woudaapje - *Ixobrychus minutus minutus* (Linnaeus)

Lytse Reiddomp
Oare namme: Woffer, nei it lûd dat de fûgel makket. (J.B.)

Zomervogel.

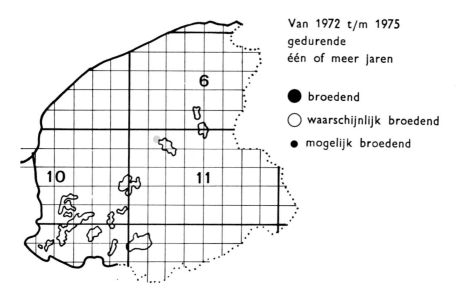

Van 1972 t/m 1975
gedurende
één of meer jaren

● broedend

○ waarschijnlijk broedend

• mogelijk broedend

Deze zomervogel is in Friesland een soort waarvan de status nog onduidelijk is. Op grond van de bewezen broedgevallen dient het Woudaapje hier een toevallige broedvogel te worden genoemd. De relatief vele waarnemingen in de broedtijd doen echter vermoeden dat de term zeer schaarse broedvogel in feite een betere is.

In AVN (1970) wordt deze soort vermeld als een zomervogel die een schaarse broedvogel is en in de noordelijke provincies slechts zelden broedt (zie ook Lim. 41, 1968, 41-61).

De oudste opgaven over het voorkomen in Friesland dateren uit de vorige eeuw, toen de soort volgens Schlegel (1858 en 1860) ,,in kleinen getale overal in ons land broedde aan met riet en hout begroeide oevers der zoete wateren''. Dit ,,overal'' dient voor Friesland overigens stellig met een korreltje zout te worden genomen, getuige het feit dat Albarda (1897) alleen het broeden in Gorredijk vermeldde, naast het feit dat exemplaren op doortrek zijn geschoten te Oude Bildtzijl en Rijperkerk.

Het exemplaar te Oude Bildtzijl was een juveniel ♀ ; dit was de eerste keer dat deze soort in Friesland is waargenomen (Albarda 1890, 27). Het exemplaar te Rijperkerk werd eveneens in november 1889 geschoten, hetgeen Albarda (1891) deed vermoeden dat het Woudaapje in Friesland broedde. Over het broedgeval te Gorredijk kan nog worden vermeld dat daar in juni 1896 één ei werd gevonden (Albarda 1897).

In de loop van deze eeuw zijn slechts enkele opgaven over broedgevallen en mogelijke broedgevallen bekend geworden. De opgaven van broedgevallen betreffen de vondst van een nest met 1 ei nabij Eernewoude in 1961 (G. 5) en de waarneming van een ♀ met jongen bij Opeinde op 5 augustus 1965 (A. 2). Het broeden bij Eernewoude werd reeds veel eerder vermoed. De soort werd aldaar in 1919 gehoord en tot in 1931 vrij geregeld gezien (Ard. 23, 1934, 18). Brouwer (1948) vermeldt een waarneming van een juv. ex. nabij het Heechhiem in het Princehof (14 augustus 1946). In de jaren 1947, 1948, 1950, 1951, 1958, 1959 en 1960 zijn hier weer één of meer Woudaapjes waargenomen (A. 1). Ook in 1964, 1966 en 1968 is de soort bij Eernewoude gesignaleerd (A. 2 en G. 5).

De mogelijke broedplaatsen zijn hierna in noordzuid-volgorde vermeld:

Merriedobben bij Kleine Geest, waar gehoord en/of gezien in de jaren 1954 t/m 1956 (A. 1), dit gebied is later helaas ontgonnen;

Rietkraag nabij Zurich, waar in 1949 geregeld 1 ♂ is gezien (Van. 2, 1949, 101), - deze vermoedelijke broedplaats is later door wegaanleg verloren gegaan;

Omgeving Gaast, waar op 3 juni 1936 een draadslachtoffer is gevonden met reeds vrij grote dooiers aan het ovarium (Orgaan 9, 1936, 81);

Groote Veenpolder in de gemeente Smallingerland, waar in de zomer van 1932 meermalen een paar is gezien (Ard. 23, 1934, 18);

Omgeving van Joure, waar in of omstreeks 1944 in augustus op drie plaatsen in totaal 5 exemplaren zijn gezien (A. 1);

Het Zwin bij Harich, waar in 1951 gedurende het broedseizoen twee paren zijn waargenomen (G. 5) - het is mogelijk dat de waarnemingen van één in juni 1949 nabij de Fluessen (Van. 2, 1949, 10) en van een exemplaar in september 1952 aldaar (A. 1) eveneens betrekking hebben op vogels afkomstig uit het Zwin;

Stroomdal van de Linde, waar in 1907 een exemplaar is gezien in het latere reservaat Lindevallei, en waar op 3 augustus 1939 weer een exemplaar is waargenomen;

Nabij Slijkenburg, waar op 25 augustus 1960 twee exemplaren werden waargenomen, en waar de soort toen volgens inlichtingen veel voorkwam (A. 1);

Bij Nijetrijne, waar mei en juni 1965 de soort werd gehoord en gezien. Hier waren de laatste jaren geen Woudaapjes meer waargenomen; later is de soort bij Nijetrijne weer enkele keren gezien, namelijk een exemplaar op 10 oktober 1970, een ♂ exemplaar op 18 juli 1972 en een exemplaar op 1 oktober 1973 (G. 5).

Tenslotte zijn nog een aantal incidentele waarnemingen bekend uit andere delen van Friesland. Dit zijn in chronologische volgorde:

19 september 1931	1 ♀ dood ex. bij Ureterp (A. 1)
25 juni 1931	1 ♂ ex. bij Grouw door een kat gepakt (idem)
± 27 september 1951	1 verlamd ex. bij Jouswier (Lim. 25, 1952, 160-161)
15 augustus 1953	1 ex. nabij de Froskepôlle langs Van Harinxmakanaal onder Leeuwarden (idem)
juni 1959	1 ex. bij het Sneekermeer (G. 5)
24 juni 1961	1 ex. langs de Tjonger bij Oudehorne (Waterkampioen 1961, 1064)

12 augustus 1964	1 ex. gevangen bij Hemelum (?); op 30 oktober losgelaten te Rijs (A. 2)
4 juni 1968	1 ♂ ex. nabij de Leijen (idem)
8 oktober 1970	1 ecrstejaars ex. geringd te Laaxum (A. 22)

Het is mogelijk dat enkele van deze incidentele waarnemingen betrekking hebben op broedvogels. Dit geldt vooral voor de juni-waarnemingen. Juni is namelijk een maand waarin weinig of geen doortrek plaatsvindt.

S.B.

Roerdomp - *Botaurus stellaris stellaris* (Linnaeus)

Reiddomp

Oare nammen: Reidbolle, Mar(re)bolle en Reiddomper. „Domp" is it lûd dat de fûgel útbringt. Folklore: De Friezen leauden eartiids dat troch it sterke lûd fan 'e fûgel (it dompen) de blaes fan 'e fisken barstte en dat de Reiddomp dy sa maklik fange koe (neffens in oantekening fan E. Halbertsma yn syn eksemplaer fan Kiliaen). Ek tochten se dat safolle kear as de Reiddomp efterelkoar rôp, safolle goune dat jiers in ljippen weet gou (in ljippen wie 0,833 hl). (J.B.)

Jaarvogel; vrij schaarse broedvogel in rietmoerassen of -poelen.

De Roerdomp is één van de weinige vogelsoorten, waarvan uit geschreven bronnen bekend is dat die hier in vroeger eeuwen broedde. Reeds in een plakkaat van 1542 lezen wij dat het „soecken, roouen of raepen" van de eieren van o.a. „putoeren" (dat zijn Roerdompen) verboden is. Hetzelfde wordt in een plakkaat van 1561 herhaald. De Roerdomp werd gerekend tot de „eedele voegelen", vogels waarop gejaagd werd, vandaar dat het rapen van de eieren verboden was.

Albarda (1865) noemt de Roerdomp een broedvogel die overal in lage streken, in rietvelden voorkomt. Voorts vermeldt hij dat de vogel in maart komt en in oktober vertrekt, terwijl enkele de winter overblijven.

Zeker lijkt wel dat de Roerdomp vroeger bepaald niet zeldzaam is geweest. De geschikte broedterreinen, rietvelden, liefst met ruigte of overjarig riet, waren immers overal in Friesland (vooral in het „wetterlân") in zeer ruime mate aanwezig.

Wel is langzamerhand het aantal geschikte biotopen verminderd, vooral door drooglegging en ontginning van moerasgebieden. Zo zijn er stellig vele gunstige biotopen verloren gegaan in het Buitenveld en het Rietveld tussen Rijperkerk en Veenwouden, in de Kleine Geest onder Tietjerk, in de Warren onder Hardegarijp, in het Stoekfjild onder Garijp, in de Deelen, in

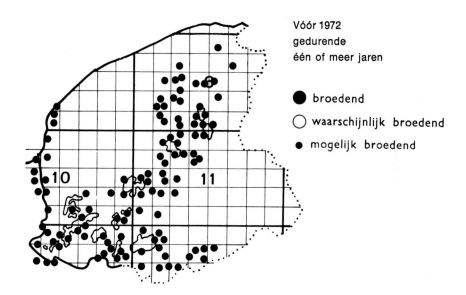

Vóór 1972
gedurende
één of meer jaren

● broedend
○ waarschijnlijk broedend
• mogelijk broedend

de Haskerveenpolder, in het Schar onder St. Johannesga, in de Brekken-polder en vele plaatsen meer. Hier en daar (bijv. Kleine Wielen onder Tietjerk) gingen broedterreinen verloren door voorzieningen ten behoeve van de recreatie, terwijl aan de noordkant van het Bergumermeer een jarenlang door Roerdompen bewoond gebied verloren ging door de bouw van de P.E.B.-centrale. Het is wel zeker dat ook de toenemende watersport plaatselijk achteruitgang heeft veroorzaakt.

Hier staat tegenover dat er nieuwe biotopen werden gevormd na de tot-standkoming van de Afsluitdijk (1932) en het verzoeten van het IJssel-meer. De „waarden" van Makkum tot Mirns herbergen sinds het laatst van de veertiger jaren steeds meerdere broedparen. Ook heeft de toenemende voedselrijkdom van het water in bepaalde plassen en poelen de vegetatie dusdanig veranderd, dat er nestgelegenheid voor de Roerdomp ontstond.

In de archiefgegevens waarover de AVF beschikt worden veel broedterrei-nen en broedgevallen genoemd. De terreinen liggen voor verreweg het grootste gedeelte in het lage middengedeelte van Friesland, van Kollumer Oudzijl en Rinsumageest tot Staveren en de Brekkenpolder onder Lemmer. Ook zijn er enkele broedgevallen bekend in rietpoelen en dijksgaten langs de zeedijk. In het zuiden zijn het vooral de veenpolders met rietcultuurter-reinen (rietpolders) die geschikte biotopen vormen, terwijl na plm. 1949 steeds vaker de buitendijkse waarden langs de IJsselmeerkusten worden

161

genoemd. De in de archieven genoemde locaties zijn op kaart   aangege-ven. Er ontstaat zo een duidelijk beeld van het gebied waar de Roerdomp als broedvogel voorkomt (Vergelijk ook de kaart met broedgevallen van 1972 t/m 1975).

Overigens zeggen de stippen op het kaartje niets over het aantal jaarlijkse broedgevallen; op sommige aangegeven plaatsen broedde misschien slechts een enkele maal een Roerdomp, terwijl op andere plaatsen jaar in jaar uit meerdere paren gebroed kunnen hebben. Rijke terreinen zijn als zodanig gebieden bij Eernewoude, in de Lindevallei, bij Nijetrijne en Scherpenzeel. Braaksma en Mörzer Bruyns (1954) trachtten de stand van de Roerdomp als broedvogel tot 1953 vast te stellen. Volgens hun gegevens zouden er tussen 1947 en 1953 de volgende aantallen broedgevallen (zeker of waar-schijnlijk) zijn geconstateerd:

In laagveenmoerassen:	
waargenomen (roep gehoord)	13
broedgevallen	39
in oeverlanden van grotere meren:	
waargenomen	13
broedgevallen	3
langs smalle binnenwateren:	
waargenomen	13
in buitendijkse terreinen langs het IJsselmeer:	
waargenomen	1
broedgevallen	21

Het totaal aantal broedgevallen zou in genoemde jaren omstreeks 100 hebben kunnen zijn. Stellig zijn in bovengenoemde jaren diverse broedter-reinen en broedgevallen aan de aandacht van de waarnemers ontsnapt. In 1958 kwam Braaksma met een aanvullend overzicht, waarin voor Fries-land 31 broedgevallen aan de lijst werden toegevoegd en nog een dertiental plaatsen waar baltsende ♂ ♂ waren gehoord. Het is moeilijk uit deze gegevens te komen tot een taxatie van het jaarlijkse aantal broedgevallen. Stellig heeft dat meer bedragen dan men op het eerste gezicht uit het overzicht zou afleiden.

Uit de gegevens die verzameld werden tijdens de inventarisaties voor het Atlasproject kan worden afgeleid dat het aantal broedgevallen groter is dan wel eens gedacht is. In 1972 lag dit door de waarnemers gemelde aantal tussen 20 à 25; in 1973 tussen 35 en 40; in 1974 op 40 à 60. Dit betrof zowel nestvondsten als voortdurend baltsende ♂ ♂ . Opgemerkt moet nog worden dat niet in alle potentiële broedgebieden werd geïnventariseerd.

162

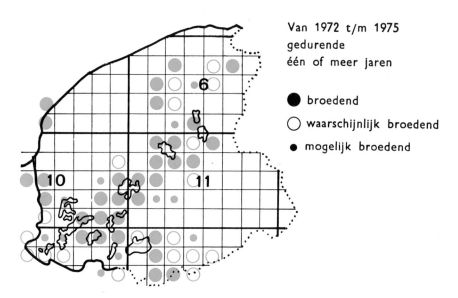

Van 1972 t/m 1975
gedurende
één of meer jaren

● broedend
○ waarschijnlijk broedend
• mogelijk broedend

Het totaal aantal broedgevallen zal in de laatste jaren stellig meer dan 50 per jaar hebben bedragen en misschien ligt het aantal zelfs dichter bij 100 gevallen.

Overigens is het bekend dat er sterke fluctuaties in het aantal broedvogels kunnen optreden. Vooral in strenge winters vallen er veel slachtoffers onder Roerdompen. Totaal uitgehongerd vinden de vogels de dood en worden dan als "fel en bonkjes" gevonden, soms pas het daaropvolgende voorjaar. Vaak zoeken de vogels in deze omstandigheden een toevlucht op plaatsen waar zij anders nooit komen (17-25 januari 1955 achter de ULO-school te Ferwerd (A. 1)). Zo zijn er winterwaarnemingen in boomkwekerijen (Bergum), in schuren en garages, vaak bij duikers en „pompen" waar nog enig stromend water is.

Ook verliezen de vogels in deze tijd hun schuwheid en laten zich soms door de mensen grijpen. Soms komen er in dergelijke winters concentraties voor, bijv. 5 à 6 exemplaren in januari 1965 op de Makkumer Zuidwaard bij de Holle Poarte, waar ze werden gevoerd door de plaatselijke vogelwacht.

Sommige strenge winters zijn echte rampjaren geweest voor de Roerdompen. Als zodanig kunnen o.a. genoemd worden: 1885/'86 „vele voorwerpen bezweken" (Albarda 1887); 1928/'29 (Brouwer 1929); 1937/'38; 1939/'40 meer dan 40 ex. omgekomen (Lim. 13, 1940, 77); 1946/'47 minstens 30 ex. omgekomen (A. 1) en

1955/'56 11 ex. omgekomen in terreinen van It Fryske Gea (Lim. 30, 1957, 100).

Het is niet bekend of alle gesneuvelde vogels tot de Friese broedpopulatie behoren of dat er ook trekkers tussen zitten. Wel blijkt uit de archiefgegevens duidelijk dat de berichtgevers nà strenge winters een sterke achteruitgang melden. Het roepen (blazen) van de ♂ ♂ wordt dan niet of veel minder gehoord. Zo zijn er in 1941, 1942 en 1943 van talrijke plaatsen meldingen dat de Roerdomp niet werd gehoord. Na zulke winters broeden er in Friesland misschien slechts een tiental Roerdompen. Wel vindt er binnen enkele jaren een vrij snel herstel van de populatie plaats.

Ook in minder strenge winters komen er nogal eens Roerdompen om. Een preparateur in Friesland ontving tussen 1962 en 1970 52 dode Roerdompen (niet alle uit Friesland afkomstig). Er blijken nogal eens draad- en verkeersslachtoffers onder deze soort te vallen; soms wordt een Roerdomp doodgemaaid door rietsnijders. Ook komt er wel eens een vogel om aan een zetlijn (Brouwer 1948, foto 30) terwijl vroeger nogal eens een exemplaar werd geschoten en clandestien geprepareerd.

Vooral tijdens de balts en in de broedtijd wordt de Roerdomp overdag nogal eens vliegend boven de rietvelden gezien. De vogel is bepaald niet zo'n uitgesproken nachtvogel als wel werd gedacht. Soms werden er opmerkelijke avondvluchten naar geschikte voedselterreinen geconstateerd (Brouwer 1948 en Bosch 1961). Vaak hoort men dan een typische ,,kau''-roep.

Er is weinig bekend over eventuele trek bij deze vogel. Uit ringgegevens zou blijken dat misschien minstens drievierde deel van onze broedvogels de winter in zuidelijker streken doorbrengt, terwijl hier noordelijke vogels zouden overwinteren (Braaksma 1958). In de AVN (1970) wordt echter vermoed dat de Roerdomp overwegend stand- en zwerfvogel zou zijn.

De Friese ringgegevens zijn slechts gering. Op rondzwerven wijst een, bij Kampen geringde, jonge vogel die in februari daarna bij Rijperkerk werd gevonden (DVN II, 1941).

Een in Friesland geringde vogel bleek in de winter (februari) nog aanwezig te zijn, terwijl twee andere in de provincie geringde nestjongen achtereenvolgens werden aangetroffen in Frankrijk (december) en in België (januari) (gegevens Vogeltrekstation Arnhem). Op 23 maart 1958 werd bij Zwaagwesteinde een exemplaar doodgevonden dat op 23 april 1957 geringd was te Nieuwmeer (België) (B. 8). Langs de Afsluitdijk worden in de trekperiode nogal eens Roerdompen aangetroffen wat op trekken of zwerven zou kunnen wijzen: 19 oktober 1952 (A. 1); 28 oktober 1956 (A. 1) en 29 november 1936 (Ard. 26, 1937, 69).

Waarschijnlijk blijft toch een (groot) deel van onze Roerdompen ook in de winter in de broedgebieden. Ook Gentz (1965) neemt aan dat ze 's winters hoofdzakelijk in hun broedgebied blijven.

Vroeg in het voorjaar maken de (teruggekeerde) ♂ ♂ dan hun aanwezigheid weer kenbaar door hun vooral 's avonds vérklinkende baltsroep, die overigens ook overdag dikwijls gehoord kan worden. De eerste maal wordt de baltsroep meestal gehoord in de eerste helft van maart, maar er zijn ook meldingen uit februari bijv. 7 februari 1951, Eernewoude (A. 1); 15 februari 1957, Lindevallei (A. 1) en 18 februari 1949, Rinsumageest (A. 1). Zelfs is er een melding van de baltsroep uit januari: 20 januari 1952, Rinsumageest (A. 1).

D.T.E. v.d. P.

DE EARREBARRE

Nammen

Mei de namme fan 'e earrebarre is it in nuver gefal, om't de jongerein hast rounom *oaijefaer* brûkt. *Earrebarre* komt noch it measte foar yn it westen en noarden, soms mei in ôfwikende foarm. Om Dokkum hinne soms: eadebarre. Feanwâlden: hearrebarre. It Bildt: arrebar. Súdwesthoeke hjir en dêr: arrebarre. Tusken Boalsert en Makkum: eabarre. Gaesterlân; adebar. In mear ôfwikende foarm oer in great part fan 'e Wâlden is: *eiber* (of eibert). In hiel oar wurd is yn 'e Stellingwerven yn gebrûk, ntl.: *sturk* dat wy forgelykje kinne mei it Dútske: Storch en it Ingelske, Sweedske en Deenske: stork. Min of mear boartlike omneamingen binne: *reaskonk, prikkedief* en *langpoat*.

Alde fynplakken

Yn de Sprekwurden fan Burmania (1614) founen wy „aebarre" yn: „Hij bekluge him, as d' aebarre de pod", d.i. hy bignaude him lyk as de earrebarre de pod die, (dus sûnder meilijen tamtearje). Gysbert Japicx skriuwt (ca. 1650) foar syn „Friesche Rymlerije":

„d Æbarre trapet plomp ijn 't gnod[1],
Oer 't goe kruwd hinne in sijkt de Podd":
Dy hier uwt naet as fuwl[2] op-sijkje,
Momme'eack[3], mey rjuecht, by Rea-schonck lijckje[4].

Yn dit stikje dus: æbare en rea-schonck.
Yn Psalm 104 fers 5 (ca. 1655) hat Gysbert Japicx it oer:

„Opp' Liban', dear de' Hear' Ced'r in Denn' salm set het,
Dear 't fleande[5] op ness'let, de Æbers kleppe' op klet, klet".

Wy hawwe hjir al nammeforskaet, ntl.:
aebarre, æbare en æber.

165

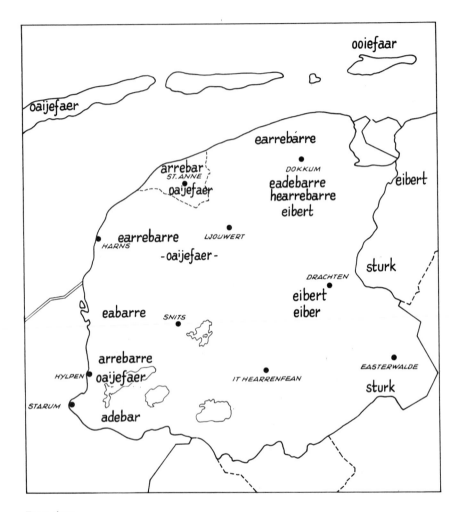

Etymology

Wy kinne wol oannimme dat de nammen earrebarre (mei de ôfwikende foarmen), oaijefaer en eiber(t) ôfliedkundich bisibbe foarmen binne. It is lykwols mei de etymology fan dy wurden sa ienfâldich net as wolris biweard wurdt. Ien fan 'e meast gongbere opfettingen wie dat it earste diel bitsjutte: lok, bisit, rykdom, skat, seine. It wie dan to forgelykjen mei it Angelsaksyske ,,ead''; it Aldheechdútske: ,,ot''; it Aldsaksyske ,,od'' en it Gotyske ,,aud-'' dat yn gearstallingen en ôfliedingen: lok en sillichheit bitsjutte. It twadde diel soe gearhingje mei it Aldfryske ,,bera'', it Holl. ,,baren'', hwerfan de oarspronkelike bitsjutting ,,drage'' is. De hiele gearstalling bitsjutte: skatdrager, lokbringer. In kostlike namme foar in fûgel! De folksopfetting dat de earrebarre lok en seine oanbringt, slút hjir moai by oan. Letter wurdt de earrebarre ek noch oan 'e bern foarhâlden as de bringer fan 'e lytse poppe. Mar de wierheit hat in skel lûd. Neijere ûndersikingen roppe nochal hwat fraechtekens op[6]. In nije opfetting is dat earrebarre werom gean moat op de âlde foarm *uda-faran. It earste diel *uda bitsjut:

166

in wiet of sompich plak, it twadde *faran: gean. (Tink oan „forfarre", „farwol", dêr't farre ek gean bitsjut). De hiele gearstalling moat dan wêze: „Sompegonger", dat wol sizze: in fûgel dy't op sompige plakken rint. It Oertsjongerske „sturk" wurdt forûndersteld werom to gean op it Germaenske *storka mei de bitsjutting fan: strak, stiif. De fûgel is dus bineamd nei de stive gong fan rinnen mei de lange skonken.

Taeleigen

Foar it lûd dat de earrebarre makket, ha wy twa wurden: klaphalzje en klapperje. De earrebarre klaphalzet. d'Eabarren klapperje, ljipkes wjukwapperje[7]. In persoan dy't wy mei „earrebarre" bititelje, is in langen ien, alteast ien mei lange meagere skonken. Sizze wy tsjin ien: „Dou bist ek al in earrebarre, dy't út it nêst fallen is", dan bidoele wy dat er gâns tsjinslaggen hawn hat.
„Earrebarren en froulju meije graech heech nêstelje", dy meije der wol oer om hwat op to fallen. Der moat in grapke by, sa't de eibert tsjin 'e froask sei.

Planten

Inkelde planten binne nei de earrebarre neamd: „Earrebarrebek" (ek: eibertsbek en oaijefaersbek) foar Geranium L. (Ooievaarsbek). „Earrebarreblom" (ek: eibertsblom en oaijefaersblom) foar de Barchjeblom, Iris pseudacorus L. (Gele Lis). „Earrebarresnyl" ek foar boppeneamde Barchjeblom.
„Earrebarrebroadtsje" wurdt brûkt foar de frucht fan 'e Barchjeblom (Iris pseudacorus L.) mar ek foar de Kalmuswoartel (Acorus calamus L.). Foar de lêste ek „earrebarrebrea".
"Earrebarrehak" is de Túnreadskonk, Polygonum persicaris L. (Perzikkruid).

Folkskunde

Op ûnderskate plakken songen de bern in ferske as se in earrebarre seagen. Sa bygelyks yn 'e bernedreun:

Oaijefaer, lepelaar, prikkedief . . .

Earrebarre langebien
Hoe binn' dy dyn skonken sa klien?
Hoe is dyn bek sa lang?
Datste safolle kikkerts fangst[8]

Earrebarre, winebarre,
Hwannear sil wy nei Kampen farre?
To Kampen yn 'e steden
Lizze moaije bonte reden.
Pyp sei it mûske
Yn Earrebarre's hûske[8].

Earrebarre,
Likkelarre,
Prikkedief
Het syn fader en moeke net lief[8].

Eibert, eibert lek,
Hoe lang is dy dyn bek?
Sawn jellen en in fearn.
Knip der dan in eintsje ôf
En naei 't der dan wer oan.
Dan is er wer allike lang[8].

Earrebarre, leppelbek,
Is in greate bernegek,
Pikt de memmen yn 'e foet,
Is for alle berntsjes goed[9].

Eibert mei dyn lange bien
Hwannear sille wy dy kommen sien?
To maeije, to maeije,
As de fûgeltsjes kraeije[8].

Mei it *folksleauwen* hat de earrebarre faek to krijen.
In earrebarre steande foar 't earst sjoen, bitsjut skea; fleanende, foardiel[10].
Driuwende earrebarren bringe moai waer mei[10].
In earrebarre op 'e lofter side oansjoen foar 'e earste kear dat men ien sjocht yn 't foarjier in in min, op 'e rjochter side oansjoen in bêst teken[10].
Dêr't earrebarren nêstelje stjerre gjin kreamfrouwen, ntl. dêr op it dak fan in hûs, of boppe op in peal[11].
In earrebarre bitellet de hier mei in aei of in jong bûten it nêst to smiten[11].
Dêr't earrebarren fuortgeane, komt rûzje yn 'e tsjerke[12]. As in earrebarre in jong út it nêst smyt, wurdt it in droege simmer[12].
As de earrebarre aeijen út it nêst smyt, wurdt it in wiete simmer[12].
Hwer't de earrebarre nêstelet, dêr slacht gjin tonger yn[12].
It is mooglik . . .   J.B.

Noaten:
1. Gnod: lyts planteguod.
2. Fuwl: fûlens, forkeardens.
3. Momme'eack: kin men ek.
4. Lijckje: forgelykje.
5. It fleande: it fûgelt.
6. Jan de Vries, Nederlands Etymologisch Woordenboek, Leiden 1971, 488.
7. W. Dykstra, Blommekranske for da Fryske berntsjes, Freantsjer 1851, 38.
8. W. Dykstra en T. G. van der Meulen, In doaze fol âlde snypsnaren, Frjentsjer 1882.
9. S. M. van der Galiën, Masters fen 'e romte, Snits 1931, 186.
10. H. G. van der Veen, De bitsjoende Wrâld ef: de nije wylde lantearne, Hearrenfean 1880, 43.
11. Friesch Woordenboek, Leeuwarden 1900, 316.
12. As noat 10.

Ooievaar - *Ciconia ciconia ciconia* (Linnaeus)

Earrebarre

Vroeger vrij talrijke broedvogel, thans als voormalige broedvogel verdwenen; doortrekker in (zeer) klein aantal.

Een beschouwing over het voorkomen van de Ooievaar moet helaas het karakter krijgen van een historisch overzicht. In oude wetboeken enz. bestaan geen aanduidingen over het voorkomen van de Ooievaar in Friesland.

Uit de vele en zeer oude namen in vele vormen en uitdrukkingen blijkt echter overduidelijk dat de Ooievaar in de 17e eeuw onder het volk een dusdanige bekendheid genoot, dat hij een plaats in spreekwoorden kon veroveren. Wij mogen dan ook rustig aannemen dat toen - en ver daarvoor - de Ooievaar in deze streken een bekende verschijning was. Ook op oude afbeeldingen ontmoeten we wel eens een ooievaarsnest (bijv. op Ayttastate te Swichum ± 1790; Kalma, 1960).

De eerste schriftelijke bron waarin iets over de mate van voorkomen is te vinden is de Tegenwoordige Staat (1763). Knoop vermeldt hier o.a. de „OJEVAARS, die men in de zomer bij 't wandelen met vermaak in 't Land op haar hoge beenen ziet omspanseeren . . .''

Een „Friesche Boer'' schrijft in 1824 in zijn dagboek: „De Oijevaars vermenigvuldigden zig hier in den omtrek (d.i. Wirdum) jaarlijks, en geen wonder: een ieder is met de komst van een paar dezer vogels vereerd''. (Friesch Dagblad, maart 1949; Bosch 1970).

De Deersumer boer G.H. IJselstein schrijft in het veldmuizenjaar 1846 „daar waaren een menigte oojevaars op die landen, daar waaren troeppen bij malkander van wel 500 à 600, ja 1000, want zij waaren volstrekt ontelbaar'' (geciteerd naar Ph.H. Breuker).

Albarda (1865; 1884) noemt de Ooievaar een broedvogel door de gehele provincie. De Vries (Lwd. Crt. 17 april 1936) vermeldt dat er in zijn jeugd alleen bij Leeuwarden vijf bezette nesten waren.

Wanneer de achteruitgang precies is begonnen is niet bekend. Reeds in 1922 wordt in de Leeuwarder Courant door J.H. Riemersma over achteruitgang geklaagd: „Waaraan moet het geweten, dat de ooievaar, althans wat mijn omgeving (Giekerk) betreft in aantal vermindert''. En verder: „Evenmin weten wij waaraan het te wijten is, dat hij allengs uit het Friesche landschap verdwijnt'' (Bosch 1970). In deze tijd signaleren Van Oordt en Verweij (1925) en Haverschmidt (1929) ook reeds landelijk een sterke

Tabel 1

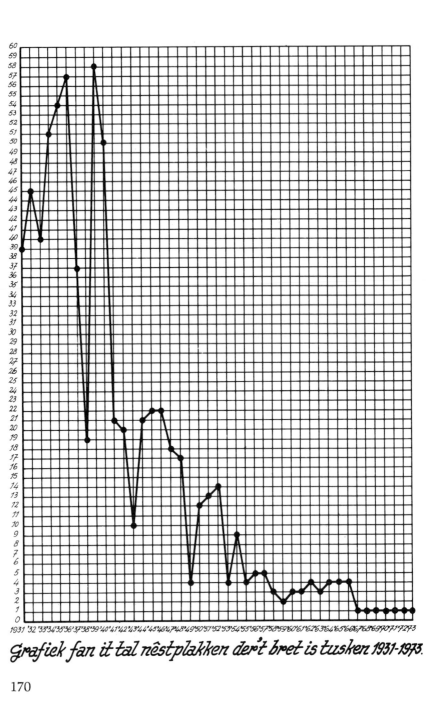

Grafiek fan it tal nêstplakken der't bret is tusken 1931-1973.

afname. Haverschmidt (l.c.) noemt voor Friesland in 1929 nog 47 bewoonde nesten en geeft voorts een opsomming van 26 nestplaatsen die sinds
1920 door de Ooievaars verlaten zijn. Waarschijnlijk zijn beide getallen te
laag, maar ze geven toch een beeld van de situatie.
Vanaf 1931 is uit de gegevens van het archief Bosch het verloop van de
broedgevallen en de achteruitgang van de soort nauwkeurig te reconstrue-
ren. Na een aanvankelijke toename viel de grote en definitieve teruggang in
de veertiger en vijftiger jaren (zie tabel 1, ontleend aan Bosch 1970). Zeer
waarschijnlijk heeft het broedpaar in Luxwoude (1972) het broedtijdperk
van de Ooievaar in Friesland uitgeluid.
Beschouwt men de verspreiding van de tussen 1931 en 1971 bewoonde
nesten, dan blijkt dat het noordwesten van Friesland (de Bouwhoek) in de
genoemde jaren geen broedende Ooievaars heeft gekend (*Fig. 1*).

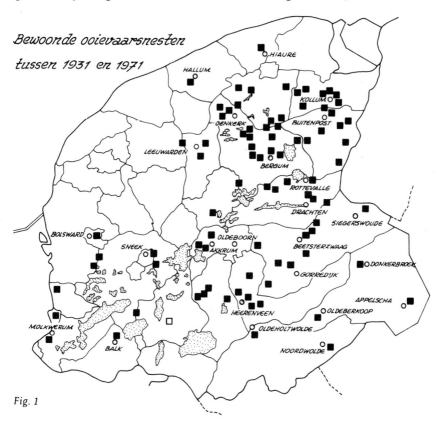

Fig. 1

171

Een der laatste bewoonde ooievaarsnesten Oudega (Sm.) 1965   -   H. F. de Boer.

Ook op de hogere (beboste) zandgronden (Gaasterland; het Zuidoosten) is het aantal broedparen veel lager geweest dan in de noordelijke Wouden en in delen van het Lage Midden. Een nadere analyse leert dat in een gemeente als Tietjerksteradeel, met afwisseling van pleistocene zandgronden en lagere veen- (knipklei-) gebieden voor Nederlandse begrippen de dichtheid hoog ligt. Voor het gunstige jaar 1939 lag de dichtheid in Tietjerksteradeel op 6,4 paar per 100 km². Voor Friesland bedroeg de dichtheid in 1939 1,8 paar per 100 km². Voor geheel Nederland bedroeg dit cijfer voor het (minder gunstige) jaar 1934 nog slechts 0.8 (Rooth 1957). Het voor Tietjerksteradeel gevonden cijfer is goed in overeenstemming met wat Rooth (l.c.) vond betreffende de voorkeursbiotopen van de Ooievaar.

Er zijn aanwijzingen (Haverschmidt 1950; Bosch 1970), dat met het achteruitgaan van de ooievaarsstand een verschuiving van de eerste aankomstda-Nog niet geslachtsrijpe Ooievaars kunnen zich in de zomer soms concentreren op plaatsen waar overvloedig voedsel aanwezig is. Op bijzonder boeiende wijze zag men dit in Friesland in 1934, toen in de maanden juni en juli zich wekenlang een troep Ooievaars (soms ruim 100 ex.) ophield in de omgeving van het Koevordermeer onder Idskenhuizen. De vogels overnachtten o.a. in de bossen van Huisterheide. Volgens waarnemers viel de concentratie van de Ooievaars samen met een sterke muizenplaag (zie ook de aantekening in het dagboek IJselstein).

172

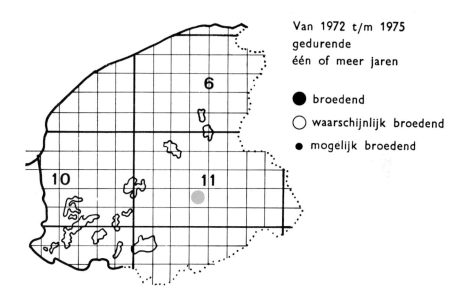

Van 1972 t/m 1975
gedurende
één of meer jaren

● broedend
○ waarschijnlijk broedend
• mogelijk broedend

Het valt op hoe vaak berichtgevers signaleerden dat de Ooievaars eieren en jongen van op de grond broedende vogelsoorten als voedsel gebruikten, van jonge leeuweriken tot jonge scholeksters en eenden. Ook elders is dit vaak opgegeven, maar in de literatuur is er steeds twijfel over uitgesproken. Het zou slechts een zeer ondergeschikte rol spelen (Haverschmidt 1949; Rooth 1957). Toch laat de nauwkeurigheid en de veelvuldigheid van de waarnemingen nauwelijks plaats voor twijfel aan het feit dat vroeger in Friesland gedurende de - lange - hooitijd, eieren en jonge vogels een niet onaanzienlijk deel van het voedsel van de Ooievaars moeten hebben uitgemaakt.

Het verzamelen van Ooievaars in augustus voor het begin van de trek is een bekend verschijnsel, waarvan ook in Friesland in de meeste jaren voorbeelden werden gezien (Bosch l.c., 30).

Haverschmidt heeft er herhaaldelijk (1936, 1949, 1950) op gewezen, dat de in Friesland broedende Ooievaars behoorden tot een mengpopulatie, wat het kiezen van de trekroute betreft. De meeste hier broedende Ooievaars kozen in het eerste levensjaar op de herfsttrek zuidoostelijke richtingen: terugmeldingen in de maanden augustus en september uit Duitsland (8), Polen (1) en Italië (1). Een geringer aantal koos een zuidwestelijke route: terugmeldingen uit Frankrijk (3) en uit Spanje en Portugal (3). Vogels van zeer dicht bij elkaar gelegen nesten konden tot verschillende

Ooievaarsvergadering op de Kruiskerk te Bergum, augustus 1932 - J. Franke.

populaties behoren wat de trekrichting betreft, zoals uit de terugmeldingen valt aan te tonen:

29 augustus 1933   Eestrum eerstejaars vogel, teruggemeld uit Adrall, Andorra (Spanje)

29 augustus 1933   Augustinusga eerstejaars vogel, dood nabij Celle (Duitsland)

Haverschmidt (1936) noemt meer zulke voorbeelden. Niet elk jaar kozen de jongen van een bepaald nest dezelfde route: een te Augustinusga in 1932 geringd jong werd eind september 1932 doodgevonden te Sastago aan de Ebro in Spanje. In een dergelijk geval zal men misschien moeten aannemen dat het broedpaar (of één van de oudervogels) een ander was dan in een voorgaand jaar. Eén Friese Ooievaar werd in oktober teruggemeld uit Zuid-Afrika. De voorjaarsmeldingen zijn moeilijk te interpreteren, o.a. ook door het feit dat eerstejaars Ooievaars sterke zwerfneigingen kunnen vertonen. Er werden 2 voorjaarsmeldingen bekend uit Frankrijk (maart en mei), 1 uit Italië (april), 2 uit Turkije (april en mei) en 1 uit Denemarken (mei) (Vogeltrekstation Arnhem).

De terugmeldingen leverden geen belangwekkende gegevens op betreffende de leeftijd van de Ooievaars. Bosch (1970) noemt het merkwaardige geval van een individueel herkenbare Ooievaar die in elk geval 24 jaar oud werd en al die tijd op hetzelfde nest (Suawoude) jongen grootbracht.

Thans behoren de Ooievaars tot de zeldzame verschijningen. Slechts af en toe worden er enkele meer gesignaleerd, zoals op 29 augustus 1975, vijf exemplaren op een weiland bij Laaxum (A.4).   G.B./D.T.E. v.d. P.

174

Zwarte Ooievaar - *Ciconia nigra* (Linnaeus)

Swarte Earrebarre

Onregelmatige gast.

Uit de ons ter beschikking staande gegevens blijken de meeste waarnemingen uit mei en vooral uit augustus te zijn. Het betreft steeds waarnemingen van één of enkele exemplaren.

In de Algemene Konst- en Letterbode voor het jaar 1837 vermeldt C. Mulder op pagina 431 een in eind september 1826 gedane waarneming onder Sexbierum van een exemplaar dat ,,zich daar in den omtrek eenige dagen ophield''. De vogel werd begin oktober bemachtigd; het skelet werd in de collectie van Mulder opgenomen. Kort daarna is er nog een Zwarte Ooievaar onder Sint Jacobiparochie gezien. ,,Van dit individu vernam ik geene bijzonderheden, doch men mag gissen, dat het met het vorige herwaarts kwam en dat het een paar was''.

Albarda (1884) schrijft: ,,In mei 1860 een voorwerp nabij Leeuwarden waargenomen''. In de Naamlijst van dezelfde auteur (1897) staat: ,,Wordt nu en dan in den nazomer waargenomen en geschoten, doch schijnt hier niet te broeden''.

Het is hoogst merkwaardig dat uit de lange periode van 1860 tot 1947 geen enkele Friese waarneming bekend is. In DNV II, 1941 worden vijf vondsten en tien waarnemingen vermeld: dit betreft waarnemingen uit geheel Nederland, behalve uit Friesland. Nadien zijn er uit Friesland zoveel waarnemingen bekend geworden, dat de soort thans als een min of meer regelmatige gast kan worden beschouwd.

Voor de volledigheid volgen hier alle gerapporteerde waarnemingen sinds 1947:

14 augustus 1947	2 ex. West van Heerenveen (Lim. 22, 1950, 386)
26 augustus 1947	1 ex. Z.W. van Eernewoude (Lim. 22, 1950, 386)
14 augustus 1955	1 ex. heide bij Duurswoude (Van. 8, 1955, 251)
5 augustus 1957	1 ex. Roordahuizum (Van. 10, 1957, 208)
6 en 7 augustus 1957	2 ex. bij Ee (Van. 10, 1957, 208)
10 augustus 1957	1 ex. N.W. van Drachten (Van. 10, 1957, 208)
10 augustus 1957	2 ex. Warns (Van. 10, 1957, 208)
10 augustus 1957	1 ex. Akmarijp (Van. 10, 1957, 208)
29 augustus 1957	1 ex. Ferwerd (Van. 10, 1957, 208)
31 augustus 1957	1 ex. Noorderleeg (Van. 10, 1957, 208) Hetzelfde ex.?
7 september 1957	1 ex. Ferwerd (Van. 10, 1957, 208) (idem)
11 septembert 1957	1 ex. Westernijkerk (Van. 10, 1957, 208) (idem)
9 augustus 1959	3 ex. Makkumerwaard (Van. 12, 1959, 192)

2 mei 1965	1 ex. Veenklooster (Van. 18, 1965, 169)
3 augustus 1965	1 ex. Makkumerwaard (Van. 18, 1965, 217)
14 augustus 1965	3 ex. Laaxum in Oostelijke richting (Van. 18, 1965, 191)
1 augustus 1966	1 ex. Waddenkust bij Zwarte Haan (A. 2)
31 juli 1968	1 ex. Nijetrijne (Van. 21, 1968, 195)
4 augustus 1968	1 ex. Langweer (Van. 21, 1968, 195)
4 augustus 1968	1 ex. Hommerts (Van. 21, 1968, 221) Hetzelfde ex.?
21 augustus 1970	3 ex. Noord, later N.W. van Buitenpost (Van. 23, 1970, 201)

J.H.P.W.

Lepelaar - *Platalea leucorodia leucorodia* Linnaeus

Leppelbek

Zomervogel, toevallige broedvogel.

Albarda vermeldt van de Lepelaar: ,,Komt nu en dan aan de kust voor. In de maand augustus van 1858 zwierf een groot aantal in kleine gezelschappen gedurende een paar weken door de gehele provincie''.
Of de Lepelaar in het verleden ooit broedvogel in de provincie is geweest is niet zeker. Volgens Snouckaert (1908) zou een enkel paar in 1906 onder Eernewoude gebroed hebben. Nadere bijzonderheden ontbreken helaas in de ,,officiële'' jaarlijkse overzichten. Maar in een kort berichtje vermeldt J.C.F. van Balen, dat een Engelse ornitholoog hem ín 1906 een legsel toonde van deze soort, dat hij in Friesland verzameld had. Waar precies wilde de vinder niet verraden, maar vermoedelijk was het in de buurt van Eernewoude (DLN 12, 1907, 159). Uit de in 1924 en daarna verzamelde waarnemingen van Lepelaars (A. 1) blijkt dat de soort verreweg het meest langs de oevers van de Zuiderzee - later IJsselmeer - werd waargenomen.
Een van die plaatsen is de Mokkebank onder Laaxum (Gaasterland). De mogelijkheid voor observatie is hier buitengewoon geschikt, omdat vanaf de voormalige zeedijk een fraai uitzicht over de voor de kust liggende slikken wordt verkregen. Bij vele vogelaars is dit punt, waarbij men haast zonder kijker vogels kan observeren, zeer in trek. Deze omstandigheid is mogelijk dan ook de oorzaak, dat vanaf dit punt het grootste aantal waarnemingen en tellingen van Lepelaars is gedaan.
De eerste waarnemingen uit deze omgeving dateren uit 1927. Ook de pers schonk aandacht aan het geregeld verschijnen van de Lepelaar. In de Leeuwarder Courant van 17 juni 1935 wordt een veertigtal Lepelaars bij Lemmer gemeld. Bedoeld wordt echter de Mokkebank onder Laaxum. Ook het Handelsblad van 22 juni 1935 maakt melding van de Lepelaars op de

176

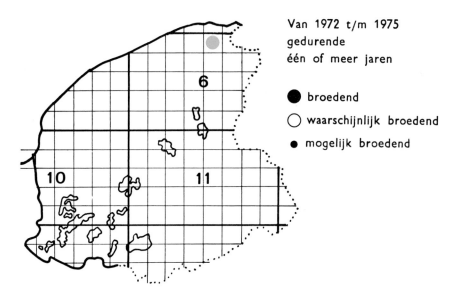

Van 1972 t/m 1975
gedurende
één of meer jaren

● broedend
○ waarschijnlijk broedend
● mogelijk broedend

Mokkebank. In dit bericht dat met een foto van een klutenest op de Mokkebank wordt geïllustreerd denkt men aan een mogelijke nieuwe vestiging van de Lepelaar. Ook wordt een en ander, volgens dit krantebericht, in verband gebracht met het grote aantal Ooievaars dat in dat jaar naar de provincie Friesland is gekomen.

De jaarlijks weer terugkerende Lepelaars, waarvan men hoopte dat deze nog eens een nieuwe broedkolonie zouden vestigen, vonden op de in die tijd geheel onbegroeide Mokkebank in 't geheel geen beschutting. Met het aanslepen van een groot aantal takkenbossen heeft men getracht de omstandigheden iets gunstiger te maken. Deze poging liep op een teleurstelling uit.

In het voorjaar van 1975 evenwel vestigde zich een paartje Lepelaars in de Van Asperenkooi in de Kolken onder Anjum. Het nest, een oud reigernest, zat voor Lepelaars wel ongewoon hoog, op ongeveer vijf meter in een els. Er werden drie jongen grootgebracht. Gedurende de hele broedtijd werd een drietal Lepelaars bij het nest waargenomen.

Uit de zeer lange lijst van waarnemingen bij de Mokkebank (zie tabel) blijkt dat tot 1965 op deze plaats gedurende de zomermaanden vrijwel altijd Lepelaars aanwezig waren. Op sommige dagen zag men maar enkele exemplaren, een ander moment een paar meer. De top lag onmiskenbaar tussen half juli en midden augustus, veelal werden er dan tussen de 20 en

Lepelaars boven hun nest met vier jongen, eendenkooi „It Fryske Gea", Anjumer Kolken, 19 juli 1975 - H. F. de Boer.

40 Lepelaars geteld. Het grootste aantal daar ooit waargenomen, was te zien van 8 tot 12 augustus 1953, toen er niet minder dan 62 exemplaren werden geteld. Het waren alle eerstejaars vogels (A. 1).
Na 1965 evenwel gaat het aantal op de Mokkebank pleisterende Lepelaars sterk achteruit. Dat deze achteruitgang in verband staat met de geleidelijke achteruitgang van de in Nederland aanwezige broedkolonies wordt niet

jaar	april			mei			juni			juli			augustus			september		
	1	2	3	1	2	3	1	2	3	1	2	3	1	2	3	1	2	3
1927							2											
1934						8						18						
1935							40											
1936				6		2	33						1					
1937					11	13	26											
1938	1				30	24	30											
1939		4					17						28					7
1940		12											100	25				
1941									21					22				
1942						24					4	17						
1950	4	18																
1951						35	40											
1952			3	20				2					42					
1953													62			9	7	7
1954			13		7	17			5									
1955					9	45	20						1					
1956		4			25	35	10	30					50					
1957		6				1		20										
1958	8			18	25											10	32	1
1959		7				17		10								7	5	
1961				6			12	3	16									
1962		3						30							15			
1963									30									
1964				11							7		22	5		16	10	2
1965						2		20			17		26	20	8			1
1966													13	1	6			
1967											13	5			1			
1968						1					2	7			4	2	1	
1969	1										22	36	22	11			1	1
1970									5	1	4	10	27	8			1	1
1971						1			3	22	2	18						
1972				1					1	3	15		9	3				
1973									1		1				1			
1974									4		10	6						
1975											6							

178

onmogelijk geacht. In 1969 is er nog weer eens een kleine opleving en worden er eind juli maximaal 36 Lepelaars geteld. In 1970 worden er op 1 augustus 27 en in 1971 10 juli 22 exemplaren geteld (A. 22). In de jaren hierna gaat het steeds om enkele en veelal slechts een enkel exemplaar.

Dat de IJsselmeerkusten bij de Lepelaars hoog genoteerd staan mag blijken uit vele waarnemingen die gedaan werden op de Workumerwaard, Kooiwaard onder Piaam en de Makkumerwaarden. Ook hier werden vaak concentraties van wel 40 en soms meer Lepelaars opgemerkt. Na de broedtijd zwermen de jongen uit de kolonies in Noord-Holland over het land uit en komen dan ook naar Friesland. Van half juli tot in augustus worden de Lepelaars op plaatsen opgemerkt waar men ze nog nooit eerder zag en waar men ze, zoals uit de vele aantekeningen van Bosch blijkt, ook niet kende.

Ook in het Lauwerszeegebied werden, zij het veel onregelmatiger dan langs het IJsselmeer, Lepelaars waargenomen. De oudst bekende waarneming betreft één ex. op 8 augustus 1926 aan het „strand" van Dokkumer Nieuwezijlen. In 1928 werden op 2 september 35 Lepelaars bij Kollumerpomp geteld. Daarna pas weer in 1939; op 3 augustus telde men een tachtigtal. Van waarnemingen in de tijd hiervoor en ook hierna is vrijwel niets bekend en dan betreft het meestal slechts een enkel exemplaar. In 1949 werd op 7 augustus een zestigtal gemeld. In de jaren hierna wordt de Lepelaar meer geregeld in het Lauwerszeegebied waargenomen, waarbij het ook om steeds grotere concentraties gaat, zoals in september 1951 toen bij Dokkumer Nieuwezijlen op „grote afstand" ongeveer 150 konden worden geteld (G. 5). De grootste aantallen ooit in het Lauwerszeegebied waargenomen betreffen de waarnemingen op 22 en 23 augustus 1963 toen respectievelijk ± 90 en ± 200 Lepelaars werden geteld (G. 5). Nadien zijn er nimmer meer dergelijke grote groepen gezien en evenals langs de IJsselmeeroevers ging het aantal geleidelijk achteruit. Op 13 augustus 1967 werd onder Zoutkamp nog een veertigtal vastgesteld (G. 5).

De vroegste waarnemingen van uit hun overwinteringsgebieden teruggekeerde Lepelaars zijn: Makkum, 6 februari 1966 (1 ex.), onder Molenend op 3 maart 1960, eveneens één ex., onder St. Annaparochie toen daar op 7 maart 1963 zes exemplaren werden waargenomen. Op 13 en 15 maart 1963 kwamen meldingen binnen van zieke en vermagerde Lepelaars. Te Wommels en Makkum kon een tweetal zo met de hand worden gegrepen. Beide vogels zijn gestorven; één is in het FNM te Leeuwarden terechtgekomen. Een dergelijk geval deed zich eerder voor op 16 maart 1947 toen een sterk vermagerde Lepelaar bij Koudum zelfs brood at. Ook dit exemplaar bleef niet in leven. Opmerkelijk is dat al deze gevallen zich voordeden na strenge winters waardoor de uit hun winterkwartieren teruggekeerde vogels waarschijnlijk nog geen voedsel konden bemachtigen (A. 1).

Rond midden september hebben de meeste Lepelaars deze streken alweer verlaten en dus is een waarneming op 13 oktober 1962 onder Ezumazijl van 25 ex., die in westelijke richting in linie doortrokken, alleszins vermeldenswaard (A. 5).

J.H.P.W.

Zwarte Ibis - *Plegadis falcinellus falcinellus* (Linnaeus)

Wylpreager

Onregelmatige gast.

Van de Zwarte Ibis, broedvogel van o.a. Zuidoost-Europa, zijn de onderstaande waarnemingen geregistreerd:

10 december 1909	1 ex. Akkerwoude (Jaarboekje N.O.V., 7, 1910, 53)
begin oktober 1912	1 juv. ex. onder Rinsumageest gevangen, coll. RML. (Ard. 5, 1916, 94)
3 november 1920	1 ♀ ex. in winterkleed onder Workum geschoten, coll. RML. (Ard. 12, 1923, 3)
2 oktober 1938	1 ad. ex. „wormen etend" onder Laaxum (Ard. 28, 1939, 101)
15 oktober tot 12 december 1938	1 ex. in de omgeving van Koudum. Op 17 december nog gezien, later dood gevonden, skelet in coll. FNM te Leeuwarden (Lim. 12, 1939, 129)
1942	1 ex. onder Jutrijp (H.F. de Boer 1972)
29 augustus tot 4 oktober 1963	2 ex. onder Ezumazijl (A. 5)
1 november 1963	1 ex. bij Dokkumer Nieuwezijlen (dagboek H.F. de Boer)
16 november 1963	2 ex. in weiland bij Easterboerewei onder Kollumerpomp (H.F. de Boer 1972)
25 november 1963	2 ex. Dokkumer Nieuwezijlen (dagboek H.F. de Boer)
2 december 1963	2 ex. idem (Lim. 38, 1965, 28)

de B.

Flamingo - *Phoenicopterus ruber* Linnaeus

Flamingo

Onregelmatige gast.

181

De Flamingo is in Friesland in de loop van deze eeuw in tenminste veertien verschillende jaren waargenomen. In tenminste zes van deze jaren waren er twee of meer exemplaren gelijktijdig aanwezig. De waarnemingen van Flamingo's in Friesland hebben waarschijnlijk in hoofdzaak betrekking op uit gevangenschap ontsnapte exemplaren, getuige het feit dat een exemplaar is herkend als behorende tot de ondersoort *chilensis*.

In de AVN (1970) wordt de Flamingo vermeld als een onregelmatige gast, waarvan na 1900 14 waarnemingen en 7 onbevestigde waarnemingen zijn gepubliceerd, die op nagenoeg alle maanden van het jaar betrekking hebben, maar waarschijnlijk ten dele ontsnapte vogels betreffen. Over het voorkomen in Friesland zijn de navolgende gegevens bekend:

begin december 1906	1 ex. geschoten bij Hindeloopen (Notes Leijden Museum XXX, 139)
15 november 1908	1 ex. geschoten bij Cornwerd (Notes Leijden Museum XXXI, 213)
14 augustus 1944	1 ex. op de Makkumer Noordwaard (A. 3)
31 juli 1960	1 ex. bij Oudemirdum hier op 5, 15, 16 en 17 augustus weer waargenomen (Van. 13, 1960, 189, 192; Vj. 8, 1960, 109; Lim. 35, 1962, 49)
7-13 augustus 1960	1 ex. op de Kooiwaard bij Piaam (A. 3)
4 juni 1961	1 ex. op de Makkumer Zuidwaard (Van. 14 1961, 139)
7-10 oktober 1961	1 ex. bij Makkum (Vj. 10, 1962, 331; Lim. 36, 1963, 12)
17 december 1961	1 ex. bij Makkum (idem)
18 december 1961	1 ex. op het Pikmeer bij Grouw (A. 1)
24 december 1961	1 ex. met afgebeten kop gevonden te Makkum (idem)
26 december 1961	1 ex. op de Noordwaard bij Makkum (idem)
4 januari 1962	2 ex. op het ijs bij de Noordwaard (idem)
2 oktober 1964	1 ex. bij het begin van de Afsluitdijk (A. 2)
13 oktober 1964	1 ex. bij Makkum (idem)
17 oktober 1964	1 ex. bij Ezumazijl (idem)
30 december 1965	1 ex. bij Eernewoude (idem)
9 januari 1966	1 ex. dezelfde plaats (idem)
28 augustus 1966	1 ex. bij Staveren vliegend in noordelijke richting (idem)
± 15 december 1968	1♀ ex. dood gevonden in de eendenkooi te Engwierum, behorende tot de ondersoort *chilensis* (idem)
23 december 1968	1 ex. buitendijks tussen Paesens en Oostmahorn, vermoedelijk chilensis (idem)
30 december 1968	1 ex. bij Anjum al minstens een week aanwezig (idem)
10 juli 1969	1 ex. bij Ezumazijl (idem)
17 augustus 1969	waarschijnlijk 1 ex. bij de Sondeler Leijen vliegend in noordwestelijke richting (idem)
13 november 1969	1 ex. bij Heerenveen, overvliegend (idem)
29 november 1969	2 ex. bij Piaam (idem)
6 december 1969	1 ex. bij Gaast (idem)

15 mei 1972	1 ex. bij Lauwersoog (Van. 25, 1972, 153)
16 mei 1972	2 ex. in het voormalige Lauwerszeegebied (Vj. 20, 1972, 117)
1 juni 1972	3 ex. Lauwerspolder (Van. 25, 1972, 153)
15 juni 1972	1 ex. Workumerwaard (idem)
5 augustus 1972	1 ex. Lauwerspolder (Van. 25, 1972, 183)
8 januari 1973	5 ex. Lauwerspolder ter hoogte van het Banthuis (Van. 26, 1973, 42)
april 1975	6 ex. zuidelijk van het Lauwersmeer twee weken gezien (A. 18)
28 november 1975	2 ex. voor de kust bij Gaast (A. 4)
28 november 1975	11 ex. Lauwersmeer (A. 5)
3 december 1975	4 ex. Lauwersmeer (idem)

In verband met de mogelijkheid dat ook waargenomen vogels waarbij dit niet is vermeld deels tot de ondersoort *chilensis* behoorden kan nog vermeld worden dat in 1966 meermalen een exemplaar van deze subspecies werd gezien (A. 2).

S.B.

DE EIN

Nammen

Oer hiel Fryslân is de namme *ein* yn gebrûk, al is de útspraek net rounom gelyk. Op 'e Klaei is it „ain", de Wâlden „ein (ain) of een". Hwat mear forskil is der op Skiermuontseach: eeun en yn Hylpen: ênt. De ropnamme foar it eineguod is: *hysp*, ek: hisp en húsp. Yn 'e regel wurdt it dan in pear kear achterelkoar roppen om de einen to lokjen. Soms mei in duratyf aksint: hiisp! Sa'n ropnamme kin inkeld ek as sammelnamme brûkt wurde:
Der moat mar in nije koer yn 'e beam, miskien komt de hysp dan wol. Of as soartnamme: Hjir kwêkje de hyspen jin moarns wekker!
It mantsje neame wy: *jerk(e)*, eartiids ek skreaun as: eark(e). Op Skiermuontseach: airk, eirk en erk; Hylpen: erke; It Bildt: irk; Feanwâlden: it hearke; It Amelân: aarke; Warns en Nijemardum: erk(e); Skylge: eerike, eerke, erke; Oranjewâld: jirk. It wyfke is: de ein, of faker noch: it *eintsje*.
Ein(e)fûgel brûke wy gauris by de jacht en as de fûgel op 'e tafel komt: wy ite hjoed einfûgel mei smots. Einfûgel út it sâlt.
De jongen binne: piken, einepiken of einepilen.
Wy ûnderskiede: „nuete einen", dy't in eigener hawwe; „doarpseinen of buoreinen", dy't heal wyld, heal nuet binne en troch it doarp fuorre wurde en dêr't bitten foar kappe wurde, en trêd: „wylde einen".
De einen dy't de koaiker yn 'e einekoai brûkt neame wy: „koaieinen of lokeinen".

Alde fynplakken

Yn 'e literatuer founen wy de wurden ein(fûgel) en jerke yn 'e Burmaniasprekwurden fan 1614: „Tis wol oanne noas to siaen dat de moer nin eijnfuggel wessen hat"[1]. (Dat kin sein wurde tsjin in fiks fanke bygelyks.)

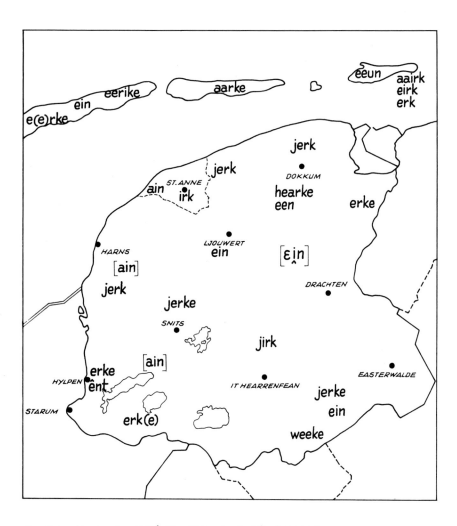

„So gled as ien Aercke stirt"[2]. (Sa glêd as de sturt fan in jerke.)

Ek by Gysbert Japicx (1603-1666) komt de „ein" foar, mar altyd yn forbining mei „gies". Yn it Petear tusken „Egge, Wyneringh in Godsfrjuen" (± 1640) lêze wy:

„AEf stirt er bloed, aef wirt 'er sleyn,

So 's 't Ogse, Keallen, Giez aef Eyn"[3]. (Floeit der bloed, of wurdt der slein, Dan is it okse, keallen, gies of ein).

En yn „Reamer in Sape" (± 1640):

„Eyn in Gies ijn 't wetter sljuerckt,

't Wijde Fuwggelt tureljuerckt"[4].

185

Etymology

„Anas" is it Latynske wurd foar *ein*. Hjir kinne wy by forgelykje: „ened" (Aldingelsk), „anut" (Aldheechdútsk). Dizze en mear foarmen liede ta de forûnderstelling fan it Oergermaenske: „*anudiz", mei de bitsjutting: wetterfûgel.
Ein(e)fûgel is al lang yn gebrûk (sj. boppe). It is in saneamde fordúdlikjende gearstalling, krekt as: walfisk, strúsfûgel.
De namme fan 'e mantsje-ein, ntl. *jerk(e)* (ek: eark, erk, irk), kinne wy yn forbân bringe mei it Middelnederlânske „andrake", it Aldheechdútske „anutrehho", it Nijdútske „Enterich". Dizze nammen litte ús in âlder wurd forûnderstelle, ntl.: *anuttrahho, it earste diel bitsjut: ein, it twadde: mantsje.
Ut „andrake" kin ûntstean „anderke" en hjir út „aerke". Neffens de Fryske lûdûntjowing kin „aerke" liede ta „earke" en mei brekking ta „jerke"[5].
Foar it wurd *hysp* (of hisp, húsp, hiisp) sille wy wol hearre moatte nei de lûden dy't de einen útbringe.
Opmerklik is wol dat der sa'n forskaet is, wy founen ntl. ek noch: iesp (Ferwert); gjisp (Skalsum); gysp (Ter Idzard)[6]. Dit forskaet wiist der op, dat wy hysp en de farianten bisjen moatte as lûdneibauwende wurden. By de fûgels binne mear onomatopéen: ka, koekoek, hûpe, rotgoes, fink, ensfh.

Taeleigen

Wy bigjinne mei inkelde gearstallingen dêr't it wurd „ein" yn foarkomt. In „einebok" is in boarstbonke fan in ein, dy't eartiids brûkt waerd om hwat oer it waer to witten to kommen. (Sjoch ûnder folkskunde). Ien dy't it „einefel" op 'e earms hat, is kâld, en trillerich of tige eangstich. „Einefet" is in grappige omneaming foar wetter, dat men yn it iten docht ynpleats fan fet. It „einefiskje" is in oare namme foar in toarnder of stikelbearske. Ien dy't der nachts op út giet om op of by in boerehiem einen dea to slaen en mei to nimmen, is in „einekneppelder". Sok einekneppeljen is gemien wurk. In „einekoai" is in fangplak foar wylde einen. Ornaris is it in fjouwerkantich plak mei in rjochthoekige dobbe yn 'e midden. Om de dobbe stiet allerhande beamguod, hege ike- en eskebeammen, mar ek lege koetsen en flearen en dêrûnder in wylde fegetaesje. Fan de dobbe geane op 'e hoeken fjouwer sleatjes út, dat binne de pipen. Op 'e ein fan in piip, dy't mei reidmatten biset en fan boppen ek ôfsluten is, sit in flapdoarke, it ribke, dat yn in bak fiert, de glûpe of knipe. Oan it ribke is in line fêstmakke, dy't de koaiker fiere litte kin, as der einen yn 'e glûpe binne[7]. In „einekoer" yn 'e beam is in gaedlik nêst foar de einen. Elk syn fak, sei de jonge, dominy preekje en ik einekoermeitsje. Ek wol: Elk hwat, dominy bidde en de boerejonge einekoermeitsje. As it by 't simmer myld en stil waer is, sizze wy: It is einepike waer. Fan ien dy't gjin jild of bisit hat, wurdt sein: Hy is sa keal as in ein fan trije dagen. In frjemdling yn it selskip is „in frjemde ein yn it bit". In humoristysk sei-sprekwurd: Hwat bûnter hwat wylder, sei de soldaet, en hy skeat yn 'e nuete einen. Wylde einen hawwe fansels krekt gjin bûnte fear, mar binne igael-brunich. Tsjin ien dy't in steil wurd fiert om't it him omtrint slagge wie hwat to birikken, sizze se: Omtrint sjit men gjin einfûgels. Men moat wol ris in tjilling útstjûre om in einefûgel to fangen; men moat wol ris in lyts ding opofferje om in soad to krijen. Dy't gjin goes krije kin, moat him mei in einfûgel tofreden stelle. Gjin einfûgel is sa wyt of der is wol in swart fearke oan: elk mankeart wol ris hwat. Elk skot is gjin einfûgel: alle ûndernimmen birikt it doel net.
Einen roppe, kwêkje, snetterje of (op 't nêst byg.) blaze. Noch in pear sizwizen fan 'e

jerk: Hy glimt as in jerk. Pronkje as in jerk. Hy had in lûd as in ferzen jerk: hy is heas fan forkâldens.
De jerk feilt (trêddet) de ein. It „jerkedrinken" is in omneaming foar it wetter út 'e sleat of feart.

Toponimen

De ein hat net folle jown ta foarming fan toponimen. In stik lân dêr't gauris einen húsmanje wurdt hjir en dêr 't Einelân neamd. By sterk iis kin Einebit tydlik de funksje ha fan in toponym. Under Tytsjerk ha wy: Einekoaispôlle. De (eine)koaijen ha wol oanlieding jown ta toponimen. Op it Amelân: Koaidunen, Koaifinne, Koaistrân; ûnder Burgum: de Koaijen; Bakhuzen: Koaipleats; Goaijingamieden: Koaihûs, Koaifeart; by Lekkum: De Swarte Koai. Ek skaeinammen: Koaistra, v.d. Koai.

Planten

Yn 'e sleat groeije „Einebledtsjes", de namme wurdt soms brûkt foar Duitblêd (Kikkerbeet), Hydrocharis morsus-ranae L. Eineblommen foar Giele Plomp (Gele Plomp), Nuphar luteum Sm. Einekroas (ek: einekrús, einegrús, einekrûd, eineflach) (Klein Kroos), Lemna minor L. Einegers (ek: eineraei) is Flotgers (Mannagras) Glyceria fluitans R. Br.
Einepoaten: Leppeltsjedief (Herderstasje), Capsella bursapastoris Med[8].

Folkskunde

As it eineguod yn 'e winter by froastich wäer rêstich is, dan sil de froast oanhâlde, mar bigjinne de einen drokte to meitsjen, to kwêkjen, to snetterjen of to roppen en oer it fjild to fleanen dan is der foroaring fan waer op komst.
In einebok (boarstbonke) fan in seane of brette ein kin ús ek hwat fortelle oer it waer. Komme der yn 'e hjerst reade plakken op in einebok dan krije wy in winter mei froast. Sitte dy plakken op it foarste diel fan 'e bonke, dan wurdt de foarwinter froastich; op it achterste diel, dan wurdt de neiwinter froastich.

In folksriedsel oer de ein, heard yn 'e Lege Geaën:

Ik kaem bûtendoar en 'k seach in wûnder:
De billen bleat en in kop der ûnder.
Rie, rie, hinnefin.
Siz my, hoe't it kin!

Antwurd: In ein dy't yn it wetter dûkt.   J.B.

Noaten:

1. J. H. Brouwer en P. Sipma, De Sprekwirden fen Burmania (1614), Assen 1940, nû. 1015.
2. Idem, nû. 922.
3. Gysbert Japicx Wurken, bisoarge fan J. H. Brouwer, J. Haantjes en P. Sipma, Boalsert 1966, 71.
4. Idem, 55.
5. K. Heeroma, Taalatlas van Oost-Nederland en aangrenzende gebieden, 1e aflevering, 69.
6. Vragenlijst Dialectenbureau Amsterdam, 1934, 3.
7. J. Botke, De Gritenij Dantumadiel, Dokkum 1932, 106.
8. D. Franke en D. T. E. van der Ploeg, Plantenammen yn Fryslân, Ljouwert 1955. ·

Wilde Eend - *Anas platyrhynchos platyrhynchos* (Linnaeus)

Wylde Ein
Ek: ein. (J.B.)

Jaarvogel; zeer talrijke broedvogel; zwerfvogel en doortrekker in zeer groot aantal.

De Wilde Eend is bij ons de meest verspreide en talrijkste eendesoort. Albarda (1897) schrijft: ,,Overal broedende. In het winterhalfjaar zeer menigvuldig, voor een groot deel doortrekkende. De uit het Noorden komende zijn de grootsten. Die, welke uit de Oostzee komen, slechts bij strenge vorst komen opzetten en bij de kooikers onder de naam van ,Oosteenden' bekend zijn, zijn kleiner en meer gedrongen en hebben kortere bekken".

Het vorenstaande is letterlijk door Snouckaert (1908) overgenomen, aangevuld met de vraag, ,,of wellicht *A. b. conboschas* (Brehm) of eenige andere subspecies hier te lande op den trek verschijnt. Tot dusverre is in die richting niets gedaan".

Zowel de Groenlandse vorm *A. p. conboschas* als de vorm van IJsland *A. p. subboschas*, zijn beide iets groter dan de nominaatvorm welke in Nederland als broedvogel voorkomt. Het verschil in grootte is echter zeer gering. Wat Albarda bedoelde met de kleinere hier in de winter verschijnende ,,Oostzee" eenden is niet te zeggen. Het voorkomen van de beide eerstgenoemde vormen is zeer goed mogelijk.

De Wilde Eend weet zich als echte cultuurvolger zeer goed aan de omstandigheden aan te passen en is hierdoor als broedvogel in aantal toegenomen. Hoe groot de aantallen vroeger zijn geweest is niet te zeggen, wel dat ze ook in die tijd zeer algemeen waren.

De biotoop van deze zwemeend, rustig water met een voldoende begroeiing, is overal aanwezig. Men vindt de soort echter niet alleen in het lage moerassige deel van de provincie maar ook op de heidevelden, soms in het bos en in de steden en dorpen.

Het grootste aantal broedvogels wordt uiteraard in de moerassige gebieden gevonden. De aanwezigheid van een poeltje of zeer laag gelegen stukje moerassig land geeft direct een toename van het aantal broedparen te zien. Tellingen in weidegebieden geven een aantal te zien van 2-5 paar per 10 ha. In gebieden met een optimaal biotoop zien we aantallen van 5 tot 7 paar per 10 ha, o.a. Oude Venen, Princehof, Mokkebank onder Laaxum en de oeverstroken langs meren en poelen wanneer deze niet te klein zijn. Een zeer dichte bezetting aan broedvogels vinden we op een eilandje in de Fluessen waar zowel voedsel en rust (door de ondiepte van het water is het voor de recreatievaart niet te bereiken) als dekking samenvallen. Op dit eilandje van 2 ha broeden ruim 100 paar Wilde Eenden, een bezetting van 50 paar per ha. Een dergelijk aantal is nergens geconstateerd en kan als zeer uitzonderlijk worden gekwalificeerd.

Eveneens grote aantallen broedvogels kunnen we in de eendenkooien aantreffen. Hier is dit vooral te danken aan het gebruik van eendekorven, een nestgelegenheid welke ook in steden en dorpen veelvuldig wordt gebruikt.

De op de laatste plaatsen voorkomende eenden zijn half-tam en in de meeste gevallen niet raszuiver, wat tot uiting komt in de bonte tekening. De algemeen gangbare benaming voor deze vogels is dan ook ,,bonte eenden''. Het talrijkst zijn deze eenden in de steden en dorpen, maar ook verspreid over de provincie en buitendijks komt men ze tegen. Meermalen ziet men zuiver witte exemplaren ver buiten iedere bebouwing. Veelal betreft het woerden welke gepaard zijn met al dan niet kleurzuivere eenden.

In jagerskringen wordt er regelmatig op aangedrongen deze bonte exemplaren weg te schieten en zo de raszuivere exemplaren over te houden. Waarnemingen hebben echter geleerd dat dit een vrijwel onmogelijke zaak is. De eenden welke de vijvers van de stadsparken bevolken verlaten in de nazomer ongeveer halverwege de middag deze rustplaatsen om de volgende dag in de loop van de morgen daar weer terug te keren. Na het openen van de jacht verschuift het tijdstip waarop deze vogels uitvliegen van vroeg in de middag naar laat in de avond, wanneer het reeds geheel donker is en de jacht gesloten is. In het schemerdonker van de morgen keren ze weer terug.

De zuiver wildkleurige exemplaren welke van elders hier doortrekken of overwinteren komen niet in de stad en missen dus deze jachtvrije gebieden wat de overlevingskansen aanmerkelijk geringer maakt.

Dat de aantallen dorpseenden groot kunnen zijn blijkt uit een notitie van 1937. Men schatte toen het aantal dorpseenden in Akkrum op 2000 exemplaren, die zich in de winter vooral ophielden bij de UT fabrieken en de voormalige FCE. Men werd daar lid van de eendenvereniging voor 25 cent per jaar en voor iedere broedkorf werd 5 cent betaald. Het geld werd gebruikt voor de voedering in strenge winters (A. 1).

De dorps-/stadseenden worden broedend op de meest onmogelijke plaatsen aangetroffen. Regelmatig worden nesten in de bloemperken (soms in de bloembakken voor de vensters) bij de woningen en flats gevonden. De hoogte van de nestplaats maakt weinig verschil, geregeld broeden deze eenden in de 10 tot 15 meter hoog geplaatste korven aan de balkons van de flats.

Het broeden in oude kraaienesten is meermalen vastgesteld. In 1936 werd te Gorredijk een nest gevonden op 5 meter hoogte in een spar (A. 1). In 1946 broedde een eend in een oud kraaienest onder Kubaard (A. 1). In de molen te Joure broedde in 1966 een eend in de molenkop (A. 2). In een stadspark te Leeuwarden werden vooral in de vijftiger jaren veel eendekorven uitgehangen waarvan meerdere op ruim 5 meter hoogte hangende ieder jaar door eenden werden gebruikt. Een deel van deze korven werd door Holenduiven in beslag genomen waarbij felle gevechten werden geleverd met de eenden. Bij de boven het water geplaatste korven was in de meeste gevallen de eend overwinnaar, de korven iets verder van het water verwijderd werden door de duiven gebruikt (A. 2).

Vrijwel ieder jaar worden nesten van de Wilde Eend gevonden waarin naast de eigen ook eieren van een andere grondbroeder worden aangetroffen. In de meeste gevallen zijn dit eieren van Patrijs en Fazant. Bij legsels in eendekorven worden vooral de laatste jaren eieren van Bergeenden gevonden. De kuikens van de bijleggende eendesoort blijven soms in de korf achter en komen om, o.a. in een eendenkooi onder Piaam waar in een eendekorf twee dode bergeendkuikens werden gevonden, terwijl de kuikens van de Wilde Eend goed waren uitgelopen. Legsels met eieren van twee soorten werden onder meer gevonden in 1947 bij Langweer. Hier lagen in een nest van de Wilde Eend 11 eieren waarvan twee van de Fazant (A. 1). In 1968 een legsel van 9 eieren van Wilde Eend waarbij ook 9 van de Patrijs, terwijl in een nest bij de vliegbasis te Leeuwarden 6 eieren van de Wilde Eend en niet minder dan 15 van de Patrijs werden gevonden (A. 2).

Buiten de steden en dorpen ziet men ook veel groepjes tamme bonte eenden in de sloten en vaarten rond boerderijen. Deze fourageren vaak ver van huis op de akkers en weiden wat na een paring met een wildkleurige vogel resulteert in weer een nieuwe generatie ,,bonte eenden''.

De eenden welke binnen de grote steden broeden verliezen veelal reeds in de eerste week alle kuikens. Soms reeds na verloop van een paar dagen, wat in de parken wordt veroorzaakt door ratten en niet in de laatste plaats katten, terwijl de tomen kuikens in de grachten omkomen door voedselgebrek. De afwezigheid van vegetatie en hierdoor van insekten, het hoofdvoedsel van de kuikens, en het door vervuiling steriele water beperken in de eerste levensdagen zeer sterk de overlevingskansen. De aan de rand van de bebouwing broedende eenden trekken met de kuikens de polder in. Hier

Paartje Wilde Eenden op ijs bij Stroobos   -   H. F. de Boer.

wordt het verlies in hoofdzaak veroorzaakt door Zwarte Kraai, Ekster, wezel, hermelijn en huiskat.

Wanneer de wijfjes broeden verzamelen de woerden zich tot groepen om te ruien. Bij deze slagpenrui verliezen de eenden tegelijkertijd alle slagpennen en zijn dan gedurende enige weken niet in staat te vliegen. Daar de kwetsbaarheid dan zeer groot is zijn de eisen welke aan de ruiplaatsen worden gesteld hoog. Er dient voldoende dekking en voedsel aanwezig te zijn met als derde belangrijke factor rust. Ruiende Wilde Eenden zijn o.a. aangetroffen in het Princehof, onder Veenwouden, op de Leijen, de Fluessen en aan de Waddenkust. Dat de factor rust belangrijk is blijkt duidelijk uit waarnemingen gedaan in het Princehof, op de Mokkebank en de Makkumer Waarden. Door de toegenomen recreatie zijn meerdere plaatsen waar voorheen ruiende eenden werden aangetroffen nu verlaten of worden slechts gebruikt om te rusten. Wel ruien hier nog bonte eenden. Een ander deel van deze woerden trekt naar de steden en dorpen om te ruien. Hier is de rust minimaal evenals de dekking, de half tamme eenden maken echter een dankbaar gebruik van de rijke voedselvoorraad. Vooral de parken en de vijvers bij de flatgebouwen zijn door de regelmatige voedering voor-

192

Kuifeenden Workum, maart 1973, - O. Hoekstra

Baltsplaats van het Korhoen Fochteloo, - prof. dr. J. P. Kruijt

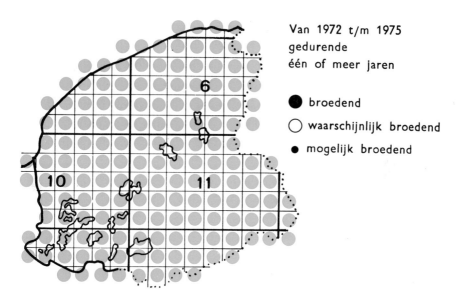

Van 1972 t/m 1975
gedurende
één of meer jaren

● broedend
○ waarschijnlijk broedend
● mogelijk broedend

keursplaatsen. Aantallen ruiende vogels van 200 tot 300 stuks zijn geen uitzondering.

Een ander verschijnsel dat door deze trek naar de stad wordt veroorzaakt is het zogenaamde ,,woerdenoverschot''. De term overschot is niet juist; wie namelijk de gepaarde eenden in winter en voorjaar beziet, merkt dat het allemaal paren zijn terwijl de ongepaarde vogels zowel woerden als eenden zijn. De woerden van de wijfjes welke buiten de stad tot broeden komen keren nadat het wijfje vast is gaan broeden, terug naar de stad, het door het rijkelijk voorhanden zijnde voedsel en de rust optimale ruigebied. Ook de voedering in de winter is een zeer belangrijke factor in deze trek naar de parkvijvers. De enkele wijfjes welke bij deze vijvers broeden en onverhoopt van het nest raken, worden direct door de vele in goede conditie verkerende woerden lastig gevallen en het zogeheten woerdenprobleem is daar. De enige oplossing hiervoor zou een drastische beperking zijn van de wintervoedering (en de voedering in het algemeen), wat een trek naar andere voedselgebieden zal veroorzaken en daarmee een betere verspreiding.

De eerste doortrekkers en wintergasten komen hier omstreeks half augustus aan waarna de aantallen snel toenemen; de grootste aantallen worden gezien in oktober en november (A. 2). Concentraties in deze maanden van rond 5000 exemplaren zijn geen uitzondering. Eveneens grote concentraties zien we op de grote meren op poelen, plassen en aan de IJsselmeer-kust. Op de eerstgenoemde plaatsen liggen de aantallen tussen 50 en meerdere honderden exemplaren (afhankelijk van verstoring door jacht of recreatie), aan de IJsselmeerkust zijn soms meerdere duizenden (20 december 1975 enkele honderden op de Slijkhoek bij Mirns).

Enkele voorbeelden van concentraties:

1 december 1962	op de Kleine Wielen onder Tietjerk groepjes van 50 en 60 ex., samen ongeveer 250 exemplaren (A. 2)
12 januari 1966	te Leeuwarden in het Van Harinxmakanaal groep van 500 ex. (idem)
27 juni 1967	bij Nijetrijne samen ongeveer 400 exemplaren, hierbij ook Slob-eenden en talingen (idem)

Vooral tijdens een strenge winter kunnen de aantallen die in steden en dorpen overwinteren aanzienlijk zijn. Midwintertellingen te Leeuwarden in de jaren 1959, 1960 en 1964 gaven respectievelijk aantallen van 2100, 3200 en ruim 7500 Wilde Eenden.

Aan de IJsselmeerkust o.a. de volgende aantallen: 7 november 1964 bij Kornwerderzand 2500 tot 3000 exemplaren en 30 oktober 1971 tussen de Makkumer Waarden en Kornwerderzand ruim 1000 exemplaren (A. 2). Hierbij nog de aantekening dat het aantal waarschijnlijk aanzienlijk hoger is daar een groot gedeelte van de vogels tussen de biezen van de waard niet is waar te nemen.

De Wilde Eenden paren reeds in de winter en na het invallen van de dooi en het verdwijnen van sneeuw en ijs lossen de concentraties zich op in paren welke dan in de broedgebieden zijn terug te vinden.

Uit ringgegevens, beschikbaar gesteld door het Vogeltrekstation te Arnhem, volgen hierna de terugmeldingen over de periode van 1911-1974.

Van de als nestjong in Friesland geringde Wilde Eenden werden in deze provincie 13 exemplaren teruggemeld en wel in de maanden januari (1), februari (1), augustus (3), september (4), oktober (3), december (1). De enige buitenlandse terugmelding in deze categorie is afkomstig uit Groot-Brittannië t.w. een exemplaar in december.

Van de als nestjong in overig Nederland geringde vogels werden vijf in Friesland teruggemeld respectievelijk 1 in augustus, 2 in september en 2 in december.

Het grootste aantal terugmeldingen betreft vogels die als volgroeid in Friesland werden geringd:

Teruggemeld	in de maanden												
	I	II	III	IV	V	VI	VII	VIII	IX	X	XI	XII	Totaal
Friesland	48	23	13	19	12	8	15	46	45	83	47	53	412
Overig Nederland	9	4	1	1	1	2	4	12	6	7	15	14	76
Groot Brittannië	9		1							7	1	1	19
Oostenrijk								1					1
Balkan								1					1
Spanje			1										1
Rusland			1	3	1			9	6	1	1		22
Frankrijk	27	19	2	1			2		1		1	17	70
Denemarken			1					1	3	2	5	6	18
Zweden								9	2	1			12
Finland				1	2			6	4	1			14
Polen								1					1
Duitsland	6	1		1	1		1	5	1	2	6	3	27
Totaal	99	47	20	26	17	10	22	91	68	104	76	94	674

Uit deze cijfers blijkt duidelijk dat vooral de periode waarop deze eend mag worden bejaagd (augustus tot eind januari) in Nederland het grootste aantal terugmeldingen oplevert. Ook dat veel van onze eenden standvogels zijn, daar een zeer groot gedeelte van de hier geringde vogels ook weer hier wordt teruggemeld. Helaas ontbreken hier de ringdata waardoor het niet mogelijk is na te gaan of de vanuit het buitenland teruggemelde vogels daar mogelijk broedvogel zijn of als zwerfvogel daar terecht zijn gekomen.
Van de als volgroeide vogel elders in Nederland geringde Wilde Eenden werden in Friesland 166 teruggemeld, verdeeld als volgt over de maanden:

Maand	I	II	III	IV	V	VI	VII	VIII	IX	X	XI	XII
Aantal ex.	19	2	3	3	5	4	6	19	20	33	27	25

Het zou interessant zijn om na te gaan waar de vele hier gevonden in het buitenland geringde vogels vandaan komen. Een zeer tijdrovende zaak die mogelijk nog eens ter hand kan worden genomen.

W. de J.

Wintertaling - *Anas crecca crecca* Linnaeus

Piiptjilling
Oare nammen: Pyptjilling (pyp of piip nei it hege, muzikale lûd dat er soms makket), Poepetjilling, Blautjilling (nei de griisblauwe kleur fan 'e siden), Krik, Krikje, Kriktjilling. De lêste nammen binne onomatopéen, ûntliend oan de maitiidsrop fan it jerkje, dy't ús yn 'e earen klinkt as: krrit, kriik (forgelykje ek: crecca). De namme Lytse Tjilling is jown troch forgelykjen mei de simmertjilling, dy't justjes greater is.
De etymology fan tjilling (ek tsjilling) is tige ûnwis. Yn it Middel-Nederlânsk is it têlink. It is in ôflieding fan in koarter wurd, dat noch yn it Ingelske „teal" fuortlibbet. Mooglik is de grounfoarm *taili-. Dan is der oansluting mei it Yndogermaenske *doil-, in ôflieding fan 'e stam *dei-, *doi-, dat glânzgje, strielje bitsjut. De oarspronklike bitsjutting is dan: de blinkende, bûntglânzgjende fûgel (W. J. Buma, Us Wurk 23, 1974, 91). (J.B.).

Jaarvogel.

De Wintertaling is 's winters in zeer groot aantal en 's zomers in vrij groot aantal in Friesland aanwezig. De soort is tevens een vrij schaarse of mogelijk vrij talrijke broedvogel, die vooral op drassige heidevelden en in het nog resterende hoogveengebied in het oosten van de provincie broedt. Elders zijn ook broedgevallen bekend in of in de omgeving van eendenkooien, in laagveenmoerassen, op schrale graslanden en op buitendijkse terreinen.
De oudste opgaven over het voorkomen in Friesland dateren uit 1866, toen Albarda vermeldde dat enkele paren broedden op lage met elzen, „wolwilgen" en gagel begroeide plaatsen in de heidevelden en veengronden. Verder werd nog vermeld dat de Wintertalingen toen in ontelbare menigte doortrokken van augustus tot dat strenge vorst inviel en in maart en april. Enige jaren tevoren werden in een eendenkooi onder Anjum 1500 stuks op één dag gevangen. Haverschmidt vermeldde de soort in 1942 alleen als broedend in Z.O. Friesland, met als enige voorbeeld Oosterwolde, waar op 11 juni 1934 een jonge vogel werd geringd (Lim. 13, 1940, 137).
Het is niet mogelijk om op basis van de beschikbare gegevens thans een schatting te maken van het aantal paren dat in Friesland broedt. Er zijn slechts drie blokken waarvan het aantal broedparen exact is opgegeven, namelijk 1 paar in 10-37 (Sneek), 19 paar in 11-34 (Tijnje) en 25 paar in 11-35 (Beetsterzwaag). In hetzelfde inventarisatie-jaar (1973) waren in blok 11-38 (Haulerwijk) blijkens een globale schatting 5 tot 10 broedparen aanwezig (A. 18).
Nestvondsten zijn onder meer gemeld uit het oostelijk deel van Friesland, namelijk in de blokken 11-56 (Nijeberkoop) en 11-57 (Elsloo) (A. 18).

Ook in vroegere jaren broedden er geregeld Wintertalingen in deze beide telgebieden, namelijk respectievelijk in het Diaconieveen en op de Dellebuursterheide onder Oldeberkoop. In laatstgenoemde gebied werden in mei 1942 9 of 10 legsels gevonden (A. 1) en in juni 1959 5 wijfjes met jongen gezien (A. 19).

Andere gerenommeerde broedgebieden zijn de heide van Duurswoude en het Fochteloërveen. In het eerstgenoemde gebied huisden in 1968 tenminste 10 broedparen. In het Fochteloërveen broeden de talingen zowel op Drents als op Fries gebied. Er waren in 1967 in totaal wellicht ± 100 paren (A. 2). In 1964 en 1966 waren blijkens eigen waarnemingen in het Friese deel tenminste 20 broedparen aanwezig; in 1971 werden er tijdens een onvolledige telling ± 10 paren gezien. Behalve uit de eerdergenoemde gebieden zijn blijkens de archief-gegevens van Bosch (A. 1) en De Jong (A. 2) uit voorgaande jaren ook broedgevallen bekend uit de omgeving van Beetsterzwaag (1967), Terwispel (1951), Oosterwolde (1966), Katlijk (1963), Oldeberkoop (1943, 1965 en 1966), Appelscha (1966) en Twijzel (1975). Een in 1964 gemelde nestvondst bij Jubbega-Schurega lijkt, gelet op de voor deze soort uitzonderlijk vroege legdatum (6 eieren op 15 maart) vrij dubieus.

In andere delen van Friesland zijn slechts drie zekere broedgevallen bekend, namelijk een nestvondst tussen Leeuwarden, Tietjerk en Suawoude in 1906 (Verslagen en Mededelingen N.O.V. 4, 1907, 20) en waarnemingen van een wijfje met jongen bij Wijnaldum en bij Ried, beide in 1967 (A. 2).

Verder zijn er nog enkele opgaven over „broedvogels" en waarschijnlijke „broedvogels" zonder dat er concrete broedgevallen zijn vermeld, namelijk langs het Grootdiep, ten oosten van Dokkum, omstreeks 1970 (G. 5), in of bij de eendenkooi te Oude Miede in 1944 (A. 3), bij Grouw in en vóór 1968 (A. 2), in het Schar bij St. Johannesga in 1944 en 1972 (achtereenvolgens A. 3 en A. 2) en bij de Morra en de Vogelhoek omstreeks 1964 (G. 5). Het lijkt tevens aannemelijk dat geregeld tenminste enkele van de in de laatste jaren in het broedseizoen in het Friese deel van het voormalige Lauwerszeegebied waargenomen Wintertalingen ter plaatse plegen te broeden. Er werd namelijk op 13 juni 1968 een legsel van deze soort op de Zoutkamperplaat gevonden (A. 15). Tenslotte zijn een aantal waarnemingen in het broedseizoen bekend die mogelijk op broedvogels of op toekomstige broedvogels betrekking hebben. De term „toekomstige broedvogels" is gebruikt omdat van andere eendachtigen, zoals de Kuifeend, bekend is dat vaak overzomerende niet broedende vogels zijn gezien op plaatsen

197

waar één of twee jaar later broedgevallen zijn vastgesteld. Het is niet bekend of dit gedrag ook bij Wintertalingen voorkomt. Er dient echter rekening te worden gehouden met de mogelijkheid dat dit zo is. Een vermelding van overzomeraars lijkt daarom zinvol. De waarnemingen zijn in geografische volgorde gerangschikt:

Rinsumageest	27 juni 1931 1 paar (A. 1)
Pietersbierum	10 juni 1967: 1 paar (A. 2)
Sexbierum	1967, tot 15 juni: 1 paar, hetzelfde? (idem)
Giekerk	juni 1960: enkele ex. in eendenkooi (A. 1)
Grote Wielen bij	
Giekerk	1 juni 1967: 1 paar (A. 2)
Warga	29 juni 1968: 1 paar (idem)
Hoge Warren	
(zuidelijk)	zomer 1930: 1 ex. (A. 1)
Nannewijd bij	
Oudehaske	19 juni 1952: 1 paar (idem)
Lindevallei bij	
De Blesse	10 mei 1942: 1 paar (idem)

Over de overige op de *verspreidingskaart* aangegeven broedplaatsen en waarschijnlijke of mogelijke broedplaatsen ontbreken helaas ook uit voorgaande jaren nadere gegevens. Samenvattend mag echter worden gesteld dat het aantal broedparen in Friesland in de loop van deze eeuw zeer waarschijnlijk is toegenomen. Het broeden blijkt gelukkig niet alleen meer beperkt te zijn tot het zuidoostelijk deel van de provincie. Het totale aantal broedparen bedraagt thans minimaal 100 en maximaal 350.

De eerste eieren blijken meestal in de tweede helft van april te worden gevonden. Het merendeel van de Wintertalingen legt echter pas in mei en ook in juni worden vaak nog legsels aangetroffen. Er zijn dan echter ook reeds verscheidene jongen aanwezig. De mannetjes zoeken in deze tijd geïsoleerde plaatsen op, waar zij rustig kunnen ruien. Dit gebeurt vaak in troepverband. Zo werden op 18 juni 1960 ± 20 Wintertalingen gezien nabij Eernewoude. Hierbij waren tenminste vijftien ruiende mannetjes (A. 2). De wijfjes ruien pas later, als de jongen vliegvlug zijn.

Na de broedtijd worden vooral langs de IJsselmeerkust vaak grote aantallen Wintertalingen gezien. Deze vogels zijn stellig voor een belangrijk deel uit andere landen afkomstig, waarover later meer. Met name de omgeving van Makkum en Piaam is bij deze soort zeer in trek. Dit is kennelijk reeds geruime tijd het geval, getuige het feit dat in 1937 in elk van de beide eendenkooien te Piaam gedurende enkele dagen 1100 tot 1200 Wintertalingen werden buitgemaakt. Vóór de dichting van de Afsluitdijk (1932)

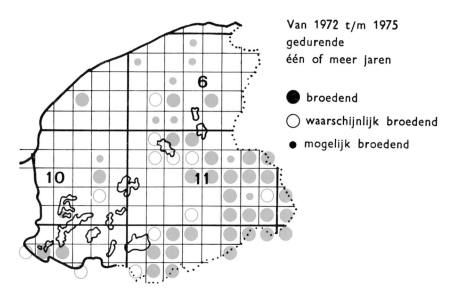

Van 1972 t/m 1975
gedurende
één of meer jaren

● broedend

○ waarschijnlijk broedend

• mogelijk broedend

werden hier blijkens inlichtingen van de toenmalige kooikers beduidend minder talingen gezien. Er dient nog te worden opgemerkt dat 1937 door hen als een uitgesproken topjaar werd beschouwd. Dat ook later nog vaak grote aantallen Wintertalingen in deze omgeving verblijf hielden, blijkt onder andere uit het feit dat op 2 september 1958 zowel bij Makkum als bij Piaam ± 3000 exemplaren werden gezien, terwijl op 12 november 1957 te Piaam zelfs ± 8700 Wintertalingen werden geteld (A. 1). Een andere plaats waar meermalen grote aantallen zijn gezien, is de Workumerwaard met bijvoorbeeld ± 1500 ex. op 12 augustus 1958 en ± 2800 ex. op 15 september 1959 (A. 1). Ook de kust van Gaasterland blijkt sterk in trek te zijn. Daar werden in 1959 op 1 september ± 4500 ex. gezien op de Steile Bank onder Nijemirdum en op 29 september ± 2000 ex. bij de Mokkebank onder Laaxum (A.1). In de laatste tijd zijn de aantallen langs de IJsselmeerkust kleiner geworden, daarentegen worden thans in de Lauwerszeepolder duizenden ex.geteld (A. 5), zoals op 14 november 1975 40.000 à 50.000 ex. (A. 21).

In het Friese binnenland worden nu in tegenstelling tot vroeger buiten de eendenkooien blijkbaar vrij weinig concentraties van meer dan enkele tientallen Wintertalingen gezien. Dit hangt ongetwijfeld samen met de sterke vermindering van de oppervlakte geschikte biotoop in de vorm van ondergelopen land. Waar dit laatste tijdelijk nog wel aanwezig is, worden echter

vaak nog vrij grote troepen bijeen gezien, zoals op 12 december 1964 ±
500 ex. op een opgespoten terrein bij Leeuwarden en 26 oktober 1968 ±
200 op een zelfde gebied elders bij deze stad (A. 2). Dat ook in de kooien
in het binnenland soms grote aantallen van deze talingen verblijven, blijkt
uit de opgave dat op 5 november 1944 ± 1000 ex. werden geteld in de
kooi bij Oude Miede onder Tietjerk (A. 3).
In de wintermaanden verblijven er meestal beduidend minder talingen in
Friesland. In de loop van maart neemt het aantal meestal echter weer sterk
toe. Zo werden er op 22 maart 1969 zelfs ± 1000 ex. geteld op een
opgespoten terrein bij Leeuwarden (A. 2). Langs de kust worden in maart
en april vaak grote aantallen doortrekkers gezien. Soms komen er zelfs in
mei nog vrij grote concentraties voor, zoals de ± 200 ex. op de Kooiwaard
bij Piaam op 7 mei 1944 (A. 3). In de laagveenmoerassen worden meestal
slechts kleinere aantallen gezien, zoals in de Rottige Meenthe bij Nijetrijne
± 80 op 26 oktober 1972 en ± 30 op 15 januari 1972. Ook langs de
Waddenkust zijn de aantallen blijkens de beschikbare gegevens blijkbaar
meestal weinig spectaculair. Zo werden er op 14 maart 1957 ± 15 stuks
bij Dokkumer Nieuwezijlen gesignaleerd en ± 90 op het Noorderleeg in
begin september 1967 (G. 5). Ook langs de Waddenkust veel!

De sterke aantrekkingskracht die sommige eendenkooien op deze soort
blijken of bleken uit te oefenen, kwam hiervoor reeds enkele keren ter
sprake. In dit verband dient echter nog te worden gewezen op de grote
betekenis die enkele Friese eendenkooien en met name vooral de westelijke
eendenkooi te Piaam hebben gehad voor het wetenschappelijk ringonderzoek. De kooivangsten in laatsgenoemde kooi zijn nu overigens, conform
de laatste wil van de vroegere eigenaar - de helaas vrij jong overleden
bekende natuurbeschermer H. H. Buisman (1904-1963) - inmiddels geheel
gestaakt.

Het ringen heeft veel interessante informatie opgeleverd over de herkomst,
het trekgedrag, de leeftijden en de doodsoorzaken van de betrokken vogels.
Vermeldenswaard zijn in dit verband ook de verplaatsingsproeven, waarbij
in Piaam geringde vogels naar Zwitserland werden getransporteerd en daar
op het vliegveld van Zürich losgelaten. Het voert echter helaas te ver om
hierop in deze strikt Friese Avifauna nader in te gaan. Verwezen wordt
naar de publikatie van Wolff (1966). Het is wel belangrijk om wat meer te
weten over de herkomst en het normale trekgedrag van de in deze provincie gevangen vogels. Het Vogeltrekstation te Arnhem stelde de ringresultaten in tabelvorm beschikbaar:

Van de in Friesland als volgroeide vogel geringde Wintertalingen Teruggemeld in	maanden											
	I	II	III	IV	V	VI	VII	VIII	IX	X	XI	XII
Friesland	2	1	1				1	7	18	53	18	18
Overig Nederland	10		1	1				6	24	24	24	19
Groot Brittanië	143	37	9	1				3	24	35	35	63
Ierland	47	30	2			1		4	9	9	8	41
België		4	2	2				2	2	1		
Frankrijk	91	71	32			2	3	9	9	12	27	74
Zwitserland											1	
Spanje	5	4	1							3	10	7
Portugal	1	2							1	1	1	1
Italië		3	5	2				1.			1	1
Bulgarije		1										
Albanië		1										
Midden-Oosten		1										
Afrika												1
Duitsland						2	1	6	8	7	3	2
Denemarken								25	18	14	5	4
Noorwegen				1		2		2				
Zweden				1	1		1	16	4	2		
Finland			2	3	1		2	10	3			
Polen					1		3	2	1	1		
Rusland			1	7	18	1	1	28	13	1		
Op zee							1					

De aantallen Wintertalingen zijn in de zomermaanden gering. Meest eenlingen, paren of groepjes tot een vijftal exemplaren. Omstreeks eind augustus, begin september nemen de aantallen toe en zijn troepen van enige honderden geen uitzondering. Het totaal aantal aanwezige Wintertalingen ligt dan tussen de 1000 en 2000 ex. In november zijn de aantallen het grootst en zijn in het kweldergebied tussen Zwarte Haan en Holwerd meerdere groepen van enige duizenden exemplaren waar te nemen. Het maximale aantal aanwezige Wintertalingen ligt tussen de vijf- en zevenduizend exemplaren.

Het is niet onmogelijk dat de aantallen aanmerkelijk hoger liggen daar de talingen zich bij verstoring over grote afstanden verplaatsen en bij niet te hoge vloeden op het water tussen de vegetatie blijven overtijen (A. 2).

Deze gegevens suggereren, dat de in Friesland gevangen Wintertalingen merendeels uit de Scandinavische landen en uit Oost-Europa afkomstig zijn

Wintertaling als overwinteraar in Eernewoude - D. Franke.

en dat zij vooral in Groot-Brittanië, Ierland en Frankrijk overwinteren. Een deel der vogels trekt echter blijkbaar verder weg. Het is helaas niet bekend in hoeverre de in Friesland geboren talingen een vergelijkbaar trekgedrag vertonen. Er is namelijk slechts één gegeven bekend van een als ,,nestjong'' in deze provincie geringde Wintertaling. Deze werd in augustus elders in Nederland teruggemeld. Verder kan nog worden vermeld dat 30 elders in Nederland als volgroeide vogels geringde Wintertalingen in Friesland werden teruggemeld (1 in februari, 1 in maart, 3 in augustus, 7 in september, 7 in oktober, 9 in november en 2 in december). Ook deze gegevens bevestigen dat hier in september, oktober en november de grootste aantallen Wintertalingen plegen te verblijven.

Uit de door de kooiker H. F. Jongepier beschikbaar gestelde ringresultaten van in Piaam geringde en ter plaatse losgelaten Wintertalingen blijkt dat het overgrote deel van de betrokken 684 vogels, namelijk 518 exemplaren, als geschoten is teruggemeld. Het aantal geschoten vogels is in feite stellig nog beduidend hoger, omdat ongetwijfeld ook een aanzienlijk aantal van de in totaal 126 als ,,bemachtigd'', ,,dood gevonden'' en ,,bij poelier aangetroffen'' teruggemelde vogels in deze categorie thuis hoort. Bij laatstgenoemde vogels (in totaal 27 stuks) waren stellig ook exemplaren, die in eendenkooien zijn gedood. Het aantal als in eendenkooien gevangen en

gedood teruggemelde vogels is overigens verrassend laag. Er werden namelijk slechts drie exemplaren nadrukkelijk als zodanig vermeld, terwijl tien
andere als gevangen opgegeven exemplaren mogelijk hetzelfde lot hebben
ondergaan. Daarentegen werden 34 in Piaam geringde vogels elders gevangen en weer losgelaten. Min of meer uitzonderlijk waren de terugmeldingen
van een Wintertaling die door een hond werd gevangen en van twee exemplaren, die dood in bisamklemmen werden aangetroffen.
Van de in Piaam geringde Wintertalingen werd circa 88% binnen twee
jaar na de ringdatum teruggemeld. De ,,oudste'' terugmeldingen hebben
betrekking op twee vogels die in het zesde jaar na het ringen werden
teruggemeld. De meeste vogels stierven dus kennelijk al jong. Het is triest
om daarbij te bedenken dat de in Nederland door jagers en kooikers gedo-
de Wintertalingen na de oorlog merendeels minder dan ƒ 0,75 per stuk
hebben opgebracht. Nog triester is echter, dat grote aantallen in Nederland
gevangen Wintertalingen levend naar landen als Frankrijk, Italië en Joegoslavië zijn geëxporteerd om daar - vaak nat gemaakt om de trefkans te
verhogen vlak voor de geweren van schietgrage lieden te worden losgelaten. Deze praktijken schijnen nog steeds niet tot het verleden te behoren.

S.B.

Siberische Taling - *Anas formosa* Georgi

Sibearyske Tjilling

Dwaalgast.

De Siberische Taling komt als broedvogel voor in Noordoost-Siberië van
Kamtschatka tot aan de boomgrens, tot het noorden van het Baikalmeer en
aan de Zuidkust van de Zee van Ochotsk.
De soort overwintert vooral in Japan en Zuidoost-China tot op Formosa en
wordt dikwijls ver buiten de normale trekroute aangetroffen, b.v. in Indo-
nesië en West-Siberië. De vogel is dwaalgast tot in Alaska, Westelijk
Noord-Amerika en West-Europa.
De Siberische taling wordt in West-Europa vrij veel in gevangenschap - op
vijvers van parken en buitenverblijven - gehouden. Het is niet uitgesloten
dat één of meer van onderstaande vondsten betrekking hebben op uit gevangenschap ontsnapte exemplaren.
In Nederland zijn acht vondsten en één waarneming geregistreerd (AVN
(1970)). Drie vondsten hebben betrekking op Friesland:

half maart 1913	1 ♀ ex. ergens in Friesland gevangen, coll. RML (Jaarbericht C.N.V., 3, 1913, 21)
30 september (ook genoemd 1 en 2 oktober) 1941	1 ♂ ex. gevangen in de eendenkooi te Piaam (Lim. 14, 1941, 124)
29 november 1948	1 ♂ ex. gevangen in de eendenkooi te Damwoude (Dantuma-woude), coll. FNM (Van. 1, 1948, 4)

In het FNM te Leeuwarden bevinden zich nog twee opgezette ♂ exemplaren van onbekende afkomst (waarschijnlijk is één daarvan dat van 30 september 1941).

J.A. de V.

Zomertaling - *Anas querquedula* (Linnaeus)

Skiertjilling

Oare nammen: T(s)jilling, Greate T(s)jilling, Skierdôper, Skierdôbber; stedfrysk: Teling, Skierteling; Albarda: Schierteling. De namme „skier" kriget de ein fan de ljochte sydkanten. De namme Greate Tjilling is allinne mar to forklearjen troch forgeliking mei de Piiptjilling. (J.B.)

Zomervogel; vrij schaarse tot vrij talrijke broedvogel; doortrekker in vrij groot aantal.

De Zomertaling komt verspreid over de gehele provincie Friesland (hoewel nergens algemeen) voor. De broedplaatsen liggen in en nabij plassen met zoet en voedselrijk water en goede dekking, zoals meren, petgaten, vennen, sloten, vijvers, vaarten en „dobben". Voorts op vochtige hooi- en graslanden, in moerasgebieden, op de waarden langs het IJsselmeer, in rietvelden en ook op vochtige bouwlanden en vochtige heide. Een afwijkende en tijdelijke biotoop wordt gevormd door opgespoten terreinen. Als illustratie van de optimale biotoop kan een citaat dienen uit De Stoppelaar (Wat leeft en groeit, deel 3). „Tot het gebied, dat ik geregeld met mijn bootje bezoek, behoort ook een lapje weide, dat vroeger een meertje was. Prima kwaliteit grasland is het *niet*. Het is vol bulten en gaten en allerlei scherpe harde grassen groeien er, vooral zeggen en russen tieren er overvloedig. Maar 't is een fijn oord voor de eenden. Wanneer ik tegen 't eind van april er langs vaar, zie ik geregeld zo'n zomertalingwoerdje, hoog op 't water, zenuwachtig omdraaien en keren om zijn as, en weet dan hoe laat het is. Dan zit daar in een zeggepol zijn wijfje op enige eieren en kostelijk is het die lichtgele doppen in 't donkere dons te zien liggen in de zon".

Voorwaarden die bepalend zijn voor het broedgebied zijn de vochtigheid

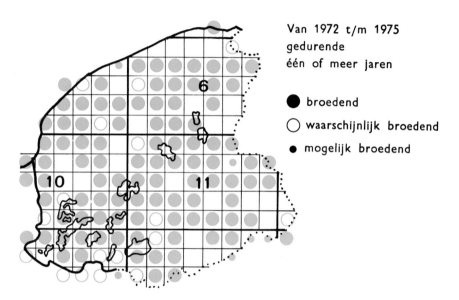

Van 1972 t/m 1975
gedurende
één of meer jaren

● broedend

○ waarschijnlijk broedend

• mogelijk broedend

van het terrein, de ruigte van de vegetatie (voor dekking en nestbouw) en de voedselsituatie: de soort gebruikt zowel dierlijk als plantaardig voedsel. Hoe meer aan deze voorwaarden wordt voldaan, des te groter is de broeddichtheid.

Albarda (1884) vermeldt dat de Zomertaling vooral op de klei, in riet en aan slootkanten broedt. Brouwer (1948) constateert dat enkele paartjes van de Zomertaling in het boezemland van het gebied rondom Eernewoude broeden. Lebret (1952) signaleert dat de rasperige roep der woerdjes van de Zomertaling in de maand mei op menige plaats te horen is. Bosch (Van. 9, 1956, 63) schrijft dat de Zomertaling broedvogel is in Friesland aan zoetwaterplassen en meren, vooral in het laagveengebied, maar ook hier en daar in het polderland. Hij noemt de navolgende plaatsen: Akkerwoude, Akkrum, Beers, Bergum, het Bildt, De Blesse, Drachten, Gorredijk, Hardegarijp, Heidenschap, Heeg, Jelsum-Cornjum-Britsum, Oldeboorn, Oldelamer, Oosterzee-Echten, Oost-Dongeradeel, Oude- en Nieuwehorne, Rinsumageest, Sneek en Wolvega.

Voorkeur voor een bepaalde grondsoort is moeilijk vast te stellen. Als zandgronden vochtig genoeg zijn, komt de soort daar als broedvogel voor, maar op de klei en in het laagveengebied is hij talrijker.

Uit overzichten van de stand van de Zomertaling (1956 t/m 1971) als broedvogel in ,,wachtgebieden'' van bij de B.F.V.W. aangesloten Vogelbeschermingswachten (Vanellus) blijkt dat de soort in één of meer jaren in meer dan zestig wachtgebieden door nestvondsten is vastgesteld, onder andere bij de volgende plaatsen: kleigebied in het noordoosten (Anjum, Holwerd), in het noorden (Stiens, Hallum/Marrum), in het noordwesten (Berlikum, Minnertsga), in het centrum (Rauwerd, Gauw), in het westen (Bolsward) en in het zuiden (Lemmer); laagveengebied in het noorden (Tietjerk, Veenwouden), in het centrum (Nij Beets, Goïngarijp) en in het zuiden (Olde- en Nijelamer); zandgrond in het noordoosten (Eestrum, Augustinusga), in het oosten (Opeinde, Bakkeveen) en in het zuidoosten (Elsloo, Oldeberkoop).

In bijna alle delen van Friesland komt de Zomertaling als broedvogel voor, wat duidelijk blijkt uit de verspreidingskaart (A. 18). Tijdens de 5×5 km blokkeninventarisatie zijn voor sommige blokken schattingen gedaan van het aantal broedparen van de soort. In de navolgende blokken werd het aantal broedgevallen van de Zomertaling geschat op 11 of meer. 5-37 (Sint Annaparochie, 1972); 5-45 (Sexbierum, 1975); 5-48 (Beetgum/Marssum, 1972); 5-58 (Deinum/Hijlaard, 1972); 6-32 (Oudkerk, 1975); 6-41 (Jelsum, 1972); 6-47 (Giekerk, 1972); 11-12 (Warga/Wartena, 1972); 11-14 (Oudega (Sm.), 1973/1974); 11-16 (Drachtster Compagnie, 1973); 11-32 (Oldeboorn, 1973); 11-34 (Tijnje/Nijbeets, 1973/1974); 11-37 (Duurswoude, 1974); 16-11 (Ouwster-Nijega, 1972); 15-17 (Tjerkgaast, 1972); 10-57 (Woudsend, 1973); 10-56 (Gaastmeer, 1973); 10-44 (Workum, 1972/1973); 10-24 (Wons, 1973/1975).

Aan de hand van de gegevens in de literatuur is het niet goed mogelijk na te gaan in hoeverre de Zomertaling in de loop van de tijd afgenomen is als broedvogel in Friesland. Er zijn slechts enkele aanwijzingen. Zo geeft Brouwer (1948) een indicatie betreffende het Princehof onder Eernewoude: ,,In vroeger jaren misschien iets talrijker, gezien de vondsten van De Vries in 1906 (Versl. Meded. N.O.V. nr. 4, 1907, 20)''. Achteruitgang van de soort wordt gesuggereerd uit de navolgende aantekeningen (A. 1): 1952 - ,,Sporadisch broedend te Goïngarijp, vroeger veel''. 1960 - ,,In Hommerts kwamen ze enkele jaren terug niet meer voor. In mijn jongensjaren veel''.

Men kan zich niet aan de indruk onttrekken, dat de Friese populatie van de Zomertaling plaatselijk afneemt; deze achteruitgang van de soort als broedvogel kan zich voortzetten. Immers, de vóór 1945 slechts langzaam voortgaande veranderingen in het landschap, maakten plaats voor steeds snellere en meer plotselinge veranderingen, door het gebruik van steeds meer en modernere machines in het boerenbedrijf, door de opkomst van kunstmeststoffen, door betere ontsluiting van de landerijen en door de stichting van nieuwe gemalen, waardoor bepaalde landschappen veranderd zijn. Deze veranderingen hebben plaatselijk hun weerslag op de broedvogelpopulatie van onder meer de Zomertaling.

De wezenlijke voorwaarden voor de broedbiotoop van de Zomertaling (de vochtigheid van het gebied, de ruigte van het terrein en de voedselsituatie) werden en worden aangetast door onder meer de navolgende factoren: polderpeil-verlagingen, gebruik van anorganische meststoffen en van chemische stoffen en moderne landbewerking als egalisatie, drainage, bezanding, diepploegen en fraisen. Behalve door het verdwijnen van de biotoop neemt het aantal broedparen van de soort de laatste jaren waarschijnlijk ook af als gevolg van het stukmaaien van vele broedsels. Tenslotte zullen diverse facetten van de toenemende waterrecreatie ook een ongunstige invloed op het broedbestand van de soort hebben.

Uit ervaring en uit verhalen van boeren en eierzoekers blijkt dat de Zomertaling de laatste jaren minder voorkomt dan vijftien tot dertig jaar geleden. Uit de overzichten van de BFVW-inlichtingendienst over de stand van de Zomertaling als broedvogel in de wachtgebieden van de Vogelbeschermingswachten blijkt ook de steeds verdergaande achteruitgang van de soort. De Zomertaling zal zich als broedvogel wel handhaven (en misschien toenemen) in de natuurmonumenten en weidevogelreservaten in Friesland, welke een passende biotoop voor deze eend vormen.

De voorjaarstrek van de Zomertaling vindt plaats van begin maart tot in april en de najaarstrek van eind juli tot eind september. Lebret (1952) deelt over de najaarstrek mede: In het laatst van juli heeft reeds aanvoer van Zomertalingen plaats, terwijl van deze soort in september de laatsten vertrekken.

De volgende vroege waarnemingen zijn het vermelden waard:

7 februari 1968	1 ♂ ex. en 1 ♀ ex. op onder water gelopen land in de Bullepolder onder Leeuwarden (Van. 21, 1968, 31)
1 maart 1960	3 ex. op de Workumerwaard (G. 5)
2 maart 1975	1 ♂ ex. onder Rohel bij het Tjeukemeer (Van. 28, 1975, 100)
4 maart 1938	1 paar in het Princehof onder Eernewoude (Brouwer, 1948)
5 maart 1969	1 paar op de Houtwiel onder Veenwouden (A. 2)
6 maart 1973	Minstens 2 paar in de Hemrikpolder onder Leeuwarden (Van. 26, 1973, 86)
9 maart 1938	1 ♂ ex. bij de Afsluitdijk (A. 1)
10 maart 1953	±30 ex. bij Akkerwoude (A. 4)
10 maart 1969	2 ♂ ex. en 1 ♀ ex. in een poeltje onder Nijland (A. 2)
11 maart 1964	1 paar in de Bullepolder onder Leeuwarden (idem)
12 maart 1957	8 ex. in de haven van Harlingen bij de Zuiderpier (A. 19)

12 maart 1972	1 paar onder IJlst (Van. 25, 1972, 62)
14 maart 1957	2 ex. in kwelders bij Dokkumer Nieuwezijlen (G. 5)
15 maart 1960	10 ex. op de Steile Bank onder Nijemirdum (idem)
15 maart 1960	10 ex. op de Workumerwaard (idem)
16 maart 1927	1 ♂ ex. bij Opeinde (Ard. 17, 1928, 32)
17 maart 1923	2 paar Zuidwestkant Tjeukemeer (Van. 26, 1973, 86)
18 maart 1972	1 paar in de Rottige Meenthe onder Nijetrijne (G. 5)
19 maart 1926	2 paar bij Opeinde (Ard. 17, 1928, 32)

De vroegste waarneming in Nederland is volgens AVN (1970) 3 februari 1967 (Brabantse Biesbosch).
Data van late waarnemingen in Friesland zijn:

14 september 1975	± 25 ex. op de Stoenkharne onder Hindeloopen (dagboek P.W. Bouma)
18 september 1971	2 ♂ ex. en 1 ♀ ex. in een vaart onder Ritsumazijl (A. 2)
18 september 1944	Enkele ex. in het Princehof onder Eernewoude (A. 3)
20 september 1960	2 ex. op de Grote Wielen onder Giekerk (A. 19)
28 september 1952	25 ex. op het Sneekermeer (idem)
2 oktober 1969	„Nog honderden langs kust IJsselmeer" (A. 2)
23 oktober 1956	1 ♂ ex. Friesland (Lim. 30, 1957, 105)
29 oktober 1960	1 ex. in de Rottige Meenthe onder Nijetrijne (G. 5)
12 november 1937	Een poelier te Leeuwarden ontvangt 1 ex. uit een eendenkooi (A. 1)
december 1953	1 ex. Friesland, (Lim. 27, 1954, 100) geringd 6 augustus 1953 te Giethoorn

Volgens AVN (1970) zijn er verscheidene oktober-, vier november- en drie decemberwaarnemingen in Nederland gedaan.
De Zomertaling overwintert in het Middellandse Zeegebied en vooral in tropisch Afrika en in Zuid-Azië. De hierna opgenomen tabel (Vogeltrekstation Arnhem), geeft terugmeldingen van als volgroeide vogel in Friesland geringde Zomertalingen. De tabel biedt een fraai beeld van de trekroute en het overwinteringsgebied van de soort en van de landen van herkomst van in Friesland doortrekkende Zomertalingen.

Uit Afrika waar veel Zomertalingen overwinteren, zijn geen gegevens betreffende Friese vogels bekend, vermoedelijk omdat daar de jachtdruk geringer is.
Tijdens de trek komt de Zomertaling voor op modderige, ondiepe watervlakten. Hier zoekt de soort voedsel in plassen met onder meer een rijke begroeiing met waterplanten. Vooral vindt dit plaats op het ruime water langs de Friese Waddenkust en langs de IJsselmeerkust.
Als pleisterplaats voor de Zomertaling is de gehele kust van bijvoorbeeld

Korhoen   Fochteloo, - Prof. dr. J. P. Kruijt

Korhoen met jongen Fochteloo,   -   Prof. dr. J. P. Kruijt

Gaasterland (Tacozijl tot Mokkebank) aantrekkelijk door het ondiepe water, door de zandbanken en door de grillige lijn van de kust die veel fourageer- en schuilmogelijkheden bieden. In 1945 ontstond tijdens opkomend onweer met opstekende wind een sterke trek van Zomertalingen van de gehele kust vanaf Lemmer naar de dekking van de Mokkebank (A. 3).

Teruggemeld	in de maanden												
(1911-1974)	I	II	III	IV	V	VI	VII	VIII	IX	X	XI	XII	Totaal
Friesland								1	1			1	3
Overig Nederland								2	4	1			7
België								1					1
Polen								1					1
Engeland									1		1		2
Ierland	1										2		3
Frankrijk	1	1	1		1			2	4	1	1		12
Spanje			1										1
Italië			6	2				1					9
Joegoslavië			1										1
Hongarije			1										1
Roemenië			1										1
Europees Rusland				1	1			2	2	1			7
Aziatisch Rusland									1				1
Totaal	2	1	11	3	2			10	13	3	4	1	50

Het totale aantal van o.a. bij de Mokkebank verblijvende Zomertalingen gedurende de trektijd hangt af van het weer en in het bijzonder van de windrichting. De grootste aantallen zijn aanwezig wanneer de Mokkebank de opperwal vormt. Ook de Makkumer Noordwaard is aantrekkelijk voor de soort door het voedsel in het ondiepe water, door de luwte en door de schuilplaatsen in het riet en tussen de biezenpollen.
Enkele voorbeelden van aantallen langs de IJsselmeerkust:

30 juni 1955	± 50 ex. Workumerwaard buitendijks
22 maart 1957	20 à 30 paar Huitebuurster buitendijken-Steile Bank-Hondennest (onder Nijemirdum) (G. 5)
2 september 1958	± 700 ex. tussen Hindeloopen en Staveren (idem)
25 maart 1959	20 ex. Workumerwaard (idem)
1 en 2 september 1959	25 ex. Hondennest (idem)
7-13 augustus 1960	3000-5000 eenden, waarvan ongeveer een tiende deel Zomertalingen, Mokkebank en Kooiwaard (A. 3)
4 april 1968	± 40 ex. Zuidwaard onder Makkum (A. 2)
23 maart 1969	± 30 ex. Kooiwaard onder Piaam (idem)

Volgens D. 3 wordt de Zomertaling in kleine aantallen langs de Friese Waddenkust waargenomen: 24 maart 1973, 2 ex.; 18 augustus 1973, 15 ex. en 15 september 1973 59 ex.
Enkele waarnemingen uit het binnenland:

5 april 1927	± 20 ex. Zwemmer onder Dokkumer Nieuwezijlen (A. 12)
herfst 1936	troepen van 60 tot 100 ex. Jelsumer en Cornjumer Oudland (A. 1)
april 1956	koppels van 20 à 30 ex. Bokkumermeer onder Akkrum (idem)
31 maart 1968	5 ex. Grote Wielen onder Giekerk
26 maart 1964	20 ex. Rottige Meenthe onder Nijetrijne (G. 5)
10 april 1964	20 ex. dezelfde plaats (idem)
4 april 1969	10 ex. dezelfde plaats (idem)
27 augustus 1975	± 70 ex. Scharrewiel en Anewiel onder Goïngarijp

Ongeveer twintig jaar geleden werden er in de wateren rond Hommerts nog dikwijls honderden exemplaren (tot 500) gesignaleerd in augustus en september (mondelinge mededeling jager uit Midden-Friesland).
Er bestaan zekere overeenkomsten tussen de Zomertaling en de Slobeend. Beide soorten hebben een duidelijke voorkeur voor modderig, ondiep water en het plantaardig en dierlijk voedsel van de Zomertaling vertoont veel overeenkomst met dat van de Slobeend. Tijdens de trek in Friesland worden de soorten dan ook dikwijls samen gezien. De broedbiotoop van de soorten is voor een groot deel identiek, evenals de nestligging, hoewel de Slobeend in Friesland talrijker als broedvogel voorkomt dan de Zomertaling. Het blijkt dat beide soorten weinig in eendenkooien in Friesland worden gevangen. De Friese populatie van de Slobeend neemt om dezelfde redenen af als die van de Zomertaling. In Friese literatuur worden beide soorten dikwijls in één adem genoemd. Willem Johannes Koopmans (Oan it Heechhout, Akkrum 1968) spreekt in een ode aan „It Wetterlân" van: „Lân fan Reidhin, Merkol, Tsjilling en Slob".
Wat de jacht betreft vermeldt Albarda (1897) bij de Zomertaling: „Wordt slechts weinig in de eendenkooien gevangen". Lebret (1952) bevestigt deze mening meer dan een halve eeuw later door een samenvatting te geven van de vangst van alle Nederlandse eendenkooien tezamen. Volgens hem bestaat driekwart van de vangst uit Wilde Eenden, waaronder de inheemse vogels, de zg. zomereenden, ongeveer even talrijk zijn als de zg. wintereenden. Slechts één kwart van de totale kooivangst bestaat uit Wintertalingen en voorts nog wat Smienten, Zomertalingen, Pijlstaarten en Slobeenden. In het seizoen 1958/1959 bestond slechts 0,8% van de vangsten van 47 kooien in Nederland uit Zomertalingen (med. G.A. Brouwer).

Van exacte aantallen in de kooien van Friesland is weinig bekend. Brouwer (1948): „In de kooi onder Suawoude zag Lebret er in augustus/september 1944 tot 100 bijeen". Op 29 augustus 1944 32 ex. in kooi te Giekerk (A. 3). Op 20 april 1952 4 ex. geringd in kooi te Dantumawoude (A. 4). In augustus/september 1971 meerdere ex. in eendenkooi bij het Tjeukemeer (G. 5).

Uit gesprekken (september 1975) met een kooiker, eigenaar van een kooi in Midden-Friesland, blijkt dat er in zijn kooi weinig Zomertalingen gevangen worden (ongeveer 10 ex. per jaar). De kooiker meent, dat in het begin van deze eeuw meer exemplaren gevangen werden in deze kooi. Hij vertelde, dat in die tijd de familie van de kooiker eens per jaar bij elkaar kwam. Het hoogtepunt van de familiedag was het consumeren van een Zomertaling, door de familie als een bijzondere delicatesse beschouwd.

Trouwens ook „Amateur" (pseudoniem voor een bekende Friese jager en natuurschrijver) weet hierover mee te spreken in zijn boek „De jacht en al haar vreugden": „Van alle eendachtigen prefereer ik taling, in de pan en in de lucht. Ze smaken zo wilds en daar zijn we bij ons thuis allemaal gek op. En wat zijn het een prachtige vogels op het tableau, winter- en zomertalingen om het even".

Een handelaar in binnen- en buitenlands wild deed „De Heren Kooikers" in 1954 een aanbod om veertig cent per Taling te betalen. In 1959 zestig cent per stuk.

Uit gesprekken (september 1975) met jagers uit Akkrum, Grouw, Oudega (W.) en Joure (Midden-Friesland) blijkt dat de Zomertaling thans weinig of niet door hen wordt geschoten. Niet alleen de korte tijd (de jacht op de soort is opengesteld vanaf 18 augustus) dat de Zomertaling in de jachttijd in Friesland verblijft, maar ook het minder voorkomen van deze eend en het idee bij de jagers, dat de soort achteruit gaat, zijn hiervan de oorzaken. Plaatselijk echter zal de jacht op de soort intensiever zijn. Uit de gesprekken blijkt ook, dat vroeger meer exemplaren van de soort werden gedood. Op 12 augustus 1949 werd onder Leeuwarden een juv. ex. met een afwijkende lichtbruine kleur geschoten. Het bevindt zich in het FNM (Van. 2, 1949, 102).

Hoewel het rapen van eieren van de Zomertaling thans verboden is, werden deze voorheen (toen het „eierzoeken" langer toegestaan was) wel geraapt, zo blijkt uit ervaring en uit gesprekken met oudere „eierzoekers". De eieren werden aan de poelier aangeboden (A. 1) - 18 april 1918: „Eerste ei poelier", 8 april 1920: „1 ei bij poelier", 12 april 1920: „3 eieren", 26 april 1922: „Eerste ei poelier".

J.A. de V.

Blauwvleugeltaling - *Anas discors* Linnaeus

Blauwjuktjilling

Dwaalgast.

Als broedvogel komt de Blauwvleugeltaling voor in Oostelijk en Centraal Noord-Amerika en overwintert vooral in het zuiden van de Verenigde Staten en in Centraal-Amerika.

De Blauwvleugeltaling, door Snouckaert (1908) als „Amerikaansche Blauwvleugeltaling" aangeduid, werd door hem in Avifauna Neerlandica als volgt vermeld: „Van deze in Noord-Amerika wijdverbreide soort werd slechts éénmaal een exemplaar in Nederland waargenomen; dit stuk, een jong ♂ , werd 24 October 1899 in een eendenkooi bij Dockum (Friesland) gevangen en bevindt zich in mijne verzameling". De vogel werd door bemiddeling van Snouckaert bij een poelier te Leeuwarden aangekocht, gedetermineerd, opgezet en is thans in de collecties van Artis te Amsterdam. Ook de vogelkundige Ts. Gs. de Vries (1928) gebruikte de aanduiding „Amerikaansche Blauwvleugeltaling" en vermeldt in zijn Aves Frisicae: „Dizze Noard-Amerikaenske fûgel is wol yn Fryslân - mar yet net yn it oare diel fen Nederlân fongen". De Vries bedoelt waarschijnlijk de vangst bij Dokkum.

De vogels leggen tijdens de trek soms enorme afstanden af. De·eend is dwaalgast tot in Groenland, Chili, de Galápagos- en Bermuda-eilanden en West-Europa.

Naast de eerder genoemde vangst bij Dokkum zijn nog twee onbevestigde waarnemingen in Friesland bekend:

25 september 1951   2 ♂ ex. in de Zuidelijke Fluessen (A. 1)
28 oktober 1970   3 ex. op het Pikmeer onder Grouw (A. 2)

In beide gevallen is verwarring met de Zomertaling mogelijk. De AVN (1970 vermeldt voor overig Nederland nog één vondst en één waarneming en Sluiters (1975) schrijft „Drie maal in ons land aangetroffen".

J.A. de V.

Krakeend - *Anas strepera* Linnaeus

East-ein
De namme jowt oan dat de fûgel út it Easten komt. Ek: Ropein (strepera = roppend), Grypfûgel, Gryffûgel en Griet. Op Skylge: Noarse eintsjes. (J.B.)

Jaarvogel; vrij schaarse broedvogel.

212

Het verspreidingsgebied van de Krakeend is groot. De soort komt voor op IJsland, de Britse Eilanden, in Schotland en in Zuid-Zweden. Verder loopt de noordgrens van de Poolse-Oostzeekust over centraal Europa, Smolensk en Moskou tot Gorky-Kazan. De zuidgrens loopt van Joegoslavië en Noordoost-Griekenland naar Europees Turkije en vandaar langs de Zwarte Zeekust tot de Kaukasus. Ook is de Krakeend broedvogel van Noord-Amerika.

De biotoop wordt gevormd door grote meren met een rijke oeverbegroeiing zonder bomen, in een open, steppeachtig landschap. Ondanks de vele meren en plassen in Friesland is de Krakeend hier nooit een algemene broedvogel geweest. Reeds Albarda (1884) schreef ,,In kleinen getale broedende. Naar 't schijnt vermindert deze soort in aantal. Wordt weinig in de eendenkooijen gevangen''. De aantekening van deze schrijver dat de soort in aantal af zou nemen is des te opvallender, daar destijds de vereiste biotoop in ruimere mate aanwezig was; er was immers geen sprake van ruilverkavelingen of ontwatering. Wel is er een aanwijzing dat deze soort sinds jaren het broedgebied naar het noorden uitbreidt. Omstreeks 1862 was er een eerste vestiging op IJsland.

Waarnemingen over een lange reeks van jaren en nestvondsten doen vermoeden dat de Krakeend vooral in het gebied van de Oude Venen en het Princehof, een zij het weinig talrijke broedvogel is geweest. De eerste maal dat het broeden in die omgeving werd vastgelegd was op 30 april 1906 toen een legsel werd gevonden onder Wartena. De eieren bevinden zich in de collectie van het FNM. Een ander legsel werd op 22 april 1918 in die omgeving verzameld en eveneens aan het FNM afgestaan (Org. I, 1929, 185). 10 juni 1932 werd in de Oude Venen onder Eernewoude een legsel van tien eieren gevonden dat sterk bebroed was (Ard. 22, 1933, 11).

Aanwijzingen welke sterk op broeden wijzen zijn de volgende waarnemingen in de broedtijd:

23 mei 1925	2 ♂ ex. in het Princehof bij Eernewoude, vermoedelijk broedende wijfjes (Aard. 15, 1926, 37)
1 maart 1936	7 ex. in de Oude Venen, baltsend (A. 1)
4 maar 1937	1 paar in de Saiterpetten bij Wartena (Aard. 27, 1938, 106)
28 juli 1943	tot 6 ex. in dezelfde omgeving, mogelijk enige malen dezelfde exemplaren gezien
21 juli 1943	2 ex. in het Princehof onder Eernewoude, min of meer apart (A. 3)
8-15 april 1945	1 paar bij de eendenkooi Oudemiede onder Suawoude (Aard. 34, 1964, 383)
18 juni 1971	1 ♀ ex. met twee jongen in een poel in 8-Med onder Eernewoude (A. 2)

Een telling in mei 1971 onder Eernewoude gaf met zekerheid een aantal van negen paren. Op meerdere plaatsen werden solitaire woerden (wijfje broedend?) en wijfjes waargenomen. Het aantal broedparen kan op tien tot vijftien worden gesteld (A. 2).

In 1974 werd in de Saiter twee maal een bastaard-paar van Krakeend en Wilde Eend waargenomen. In beide gevallen was de woerd een Krakeend. Bij het vliegen werd duidelijk waargenomen dat ook het eendje de woerd volgde. Zeer waarschijnlijk zijn deze woerden afkomstig van eieren die gelegd zijn in een nest van de Wilde Eend en door een wijfje Wilde Eend zijn groot gebracht (A. 2).

Ook noordelijker in de provincie was en is de Krakeend broedvogel. Een notitie van 29 augustus 1924 vermeldt, ,,de Jong (poelier) ontvangt bijna vluchtige jongen uit Garijp. Ook uit Hardegarijp'' (A. 1).

In mei 1930 werd ten noorden van Hardegarijp een nest gevonden en in 1931 was daar een nest met twaalf eieren. ,,Drie paren werden dien dag gezien''. Het broedterrein is sindsdien grotendeels ontgonnen. In de herfst van 1932 waren er bij de poelier weer jongen uit dezelfde omgeving. ,,Mogelijk broedt de soort dus in het particulier Natuurmonument ($\pm$ 14 ha), dat er is uitgespaard of in het omringende terrein'' (Ard. 22, 1933, 11). Met dit ,,particulier Natuurreservaat'' wordt waarschijnlijk het terrein van notaris Ottema bedoeld, later in het bezit gekomen van It Fryske Gea en uitgebouwd tot een natuurgebied van ruim 50 ha. De huidige naam is Ottema-Wiersma reservaat.

Op 14 mei 1943 werd in het Buitenveld onder Hardegarijp een nest met minstens zeven, uitgepikte eieren gevonden. Het legsel werd op schaalkleur en maten en op de veertjes in het nest gedetermineerd (Ard. 33, 1945, 153 en Lim. 16, 1943, 159). In dezelfde omgeving werd op 30 mei 1944 een nest met zes eieren gevonden (Lim. 17, 1944, 76; Org. Club 3, 152). Onder Roodkerk werd in 1945 een legsel van tien eieren gevonden (Ard. 34, 1946, 341; Lim. 18, 1946, 80). Ook nu zijn nog regelmatig Krakeenden in deze omgeving te vinden. Het juiste aantal broedparen is door de onoverzichtelijkheid van het terrein evenals in het Princehof, moeilijk vast te stellen. Tellingen van baltsende vogels geven een aantal van vijf tot zeven paar.

In 1967 (29 juli) gelukte het met zekerheid het broeden in het Ottema-Wiersma reservaat vast te stellen door de waarneming van een wijfje met enige reeds vrij grote jongen, waarbij ook een woerd aanwezig was (A. 2). Op 15 juni 1968 werd op een poeltje (Japmuoiskolk) een wijfje met drie jongen gezien (A. 2). Op de Smalle Eesterzanding onder Oudega (Sm.)

214

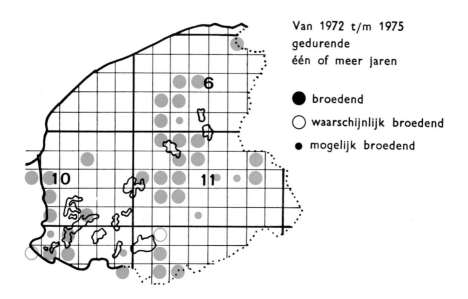

Van 1972 t/m 1975
gedurende
één of meer jaren

● broedend
○ waarschijnlijk broedend
• mogelijk broedend

werd op 27 mei 1972 een wijfje met acht jongen waargenomen. In de omgeving werd een woerd gezien (A. 2). In juni 1973 werd onder Giekerk een nest in de weilanden gevonden (A. 2).

Andere belangrijke broedgebieden van de Krakeend zijn de Waarden bij Makkum en de Mokkebank in de omgeving van Laaxum, beide aan de IJsselmeerkust. De tot aan de vijftiger jaren onbegroeide Mokkebank was als broedplaats voor de Krakeend niet in trek terwijl ook herfst- en winter-waarnemingen vrijwel ontbreken (5 juni 1938 bij Tacozijl een ♂ en twee ♀ ex. bij Laaxum (Ard. 28, 1939, 102)). De eerste waarneming op de Mokke-bank is gedaan op 19 mei 1951 toen een mannetje en een wijfje bijelkaar werden waargenomen. De waarnemer tekent hierbij aan, ,,in de twintig jaar dat ik jaag nooit eerder één gezien'' (A. 1). In de volgende jaren wor-den daar alleen eenlingen en paren waargenomen tot in 1956 twee nes-ten worden gevonden respectievelijk met zestien en acht eieren. In dat jaar moeten minstens vier paren daar hebben gebroed. In 1957 werden zes nesten gevonden, in 1959 waren er vier nesten en in 1961 werd met zeker-heid één broedgeval vastgesteld (A. 1). In 1972 werden twee wijfjes met kuikens waargenomen aan de Westkant van de bank. In 1973 was er een negen-legsel op de Mokkebank; het nest werd overspoeld maar later door

215

het ♀ weer opgebouwd en zeven eieren werden uitgebroed (A. 22). Gerekend naar het veel grotere aantal paren dat in het voorjaar wordt waargenomen is het aantal broedparen aanmerkelijk groter. Mogelijk ligt dit bij omstreeks tien paar (A. 2).

Op de Noordwaard bij Makkum werd het eerste legsel (negen eieren) gevonden in 1957 (A. 22). In 1958 werd weer één nest gevonden (zes eieren) en in 1960 twee nesten met respectievelijk acht en zestien eieren. Het laatste legsel ging door predatoren verloren. In de volgende jaren werd steeds minstens één nest gevonden met als grootste aantal vijf nesten in 1963 (A. 1). In 1972 werd daar weer een nest gevonden en op 14 mei 1973 een nest met zes eieren, de woerd zat op korte afstand van het nest te wachten. Een totaal aantal broedparen van ongeveer tien tot vijftien is waarschijnlijk niet te hoog geschat (A. 2). Nestvondsten van de Zuidwaard zijn niet bekend maar het grote aantal paren in het voorjaar doet vermoeden dat de Krakeend ook daar broedvogel is.

Incidentele broedgevallen zijn van overal uit de provincie bekend. 4 juni 1966 broedde een Krakeend op een eilandje tussen de Witte en Zwarte Brekken (A. 2). In 1965 werd onder Staveren een wijfje met kuikens in een sloot gezien, in 1972 een wijfje, eveneens met kuikens bij Hindeloopen (A. 22). Broeden werd ook vastgesteld in de Lauwerszeepolder, in de Deelen onder Tijnje, bij de Brandemeer (gem. Weststellingwerf) in 1973 en 1974 één paar en in de Rottige Meenthe onder Nijetrijne in 1973 drie paren en in 1974 vier paren (G. 5). Vooral na 1971 is het aantal broedparen toegenomen en werden nieuwe broedgevallen bekend.

Is de Krakeend in de broedtijd weinig waar te nemen, reeds begin juni komen de woerden in kleine aantallen op de poelen bijelkaar. Op geschikte plaatsen kunnen deze aantallen snel toenemen, maar ze gaan veelal de 50 stuks niet te boven. Eenlingen en groepjes tot vijf exemplaren zijn dan ook op de vaarten en soms in de grotere poldersloten waar te nemen bijv. 13 september 1973 in de Deelen twee exemplaren en 17 augustus 1973 op de Grote Wielen onder Giekerk vijf exemplaren (G. 5). Deze eerste woerden beginnen in de loop van juli met de slagpenrui, zijn dan zeer schuw waardoor een juist overzicht van de ruiplaatsen moeilijk is te krijgen. Ruiende exemplaren zijn vastgesteld in de Oude Venen, bij de Makkumer Zuidwaard/Kooiwaard en bij de Mokkebank.

De grootste aantallen Krakeenden worden vanaf augustus tot december gezien. Ook tijdens de voorjaarstrek kunnen flinke groepen worden opgemerkt:

22 maart-7 april 1944	± 30 ex. bij Piaam (A. 3)
16-17 september 1958	150 ex. onder Mirns (G. 5)
2 november 1960	300-400 ex. bij de Mokkebank (Lim. 35, 1962, 50)
19 september 1967	400 ex. bij de Workumerwaard (A. 2)
19 september 1967	110 ex. bij de Steile Bank (idem)
28 oktober 1972	ruim 50 ex. in een zeer rustige poel bij Eernewoude (idem)
8 februari 1975	60 ex. in de Piamer Geul, in paren. Hierbij zeer waarschijnlijk reeds broedvogels (idem)
7 oktober 1975	36 ex. bij de Mokkebank, later nog een groep van 25 ex. (A. 22)

Ringgegevens over de periode van 1911-1974 zijn van de Krakeend weinig aanwezig. Een op 19 juni 1960 op de Makkumer Noordwaard geringd jong werd op 28 november van hetzelfde jaar bij Noyelles SM. (Somme) in Frankrijk geschoten.

Van de als volwassen vogel geringde Krakeenden werd één teruggemeld uit overig Nederland en één uit Spanje; drie ringen kwamen terug uit Frankrijk, alle in december. Van de als volgroeide vogel elders in Nederland geringde Krakeenden werden in Friesland vier teruggemeld, in september één en drie in november.

Terugmeldingen van elders geringde nog niet vliegvlugge Krakeenden zijn niet aanwezig (Vogeltrekstation Arnhem).

W. de J.

Smient - *Anas penelope* Linnaeus

Smjunt

Farianten op de algemiene namme binne: Smjeont, Smeent (it Amelân), Smjônt (Skylge), Smient (Skiermuontseach). Yn it Aldheechdútsk wiene: schmalente en schmilente. By forgeliking fan dizze foarmen kin men in âlde gearstalling forûnderstelle fan: *Sme-ent. It earste lid bitsjut: lyts (Aldheechdútsk: smahi), it twadde diel is „ein". Forgelykje hjir ek mei it Ingelsk: Smee-duck.
In smjunt is, as it op in minske slacht, in lyts persoan (Goliath wie der mar in smjunt by, sa'n greate keardel wie it) of in leechsteand persoan, in smycht (Doarstou it weagje en kom hjir noch ris? Dou smjunt!).
Smjuntegers wurdt wol brûkt foar Séwier (Zeegras), *Zostera marina* L. (J.B.)

Jaargast; toevallige broedvogel; zomergast in zeer klein aantal; doortrekker en wintergast in zeer groot aantal.

Van de hier overwinterende zwemeenden is de Smient wel het best bekend, vooral door de soms grote concentraties waarin ze optreden. De broedgebieden van deze vogels liggen op IJsland, in het noordelijk deel van

Groot-Brittannië, Schotland, Finland, Rusland tot in Siberië. De zuidgrens in Europa ligt in het noorden van Oost-Duitsland. Zuidelijk van deze grens is de Smient slechts zeer sporadisch als broedvogel aangetroffen. In Friesland is het broeden twee maal met zekerheid vastgesteld. Op 22 mei 1919 werd bij de Rengersmiede onder Wartena een nest gevonden met acht eieren (Org. XII, 1922, 13-15; Org. IV, 1932, 150; DNV II, 1941). 5 juli 1948 werd op de Makkumerwaard een wijfje met vijf jongen waargenomen. Dit broedgeval was reeds enige tijd eerder door de toenmalige opzichter van It Fryske Gea ontdekt (Van. 1, 1948, 6/7, 8; Lim. 22, 1949, 388; Ard. 40, 1952, 143).

Het geringe aantal broedgevallen van deze soort is opvallend, daar bij veel eendenkooien staleenden worden gehouden en de Smient hiervan een belangrijk deel kan uitmaken. De vraag rijst of er bij de genoemde broedgevallen sprake is van zuiver wilde vogels of met mogelijk uit gevangenschap ontsnapte exemplaren. Albarda schreef reeds in 1884: ,,Enkele malen is deze soort broedende waargenomen. Daar dit echter plaats vond in de nabijheid van eene eendenkooi, waar men halfgetemde voorwerpen van deze en andere soorten als lokvogels gebruikt, is het zeer waarschijnlijk, dat de broedende vogels uit die kooi waren ontvlugt". Het is echter goed mogelijk dat we te doen hebben met zuiver wilde exemplaren daar zomerwaarnemingen niet zeldzaam zijn:

2 juli 1928	1 ♂ en 1 ♀ ,,dicht bijelkaar" in het Lemsterhop (Org. I, 1929, 111)
10 augustus 1938	1 paar in het Princehof (Ard. 28, 1939, 102)
16 juli 1943	3 ♂ ex. bij de Mokkebank onder Laaxum (Ard. 33, 1945, 205)
22 juni 1974	± 15 ex. aan het Tjeukemeer onder Rotstergaast (A. 2)
20 juli 1970	4 ex. in een plas van een zandafgraving bij het Sneekermeer (A. 2)

Deze overzomerende vogels worden meest in die gebieden waargenomen welke ook als wintergebied bekend zijn. De boezemlanden zijn veruit favoriet, vooral wanneer deze vijf tot tien centimeter onder water staan.

De eerste wintergasten arriveren omstreeks eind augustus begin september. De aantallen nemen in de loop van september snel toe en dan zijn op de voorkeursplaatsen reeds enige duizenden te vinden. Overdag slapen en rusten ze op de meren en poelen om 's avonds in het donker deze plaatsen te verlaten en elders te fourageren, in hoofdzaak op de natte wei- en boezemlanden. Door de steeds beter wordende ontwatering van de weiden zijn vooral de fourageerplaatsen (die tevens ook de rustplaatsen zijn) in aantal en grootte sterk afgenomen. In de jaren 1944 tot 1947 stonden bijv.

grote gedeelten van de landerijen tussen Eernewoude, Wartena en Leeuwarden de gehele winter blank. De daar destijds in zeer grote aantallen overwinterende Smienten, tot ruim 10.000 exemplaren, zijn nu gereduceerd tot enige honderden. Het enige nu nog van belang zijnde gebied ligt in de omgeving van Giekerk, waar de rust wordt gewaarborgd door het kooirecht van een tweetal eendenkooien. De aantallen liggen al naar gelang de winterse omstandigheden tussen enige honderden en ruim 10.000 exemplaren, bijv. 12 december 1964 ruim 10.000 ex., een paar dagen later ± 15.000 ex. (A.2).

Het grootste gedeelte van deze vogels verlaat 's avonds dit gebied in westelijke tot noordwestelijke richting om op de kwelders langs de Waddenkust te foerageren. De vogels keren dan meestal in het donker weer terug, al is regelmatig waar te nemen dat nog grote aantallen groepsgewijze vanaf de Waddenkust later in de morgen terugkeren (A.2). Aan de Waddenkust worden de grootste aantallen vooral in oktober en november aangetroffen. Met name de kwelder oostelijk van de pier bij Holwerd en het Noorderleeg geven zeer grote concentraties te zien. Het totaal aantal Smienten dat hier in de Salicornia/Zeekraal-vegetatie verblijft was op 17 december 1973 niet minder dan ruim 70.000 exemplaren (D.3). Dit gebied ontleent vooral zijn belangrijkheid aan de rust en het voedsel. Een andere belangrijke factor is de mogelijkheid om bij een verstoring open water op te zoeken en door te duiken een vijand te ontkomen. Men ziet dit gedrag ook bij de Smienten welke op de meren en plassen verblijven en steeds bij verstoring midden op het meer neerstrijken.

Andere gebieden waar grote aantallen Smienten verblijven zijn de boezemlanden rond de Oude Venen en het Princehof: 1 en 10 maart 1936, bij Eernewoude „wel 8000 - 10.000 exemplaren, waaronder tientallen *A. acuta* (pijlstaart), *A. clypeata* (slobeend) en *A. crecca* (wintertaling)" (Ard. 26, 1937, 70; A 13). In het Princehof zijn ook tegenwoordig nog regelmatig grote troepen van enige duizenden exemplaren (A.2).

In de omgeving van de Fluessen en de Morra variëren de aantallen van enige honderden tot een paar duizend exemplaren. Van december tot in maart zijn aan de oost- en zuidkant van de Morra geregeld Smienten tot een aantal van ruim 3000 exemplaren aan te treffen. Eveneens zijn in deze periode regelmatig in de omgeving van de Fluessen flinke aantallen te vinden. Het totale aantal wordt geschat op ruim 5000 exemplaren. Regelmatig vliegen groepen over het meer richting Gaastmeer-Oudegaaster Brekken en IJsselmeerkust, zodat het juiste aantal niet met zekerheid is vast te stellen. Dat zal zeer waarschijnlijk aanmerkelijk hoger zijn (A. 2).

Een telling aan de Morra onder Hemelum gaf op 4 februari 1975 een aantal van 2000 ex. en op 25 februari een aantal van 3000 ex. te zien (A.18). Hierbij werd tevens opgemerkt dat de Smienten omstreeks half april waren verdwenen. De aantallen aan de IJsselmeerkust zijn soms zeer groot. Het open water met de voedselgebieden rondom maakt deze omgeving optimaal voor de Smient, zoals blijkt uit de volgende waarnemingen:

7 november 1945	15.000 ex. in het Hondennest bij Nijemirdum (V ZG 4e aanv., 1947, 19)
7 november 1945	3500 ex. bij de Mokkebank (idem)
7 november 1945	600 ex. bij het Mirnser Klif (idem)
7 november 1945	3000 ex. bij het Oudemirdumer Klif (idem)
7 november 1945	8000 ex. onder Tacozijl (idem)
7 november 1945	grote ,,velden'' op zee (idem)
11 november 1958	15.000 ex. bij Tacozijl (G. 5)
22 december 1958	± 10.000 ex. Makkumer Zuidwaard bij Gaast en Workumerwaard (A. 2)
28 en 29 oktober 1959	6000 ex. Noordelijk deel van Workumerwaard (G. 5z
28 en 29 oktober 1959	2000 ex. in het kooirecht onder Piaam (idem)
1 en 3 maart 1960	15.000 ex. op en bij de Steile Bank te Nijemirdum (idem)
1964	12.000 ex. omgeving Terkaplester Poelen (A. 2)
1 november 1964	6000 à 7000 ex. op en bij het Sneekermeer (idem)
22 november 1964	8000 ex. dezelfde plaats (idem)
29 januari 1967	± 10.000 ex. omgeving van het Sneekermeer (idem)

Na de afsluiting van de Lauwerszee in 1969 en het hierna droogvallen van vrij grote gebieden nam hier de Zeekraal-begroeiing toe. Hierdoor werden grote aantallen zwemeenden aangetrokken en men ziet nu de Smient naast Wintertaling en Pijlstaart in grote aantallen in dit gebied fourageren en rusten. Reeds voor deze indijking waren Smienten hier een regelmatige verschijning wat uit het volgende mag blijken:
21 oktober 1923. Bij de Lauwerszee 5000 tot 7000 exemplaren waargenomen (A.1). Groepen van deze grootte zijn ook tegenwoordig geen uitzondering en het totale aantal Smienten in het gehele gebied is zeker tegen de 20.000 vogels. In het Friese gedeelte van deze polder zijn geregeld groepen van enige honderden tot meerdere duizenden aan te treffen.
De aantallen welke elders in de provincie worden waargenomen beperken zich in de meeste gevallen tot enige honderden, soms een paar duizend exemplaren.
Tijdens strenge vorst en sneeuwval nemen de aantallen snel af. Een deel van deze vogels weet echter ook bij een flinke laag sneeuw aan voedsel te komen door zich bij groepen ganzen aan te sluiten. In de meeste gevallen zijn dit Kolganzen, ze zijn echter ook bij groepen Brandganzen waargeno-

men. De ganzen krabben de sneeuw weg om bij het gras te komen. Hiervan maken de Smienten gebruik en zij grazen samen met hun gastheren op de ontstane open plekjes. De aantallen Smienten welke bij de ganzen verblijven variëren van een paar honderd tot duizend exemplaren.

Ringgegevens zijn wat betreft Friesland schaars. De door het Vogeltrekstation te Arnhem verstrekte gegevens vermelden achttien terugmeldingen in Friesland van vogels welke als volgroeid in overig Nederland waren geringd. De verdeling over de maanden is als volgt:

jan.	febr.	aug.	sept.	okt.	nov.	dec.
7	1	1	1	1	3	4

Van de als volgroeide vogel in Friesland geringde Smienten werden uit Friesland geen en uit overig Nederland één (maart) teruggemeld.

Uit het buitenland werden in deze categorie twee exemplaren teruggemeld, uit Duitsland één (oktober) en uit de U.S.S.R. één (augustus). Op 30 september 1947 ontving een poelier te Leeuwarden een Smient met ring Mus. Nat. Reykjavik, Iceland 4A/940. De vogel bleek 13 juli 1947 te Stafholtsey, Borgarfjord op West-IJsland te zijn geringd.

W. de J.

Pijlstaart - *Anas acuta acuta* Linnaeus

Pylksturt

Oare nammen: Pylsturt en Pylstets (Skiermuontseach). De skerp tarinnende sturt is in tige kenmerk fan 'e fûgel en hat oanlieding jown ta syn Latynske namme („acuta" is skerp) en ek ta de Fryske nammen. (J.B.)

Jaargast; schaarse broedvogel; doortrekker en wintergast in zeer groot aantal.

Het gehele jaar zijn Pijlstaarten in de provincie waar te nemen. In de zomermaanden zijn dit slechts enkelingen of de oude vogels van de schaarse broedparen. In herfst en winter zijn de aantallen aanmerkelijk hoger. Deze wintervogels zijn voor het grootste deel afkomstig uit Lapland en Noord-Rusland. In het Zuiden van zijn broedgebied, namelijk Groot Brittannië, Nederland, het Noorden van de Duitse Bondsrepubliek en de Duitse Democratische Republiek, Tsjechoslovakije en Hongarije wordt de Pijlstaart slechts sporadisch als broedvogel aangetroffen.

De biotoop wordt gevormd door grote meren met een oever- en een onderwatervegetatie, moerassen en veengebieden met plassen; het water moet bij

221

voorkeur omgeven zijn door open terrein. Op deze plaatsen zijn dan ook de Friese broedgevallen geconstateerd.

De eerste gegevens welke op het broeden duiden, dateren van 21 juli 1935 toen onder Eernewoude twee woerden werden waargenomen en „enkele zomerwaarnemingen gedaan die op de mogelijkheid van broeden wijzen" (Ard. 25, 1936, 80).

In 1948 meldt G.J. Postma, destijds te Bantega, dat de Pijlstaart buiten-dijks reeds enige jaren regelmatig broedvogel in een aantal paren is. De eieren liet men soms door kippen uitbroeden en „de jongen werden zeer tam". Met „buitendijks" wordt de IJsselmeerkust bedoeld waar op 16 juni 1957 op de Makkumerwaard, een wijfje met twee reeds vrij grote jongen werd waargenomen. Het gelukte een van deze jongen te vangen welke geringd weer werd losgelaten. Voordien waren in dezelfde omgeving reeds een aantal oude vogels waargenomen, te weten op 12 mei een wijfje met vijf woerden en op 30 mei een solitaire woerd (Lim. 31, 1958, 66).

In 1959 werd op de Makkumerwaard een nest met negen eieren gevonden, terwijl enige tijd later jongen werden waargenomen (Lim. 34, 1961, 192; Van. 12. 1959, 142).

19 juni 1960 werd op het Sneekermeer tweemaal een nerveus wijfje, dat de aanwezigheid van jongen verried, waargenomen. De jongen werden echter niet gezien (Van. 13, 1960, 166; Lim. 35, 1962, 50).

1 mei 1965 werden op de kwelder van de Lauwerszee onder Kollumer-pomp drie paren waargenomen. De geagiteerd roepende en rondvliegende woerden en de snel weer invallende eenden deden sterk aan broedparen denken. Er werden geen nesten gevonden (A. 2).

Op 3 mei 1970 werd op de Makkumer Kooiwaard één en op de Worku-merwaard drie paar vastgesteld (A. 2).

In juni 1971 waren in de Lauwerszeepolder meerdere paren van deze soort te vinden. Het terrein was echter slecht toegankelijk en slechts drie broed-paren konden met zekerheid worden vastgesteld. Gezien het gedrag van de aanwezige vogels waren zeker nog meer broedparen aanwezig (A. 2).

In juni 1972 werden oostelijk van de Makkumer Noordwaard twee wijfjes met jongen waargenomen (A. 2).

23 juni 1974 werd op de Workumerwaard een wijfje met drie jongen gezien (A. 18). In de Lauwerszeepolder waren meerdere paren aanwezig. De nesten werden niet opgezocht maar het vrij grote aantal Pijlstaarten dat eind juli werd waargenomen geeft de indruk dat ook in 1974 meerdere paren in dat gebied hebben gebroed (A. 2). In 1974 was er ook in de Deelen een broedgeval (A. 18).

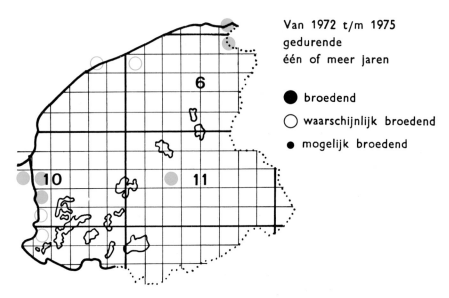

Van 1972 t/m 1975
gedurende
één of meer jaren

● broedend

○ waarschijnlijk broedend

• mogelijk broedend

Afgaande op de waarnemingen van broedparen, blijkt dat deze vrijwel alle in juni zijn vastgesteld. Voordien zijn dan reeds in mei adulte vogels in de omgeving waargenomen wat op een mogelijk broeden kan wijzen. De waarnemingen in begin mei zijn talrijk en betreffen meest solitaire vogels of paren welke na een paar dagen weer zijn verdwenen; dit zijn duidelijk trekkers. De aanwezigheid van Pijlstaarten in de laatste helft van mei kan resulteren in een broedpoging.

Zeer waarschijnlijk is het aantal broedparen van de Pijlstaart groter dan uit de beschreven broedgevallen zou blijken. Het wijfje van deze soort is op enige afstand moeilijk van dat van de Wilde Eend te onderscheiden, en wordt, mede door de grotere schuwheid, waarschijnlijk niet opgemerkt.

De eerste wintergasten arriveren omstreeks half september, soms reeds in de laatste week van augustus. In de loop van september nemen de aantallen toe en ziet men overal in de provincie kleine groepjes en paren verschijnen. Onder gunstige omstandigheden kunnen de aantallen tot meerdere duizenden oplopen.

De Pijlstaart is een uitgesproken zaadeter, evenals de Smient en de Wintertaling. Ze worden dan ook veel in dezelfde gebieden en in elkaars gezelschap aangetroffen. Bij voorkeur wordt gefourageerd op drassige en ondergelopen weilanden. De Pijlstaart kan doordat hij groter is en een langere hals heeft, ook op diepere plaatsen het voedsel nog bereiken, waar het reeds voor de Smienten en Wintertalingen onbereikbaar is geworden en wordt daar veel in gezelschap van Wilde Eenden gezien. Grote groepen zijn soms op de stoppelvelden en aan de kust waar te nemen. Op de laatste plaats forageren ze vooral op Salicornia-zaad (Zeekraal).

Na het droogvallen van de Lauwerszee breidde de reeds op de kwelders aanwezige Zeekraal, zich geweldig uit. Met de andere zwemeendesoorten nam ook de Pijlstaart sterk in aantal toe en groepen van enige duizenden waren geen uitzondering. Voor de afsluiting werd de Pijlstaart reeds aan de kust waargenomen, echter nooit in grote aantallen, zoals ook nu de soort aan de kust nergens in uitzonderlijk grote aantallen wordt gezien:

17 november 1928	200 ex. bij Dokkumer Nieuwezijlen (A. 12)
13 oktober 1962	± 200 ex. op zee ter hoogte van Ezumazijl (A. 5)
31 oktober 1965	± 150 ex. dezelfde plaats (A. 5)
21 januari 1973	322 ex. langs gehele Waddenkust (D. 3)
17 februari 1973	14 ex. kwelder westelijk van Holwerd (A. 2)

De zeer grote zeekraalvelden in de Lauwerszeepolder geven veel grotere aantallen te zien; begin oktober 1971 aan de Friese kant plm. 5000 ex. en september 1974 in dat gebied zeker ruim 2500 ex. foragerend in de zeekraal. Bij verstoring verplaatsen de eenden zich veel over het meer naar de voormalige kwelders bij Kollumerpomp en aan de Groninger kust. Het totale aantal Pijlstaarten in dit gebied is waarschijnlijk vele malen hoger.

De aantallen welke op de drassige weilanden in het binnenland worden waargenomen zijn nooit groot en komen meestal niet boven de 500 exemplaren. Een enkele maal enige duizenden, echter meestal voor korte tijd.

14 maart 1935	± 200 ex. bij de Sierdwiel onder Giekerk (A. 1)
21 december 1952	26 ex. onder Terhorne (A. 19)
23 maart 1957	75 ex. bij de Gauwster Hoppen (idem)
26 februari 1959	± 3000 ex. langs het Koningsdiep onder Terwispel (A. 15)
12 december 1964	600 ex. in Bullepolder onder Leeuwarden, Grote Wielen en Warrenpolder onder Giekerk. Normaal groepjes van 10-30 ex. (A. 2)
30 december 1964	± 100 ex. op de Goïngarijpsterpoelen (idem)
18 oktober 1967	500 ex. in de Deelen onder Tijnje (idem)

Onder gunstige omstandigheden kunnen ook in de bouwstreek grote aantallen voorkomen welke dan ,,op de stoppel'' forageren. In de omgeving van Tzummarum waren 10 september 1966 enige duizenden Pijlstaarten aanwezig. Een telling enige dagen later (14-15 september) gaf een aantal van ruim 2500 exemplaren tussen vorengenoemde plaats en St. Jacobiparochie. Geregeld waren groepen van enige tientallen, vaak samen met Wilde Eenden, vliegend waar te nemen. De eerste werden reeds 16 en 17 augustus (10 en 14 ex.) waargenomen. Op 29 augustus was daar een aantal van ongeveer 300 ex. (A. 2). Aan de IJsselmeerkust ziet men zeer grote aantallen, vooral in de omgeving van de Steile Bank, en tussen de Kop van de Afsluitdijk en de Makkumer Noordwaard:

29 november 1957	2200 ex. bij de Steile Bank en het Hondennest onder Nijemirdum (G. 5)
15 en 16 september 1959	26.000 ex. bij de Makkumerwaard (idem)
28 en 29 september 1959	10.000 ex. bij de Steile Bank onder Nijemirdum (idem)
28 en 29 september 1959	800 ex. tussen Gaastburen en het Rijsterbos (idem)
29 en 30 september 1959	4000 ex. bij de Mokkebank (idem)
29 en 30 september 1959	10.000 ex. tussen Kornwerderzand en de Makkumerwaard (idem)

Door het verdwijnen van de fonteinkruidvelden in deze gebieden zijn de aantallen Pijlstaarten de laatste jaren helaas aanmerkelijk geringer geworden.

De voorjaarstrek is veel minder opvallend en geeft ook in bovengenoemde gebieden slechts kleine troepjes van enige tientallen te zien.

Ondanks het feit dat de Pijlstaart jachtwild is, zijn slechts weinig ringgegevens beschikbaar. Nestjongen zijn van deze soort in het geheel niet geringd. Van de vogels welke als volgroeid in de rest van Nederland werden geringd werden 23 in de provincie Friesland teruggemeld, te weten:

jan.	febr.	mei	aug.	sept.	okt.	nov.
5	1	1	1	4	6	3

Van de vogels welke in de provincie Friesland als volgroeide vogel werden geringd, werden uit de provincie zelf vier teruggemeld en wel twee in januari, één in november en één in december. Uit het buitenland: Groot-Brittanië één in februari, Frankrijk één in november en de U.S.S.R. één in oktober. Deze ringgegevens zijn afkomstig van het Vogeltrekstation te Arnhem.

W. de J.

Slobeend - *Anas clypeata* Linnaeus

Slob

Oare nammen: Slobbe, Slobber, Slob-ein, Wetterslob. Dy hawwe allegearre to krijen mei „slobbertje". De fûgels slobberje graech yn 't kroas fan 'e sleatten.
In slob of smoarge slob wurdt brûkt as by- of skelnamme foar in smoarch, slobberdoe-zich frouminske. De greate bern kinne der tsjintwurdich sa slobberich hinne rinne. De kij skite as slobben (tige weak, as se yn 't nijgers rinne). Us hinnen lizze as slobben. (J.B.)

Jaarvogel; talrijke broedvogel; doortrekker in groot aantal.

Verspreid over de gehele provincie treffen we de Slobeend als broedvogel aan. Albarda schreef reeds in 1884: „Broedt zowel in de Woudstreken als op de klei, waar zij zich meestal in molen- en poldersloten ophoudt".
De biotoop van de Slobeend is namelijk stilstaand, zeer voedselrijk water met een oeverbegroeiing welke zowel nestgelegenheid als dekking biedt. Dit type biotoop vindt men zowel in de brede afwateringssloten van de weide- en kleibouwstreek als in de poelen en plassen van de hogere gronden en de Wouden. Het aantal broedparen is zeer variabel en wisselt van gebied tot gebied. In de gebieden met smalle, vaak diepe, dicht met riet begroeide sloten waar het voorkomen beperkt blijft tot de bredere afwateringsvaarten wordt een dichtheid aan broedparen van 0,2 - 0,4 per 100 ha gevonden. In oude niet verkavelde gebieden, die meest klein van omvang zijn, kan dit oplopen tot 5,5 - 10,0 paar per 100 ha. In enkele gebieden met een optimale biotoop is het mogelijk een dichtheid van meer dan 1 paar per ha vast te stellen, echter over een groter gebied ingepast komt dit aantal niet boven het gemiddelde van 0,3 paar per 100 ha. Uitgaande van tellingen ligt het totaal aantal broedparen in Friesland tussen 1500 en 2500 paar.
De Slobeend is evenals de Zomertaling een voedselspecialist en zoekt 'slobberend' in de bovenste waterlaag naar slakjes, kreeftjes, plankton, en de knoppen en zaden van de op het water drijvende vegetatie; dit alles vormt het voedsel. De soort is hierdoor minder afhankelijk van de waterdiepte dan de andere zwemeenden, maar wel veel gevoeliger voor veranderingen in de biotoop. De ernstigste bedreiging voor de broedgebieden van deze Slobeend is de ontwatering (diepontwatering) waardoor de biotoop dusdanig verandert dat de soort verdwijnt of in het gunstigste geval met een enkel paar zich probeert te handhaven. Fourageren op de uitgestrekte wateroppervlakten van de grote meren is zelden mogelijk daar door de meer of minder sterke golfslag het slobberen onmogelijk wordt.

Slobeenden bij Wartena - D. Franke.

Terreinen waar bij voorkeur wordt gefourageerd zijn dras staande boezemlanden en ondergelopen polders, een terreintype dat helaas steeds zeldzamer wordt. Het creëren van dit soort gebieden is mogelijk door terreinen
kunstmatig dras te zetten, wat niet alleen van belang is voor de Slobeend
maar ook voor de andere soorten zwemeenden. In het Princehof heeft men
daarmee reeds een begin gemaakt door een paar polders onder water te
zetten. Een gevaar dat deze terreinen bedreigt is de verlanding waardoor
het gebied snel de aantrekkingskracht voor het waterwild zal verliezen.
In dit terreintype zijn ook de doortrekkers en wintergasten aan te treffen.
De aantallen zijn nooit bijzonder groot. Een uitzondering hierop is de
IJsselmeerkust waar groepen van enkele duizenden zijn waargenomen. In
de meeste gevallen gaan de groepen de tien niet te boven. Soms betreft het
enkele tientallen, zelden meer.

9 april 1931	± 200 ex. Kleine Wielen onder Tietjerk (A.1)
16-17 september 1958	± 3.000 ex. IJsselmeerkust onder Mirns (G. 5)
25 september 1959	minstens 2.500 ex. tussen Makkumer Noordwaard en Kop Af-sluitdijk (A. 2)
5 oktober 1959	± 200 ex. dezelfde plaats (idem)
16 november 1974	35 ex. Fûgelhoeke onder Hemelum (A. 18)
15 december 1974	12 ex. dezelfde plaats (idem(
25 december 1974	12 ex. opgespoten terrein onder Leeuwarden (A. 2)

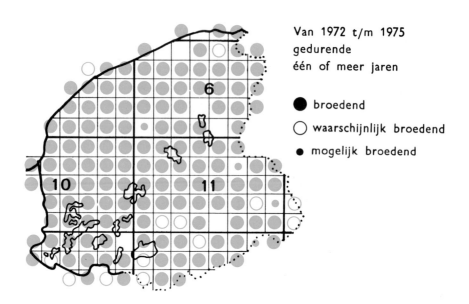

Van 1972 t/m 1975
gedurende
één of meer jaren

● broedend

○ waarschijnlijk broedend

• mogelijk broedend

In het voorjaar zijn in de diverse broedgebieden reeds in maart broedparen aan te treffen maar ook grote troepen doortrekkers:

14 april 1968   ± 200 ex. Makkumerwaard, geslachtsverhouding vrijwel gelijk (A. 2)

22 maart 1970   50 ex. Kooiwaard onder Makkum, geslachtsverhouding gelijk, waarschijnlijk broedvogels uit de omgeving (A. 2)

De door het Vogeltrekstation te Arnhem verstrekte gegevens over de jaren 1911 - 1974 laten het volgende zien:

Terugmeldingen van de als volgroeide vogels in Friesland geringde exemplaren

	jan.	febr.	mrt.	mei	aug.	sept.	okt.	nov.	dec.	totaal
Friesland	1					2		1		4
overig Nederland						1	1			2
Duitsland				1						1
Frankrijk		1	2	1			1			5
Engeland	1									1
Spanje									1	1
U.S.S.R.						1				1
totaal	2	1	2	1	1	4	2	1	1	15

Terugmeldingen van de als nestjong in Friesland geringde exemplaren.

	jan.	mrt.	aug.	sept.	nov.	dec.	
Friesland			1				1
overig Nederland							
Duitsland				1			1
Denemarken			1				1
Frankrijk	1	3				1	5
Spanje	1				1	1	3
	2	3	2	1	1	2	11

Terugmeldingen van als volgroeide vogels in overig Nederland geringde exemplaren

	jan.	apr.	aug.	sept.	nov.
Friesland	1	2	1	1	1

Van de als nestjong in overig Nederland geringde Slobeenden werd slechts één enkel exemplaar in Friesland teruggemeld en wel in de maand september.

W. de J.

Krooneend - *Netta rufina* (Pallas)

Readkop-ein

Onregelmatige gast.

De Krooneend wordt in Friesland slechts in zeer klein aantal waargenomen. Bijna alle waarnemingen hebben betrekking op éénlingen of groepjes tot een vijftal exemplaren. Een uitzondering vormt de waarneming van 22 oktober 1967 toen bij de Makkumer Waard dertien exemplaren werden gezien. (3 ♂ ♂ en 10 ♀ ♀) (A. 2). De herkomst van deze vogels is niet na te gaan. Het kunnen zowel zwervers van de Nederlandse broedvogelpopulatie zijn of trekkers uit het buitenland.
De Krooneend is sinds 1942 een Nederlandse broedvogel. De soort werd toen broedend vastgesteld in de Botshol en op de Vinkeveense Plassen en in 1961 ook in oostelijk Flevoland (AVN 1970).
Buiten Nederland broedt de soort zowel noordelijk (o.a. Oost-Duitsland, Sleeswijk-Holstein en Denemarken) als ook zuidelijk van ons land, waarbij

het zwaartepunt ligt in Zuid-Europa t.w. Zuidoost-Frankrijk (Camargue) en Spanje.

Bij de Friese wintergasten zijn zeker vogels uit het buitenland wat onder andere blijkt uit de vondst van een exemplaar bij Twijzelerheide op 23 januari 1957. De vogel bleek op 8 augustus 1956 op Lolland in Denemarken te zijn geringd.

Het broeden van de Krooneend is tot nu toe in de provincie Friesland niet vastgesteld; dit ondanks meerdere waarnemingen van paren in de broedtijd. Een reden is hiervoor moeilijk aan te geven, daar geschikte biotopen wel aanwezig zijn. Een belangrijk aspect hiervan is namelijk de aanwezigheid van fonteinkruidvelden. De meren waar deze velden nog voldoende aanwezig zijn worden echter door de recreatie te water te veel verontrust, terwijl aan de IJsselmeerkust op de geschikte plaatsen een voldoende oevervegetatie ontbreekt. Een andere oorzaak waardoor de IJsselmeerkust minder geschikt is voor duikeenden, is de afwaaiing van het water. Vooral bij langdurige oostenwind vallen grote delen voor de kust droog.

Een gebied dat zich bij een juist beheer mogelijk kan ontwikkelen tot een goede biotoop voor de Krooneend is het Lauwersmeer, thans een van de beste waterwildgebieden in de provincie.

De tot op heden bekend geworden waarnemingen zijn:

13 september 1920	1 ex. op de Lauwerse Wadden, coll. RML (Ard. 12, 1923, 4)
31 augustus en 20 november 1934	1 ♂ en 1 ♀ ex. gevangen in de eendenkooi te Bakhuizen, coll. FNM
13 november 1936	1 ♀ ex. dezelfde plaats, levend naar Artis (Lim. 10, 1937, 63)
9 maart 1938	2 paren aan de IJsselmeerkust onder Laaxum (Ard. 28, 1939, 102)
25 mei 1942	1 ex. tussen Wilde Eenden bij de Mokkebank (Ard. 32, 1943, 233)
25 november 1948	1 ♀ ex. gevangen in Zuidwest-Friesland, coll. FNM
26 mei 1955	1 ♂ ex. bij de Mokkebank (Van. 8, 1955, 196; Lim. 29, 1956, 53)
1957	2 ♂ en 2 ♀ ex. bij Kornwerderzand (A. 19)
23 januari 1957	1 ex. bij Twijzelerheide (idem)
2 januari 1958	5 ♂ en 4 ♀ ex. tussen Kornwerderzand en de Kop van de Afsluitdijk (Van. 11, 1958, 320; Lim. 33, 1960, 22)
12 januari 1958	4 ♂ en 2 ♀ ex. dezelfde plaats (idem)
27 februari 1960	1 ex. in de Rottige Meenthe onder Nijetrijne (A. 2)
10 augustus 1960	1 ♂ ex. in eclipskleed bij de Kooiwaard onder Piaam (Lim. 35, 1962, 51)
21 september 1963	1 juv. ♂ ex. bij Oudemirdum, coll. FNM
12 december 1964	1 ♂ ex. bij Hindeloopen (Lim. 39, 1966, 45)
20 februari 1966	1 ♂ ex. in de stadsgracht te Sneek. Waargenomen t/m 4 april 1966, zonder twijfel een ontsnapte parkvogel (A. 2)

26 oktober 1966	1 ♂ ex. levend gevonden bij Afsluitdijk onder Makkum, gestorven (coll. Christ. Pedagogische Academie te Sneek)
22 september 1967	13 ex. bij de Makkumerwaard (A. 2)
24 december 1967	1 ex. bij Makkum (Vj. 16, 1968, 494)
23 juni 1968	1 ♀ ex. IJsselmeerkust onder Oudemirdum, verdween in het riet (A. 2)
9 november 1968	2 ♂ ex. in de Piamer Geul (idem)
29 november 1969	1 ♀ ex. bij-de Makkumer Noordwaard (idem)
29 november 1969	1 ♂ ex. bij de Workumer Waard (idem)
30 september 1970	1 ♂ ex. in een zandgat bij het Sneekermeer, tussen Smienten en Wintertalingen (idem)
1970	1 juv. ♂ ex. geschoten onder Piaam (idem)
18 april 1971	1 ♂ ex. bij de Makkumer Noordwaard (idem)
1 tot 7 mei 1971	2 ex. in de Piamer Geul (idem)
15 mei 1971	1 ex. dezelfde plaats (idem)
16 mei 1971	1 ♂ ex. bij de Makkumer Zuidwaard (idem)
23 oktober 1971	1 ex. op het Tjeukemeer bij de eendenkooi (idem)
1 tot 7 december 1971	2 ex. bij de Makkumer Noordwaard (idem)
7 mei 1973	2 paren noordwestkant van het Tjeukemeer (idem)

W. de J.

Toppereend - *Aythya marila marila* (Linnaeus)

Jolling

De Fryske namme kin yn forbân stean mei jolling (of jolm) yn 'e bitsjutting fan: oanspielsel oan 'e kant fan 'e mar. Jolm is neffens W. J. Buma (Us Wurk XVII, 1968, 69) fuortkommen út ,,wjolm'', en dat út *wjelm. Forgelykje it Angelsaksyske *wielm (it is sieden, wâljen, de weach, de stream). Underskate foarmen forûnderstelle in Germaensk *walmi. It Aldfryske ,,walla'' is hjir mei yn forbân to bringen. De oarspronklike bitsjutting fan ,,jolm'' moat west ha: opwâlling, opdriuwsel, hwat de wâljende weagen oanspiele. (J.B.)

Wintergast in groot aantal.

De Toppereend heeft zijn broedgebied in Noord-Europa, met name in Scandinavië, Schotland, IJsland, Finland en Estland.
In de oudere gegevens over het voorkomen van deze soort in Friesland worden nergens aantallen overwinterende vogels of overwinteringsgebieden genoemd. In 1884 schrijft Albarda in zijn Naamlijst: ,,In de wintermaanden op meren en poelen, in vlugten, doch niet zoo talrijk, als *F. cristata* Ray (Kuifeend).'' Hier blijkt duidelijk dat de vogels regelmatig in het binnenland in een behoorlijk aantal werden gezien.

De Toppereend overwintert thans in hoofdzaak aan de kust, op het IJsselmeer en op het Lauwersmeer. Bij voorkeur op plaatsen waar enige beschutting tegen harde wind en ruwe zee is. Afhankelijk van de weersgesteldheid in Noord-Europa kunnen de aantallen zeer sterk variëren. Op de Waddenzee dicht onder de Friese kust is het aantal Toppereenden nooit groter dan een paar duizend exemplaren. Door de getijden is het verblijf onregelmatig en plaatselijk van korte duur. Tijdens eb kunnen enige tientallen tot een groep van enige honderden op de diepe gedeelten bij de haven van Lauwersoog en de pier van Holwerd achterblijven. Op de Lauwerszee welke voor de afsluiting (1969) grotere aantallen herbergde, worden nu slechts kleine groepjes van rond 30 exemplaren met een totaal van een paar honderd stuks gezien.

Afhankelijk van de weersgesteldheid zijn bij Harlingen de aantallen aanmerkelijk hoger. Vooral bij noordoostelijke wind verblijven grote troepen in de luwte van de Zuiderpier. De aantallen kunnen variëren van enkele tientallen tot ruim 2000 exemplaren. Vrijwel gelijke aantallen zien we op de Waddenzee bij Kornwerderzand. Ze houden zich hier op bij de zandbanken aan het eind van de havendammen. Bij harde wind en ruwe zee vliegen ze over de Afsluitdijk naar het IJsselmeer waar het water veelal rustiger is.

Langs de IJsselmeerkust, vanaf de kop van de Afsluitdijk tot Lemmer, zien we nooit grote concentraties. Het blijft bij incidentele exemplaren tussen de groepen Kuif- of Tafeleenden. Bij Lemmer in de vaargeul nemen de aantallen Toppereenden weer toe, waarbij het waarnemen van enige duizenden geen uitzondering is.

Regelmatig worden ook in de zomermaanden Toppereenden gezien. In de meeste gevallen betreft het eenlingen welke door ziekte of aanschieten bij de jacht niet zijn weggetrokken. Opvallend grote aantallen worden echter ook opgemerkt zoals:

9 juli 1938	± 12 ex. bij Kornwerderzand op het IJsselmeer, bijeen (Ard. 28, 1939, 103)
14 juli 1938	± 150 ex. bij Kornwerderzand op het IJsselmeer, bijeen (Ard. 27, 1938, 107)
25 juli 1939	25 ex. tussen een groep van 100 eenden bij Kornwerderzand (Ard. 29, 1940, 212)
31 juli 1940	38 ex. bij Kornwerderzand op het Wad
1960-1961	max. 450 ex. Makkumerwaard (G. 5)
22 juni 1968	20 ex. bij de Steile Bank onder Nijemirdum

Over grotere aantallen op de meren is weinig bekend. Kiers (1974) vermeldt een waarneming van 50 exemplaren bij de Schanzerbrug, nabij de

Grote Wielen onder Tietjerk, fouragerend op een stuk ondergelopen land (16 dec. 1973). Verder werd op 10 maart 1970 op het Tjeukemeer een groep van 30 exemplaren gezien (A. 2).

W. de J.

Kuifeend - *Aythya fuligula* (Linnaeus)

Túfein

Oare nammen: Tûfein, Topein. De nammen hat it eintsje oan syn sierlik túfke to tankjen. Sa sit it ek mei de namme Kamdûker, dy't û.o. by Grou en Warten brûkt wurdt. (J.B.)

Jaarvogel; talrijke broedvogel.

De Kuifeend is vanouds een bekende verschijning in Friesland. Was dit voorheen vrijwel uitsluitend als doortrekker en wintergast, de laatste jaren komt dit duikeendje over vrijwel de gehele provincie verspreid ook als broedvogel voor. In Europa is de Kuifeend o.a. broedvogel van Scandinavië, Finland, zuidelijk Siberië tot aan de Middellandse Zee.

Dat men de Kuifeend voorheen slechts als wintergast kende, blijkt duidelijk uit wat Albarda (1866) schrijft, namelijk ,,In herfst en het voorjaar in groote vlugten op alle enigszins uitgestrekte meren, poelen en plassen." In 1897 komt daar de aantekening bij dat deze wateren alleen worden verlaten wanneer het ijs hen daartoe dwingt en dat ze dan naar zee trekken. Hieruit blijkt duidelijk de voorkeur van de Kuifeend voor zoet water, de Toppereend daarentegen is veel meer een eend van de zee. Tijdens strenge vorst trekken dan ook enkele Kuifeenden naar het open water in de steden waar ze zich snel aanpassen en met de meerkoeten op het gestrooide voedsel fourageren.

Of de Kuifeend vóór 1940 in Friesland heeft gebroed is niet bekend. Het eerste met zekerheid bekende broedgeval voor Friesland werd in 1941 vastgesteld door de vondst van een nest met acht eieren onder Oudega (W.) waarvan Ts. Gs. de Vries op 16 juni een ei ontving (Lim. 14, 1941, 59).

In 1943 was er een zeer waarschijnlijke waarneming onder Grouw op het Biggemeer, van een wijfje met jongen (Ard. 33, 1945, 157). Onder Eernewoude werden in 1944 een paar en een solitair mannetje waargenomen, waarvan de laatste de allures had van een woerd waarvan het eendje aan de leg is (A.3). Zekerheid betreffende broeden aldaar werd verkregen in 1945 toen men op 24 en 31 juli en op 27 augustus een wijfje met vier jongen waarnam (Ard. 34, 1946, 342-343; Lim. 18, 1946, 80).

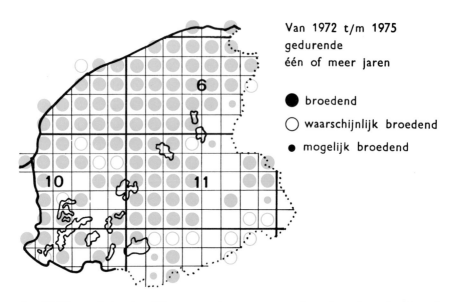

Van 1972 t/m 1975
gedurende
één of meer jaren

● broedend
○ waarschijnlijk broedend
• mogelijk broedend

In 1948 werd in dezelfde omgeving weer een broedgeval gesignaleerd waarvan het legsel van acht eieren echter door roofdiervraat verloren ging (Van. 1 (8/9), 1948, 5; Lim. 22, 1949, 389). In de volgende jaren werd het broeden eveneens vastgesteld tussen Akkrum en Oudeschouw in 1947 (A. 1) in 1952 bij Warga (A. 2) en in 1956 weer onder Eernewoude (A. 1). In de volgende jaren bleef het broeden tot incidentele gevallen verspreid over de provincie. Eerst na 1965 nam de Kuifeend opvallend in aantal toe, wat vooral tot uitdrukking kwam door een toename van de zomerwaarnemingen. In hoeverre deze toename mede werd veroorzaakt door vogels van elders is niet na te gaan. Reeds omstreeks 1960 was de Kuifeend in Noord-Holland zeer algemeen als broedvogel; een vestiging van het overschot van elders is dus niet onmogelijk.

De toename van het aantal broedparen is het meest opvallend in de kust-streek. Vooral boven de lijn Harlingen-Franeker-Leeuwarden-Dokkum-Kollum naar de Lauwerszeepolder is het aantal broedparen zeer groot. Ze zijn daar in vrijwel alle sloten en vaarten te vinden waarbij vooral de nieuw gegraven vaarten direct worden bevolkt. Dat deze toename van de Kuif-eend als broedvogel vooral zou worden veroorzaakt door de uitbreiding van de Driehoeksmossel is niet aanwijsbaar voor zover dit Friesland be-treft. Een duidelijk beeld over de verspreiding en de toename van deze mossel ontbreekt. Een verbetering van de waterkwaliteit kan een toename te zien geven (A.S. Tulp, mondelinge mededeling). Op enkele plaatsen is het broedbestand hoger dan 10 paar per km², o.a. in de omgeving van Ezumazijl, Kollumerzijl en Dokkum.

Alle tellingen samenvattend, ligt het totale broedbestand in geheel Friesland rond de duizend paar, in werkelijkheid waarschijnlijk hoger en valt de Kuifeend als broedvogel in de categorie talrijke broedvogel.

Ook elders is uitbreiding geconstateerd bijv. in de omgeving van Bakkeveen en Duurswoude (A. 23): 1971 geen, 1972 één paar, 1973 twee paar, 1974 drie paar, 1975 vijf paar.

Als doortrekker en wintergast is deze eend een gewone verschijning. Eind juni neemt het aantal woerden toe, maar opvallende concentraties van ruiende exemplaren zijn niet geconstateerd. Wel werden ruiende vogels aangetroffen onder Ezumazijl, in het Princehof en bij Wommels.

De grootste concentraties vindt men dan op het IJsselmeer en de grote meren waarbij de aantallen enige honderden meestal niet te boven gaan. In niet te strenge winters verblijven de Kuifeenden hoofdzakelijk op de meren en in de vaarten en kanalen. Vriest alles dicht, dan verplaatsen ze zich naar de Waddenkust; een klein gedeelte zoekt open water in de steden en dorpen.

In februari en maart nemen de aantallen toe, mede door vogels welke op terugtrek zijn naar de broedgebieden. Dan worden soms groepen van enige duizenden exemplaren waargenomen:

3 maart 1951	500 ex. op de Grote Wielen onder Giekerk (A. 2)
7 januari 1952	500 ex. bij de Kop van de Afsluitdijk (A. 1)
24 februari 1952	100 ex. op de Kleine Wielen (A.2)
'4 februari 1975	1000 ex. op de Morra onder Hemelum
16 februari 1975	800 ex. dezelfde plaats
25 februari 1975	2500 ex. dezelfde plaats

De grote aantallen op deze laatste plaats vinden mede hun oorzaak in de ligging van dit meer in de omgeving van het IJsselmeer.

Op de Waddenzee zijn soms grote troepen aan te treffen. Vooral bij vriezend weer zijn groepen van enige duizenden geen uitzondering. Groepen van uitsluitend Kuifeenden worden hier echter weinig gezien, in de meeste gevallen zijn het gemengde groepen van Topper-, Kuif- en Tafeleenden waarbij de eerste soort, als eend met een voorkeur voor zout water, het grootst in aantal is.

De groepen welke in de vaarten en kanalen overwinteren komen in aantal meestal niet boven de honderd exemplaren. In ijsvrije winters zien we reeds in maart de eerste broedparen in de kleinere landslootjes, meertjes en plassen rondzwemmen terwijl de niet-broedende vogels op de kanalen achterblijven. Een deel hiervan verdwijnt in de loop van het voorjaar; de anderen blijven, wanneer de verstoring door scheep- en recreatievaart niet te groot is, de gehele zomer aanwezig.

W. de J.

Tafeleend - *Aythya ferina* (Linnaeus)

Karein
Ek Tafelein. De namme is in onomatopé. It eintsje makket in ratteljend lûd: karr, garr, glrr. (J.B.)

Jaarvogel; vrij schaarse broedvogel; doortrekker en wintervogel in zeer groot aantal.

In Friesland is de Tafeleend een algemene verschijning, maar nergens kan van een talrijke broedvogel worden gesproken. De biotoop van plassen en meertjes met een waterdiepte van één tot anderhalve meter en een brede gordel van riet, biezen of oeverkruiden, is nog vrij veel aanwezig. Vooral in het zogenaamde Lage Midden van de provincie, globaal langs de lijn Lemmer-Sneek-Leeuwarden-Dokkum waar dit type terrein in hoofdzaak aanwezig is, werden en worden de grootste aantallen broedparen gevonden. De broedgevallen buiten deze gebieden zijn steeds in brede rietzomen langs vaarten en kanalen of in dijksvaarten en ,,dobben" langs de kust vastgesteld.
In de omgeving van Nijetrijne wordt de Tafeleend vooral in het CRM-reservaat ,,De Rottige Meenthe" gevonden. Het hier jaarlijks voorkomende aantal broedparen schommelt tussen 10 en 15 paren.
Het aantal paren van de Lindevallei is slechts zeer gering, waarschijnlijk niet meer dan één of twee. De verlanding en de hoog opschietende elzenbossen maken het terrein voor deze soort minder aantrekkelijk. Aan de Tjonger zijn wel geregeld wijfjes met kuikens waar te nemen welke waarschijnlijk afkomstig zijn uit de aanliggende poelen en uit de rietkragen van de inhammen.
Aan de Fluessen is de Tafeleend een spaarzame broedvogel. Een uitzondering vormt het meest zuidwestelijke deel van het meer, waar op een eilandje zeker 10 à 15 paren jaarlijks nestelen. Mogelijk is dit aantal groter, zekerheid hierover is echter slechts ten koste van zeer ernstige verstoring te verkrijgen. Door de zeer geringe waterdiepte is het aanleggen van boten vrijwel onmogelijk en de verstoring door recreatie is dan ook gering.

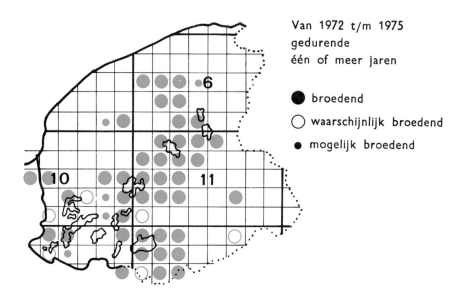

Van 1972 t/m 1975
gedurende
één of meer jaren

● broedend
○ waarschijnlijk broedend
• mogelijk broedend

In de omgeving van Sneek komt de Tafeleend op diverse plaatsen voor, met de grootste concentratie op de rondom het Sneekermeer gelegen poelen. Het broeden is hier onder meer vastgesteld op de Witte en Zwarte Brekken, het Oudhof, het Koevordermeer, de Langweerder Wielen, het Jentjemeer, de Langstaartenpoel, de Goïngarijpster Poelen, de Terkaplester Poelen en in de omgeving van Terhorne. Het totaal aantal broedparen is hier ruim 20, waarschijnlijk meer daar een groot gedeelte van dit gebied nooit systematisch is onderzocht. Het aantal aanwezige paren in de broedtijd doet echter vermoeden dat er 25 à 30 zijn.

Veruit het grootste aantal broedparen vindt men in het gebied gelegen tussen Grouw, Eernewoude en Wartena. Snouckaert zag op 18 juni 1904 onder Eernewoude een wijfje met 4 kleine jongen en legde hiermee het eerste broedgeval van Friesland vast (DLN 1905, 104). Uit een onderzoek door Ts. Gs. de Vries in 1906 naar deze soort bleek dat de Tafeleend in deze omgeving een zeer gewone broedvogel was (Versl. en Med. NOV 4, 1907, 13-22). De Vries schatte het aantal broedparen in het gehele gebied tussen Grouw, Rinsumageest, Oudega (Sm.) en Boornbergum op zeker 150. „Vrij zeker moet dit getal echter belangrijk verhoogd worden". Verder kon De Vries door informaties vaststellen, dat van de Tafeleend ook reeds omstreeks 1880 eieren geraapt werden.

Momenteel broedt de soort ieder jaar op het Biggemeer, de Sijtebuurster Ee, Wijde en Monniken Ee, de Bleipetten, de Okse Poel, de Saiterpetten en de Zonsmeer. Incidenteel ook aan de vaarten en sloten. Verder onder Wartena aan het Langdeel en het Wartenaster Wijd. Het totaal aantal broedparen ligt in deze omgeving nu rond de 50 paar. Door ontginning zijn grote delen van het voor deze soort geschikte broedgebied verloren gegaan.

Ook de sterk toenemende opslag van elzen maakt het gebied minder geschikt. In de jaren 1944/45 werden grote delen van het elzenbos omgehakt om het hout te gebruiken als brandstof. Een gevolg hiervan was een duidelijke toename van het aantal broedende Tafeleenden.

Op het Bergumermeer en de Leijen worden geregeld paren waargenomen. Het aantal broedparen is echter niet groot en komt niet boven de vijf. Ook in het Ottema-Wiersma reservaat onder Hardegarijp is het aantal broedparen niet groot en bedraagt samen met enige aanliggende terreinen Mûzeriid en Aaltjemeer, 10 paar.

Grote Wielen, Kleine Wielen en Merriedobbe geven slechts incidentele broedgevallen met een totaal van 5 paar.
Regelmatige broedvogel is de Tafeleend ook op de Makkumer Waarden. Enkele tellingen in 1974 en 1975 geven een aantal van minimaal 8 broedparen. Het aantal is waarschijnlijk groter maar door de terreingesteldheid niet met zekerheid vast te stellen.
Incidentele broedgevallen zijn ook vastgesteld aan het van Harinxmakanaal, de Zwette, de Heeresloot onder Heerenveen, op de Morra, het Tjeukemeer en onder Tacozijl (A.2).

Over de laatste vijf jaren is een duidelijke toename merkbaar vooral door het steeds meer broeden van de Tafeleend in weidegebieden met brede afwateringssloten, vooral rondom de goed bezette broedgebieden. Of hierin een uitwijkmogelijkheid tegen de steeds toenemende recreatiedruk wordt gevonden (veel nesten worden uitgehaald of uitgevaren) is nu nog niet te zeggen. Ook niet of deze toename blijvend kan zijn. Een rechtstreekse bedreiging vormen de ruilverkavelingen samengaande met een verlaging van het polderpeil waardoor de oevervegetatie verdwijnt. Het totaal aan broedvogels in Friesland is nu plm. 200 paren.
Als doortrekker en wintergast komt de Tafeleend overal voor. De eerste groepen van meest woerden verschijnen reeds in augustus. De aantallen zijn meestal niet uitzonderlijk groot en blijven meest beperkt tot groepen van 15 tot 100 stuks al zijn ook veel grotere aantallen waargenomen.

Enkele voorbeelden:

22 februari 1934	9 ex. in de Oude Venen (A. 1)
20 april 1937	± 500.ex. in de Oude Venen (A. 1)
6 maart 1949	± 20 ex. op de Grote Wielen onder Leeuwarden (A. 1)
14 september 1968	ruim 3.500 ex. langs IJsselmeerkust van Staveren tot Roptazijl (A. 2)
14 september 1968	± 1.200 ex. voor Laaxum, gesloten groep, 140 volwassen woerden (A. 2)
15 november 1975	± 200 ex. in Spuikom Hooglandgemaal te Staveren, tweederde deel woerden
13 december 1975	60 ♂ ex. dezelfde plaats

Het grootste aantal werd 5 december 1971 op het IJsselmeer voor Laaxum waargenomen. Bij iets nevelig weer waarbij het zicht toch nog ruim 1.000 meter bedroeg was het meer, zover het oog reikte, bedekt met Tafeleenden. Een telling gaf een totaal van 75.000 tot 80.000 exemplaren. Vrij zeker waren er echter meer daar slechts een gedeelte door het matige zicht kon worden geteld (A.2).

In strenge winters komen regelmatig Tafeleenden in de steden en dorpen voor, veelal eenlingen welke ook goed de winter doorkomen.

Ringgegevens van de Tafeleenden zijn slechts zeer weinig aanwezig. Het enige gegeven betreft de terugmelding van twee exemplaren in Nederland geringd en hier teruggemeld in de maanden oktober en november. Laatstgenoemd exemplaar was op 10 april 1968 als adult ♂ ex. geringd bij Krap, Noord Jutland (Denemarken) en is begin november 1969 voor de Mokkebank bij Laaxum in een visnet verdronken.

W. de J.

Witoogeend - *Aythya nyroca* (Güldenstädt)

Brune Dûkein

Onregelmatige gast.

De Witoogeend, waarvan het voornaamste broedgebied oostelijk van Nederland ligt, is altijd een schaars voorkomende soort geweest. In de oudere literatuur wordt de soort genoemd als een niet gewone doortrekker (Albarda (1897) en Snouckaert (1908). De enkele vogels die werden gevangen, waren in de meeste gevallen jonge vogels.

De vastgelegde waarnemingen en vondsten, welke hoofdzakelijk in herfst en winter vallen, zijn:

4 november 1886	1♀ ex. geschoten bij Molkwerum (Albarda 1887)
25 september 1896	1 jong♂ex. gevangen in een eendenkooi bij Anjum (Albarda 1897)
28 november 1900	2 ex. bij een poelier te Leeuwarden (A. 1)
herfst 1928	1 ex. bij Laaxum geschoten (B. 11)
24 augustus 1931	1 juv.♂ex., coll. FNM. Als herkomst wordt „Friesland" opge-geven; waarschijnlijk gevangen in een eendenkooi
13 september 1936	tweemaal een exemplaar gezien in een binnendijks slootje bij de Lauwerszee (A. 1)
24 september 1936	1 ex. in een brakwaterslootje op het Noorderleeg onder Hal-lum (Ard. 26, 1937, 70)
25 februari 1948	1 draadslachtoffer bij Boksum
10 oktober 1948	1 ex. in de dijkssloot bij Zwarte Haan (A. 16)
28 oktober 1951	1 ex. op de Langweerderwielen
15 januari 1956	1 ex. in het binnendijksslootje aan de Waddenkust
5 september 1962	1♀ ex. in de dijkssloot onder Makkum (B. 3)
april 1963	3 ex. op het IJsselmeer ter hoogte van de Kop van de Afsluit-dijk, mogelijk van deze soort
zomer 1963	2♂en 1♀ ex. omgeving Makkum (geen zekerheid)
19 september 1964	1 ex. gezien in een slootje aan de Waddenkust
1 mei 1966	1 paartje op het IJsselmeer tussen Molkwerum en Staveren
23 januari 1967	2 ex. in de werkhaven bij Oostmahorn (A. 5)
13 december 1969	1 ♀ ex. in de vaart bij Nijetrijne
24 mei 1971	1 ex. in de Zwette onder Sneek, daar geruime tijd aanwezig
26 augustus 1973	paartje in een plas op een opgespoten terrein bij Leeuwarden (Van. 26, 1973, 181)

Genoemde vondsten en waarnemingen van de Witoogeend kunnen - het exemplaar met de aanduiding „herfst" en de drie ongedateerde zomerwaar-nemingen buiten beschouwing gelaten - als volgt worden samengevat:

maand	I	II	III	IV	V	VI	VII	VIII	IX	X	XI	XII
aantal ex.	2	1	—	1	2	—	—	2	5	2	2	1

Vermeld wordt een broedgeval in 1962 onder Makkum (Van. 15, 1962, 213-214; Lim. 37, 1964, 24). Daar van dit geval geen bewijsmateriaal aanwezig is, kan het niet als vaststaand worden aanvaard.

W. de J.

Brilduiker - *Bucephala clangula clangula* (Linnaeus)

Rinkelein

It wurd „clangula" bitsjut rinkeljend lûd, nammentlik it lûd dat de fûgels mei de wjukken meitsje kinne. Hjirneffens ek de Fryske nammen: rinkelein, rinkel(d)er, rinkeldûker, belein, beldûker. Fanwege de hoekige, moai grouwe kop (bucephale=mei in kouwe-kop) ek: knob, knobbe, knobbelein, knobbeldûker. (J.B.)

Wintergast in groot aantal.

Van deze kleine duikeend ligt het broedgebied in Noord-Europa en Noord-Azië. De uiterste Noordgrens valt vrijwel samen met de arctische woudgrens. De dichtstbijzijnde broedplaatsen vinden we in oostelijk Holstein.
De eerste wintergasten arriveren in Friesland omstreeks begin oktober om tot ver in april te blijven. De grootste aantallen verblijven aan de kust en op het IJsselmeer. De aantallen kunnen hier tot meerdere honderden oplopen en in enkele gevallen werden enige duizenden geteld. Vooral aan de Waddenkust bij Harlingen, bij Kornwerderzand en op het IJsselmeer bij Gaasterland zijn Brilduikers veel te zien, evenals de laatste jaren in het Lauwersmeer, zoals blijkt uit de volgende waarnemingen:

18 februari 1958	3250 ex. in het Hondennest bij Nijemirdum (Lim. 32, 1959, 43)
20 januari 1959	300 ex. dezelfde plaats (idem)
29 november 1959	4000 ex. op het IJsselmeer bij Laaxum (idem)
27 december 1970	1500 ex. dezelfde plaats (A. 2)
1 februari 1971	±4000 ex. tussen Kornwerderzand en de Kop van de Afsluitdijk (idem)

De aantallen op zee voor de havens van Harlingen variëren van 50 tot een 500 exemplaren (A.2) In sommige jaren verongelukken er vrij vaak Brilduikers in staande netten op het IJsselmeer en de grote meren. Volwassen uitgekleurde mannetjes worden in verhouding tot wijfjes en jonge vogels weinig gezien. De mannetjes overwinteren verder naar het noorden op (bij voorkeur) zoet water, dat ook gedurende winterse omstandigheden door stroming open blijft.
De aantallen welke op het binnenwater overwinteren zijn klein. In de meeste gevallen betreft het eenlingen of groepjes tot een aantal van 30 à 35 exemplaren. Tijdens strenge vorst verschijnen ze ook in steden en dorpen waar door geloosd warm industriewater de kanalen open blijven. Ook minder gewone plaatsen worden tijdens slecht weer opgezocht, zoals blijkt uit een waarneming van 9 februari 1969 toen een paartje zich ophield in een vennetje aan de rand van het bos te Veenklooster. De weersomstandigheden waren slecht, harde wind met vorst en stuifsneeuw (A. 2).
Overzomeraars worden regelmatig gezien. Enkele voorbeelden mogen hier volgen:

18 juni 1936	1 ♂ ex. op het Oosterse Wijd bij Eernewoude, vleugellam (A. 1)
20 juli 1942	1 ♀ ex. in een buitendijkse plas bij Tacozijl (Ard. 32, 1943, 23)
30 augustus 1969	±200 ex. onder Laaxum, mogelijk vroege wintergasten (A. 2)

zomer 1974	1 ♀ ex. in het Soal te Workum (idem)
juli 1974	3 ex. op het IJsselmeer ter hoogte van het Oudemirdumer Klif (idem)
2 augustus 1974	9 ex. dezelfde plaats, waarvan 3 uitgekleurde ♂ ex. (idem)
2 augustus 1974	bij de Steile Bank onder Nijemirdum, mogelijk vroege winter-gasten (idem)

W. de J.

IJseend - *Clangula hyemalis* (Linnaeus)

Iisein

Wintergast in zeer klein aantal.

De IJseend is één van de verst noordelijk broedende vogelsoorten en is aan de arctische kust tevens één der talrijkste broedvogels. De populaties uit Siberië, Scandinavië en Spitsbergen overwinteren o.a. in het westelijke deel van de Oostzee en de noordelijke Noordzee. Een klein gedeelte van de vogels trekt iets zuidelijker ongeveer tot Terschelling en wel, afhankelijk van de ijsgrens, in meer of minder groot aantal. De invloed van de winter blijkt o.a. uit een waarneming van 6 februari 1963 toen op de Noordzee voor Vlieland ruim honderd exemplaren in groepjes van 10 tot 20 stuks, werden geteld (A. 2).
Ook uit de gegevens van Albarda (1884) en Snouckaert (1908) blijkt dui-delijk dat de strengheid van de winter van invloed is op het voorkomen van de IJseend. Beiden vermelden de IJseend als een onregelmatig en in som-mige winters in het geheel niet, voorkomende wintergast.
Alle waarnemingen aan de vaste wal zijn aan de kust van de Waddenzee of op het IJsselmeer gedaan. Er is één uitzondering en wel op 4 oktober 1926 een ♂ exemplaar op ondergelopen land onder Tietjerk. Dit is ook de vroegste waarneming. De laatste datum is 22 april 1936 toen een ♂ exem-plaar op het IJsselmeer onder Gaast werd gezien.
Bekijken we de verdeling van de genoteerde waarnemingen over de maan-den van het jaar dan geeft dit het volgende beeld:

maand	okt.	nov.	dec.	jan.	febr.	mrt.	apr.
aantal ex.	7	7	16	8	8	4	3

Het grootste aantal individuen in één keer bij elkaar waargenomen is ze-ven, namelijk op 19 april 1936 aan de Afsluitdijk op het IJsselmeer. Op 15 december 1957 waren eveneens zeven exemplaren aanwezig, echter verdeeld over IJsselmeer en Waddenzee. Er verongelukt nogal eens een exemplaar in een fuik, bijvoorbeeld tijdens de winter van 1967 een ♂ exemplaar onder Staveren (part. coll.).

W. de J.

Grote Zeeëend - *Melanitta fusca fusca* (Linnaeus)

Greate Séein
Oare nammen: Brune Sédûker, Greate Brune Dûkelein, Greate Brune Dûker, Greate Swarte Dûker. (J.B.)

Wintergast

Deze broedvogel van o.a. Noorwegen, Zweden, Finland en Estland overwintert dichter bij het broedgebied dan de Zwarte Zeeëend. Gedurende de wintermaanden zijn de grootste aantallen in het Oostzeegebied tussen Zuid-Zweden en Jutland te vinden. Ook de aantallen op de Noordzee zijn aanmerkelijk geringer, wat duidelijk zijn weerslag vindt in de aantallen van de Waddenzee. Aan de Friese kust betreft het in hoofdzaak éénlingen en dan nog vaak exemplaren welke met olie zijn besmeurd. Iets vaker is de Grote Zeeëend voor de mond van de Harlinger haven en bij Kornwerderzand aan te treffen. Soms in iets groter aantal, zoals 15 september 1957 toen bij Kornwerderzand drie exemplaren werden waargenomen (A. 2).
Een enkele maal wordt de Grote Zeeëend in het binnenland en langs het IJsselmeer waargenomen:

24 april 1920	vier ex. op de Kleine Wielen onder Tietjerk (A. 1)
29 november 1951	1 ♂ ex. op de Fluessen (Van. 4, 1951, 184; Lim. 25, 1952, 163)
25 februari 1956	een paar in de sluis bij Oosterwierum, enige dagen tijdens zeer strenge vorst (idem)
13 november 1969	1 ♀ ex. bij de Steile Bank onder Nijemirdum (A. 2)
12 februari 1967	1 ♂ ex. in de vaargeul tussen de Makkumer Waarden (idem)

. W. de J.

Zwarte Zeeëend - *Melanitta nigra nigra* (Linnaeus)

Swarte Séein
Oare nammen: Swarte Sédûker, Swarte Dûkein, Swarte Dûker en Knobbel-sédûker. Tytsjerksteradiel: Swarte Marein. (J.B.)

Jaargast.

Zwarte Zee-eend bij Dokkumer Nieuwezijlen, 1965 - H. F. de Boer.

De Zwarte Zeeëend is aan de Friese Waddenkust in de wintermaanden een geregelde verschijning in vrij klein aantal. De soort is broedvogel van Oost-Europa, Zweeds Lapland, Siberië en is talrijk op IJsland. Het meest zuidelijk vinden we deze soort op de Britse eilanden, in Ierland en Schotland. Het is een trekvogel welke in zeer groot aantal op de westelijke Oostzee en de Noordzee overwintert. Aan de Nederlandse Noordzeekust zijn ze het gehele jaar aan te treffen en vooral tijdens de herfsttrek zijn vanaf de Waddeneilanden zeer grote aantallen trekkende vogels waar te nemen. Dagtellingen van 10.000 en meer zijn dan geen uitzondering.

De aantallen op de Waddenzee voor de Friese kust zijn veel lager en gaan de honderd meestal niet te boven. Vooral in een periode met storm zijn iets grotere aantallen waar te nemen. Veelal in de zeegaten tussen de Wadden-eilanden, een enkele maal dichter bij de kust, zoals 10 februari 1957 toen er een groep van ongeveer 100 exemplaren op de Waddenzee bij Kornwer-derzand te zien was (A. 2). De eenlingen zijn meest door stookolie aange-tast en worden dan na enige tijd dood in de vloedlijn gevonden.

Regelmatig worden ook in het binnenland en op het IJsselmeer Zwarte Zeeëenden waargenomen. In de meeste gevallen slechts op korte afstand van de zee in de dijkssloten en op het IJsselmeer.

247

Van de Zwarte Zeeëend zijn de volgende vondsten en waarnemingen bekend:

10 april 1920	3 ♂ en 2 ♀ ex. op de Kleine Wielen onder Tietjerk (A. 1)
21 december 1926	1 dood ♂ ex. bij Warga, langs de weg, met olie besmeurd (idem)
19 januari 1929	17 ex. kuststrook Hindeloopen-Koudum (Med. Club ZW XIII, 1929, 1)
20 juni 1929	1 ♂ ex. tussen Rode Klif en Staveren langs de sloot (Org. II, 1930, 179)
31 december 1929	4 ex. kuststrook Hindeloopen-Koudum (Med. Club ZW XIII, 1929, 1)
5 juni 1955	1 ex. bij Makkumerwaard (A. 19)
24 oktober 1965	11 ♀ en 1 ♂ ex. bij Eernewoude, overvliegend (A. 2)
17 maart 1975	1 ♂ en 1 ♀ ex. tussen Rauwerd en Flansum, in een vaart (idem)

In de collecties van het FNM te Leeuwarden zijn enige exemplaren aanwezig, waaronder één van Kornwerderzand dat op 11 februari 1961 werd gevonden en een ♂ ex. van de vliegbasis te Leeuwarden dat op 13 december 1965 werd verkregen.

W. de J.

Eidereend - *Somateria mollissima mollissima* (Linnaeus)

Eidergoes

Oare namme: Eider. De Eidergoes is greater as de oare einen en hat dêrom de namme „goes" krigen. De etymology fan „eider" is ûnwis. De frage is û.o. oft it forbân hat mei it Grykske „otis" (greate wetterfûgel) of mei it Latynske „avis" (fûgel). (J. B.)

Broedvogel van de Friese Waddeneilanden en wintergast in groot aantal.

Albarda noemt de Eidereend in zijn eerste soortenlijst (1884) een vrij zeldzaam voorkomende eendesoort en vermeldt een vangst op de buitengronden in 1883. In 1888 is dit reeds veranderd in: niet zeldzaam aan de Friese kust.

In 1906 werd voor het eerst het broeden op de Waddeneilanden Vlieland en Terschelling vastgesteld. Het aantal broedparen nam vooral na 1940 toe met een aantal van ver boven de 1000 paar tot het begin van de zestiger jaren, waarna het aantal weer sterk is afgenomen.

Buiten de Friese Waddeneilanden broedt de Eidereend ook op de Duitse Waddeneilanden, in Groot-Brittannië, Ierland, Scandinavië, Finland en aan de Witte Zee en zuidelijk tot in Frankrijk.

De Eidereend overwintert op de Oost- en Noordzee en in het Engelse

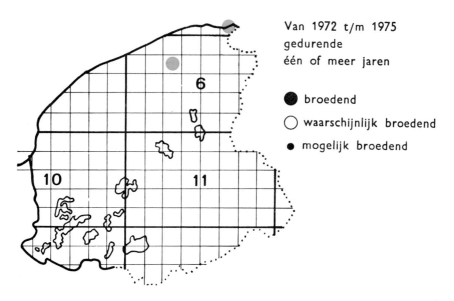

Van 1972 t/m 1975
gedurende
één of meer jaren

● broedend
○ waarschijnlijk broedend
● mogelijk broedend

Kanaal. Het gehele jaar zijn ze op de Waddenzee voor de Friese kust aan te treffen. De aantallen verder op het wad zijn de laatste jaren toegenomen wat ook te zien is aan de troepen welke men nu op de diepere plaatsen regelmatig aantreft. Vooral voor Lauwersoog en de kust bij Harlingen en Kornwerderzand is een aantal van meerdere duizenden niet ongewoon. De eenlingen welke dicht onder de kust komen zijn vrijwel altijd met stookolie besmeurd. Vooral de troepen welke zich dicht onder de kust ophouden, kunnen door de op zee geloosde olie en die welke in de havens wordt geloosd worden gedecimeerd.

In alle maanden van het jaar zijn wel exemplaren in het binnenland waargenomen. In de meeste gevallen aan de IJsselmeerkust, maar er zijn ook gevallen ver in het binnenland o.a. Grouw, Haskerhorne en Oldeboorn.

Twee broedgevallen buiten de Waddeneilanden zijn (met zekerheid) vastgesteld. Op 12 juni 1972 werd het broeden op het Klaarkampstermeer onder Rinsumageest met zekerheid vastgesteld door de waarneming van een wijfje met vier jongen. Het Klaarkampstermeer is sterk zouthoudend met rondom een zoute vegetatie. De vraag hoe dit wijfje hier terecht is gekomen en tot broeden kwam is helaas niet te beantwoorden.

Minder vreemd is de waarneming in juni 1973 bij Lauwersoog waar op het Lauwersmeer een wijfje met vijf pulli werd waargenomen (A. 18). De afstand tot de baltsplaatsen op de Waddenzee is hemelsbreed klein. Of het

broeden in de Lauwerszeepolder zich in de toekomst zal herhalen is niet te zeggen, wel zal dit tot incidentele gevallen beperkt blijven.

Betreffende het aantal terugmeldingen van de Eidereend werden gegevens verstrekt door het Vogeltrekstation te Arnhem.

Van de als volgroeide vogels in overig Nederland geringde exemplaren zijn teruggemeld in Friesland:

april	1	september	1
juni	2	oktober	1
juli	3	november	1
augustus	2		

Van de als nestjong in overig Nederland geringde exemplaren zijn teruggemeld in Friesland:

januari	1	april	1
februari	1	september	1
maart	2	december	1

W. de J.

Eidereend ♀ op Makkumerwaard, 1967 - H. F. de Boer.

Grote Zaagbek - *Mergus merganser merganser* Linnaeus

Greate Bûnte Dûker

„Mergus" is: dûkein, dûker. „Merganser" is: in goes dy't dûkt.
Oare Fryske nammen: Greate Seachdûker, Greate Seachbek (Saechbek). De namme „seach" of „saech" slacht op 'e snavel, dy't by de rânne oer de hiele langte skerpe toskjes hat en dy't sa op in seage liket.
Ek: Greate Bûnte Dûkelein, Greate Bûnte Dûker, Rotskear (Bantegea), Giele Jolling (Laeksum). (J.B.)

Wintergast in vrij groot tot groot aantal; doortrekker in onbekend aantal.

Albarda (1884) vermeldt van de Grote Zaagbek reeds, dat deze in de wintermaanden bij de kust en op de binnenwateren verblijft. Ook thans zou dit nog gezegd kunnen worden van deze soort, die broedvogel is van o.a. IJsland, Schotland, Scandinavië, Noord-Duitsland (o.a. Sleeswijk-Holstein) en ook Zwitserland.

De oudste notitie in het archief van AVF betreffende het voorkomen in Friesland is van 4 april 1918 en betreft plm. 15 ♀♀ of juv. exemplaren en 2 ♂♂ bij Tietjerk (A. 1). Vanaf deze datum volgen er elk jaar opnieuw vele notities betreffende de aanwezigheid van Grote Zaagbekken. De waarnemingen hebben ook thans nog betrekking op de kuststreken en op het binnenland.

Grote Zaagbekken worden in het binnenland veel vaker en in veel groter aantallen waargenomen dan Middelste Zaagbekken. Het talrijkst zijn de Grote Zaagbekken in Friesland stellig voor de kust. Dit is in tegenstelling met wat volgens de AVN (1970) voor geheel Nederland geldt.

Vooral voor Kornwerderzand zijn aan de zeezijde vaak honderden Grote Zaagbekken aan te treffen. Enkele getallen:

29 februari 1948	honderden ex. (A. 1)
zonder datum 1951	± 500 ex. (A. 1)
10 februari 1957	± 600 ex. (A. 19)
27 maart 1958	vele honderden (A. 1)
20 januari 1959	3000 ex. (G. 5)
25 maart 1959	1500 ex. (G. 5)
3 januari 1960	zeker honderd (A. 1)
27 maart 1965	± 550 ex. (A. 2)
4 december 1966	± 550 ex. (A. 2)
24 december 1967	± 1500 ex. (A. 2)
27 januari 1968	± 4000 zaagbekken, waaronder ± 500 grote (A. 2)
25 februari 1968	± 450 ex. (A. 2)
23 maart 1969	± 100 ex. (bij Harlingen plm. 700 ex.) (A. 2).
26 december 1975	200 ex. (A. 20)

Ook voor de haven van Harlingen zijn steeds vele Grote Zaagbekken aanwezig, terwijl ook bij Lauwersoog (en vroeger bij Dokkumer Nieuwezijlen) 's winters meestal talrijke exemplaren gesignaleerd worden. Voor Dokkumer Nieuwezijlen beschikt AVF over een serie waarnemingen van 1927 t/m 1972; bijv. 28 februari 1936 250 ex. (Ard. 26, 1937, 70).

Men mag aannemen dat langs de kust (daar waar dieper water is) het aantal Grote Zaagbekken enkele duizenden kan bedragen. Op het IJsselmeer, o.a. in de binnenhaven van Kornwerderzand, maar ook in het kanaal naar Makkum, in het Soal voor Workum, voor Staveren, bij de Steile Bank onder Nijemirdum, voor Tacozijl en Lemmer is de Grote Zaagbek 's winters een bekende verschijning. Waarschijnlijk verblijven ook verder uit de kust grote troepen zaagbekken, getuige o.a. de aantallen die soms in het want van IJsselmeervissers verongelukken.

Vooral bij vorst worden in het binnenland op de grotere meren en kanalen Grote Zaagbekken aangetroffen. Misschien zijn de aantallen thans groter dan vroeger. Brouwer (1948) vermeldt reeds: ,,op enkele plassen in de omgeving (van Eernewoude), speciaal op het Pikmeer en op de Grote Wielen, is deze zaagbek van eind november tot in de eerste dagen van april regelmatig aanwezig, herhaaldelijk in troepen van enige tientallen.'' Ook thans zijn de in het binnenland vermelde concentraties over het algemeen niet groter dan enkele tientallen (meestal minder). Toch zijn er grotere aantallen bekend:

6 december 1961	100 ex. Sneekermeer (A. 2)
21 maart 1964	108 ex. Grote Wielen bij Giekerk (A. 2)
15 januari 1967	± 80 ex. Terkaplester Poelen (G. 5)
16 januari 1967	± 60 ex. Zoute Poel bij Terhorne (A. 2)
17 januari 1968	± 115 ex. Langweerder Wielen (A. 2)
28 januari 1968	± 350 ex. Sneeker Meer (A. 2)
20 december 1975	± 200 ex. onder Elahuizen op de Fluessen (A. 22)

Bij strengere vorst verdwijnen de grote groepen. Kleinere groepjes kunnen zich evenwel lange tijd in wakken bij stad of dorp blijven ophouden:

25 januari 1941	± 100 ex. Lemmer (B. 11)
10 februari 1941	enige honderden ex. in een wak bij het stoomgemaal (idem)
3 januari tot 10 maart 1947	enkele tientallen ex. in een wak op het Bergumermeer en bij de Bergumerdam (A. 4)
23-24 februari 1947	enkele ex. in een wak bij de gevangenis te Leeuwarden (A. 4)
7 januari 1963*	6 ♂ en 14 ♀ ex. jachthaven te Leeuwarden (A. 2)
30 januari 1963	25 ♂ en 15♀ ex. in een groot wak in de haven te Harlingen (A. 2)
5 februari 1963	1 ♂ ex. bij de Frico te Leeuwarden (A. 2)

Grote Zaagbek ♀ Grote Wielen onder Giekerk, januari 1974 - P. Munsterman.

Vooral van de Grote Wielen bij Giekerk worden veel binnenlandse waarnemingen gemeld, maar de vogels worden praktisch in de gehele provincie
waargenomen, behalve misschien in het uiterste zuidoosten. Ook in de
vaarten op de klei (bijv. Blikvaart bij St. Annaparochie) wordt meer dan
eens een vissende Grote Zaagbek gezien, evenals in de riviertjes Ouddiep,
Tjonger en Linde in het oosten van de provincie. O.a. van de Rottige
Meenthe onder Nijetrijne en van het Nannewijd zijn series waarnemingen
bekend (G. 5).
De eerste vogels verschijnen in Friesland in september, bijv.:

8 september 1974   4 ex. Kornwerderzand (Van. 27, 1974, 201)
9 september 1937   1 ex. Piaam (Ard. 27, 1938, 107)

De hoofdmacht evenwel komt in oktober of later. In april zijn de aantallen
reeds sterk verminderd. De hier dan nog verblijvende Grote Zaagbekken
vertonen dikwijls balts, bijv.:

6 april 1969   34 ex. Grote Wielen onder Giekerk, druk baltsend (A. 2)
6 april 1969   12 ex. in de haven te Harlingen, eveneens baltsend (A. 2)

De laatste doortrekkers verdwijnen in de loop van mei; verder zijn er
verscheidene zomerwaarnemingen. Het is moeilijk een grens te trekken
tussen beide categorieën. De augustuswaarnemingen kunnen misschien
vroege trekkers betreffen.

10 augustus 1933	1 ex. Boornbergumer Petten (A. 1)
25 augustus 1936	2 ♀ of juv. ex. Lemsterhop (B. 11)
17 juni 1951	1 ♀ ex. Sneekermeer (Lim. 24, 1951, 108)
26-29 augustus 1952	1 ♀ of juv. ex. Roptazijl (Lim. 30, 1957, 108)
15 mei 1954	1 paartje Van Harinxmakanaal (Lim. 27, 1954, 150)
7 mei 1958	2 ex. Laaxum (A. 1)
10 juni 1962	1 ♂ ex. Ezumazijl (Lim. 37, 1964, 25)
29 augustus 1966	1 ♀ ex. Sneekermeer (A. 2)
4 september 1966	1 ♀ ex. Sneekermeer, de gehele zomer aanwezig (idem)
21 mei 1967	1 ex. Sneekermeer (idem)
14 juni 1967	1 ♂ ex. Gauwster Hoppen, niet fit (idem)
17 juli 1967	1 ♂ ex. Gauwster Hoppen, niet fit (idem)
25 mei 1969	1 ♂ en 3 ♀ ex. Kop Afsluitdijk (idem)
6 juni 1969	1 ♀ ex. Kop Afsluitdijk (idem)
6 augustus 1969	1 ♀ ex. Dijksterburen (idem)
22 juni 1970	1 ♂ ex. Sneekermeer, reeds weken aanwezig, kan goed vliegen (idem)
6 juli 1970	2 ♀ ex. Makkumer Noordwaard (ogenschijnlijk fitte vogels) (A. 22)
6 juni 1971	2 ♂ en 4 ♀ ex. Kanaal Makkum (A. 2)
11 augustus 1971	2 ♀ ex. Steile Bank onder Nijemirdum (Van. 24, 1971, 211)
31 augustus 1971	2 ♀ ex. Steile Bank onder Nijemirdum (idem)
1 september 1971	2 ♀ ex. Steile Bank onder Nijemirdum (idem)
20 mei 1972	5 ♂ en 5 ♀ ex. Kornwerderzand (idem)
20 mei 1972	1 ♂ en 1 ♀ ex. Makkumerwaard (A. 1)
5 juni 1972	4 ex. Zuidwaard bij Makkum (Van. 25, 1972, 182)
14 augustus 1972	1 ♂ ex. onder Staveren (Van. 25, 1972, 184)
5 juni 1974	1 ♀ ex. Workum (A. 18)
13 juni 1975	1 ♂ ex. Eernewoude (idem)

Vooral de vogels die de gehele zomer blijven, zullen vaak niet geheel fit zijn. In sommige gevallen wordt dit door de waarnemers expliciet vermeld, bijv. van de exemplaren van het Sneekermeer (1966), Gauwster Hoppen (1967) en van het ex. van Staveren (1972).

Betreffende de trek is slechts één gegeven bekend: een als adulte vogel op 15 juni 1947 in Zweden (Hälsingland) geringd werd op 8 december 1952 gevonden onder Lemmer (Lim. 26, 1953, 129).

D.T.E. v.d. P.

Middelste Zaagbek - *Mergus serrator* Linnaeus

Bûnte Dûkein
Oare nammen: Saechbek (Tytsjerksteradiel); Bûnte Dûkein, Pindûker (Bantegea); Pealjolling (Laeksum); Bûnte Jolling (Makkum). (J.B.)

Wintergast; doortrekker in vrij groot aantal.

De Middelste Zaagbek is een noordelijke broedvogel waarvan het broedgebied zich o.a. tot IJsland, Schotland en Denemarken uitstrekt. Uit Nederland zijn drie broedgevallen bekend: Texel (2 ×) en Rottumeroog.

In Friesland is de Middelste Zaagbek een wintergast, in vrij groot tot groot aantal, vooral op de Waddenzee en het kustgebied van Breezanddijk tot Lauwersoog. Ook op het IJsselmeer verblijven 's winters vaak veel Middelste Zaagbekken, terwijl er eveneens talrijke waarnemingen uit het binnenland zijn. De plaatsen waar, blijkens de gegevens van de AVF, de meeste winterwaarnemingen langs de kust worden gedaan, zijn Kornwerderzand en Harlingen met het daartussen liggende deel van de Waddenzee, en (tot de afsluiting van de Lauwerszee) Dokkumer Nieuwezijlen. Vooral voor Kornwerderzand worden de grootste aantallen geconstateerd, bijvoorbeeld:

15 april 1951	± 500 ex. waaronder ook Grote Zaagbekken (A. 1)
27 februari 1952	400 ex. bij de Kop van de Afsluitdijk (idem)
1 april 1967	4000 à 5000 ex. (Vj. 15, 1967, 408)
27 januari 1968	± 4000 ex. waaronder ook Grote Zaagbekken (A. 2)
26 december 1975	± 250 ex. (A. 20)

Meestal zijn de aantallen hier echter minder groot.

Ook langs de gehele kust van het IJsselmeer (en vroeger ook op de Zuiderzee) worden in de winter Middelste Zaagbekken waargenomen. Opgaven komen o.a. van Gaast (7 mei 1944, ± 150 exemplaren (Ard. 34, 1946, 383)); de Piamer Geul; de Kooiwaard; de Workumerwaard; voor Staveren; in het Hondennest voor de kust van Gaasterland.

Ook verder buiten de kust op het IJsselmeer zijn vaak Middelste Zaagbekken aanwezig, waarvan er soms tientallen in fuiken omkomen (o.a. A. 3). Dikwijls zijn er Middelste Zaagbekken in vaarten en kanalen vlak langs de kust, vooral daar waar in vorstgebieden wakken zijn: Kanaal naar Makkum; Stroomkanaal bij Tacozijl (± 100 in een wak op 10 februari 1941 (B. 11)).

Verder in het binnenland wordt de soort eveneens gezien, hoewel de aantallen meestal niet groot zijn. Het zijn vooral de grote meren waar men de vogels kan aantreffen, maar ze zijn ook gesignaleerd bij Bakkeveen (december 1972, G. 5) en Dokkum (maart 1952, A. 1). Enkele grotere concentraties mogen genoemd worden:

24 maart 1929	51 ex. te Schuilenburg bij Oostermeer (B. 7)
2 december 1972	14 ex. in De Deelen onder Haskerdijken (G. 5)
december 1973	40 ex. op dezelfde plaats (idem)
15 december 1974	60 ex. te Nijetrijne (idem)
23 januari 1975	48 ex. op dezelfde plaats (idem)

Ook op het binnenwater verongelukken soms vogels in fuiken: 21 februari 1952 Grouw (A. 1). In het binnenland wordt de Middelste Zaagbek in aantal ver overtroffen door de Grote Zaagbek.

De grootste aantallen Middelste Zaagbekken zijn in Friesland aan te treffen van november tot april. In april nemen de aantallen meestal snel af, hoewel er ook heel wat mei-waarnemingen zijn genoteerd. Enkele voorbeelden daarvan zijn:

15 mei 1952	2 ♂ en 3 ♀ ex. Haven Harlingen (A. 1)
15 mei 1962	1 ex. Harlingen (Vj. 10, 1962, 39; Lim. 37, 1962, 25)
23 mei 1952	4 ex. Harlingen (A. 1)
26 mei 1964	4 ex. Lauwerszee (Lim. 39, 1966, 47)
29 mei 1953	2 ex. Harlingen (A. 1)

Deze late vogels vertonen soms (ook in april reeds) prachtig baltsgedrag (bijv. 11 april 1975, Lauwersoog (A. 4)).

Er zijn overigens ook zomerwaarnemingen bekend, o.a.

2 juni 1967	1 ♀ ex. Zurich (Van. 20, 1967, 197)
2 juni 1968	1 ex. Haven Harlingen (A. 1)
9 juni 1952	2 ♀ en 1 ♂ ex. Haven Harlingen (A. 1)
27 juni 1938	1 ex., ♀ kleed Roptazijl (Ard. 27, 1938, 107)
30 juni 1968	1 ♀ ex. Haven Harlingen (A. 2)
7 juli 1968	1 ♂ en 1 ♀ ex. Haven Harlingen (idem)
9 juli 1938	1 ♂ ex. Kornwerderzand (Ard. 28, 1939, 103)
13 juli 1968	3 ex. Haven Harlingen (A. 2)
30 juli 1957	1 ♀ ex. Kornwerderzand (Lim. 32, 1959, 44)
31 juli 1940	1 ex., ♀ kleed Zurich (Ard. 30, 1941, 243)
2 augustus 1963	1 ♀ ex. Kornwerderzand (A. 2)
2 augustus 1968	1 ex. Harlingen, olieslachtoffer (idem)
10 augustus 1974	1 ♂ en 1 ♀ ex. Roptazijl (Van. 27, 1974, 215)

In september en vooral in oktober nemen de aantallen snel toe.

Over eventuele doortrek is niets concreets bekend. Wel melden waarnemers soms trekbewegingen:

19-20 oktober 1952	bij Roptazijl, troepjes van ± 10 ex. in zuidwestelijke richting (A. 1)
27 oktober 1968	Harlingen, kleine troepjes overtrekkend over zee (A. 2)
18 april 1953	Zurich, sterke trek over zee (A. 1)

Ook bij Harlingen is geregeld voorjaarstrek over zee geconstateerd (A. 1).

Een op 19 februari 1930 in het Lemsterhop geschoten exemplaar was op 6 juli 1920 geringd te Myvatn op IJsland (A. 1; DNV, II, 1941). Een op 17 mei 1968 in Gustavs, Kustavi (Turki - Pori) in Finland geringde Middelste Zaagbek werd in oktober 1974 bij Staveren dood in een visnet gevonden.

D.T.E. v.d. P.

Nonnetje - *Mergus albellus* Linnaeus

Lytse Dûkein
Oare nammen: Lytse Dûkelein, Lyts Seachdûkerke, Skoar (in onomatopé, it lûd fan 'e fûgel is in koart, leech, ratteljend: kwr, skur), Dûkerke (ek Fryske namme foar Dodaars), Ieldûker (Wergea, Warten). (J.B.)

Doortrekker in onbekend aantal en wintergast in vrij klein aantal van november tot in april.

Wintergast op de binnenwateren (vooral op meren en plassen en in petgaten) en langs de Friese kust (bij voorkeur bij stroommondingen). Er zijn enige waarnemingen uit de maanden mei, juli, augustus en september in Friesland bekend.
De soort broedt in boomholten in beboste streken met voedselrijke meren en zoetwaterplassen in het Noorden van Europa en van Azië tot de Poolcirkel. Het overwinteringsgebied van deze trekvogel ligt meestal bij het ijsfront.
De soort begint in september uit haar broedgebieden weg te trekken en kan West-Europa in oktober bereiken en Nederland in november, maar de meeste Nonnetjes verschijnen hier later en worden hoofdzakelijk in januari eń februari in Friesland waargenomen. De aantallen die hier voorkomen kunnen al naar gelang de weersomstandigheden sterk fluctueren, met dien verstande, dat bij winters weer het aantal Nonnetjes toeneemt; bij strenge winters kan dit aantal nog verder oplopen. De Nonnetjes worden in Friesland gesignaleerd als één exemplaar, vaker enkele exemplaren of groepjes en soms (meestal tijdens strenge winters) grote groepen.
De terugkeer naar de broedgebieden begint vanaf februari-maart, ook hierin zullen de winterse weersomstandigheden weer een rol spelen.
Albarda (1897) schrijft over de soort: „Wintergast. Van November tot Maart. Aan de kust en op de binnenwateren. Slechts bij uitzondering talrijk, zooals in den winter van 1896/97". Albarda noemt evenwel geen plaatsen.
De eerste geregistreerde waarneming van het Nonnetje in deze eeuw in Friesland is van 4 januari 1920, toen 2 ♂ exemplaren en 1 ♀ exemplaar op de Grote Wielen onder Giekerk werden waargenomen (A. 1).
Vroege winterwaarnemingen van de soort:

1 november 1967	1 ♂ ex. op de Wijde Ee onder Bergum (A. 2)
24 oktober 1971	2 ♀ ex. in een oud zandzuiggat (Oosterschar) onder Rottum (A. 21)
26 oktober 1975	2 ♀ ex. in een oud petgat onder Oldelamer (idem)

Nonnetje ♀ als wintergast aan de IJsselmeerkust - D. Franke.

Late waarnemingen zijn gedaan op:

6 april 1942	1 ♂ ex. onder Eernewoude (Ard. 32, 1943, 234)
18 april 1942	1 ♂ ex. in de Lindevallei onder Wolvega (Ard. 32, 1943, 234)
15 april 1952	± 8 ex. in het IJsselmeer onder Kornwerderzand (A. 1)
10 april 1958	4 ex. bij het Hondennest onder Nijemirdum (G. 5)
7 april 1963	1 ♂ ex. en 1 ♀ ex. in de Rottige Meenthe onder Nijetrijne (G. 5)
8 april 1968	12 ex. in het sluitgat van de afsluitdijk in de Lauwerszee (A. 5)
11 april 1968	1 ex. bij de Makkumer Noordwaard (A. 2)

Volgens het archief AVF is de soort in deze eeuw in Friesland ondermeer waargenomen:

1. Op de binnenwateren

Grote Wielen onder Giekerk
Behalve de eerder genoemde waarneming van 1920 werden aldaar gezien: 1920 - 8 februari: groepjes van zeven en van acht ex. (A. 1); 1921 - 19 februari: ongeveer 25 ex. (A. 1); 1922 - 5 januari: ongeveer 30 ex. (A. 1); 1923, 1925 t/m 1928, 1931, 1933, 1935, 1950 t/m 1952, 1954 t/m 1956, 1960, 1967, 1969, 1972 t/m 1974 één of meer exemplaren (meestal groepjes van twee tot acht) in de maanden december, januari, februari en maart (A. 1, A. 2, A. 19, G. 5 en Kiers (1974).

Oude Venen onder Eernewoude
Brouwer 1948 vermeldt over de soort: „Van November tot Maart in klein aantal op de plassen bij de andere eenden, maar ook wel apart op meer geïsoleerde petgaten".
Op 22 februari 1934 en 13 februari 1935 werden in de Oude Venen respectievelijk „troepjes van 2-6 stuks" en „koppels van wel 40 ex." waargenomen (A. 1). Op 27 februari 1944 waren aldaar overal exemplaren van de soort aanwezig (A. 3), en op 14 januari 1949 werden aldaar „enkele tientallen" Nonnetjes gesignaleerd (A. 1)

De Rottige Meenthe onder Nijetrijne
De petgaten in dit gebied zijn ook een geliefd overwinteringsoord voor het Nonnetje. De eerste geregistreerde waarneming aldaar is van 27 februari 1960 (G. 5). In de jaren daarna (1961 t/m 1972) werden er exemplaren waargenomen, soms één of enkele, soms groepjes, zoals op 25 december 1965, toen er 20 - waarvan 5 ♂ - vissend werden gezien in het grote petgat (A. 2); dit betreft de maanden (einde) november, december, januari, februari, maart en (begin) april (G. 5). Op 24 maart 1969 werden daar ongeveer 30 ex. geteld (G. 5).
Verder zijn in diverse jaren doorgaans kleine aantallen waargenomen op andere binnenwateren. Deze waarnemingen werden gedaan op zowel de grote meren zoals Bergumermeer, Sneekermeer en Tjeukemeer (op 7 januari 1968 werden op dit meer 27 ♂ en 39 ♀ ex. geteld en op 16 januari 1972 96 ♂ en 114 ♀ ex. (A. 21), als ook op kleinere wateren, zoals het Aaltjemeer onder Oudkerk, de Fammensrakken in de Blokslootpolder onder Joure, de Goingarijpsterpoel, het Anewiel en het Scharrewiel onder Goingarijp, de Langweerder Wielen, de Morra en de Fûgelhoeke (onder Hemelum), het Nannewijd onder Oudehaske, de Oksepoel onder Eernewoude, de Witte Brekken onder Oppenhuizen, de Wijde Ee onder Bergum en in de petgaten van de Lindevallei onder Wolvega.

2. Langs de Friese kust

Omgeving Kornwerderzand
Zeer geliefde overwinteringsplaatsen in Friesland voor het Nonnetje zijn de omgeving van de spuisluizen (zeezijde) en de havens van Kornwerderzand, zowel in de Waddenzee als in het IJsselmeer.
De eerste aldaar geregistreerde waarnemingen zijn van 29 februari 1948: 12 ♂ en 1 ♀ : bij de spuisluizen aan de Waddenkant en van 24 februari 1952: 1 ♂ en 4 ♀ ex. op het IJsselmeer (A. 1). In de meeste jaren daarna werden aldaar Nonnetjes gezien. Grote concentraties waren hier in de navolgende jaren aanwezig: in de winter 1955/1956 ongeveer 300 ex. bij Kornwerderzand (A. 19); op 20 januari 1957 werden 130 ex. geteld (A. 19); 27 februari 1957 „zeer veel" in de binnenhaven „azend op spiering" (A. 1); 9 maart van dat jaar „nog ettelijke" in de buitenhaven (A. 1) en 13 maart 1958 een „groot aantal" onder Kornwerderzand (A. 1).
Het grootste aantal, ooit in Friesland genoteerd, was op 20 januari 1959: „Buitendijks voor de uitspanning in Kornwerderzand ongeveer 500 ex."; 13 maart 1959 „nog enkele tientallen aldaar" (G. 5); op 24 december 1967 verspreid op het IJsselmeer langs de Afsluitdijk vanaf Kornwerderzand tot de Kop ongeveer 120 ex. gesignaleerd (A. 2).

Omgeving Harlingen
Ook in de havens van Harlingen en op zee tussen Harlingen en Zurich werden - vooral

in jaren, waarin de winter heerste - concentraties van de soort ontdekt, afgezien van de incidentele waarnemingen in diverse jaren.

De eerste aldaar geregistreerde waarneming is van 18 februari 1952: ongeveer 20 ex. ten Noord-Oosten van Harlingen, op 14 maart 1952 waren de vogels nog aanwezig (A. 1). Op 16 februari 1956 tussen Harlingen en Zürich overal langs de dijk exemplaren van de soort - waaronder een troepje van 5 ♂ (A. 2). De gehele winter van 1955/1956 aldaar een aantal ex. aanwezig (A. 19). Op 25 februari 1956 ongeveer 300 ex. in de havens van Harlingen (A. 19); 30 januari 1963 aldaar 15 ♂ en 5 ♀ ex.: ,,Druk duikend. Als er iets bovengebracht werd, probeerden enkele Storm- en Zilvermeeuwen het af te nemen. Door weer te duiken probeerden de Nonnetjes te ontkomen'' (A. 2).

Ook na 1963 - de laatste strenge winter tot heden - werden, hoewel gering in aantal, regelmatig Nonnetjes in de havens van Harlingen of bij de Zuiderpier op zee bij Harlingen waargenomen.

Verdere waarnemingen van meestal kleine aantallen langs de Friese kust werden in diverse jaren onder meer gedaan van deze visetende kleinste soort zaagbek bij Dokkumer Nieuwezijlen. De eerste geregistreerde waarneming aldaar is van 12 februari 1927, op welke datum 1 ♂ en 1 ♀ ex. werden gesignaleerd (A. 12). Ook in de jaren 1932, 1937, 1940, 1946 t/m 1953, 1959, 1965 en 1970 werden daar enkele exemplaren (meestal groepjes van 2-8 ex.) gezien in de maanden (einde) november t/m maart. Op 28 november 1948 waren daar ,,ettelijke ex.'' (A. 12). Verder op de Lauwerszee (A. 1, A. 5) en bij Kollumerpomp (A. 2). Bij een telling van wadende watervogels langs de Friese Waddenkust tussen Harlingen en Lauwersoog werden op 17 februari 1973 15 ex. geteld (D. 3).

Langs de IJsselmeerkust werden in diverse jaren kleine aantallen van de soort waargenomen bij Makkum (in de vijvers bij het recreatieterrein op de Makkumer Zuidwaard, op de Makkumer Noordwaard en in het kanaal bij Makkum) (A. 2). Op laatstgemelde plaats werden op 23 maart 1969 15 ex. gezien (A. 2), verder op Workumerwaard (G. 5), op de Steile Bank (onder Nijemirdum) (A. 21), bij het Hondennest (onder Nijemirdum) en bij Tacozijl (G. 5).

Nonnetjes in ,,wintersnood'' werden waargenomen op:

8 februari 1922	1 ♀ ex. op het ijs in de gracht bij de gevangenis te Leeuwarden (A. 1)
31 januari 1937	1 ♀ ex. achter de gasfabriek te Leeuwarden (A. 1)
25 januari 1941	4 ex. in een wak bij het gemaal onder Lemmer (B. 11, 3e aanv. 1942, 13)
18 januari 1947	6 ex. in een wak op het Bergumermeer (A. 4)
10 februari 1947	1 ♀ ex. bij het P.E.B.-gebouw te Leeuwarden (A. 2)
20 februari 1947	1 ex. in de gracht bij de gevangenis te Leeuwarden (A. 4)
10 maart 1947	6 ex. in een wak bij Bergumerdam (idem)
23 januari 1963	1 ♂ ex. in het Vliet te Leeuwarden (A. 2)
13 februari 1963	1 ♀ ex. in de jachthaven te Leeuwarden (A. 2)
9 februari 1966	1 ♀ ex. in een vennetje in het bos te Veenklooster - ,,tijdens harde wind, vorst en stuifsneeuw'' (A. 5)
13 januari 1968	1 ♀ ex. in de jachthaven te Leeuwarden (A. 2)

Een opmerkelijke en lugubere vondst werd gedaan in begin maart 1961, toen op een dijkje langs de Oudegaster Brekken minstens twintig dode Nonnetjes - enkele half verscheurd door aasvogels - vlak bij elkaar lagen. Vermoedelijk zijn deze vogels in fuiken verdronken en door vissers op de wal gedeponeerd (A. 1).

Er komen in de maanden (einde) februari en maart op sommige plaatsen in Friesland groepjes Nonnetjes voor die aldaar baltsen, zoals op 17 maart 1944, 's avonds na zonsondergang in de Oude Venen onder Eernewoude (A. 3); op 29 februari 1948, toen bij de spuisluizen onder Kornwerderzand aan de Waddenkant ,,12 ♂ ex. vechtend om een ♀ ex." werden waargenomen (A. 1); op 14 maart 1967, toen op het Houtwiel onder Veenwouden twee paartjes werden gesignaleerd: ,,De ♂ ♂ probeerden elkaar bij de ♀ ♀ weg te jagen" (A. 2) en op 22 februari 1969, toen bij Kornwerderzand vier ♂ ex. en vier ♀ ex. ,,kennelijk als paren" aanwezig waren: ,,Een ♂ en een ♀ komen bij het groepje; beide gaan samen weer weg" (A. 2).

De volgende zomerwaarnemingen zijn bekend:

26 juli 1933	1 ex. onder Eernewoude (Ard. 24, 1935, 60). ,,Een kwiek, maar vermoedelijk toch vleugellam exemplaar (wellicht een ♂ in zomerkleed) op de Raansloot" (Brouwer 1948)
25 september 1938	1 ♂ ex. in de binnendijkse vaart bezuiden Hindeloopen (A. 1); (Ard. 28, 1939, 103)
31 augustus 1952	1 ♀ ex. in de Folkertssloot onder Eernewoude ,,Kon niet vliegen, kapotte vleugel?" (A. 1)
12 mei 1962	1 ♀ ex. onder Breezanddijk. ,,Leek iets met olie besmeurd" (A. 2)
16 mei 1971	1 ♀ ex. bij de Wijde Saiter onder Wartena (A. 2)

Het is aan te nemen dat bovengenoemde waargenomen vogels aangeschoten of ziek waren.

J.A. de V.

Bergeend - *Tadorna tadorna* (Linnaeus)

Berchein

Oare nammen: Borchein en Graefein. (J.B.)

Jaarvogel.

De Bergeend is in Friesland een vrij talrijke broedvogel. De vogel heeft in Europa, anders dan in Midden-Azië, zijn broedterrein aan of in de nabijheid van de kust („zoutwatervogel"), maar zoekt zijn broedholen soms ook verder in het binnenland. Dit klopt met de Friese situatie.

De vogel is in Friesland broedvogel langs de gehele Wadden- en IJsselmeerkust; bovendien één belangrijke concentratie: Fogelsangh-State te Veenklooster (75-125 paar) en verder, vroeger meer dan nu, de bossen van Gaasterland (50-100 paar in 1957).

Toch zijn er meerdere broedgevallen bekend uit het binnenland, zoals Eernewoude, Giekerk (1962), Bakkeveen (1974), Klaarkampstermeer onder Rinsumageest (1961), Oranjewoud (1965). Er zijn ouders met jongen gezien tussen Wolvega en Nijelamer (1965) en te St. Nicolaasga (1965) (o.a. A. 2).

Friesland moet al heel lang tot het broedgebied van de Bergeend hebben behoord. Koller (1888) noemt broedplaatsen in Noordoost-Friesland bij Engwierum en Anjum. Albarda (1897) noemt Engwierum en Anjum ook, evenals Snouckaert (1908) die verder „Oude Mirdum" noemt: „In het zogenaamde Zeewoud in de laatste jaren sterk vermeerderd". Eykman (1941) noemt als binnenlandse broedplaats Eernewoude. Mei 1921 werd hier een nest in een eendekorf gevonden.

De „historische" broedplaatsen bij Anjum en Engwierum krijgen een aparte „verdieping" als Albarda vermeldt: „Bij Anjum in gaten met opzet gegraven en die aan het ene eind met een losse zode zijn gesloten, waardoor men in de gelegenheid is om de „eijeren weg te nemen."

De Bergeenden broeden, ook in Friesland, bij voorkeur in konijneholen (Veenkloosterbos, Gaasterland). Maar ook in opslag van rietschelven of in aanspoelsel (Buitenpost, Dokkumer Nieuwezijlen en Oostmahorn (A. 5) in eendekorven (Piaam, Eernewoude, Buitenpost); in oude melkbussen als „eendekorf" opgesteld (Stiens 1968, Reigershof bij Metslawier 1969) (A. 1, A. 2); in een rioolput (Makkumer Zuidwaard 1974) (A. 20); in een grup in een oude boerderij (A. 2); ook heeft men nesten gevonden in holle essen (De Kolken onder Anjum 1953); onder Kollumerpomp vond men in 1966 op de kwelder een vrij open nest met acht eieren tegen een graspol (A. 2) en in 1967 op deze kwelder eveneens een nest, „open en bloot" met zeven eieren (A. 5).

Over de grootste Friese concentratie van broedplaatsen, namelijk Fogelsangh-State (loofbos) kan het volgende worden vermeld: De Bergeenden broeden hier zeker sedert tientallen jaren, bijna uitsluitend, in konijneholen. Het nest bevindt zich meestal 1,5 meter vanaf de ingang. De broedende eenden „blazen" als ze zich bedreigd voelen. Deze broedplaats op zichzelf is aantrekkelijk door de vele aanwezige holen.

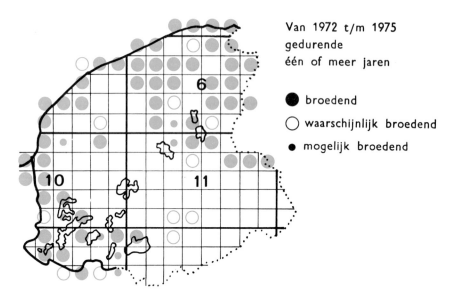

Van 1972 t/m 1975
gedurende
één of meer jaren

● broedend

○ waarschijnlijk broedend

• mogelijk broedend

Bekijkt men echter de afstand die de jongen lopend of zwemmend naar zee moeten afleggen, de gevaren en risico's die ze daarbij zullen ontmoeten, dan lijkt de keuze niet zo excellent. ,,It koe better'' . . . Immers: De afstand van Fogelsangh-State naar Dokkumer Nieuwezijlen is bijna zeven km (*hemelsbreed*). Beide ouders moeten hun jongen (vaak 10-12) eerst door smalle sloten loodsen, die steile kanten hebben en in de Wouden vaak dicht begroeid zijn met braamstruiken.

In de weilanden worden ze belaagd door Eksters en Kraaien en vallen er slachtoffers als nieuwsgierige koeien of hokkelingen ze ,,doodwrijven'' (mededeling M. Dam). Boeren die 's ochtends vroeg gaan melken, kunnen soms op straat, midden in Kollum, een optocht van Bergeenden met jongen zien op hun verre reis naar zee.

Jachtopziener Dam (Veenklooster) schat dat hooguit 10% van de jongen op het Wad aankomt. En daar wachten dan nog de Zilvermeeuwen. Niettemin volharden de Bergeenden, plaatstrouw als ze zijn, hier in hun broedgewoonten. Wel is het aantal broedparen van ± 125 in 1950 teruggelopen tot ± 75 thans (1975). (Minder konijnen, toegenomen sterfte onderweg?) Dam meent dat sedert de afsluiting van de Lauwerszee (1969) het aantal broedende Bergeenden in het bos is verminderd.

De eenden komen in zachte winters al in februari naar het bos en de weilanden en ,,kampkes'' in de omgeving. Er zijn data uit het begin van februari bekend bijvoorbeeld 8 februari 1964: een paar boven het bos (A. 2); 7 februari 1967: 20 ex. al een week aanwezig in Oudwoude (A. 2).

De paartjes bevinden zich in het voorjaar vaak op de weilanden en op de poelen rond het bos. Dit zijn niet alleen reeds lang gevormde geslachtsrijpe paartjes (paar- en plaatstrouw zijn bekend), maar eveneens jongen van vorig jaar die pas met 22 maanden geslachtsrijp zijn, maar vanaf april ook al paren zijn gaan vormen met veel „pompen" en „kopjen" en „ak-ak" geroep. Een apart tafereel met het bosgroen als decor.

De vogels in het bos zijn eind april, begin mei aan de leg. De broedduur is zo'n 28-29 dagen, zodat de prachtige wit-zwart-grijze jongen omstreeks eind mei-begin juni uit de roomkleurige eieren kruipen. Komen de eieren overdag uit, dan gaan beide ouders en 10 of 12 „pykjes" naar de bosvijvers. Ze wachten zwemmend op de volgende morgen vroeg voor de „grote trek". „Pykjes" die hun ouders zijn kwijtgeraakt, sluiten zich zonder veel zorgen en problemen bij anderen aan. Van elders zijn er gegevens bekend over „kleuterscholen" van 100 jonge Bergeenden.

Al spoedig zijn nu de Bergeenden bijna verdwenen uit en om het bos (maximale trek valt omstreeks half augustus). Ze zijn op rui-trek, samen met de gehele West-Europese Bergeendenpopulatie, naar de grote zandbanken van het Grosze Knechtsand bij Cuxhafen. De jonge vogels ruien niet en blijven op of in de omgeving van het Wad. Bij Cuxhafen is het aantal ruiende Bergeenden in 1966 geschat op 70.000-80.000.

Midden augustus trekken de eerste nieuwe „vliegvluggen" terug. Er zwerven dan wel weer enkele rond het bos, maar het Wad is dan hun eigenlijke thuis voor rust en voedsel.

Bekend is, dat Bergeenden uit het noordelijk gebied in strenge winters uitwijken naar iets zuidelijker streken. Toch blijven normaal veel Bergeenden hier ook 's winters. Geconstateerde concentraties in december bewijzen dat, bijvoorbeeld 11 december 1957: ± 3000 bij De Bant (Anjum); 28 november 1958: bij De Bant nog ± 500; 11 december 1965: 1000 op het Wad; 20 december 1964: 100 bij De Bant.

In het gebied van Gaasterland broeden de Bergeenden eveneens in de holen in de verschillende bossen. Westhof deelt mee dat hij op de Mokkebank bij Laaxum in het begin van de vijftiger jaren in juni grote groepen jonge Bergeenden met hun ouders waarnam die op de toen veel „opener" bank dekking konden vinden tussen de biezenvegetatie (o.a. voor Kiekendieven).

Dit zullen zeker vogels uit de Gaasterlandse bossen zijn geweest. Timmerman (1960) geeft als resultaat van een enquête in 1957, 50-100 broedpa-

Bergeenden bij het Veenkloosterbos - H. F. de Boer.

ren op (voor de periode 1946-1953, 1-10 paren). Een mededeling in Ardea 1952 dat er in het Rijsterbos ± 200 broedparen zouden voorkomen, lijkt onjuist. De laatste tientallen jaren is het aantal broedparen hier sterk verminderd.

Bij de Mokkebank zwerven er in de broedtijd altijd wel een of meer paren rond en wellicht is er zo nu en dan een broedgeval onder ruigte of aanspoelsel.

Boswachter Van den Wal (Rijs) meent voor het Rijsterbos het aantal paren in de periode 1955-1965 op 10-15 te moeten stellen. Men bracht toen vaak de jongen, erg belaagd door Kraaien en Eksters, over de houten zeewering in het IJsselmeer. Hij weet niet met zekerheid of er thans nog Bergeenden in het bos broeden. Wellicht enkele paren.

Inventarisatie van de trekgegevens gaf het volgende beeld:

Geringd als	Geringd in	Teruggemeld in	jan.	juni	nov.	dec.	Totaal
nestjong	Friesland	Friesland	—	—	—	—	—
nestjong	overig Ned.	Friesland	—	—	—	—	—
volgroeid ex.	Friesland	Friesland	—	—	—	1	1
volgroeid ex.	overig Ned.	Friesland	1	1	1	1	4

de B.

Casarca - *Tadorna ferruginea* (Pallas)

Kasarka

Onregelmatige gast.

In de oude literatuur wordt deze soort, waarvan de broedplaatsen o.a. rond Zwarte Zee en Kaspische Zee liggen, niet genoemd. Noch Albarda (1884 en 1896), noch Snouckaert (1908) vermelden deze eendesoort in hun opgaven van waargenomen soorten.
De waarnemingen in Friesland zijn:

26 juli 1964	2 ex. bij Tacozijl (Lim. 39, 1966, 477)
29 juli 1964	2 ex. zuidelijk van Harlingen (A. 2)
19 september 1964	1 ex. bij Harlingen; waarschijnlijk steeds dezelfde vogels (A. 2)
27 november 1967	Een onbevestigd bericht dat ergens in Friesland een exemplaar was geschoten uit een groepje van drie stuks (A. 2)
26 juli 1969	1 ♀ ex. bij de pier van Holwerd (A. 2)
23 augustus 1970	3 ex. in één groepje bij Ezumazijl (Van. 24, 1971, 87)
21 april 1971	1 ex. op de Bildtpollen (Van. 24, 1971, 186)
24 juli 1971	7 ex. bij Ezumazijl. Een niet bevestigde waarneming (A. 2)
11 augustus 1971	1 ex. aan de Fluessen onder Elahuizen; reeds eerder en ook nog later waargenomen (Van. 24, 1971, 186)
7 november 1971	1 ex. bij Lauwersoog

De meeste van de hierboven genoemde vogels werden later op de Waddenzee of de Waddeneilanden gesignaleerd. In de jaren 1965 en 1966 werden alleen Casarca's bij de Waddeneilanden gezien.
Een aantal van bovengenoemde waarnemingen heeft waarschijnlijk betrekking op uit gevangenschap ontsnapte dieren.

W. de J.

DE GOES

Nammen

Ien fan 'e earste dingen dy't opfalle is wol dat „goes" nochal hwat ôfwikende foarmen hat[1]. Yn it westen en suden heart men: *gâns*. Yn it noarden en de Wâlden: goes of guos. Yn it midden fan Fryslân rint it trochinoar: *goes, gâns*, mar ek *guos, gôns* en *gouns*. Yn it Bildt: *gaens*, op Skylge: *choos*[2], yn Hynljippen: *gans*[3] en op Skiermuontseach: *goos*[4]. It meartal kin û.o. wêze: *gies, guozzen, gânzen*. De âlde meartalsfoarm „gies" komt mar inkeld mear foar, faek as sammelnamme of yn in sizwize. Yn 'e literatuer komme ek foar: giezen[5] en gjizzen[6], mar dat binne dus eins dûbele meartalsfoarmen.
Foar de mantsjegoes hawwe wy aparte foarmen: garre, gear, gare, âldgarre, goarre, gint. Foar it wyfke: guoske, guske. In goes gakkert of snettert. As ropwurd hearden wy: Guos, guos! De jonge binne „guozzepiken".

267

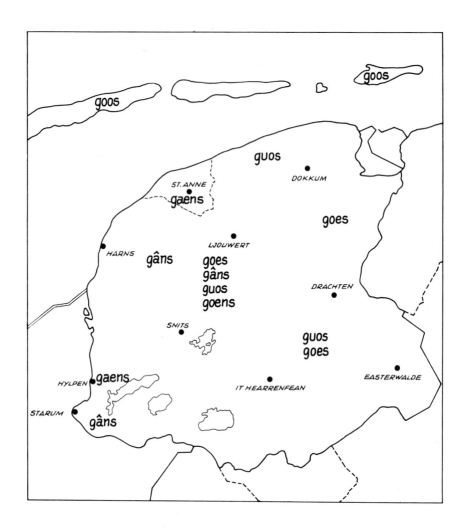

Alde fynplakken

Gysbert Japicx brûkt de „gies" as kollektivum yn it kostlike liet „By it opgean fan de sinne", str. 4 (± 1645):
Alle Djier, forhuwgge, sit,
Rint, fljugt, ljeapt in donset,
Brinsget, dertten, boeyte wit,
Blerret, bôllet, gonzet,
Eyn in Gies yn 't wetter sljuerckt,
't Wylde Fuwggelt tureluerckt,
Libbje' yn free in resten,
Boeyte scheel in lesten.

Wy hawwe foarmen mei in „n" (gâns) en sûnder „n" (goes). It Ingelsk hat: goose,
meartal: geese, mar it Nederlânsk en it Dútsk ha foarmen mei in „n". De etymologen
tinke oan in Indogermaensk grounwurd *ghans[7], dat greate swimfûgel bitsjutte moat.
Dat de „n" yn sa'n wurd útstjitten wurdt, komt yn it Frysk en it Ingelsk faker foar, fgl.
ús, fiif, swiid en oar mei: ons, fünf, gezwind en ander.

Taeleigen

Opmerklik is dat de goes nochal ris yn in sprekwurd of sizwize foarkomt. Hjir folgje
inkelde:
Dy't gjin goes krije kin moat him mei in einfûgel tofreden stelle. (Soms moat men mei
hwat minder tofreden wêze). In fariant hjir fan: Dy't de goes net oan kin, sjit de tjilling.
Dat wie de boer syn guozzen net. (Dat wie de echte reden net)
As de foks dominy is, mei de boer syn guozzen wol neigean. (Ien dy't mei moaije
praetsjes komt, dêr moat men foar oppasse)
De jenever wurdt foar de gies net broud. (De minsken moatte de jenever opdrinke)
Hjirom en dêrom giet de gies bleatsfoets. (Alles hat syn reden)
Tink net dat ik út in guozze-aei útbret bin. (Ik bin net sa dom)
Lit er dy mirakels de gies wysmeitsje. (It is net to leauwen hwat er seit)
In pear koartswilige sei-sprekwurden:
Ik woe dat ik dêr oan hinge, sei Sjamme, doe seach er in keppel gies fleanen. (Hy woe
de guozzen oan in tou fêst hawwe)
Hark in keppel gies, sei de man, doe wie it wivedei. (Wivedei is kreambisite)
„Guozzemelke" is guozzen der op nei hâlde om de aeijen, of hieltyd op ien nei de
aeijen út it nêst helje, dat de fûgels der wer by lizze. By Burmania[8] foun ik: De gies
meilke! (1614) Ek it iental komt by Burmania foar: „Du verstietstet dij neat, wie meij
dat de goes pisset"[9].
Fan de rige *gearstallingen* mei as earste diel „guozze-" neame wy: „Guozzegat" dat is
bihalven de letterlike bitsjutting, ek in sleauwe tutte fan in frouminske. „Guozzetyskje"
is de hannel yn guozzen. In „guozzeroer" wie by âlds it gewear fan de „guozzejagers"
dy't yn 'e sniefjilden mei in wyt lekken om de guozzen bislûpten. De „guozzepinne"
waerd lang forlyn as skriuwark brûkt. In „guozzeflapper" is immen dy't guozzen flapt
mei in net. In „guozzebrief" is in dobbelstien-spultsje op in buordpapieren kaert mei
hokjes yn 'e rounte en ôfbyldingen mei guozzen. Hjir komme de sizwizen fan: Hy is in
deaman op 't guozzebrief (Ien dy't net meitelt). Hy sjocht der út as de dea op 't
guozzebrief (Meager en skier). De „guozzebok" is it boarstbien fan in goes.

Toponimen

In stik lân dêr't faek guozzen tahâlde wurdt wol „guoslân" neamd. Oare toponimen:
„Gânzetippe", hoeke lân oan 'e eastkant fan de Greate Brekken, west fan Iestergea.
„Guozzekoer" in eardere sate oan 'e Geau by Snits, ek „Guozzekoersterhim". „Guoz-
zemar" west fan Haulerwyk. Lytse en Greate „Guozzepolder", noardeast fan Ingwier-
rum. „De Guozzepôlle", in pleats súd fan Iezumasyl ûnder Eanjum. „De Guozzepôlle"
en de „Guozzepolders" lizze ticht byinoar.

Planten

Inkelde plantenammen hawwe har namme oan 'e guozzen to tankjen. De Giele Guozzeblom[10] (Gele Ganzebloem) Chrysanthemum segetum L; de Wite Guozzeblom[10]
(Margriet) Chrysanthemum leucanthemum L. Neffens WNT jildt foar it Nederlânske
ekwivalint: „aldus geheeten, omdat zij juist in den zomertijd op de weilanden begint te
bloeien, als de jonge ganzen daarop gedreven worden". Fierder ha wy ek noch de
Guozzetonge[10] (Thrincia) Leontodon nudicaulus Banks. De flymfoarmige blêdden ha
grif oanlieding west ta forgelykjen mei de tonge fan in goes.

Folkskunde

By de waerprofeten wurde de guozzen goed achtslein. As de guozzen nei it suden
fleane, krije wy winter. Fleane se nei it noarden dan wurdt mylder waer forwachte. As
der yn novimber in protte guozzen binne, bitsjut dat in strange, âlderwetske winter. Ek
kinne de guozzen rein foarsizze, neffens de „Friesche Boere-Practica" (1640) fan P.
Baardt, r. 95 en fierder:

„Off as dyn Gies, off as dyn Eyn,
Him wascht en bayt, en spielt so reyn,
Tins dan frij dattit reyne wol".

In nuver folksformaek wie eartiids it „guozzelûken". In mei fet bismarde kop fan in
goes, dy't oan 'e poaten ophongen wie, moast der ôflutsen wurde. Dat „spultsje" koe
dien wurde: op 't hynder, farrende, to foet, op redens of op in wein.

J.B.

Noaten:
1. J. J. Hof, Friesche Dialectgeographie, 's-Gravenhage 1933, 138.
2. Skylger Dialektapparaet fan de Fryske Akademy.
3. Idem fan it Hylpersk.
4. D. Fokkema, Wezzenlist fan it Schiermonnikoogs, Ljouwert, 1968.
5. T. G. v. d. Meulen, In moarn end in joun, Ljouwert, 1871, 2.
6. J. H. Halbertsma, De Flotgærzen, Dimter 1854, 429.
7. Franck en N. van Wijk, Etymologisch Woordenboek der Nederlandsche Taal,
   's-Gravenhage 1949.
8. J. H. Brouwer en P. Sipma, De Sprekwurden fan Burmania 1614, (1940) nû. 8.
9. Ibid. nû. 244.
10. D. Franke en D. T. E. v. d. Ploeg, List fan offisiële Fryske Plantenammen, Drach-
    ten (1951).

GANZEN

Ganzenpleisterplaatsen

Voorafgaand aan het soortenoverzicht volgt een algemeen deel over de
pleisterplaatsen van de ganzen in de provincie Friesland. Voor drie soorten

(Kol-, Kleine Riet- en Brandgans) bevinden zich hier zeer belangrijke pleisterplaatsen. De Grauwe Gans komt in het gehele jaar voor. Van bijzonder belang is voor deze soort, dat er in de provincie een ruiplaats (Steile Bank e.o.) ligt. De Rietgans is in het grootste deel van Friesland een vrij schaarse wintervogel. Plaatselijk treden af en toe wat grotere aantallen op. De Rotgans wordt op verschillende terreinen langs de Waddenkust gezien.

Een pleisterplaats voorziet in belangrijke behoeften van de ganzen: een slaapplaats, voedsel en redelijke rust. Deze drie factoren zijn voor ganzen in Friesland gunstig. Van belang is verder de ligging, precies in de trekroute van enige soorten ganzen.

Hieronder volgt een opsomming van de belangrijke slaapplaatsen en voedselterreinen. Het is ondoenlijk deze laatste alle op te sommen. Men raadplege verder de kaart. Het overzicht berust deels op literatuur, met name betreffende het Lauwerszeegebied en omgeving, deels op waarnemingen van derden, vooral aangaande het gebied bij de Grote Wielen onder Giekerk en verder op eigen onderzoek.

Slaapplaatsen

1. *Wad in de omgeving van het Lauwerszeegebied*, gemeente Oostdongeradeel. Van uitzonderlijk belang voor de Brandgans.

2. *Boezemland tussen Rijperkerk en Grote Wielen*, gemeente Tietjerksteradeel. Van zeer groot belang voor de Kolgans.

3. *Grote Wielen*, gemeente Tietjerksteradeel. Zie vorige. Vult de vorige slaapplaats aan, vooral als er daar geen water op het boezemland staat.

4. *Boezemland langs het Koningsdiep of de Boorne*, gemeente Opsterland. Van zeer groot belang voor de Kolgans, van vrij groot belang voor de Brandgans.

5. *Boezemland onder Akmarijp*, gemeente Utingeradeel. Van zeer groot belang voor de Kolgans en de Brandgans, van matig belang voor de Kleine Rietgans.

6. *Terkaplesterpoelen en Goïngarijpster poelen*, gemeenten Utingeradeel en Doniawerstal. Beide kleine meren vullen de vorige slaapplaats aan. Belangrijkheid van zelfde orde.

7. *Boezemland en Zomerpolders aan de Witte en Zwarte Brekken*, gemeente Wymbritseradeel. Van uitzonderlijk groot belang voor de Kolgans en de Brandgans.

8. *Idsegaaster poel*, gemeente Wymbritseradeel. Van zeer groot belang voor de Kleine Rietgans, van vrij groot belang voor de Kol- en de Brandgans.

9. *Ondiepe kustzone van het IJsselmeer voor Piaam, Gaast en Workum,* gemeenten Wonseradeel en Workum. Van zeer groot belang voor de Kleine Rietgans en de Kolgans, van vrij groot belang voor de Grauwe Gans en de Brandgans.

10. *Steile Bank in het IJsselmeer,* gemeente Gaasterland. Van zeer groot belang voor de Grauwe Gans, de Kolgans en de Brandgans.

11. *Boezemland aan de oostzijde van de Grote Brekken,* gemeente Lemsterland. Van zeer groot belang voor Kol- en Brandgans (tot voor enige jaren). Herstel wenselijk en mogelijk.

12. *Slotermeer,* gemeenten Gaasterland, Wymbritseradeel en Doniawerstal. Van groot belang voor Kol-, Kleine Riet- en Brandgans.

Scholekster Eernewoude, maart 1972, - D. Franke

Kievit Surhuizumermieden,   -   H. F. de Boer

13. *De Holken en de Oude Keren,* het zuidwestelijk deel van de Fluessen, gemeenten Hemelumer Oldeferd en Wymbritseradeel. Tot voor kort van vrij groot belang voor de Grauwe Gans, nu in waarde gedaald (tijdelijk ?). Het is mogelijk dat er in het zuiden van Friesland, gemeente Weststelling-werf, nog één of meer kleine slaapplaatsen liggen van secundair belang. Onderzoek is daarom gewenst.

De slaapplaatsen in Friesland bestaan uit wad, drassige en overstroomde boezemlanden, kleine meren en ondiepten in het IJsselmeer.

Voedselterreinen

Deze bestaan grotendeels uit grasland. De belangrijkste uitzondering wordt gevormd door de zeekraalvelden in de Lauwerszeepolder. Op bouwland wordt door ganzen in Friesland waarschijnlijk alleen in de buurt van het Lauwersmeer wel eens voedsel gezocht. De oppervlakten van de drie ge-noemde typen voedselterrein zijn als volgt: grasland: 30.000 ha, zeekraal-velden: 3300 ha, bouwland: 165 ha.

De hierboven genoemde slaapplaatsen zijn de kernen der pleisterplaatsen. De ganzen vliegen van daaruit naar de voedselterreinen. Vele van de belangrijkste daarvan liggen op geringe tot matige afstand van de slaap-plaatsen: ½ tot 8 km. Een aantal voedselterreinen ligt op wat grotere afstand: 8 tot 15 km.

In dezelfde volgorde en met dezelfde nummering worden hieronder alleen de voedselterreinen van het allergrootste belang genoemd.

Bij 1: Zeekraalvlakten in de Lauwerszeepolder; verder Bantpolder en An-jumer- en Lioessenserpolder.

Bij 2 en 3: Polders onder Oudkerk, Oenkerk en Giekerk.

Bij 4: De Zomerpolder en De Dulf.

Bij 5 en 6: Veenpolder De Deelen, Akmarijpsterpolder, Snikzwaagster-polder, Westermeerder uitgangen en het gebied ten noordoosten ervan.

Bij 7 en 8: Polders ten oosten van Hommerts en Jutrijp; polders tussen Oudega (W.), Heeg, Draaisterhuizen en IJlst.

Bij 9: Kooirecht van Piaam; gebied tussen Gaast, Parrega en Workum; de Workumerwaard.

Bij 10: Huitebuursterpolder en -buitenpolder.

Bij 11: Lemsterpolders.

Bij 12: Polder Indijk en polder Nijega bij het Zwin.

J.P.

Grauwe Gans - *Anser anser anser* (Linnaeus)

Skiere Goes

Oare nammen: Greate Skiere, Greate Wytgat (neffens de kleur fan de fûgel), Wylde Goes, Maeigâns (Earnewâld, Garyp, De Tike, Rottum). (J.B.)

Jaarvogel; schaarse broedvogel; doortrekker in vrij groot aantal.

Schaarse broedvogel, die als zodanig slechts voorkomt in het Staatsnatuur-reservaat de Rottige Meenthe bij Nijetrijne en omgeving (gem. Weststel-lingwerf). Moet in vroeger eeuwen een niet zeldzame broedvogel zijn ge-weest in ons land, maar sinds de vorige eeuw is de soort nog slechts broedend bekend uit Friesland.

Albarda (1884) vermeldt de Grauwe Gans (in die tijd nog Wilde Gans genoemd) alleen als broedvogel nabij de Boornbergumerpetten en in de Kraanlanden benoorden de Oude Leppedijk tussen Oldeboorn, Eernewou-de, Oudega, Boornbergum en Beets. Volgens in de nabijheid wonende personen betrof het ongeveer dertig vogels waarvan de eieren ijverig wer-den gezocht. Dertien jaar later zegt Albarda (1897): ,,Door inpoldering en het stichten van woningen, is haar terrein echter enigszins ingekrompen, zodat zij zich thans naar Eernewoude en Oudega heeft verplaatst, alwaar ieder jaar eieren worden gevonden''.

Dat het daarna snel bergafwaarts is gegaan met het aantal broedgevallen wordt duidelijk uit wat Snouckaert (1907) is meegedeeld door Ts. Gs. de Vries. Deze zegt hem namelijk: ,,Niettegenstaande ik door de huis aan huis bestellende postboden in het vroeger door deze ganssoort bewoonde gebied tusschen Garijp, Grouw, Oldeboorn, Boornbergum en Oudega (Fr) gere-geld inlichtingen heb laten inwinnen, en ondanks het uitloven eener vrij hooge premie (f. 5,— voor een ei), is mij geen enkel geval van het broeden dezer soort ter oore gekomen. Integendeel werd mij van alle kanten mede-gedeeld, dat A. anser er vroeger wel, doch in de laatste paar jaren niet meer broedende werd aangetroffen''.

Uit door dr. G.F. Mees verstrekte gegevens (schriftelijke mededeling) blijkt dat in de collectie van het Rijksmuseum van Natuurlijke Historie te Leiden het laatste ei uit die omgeving in mei 1904 is gevonden bij Oudega. Hier zal ongetwijfeld het Oudega zijn bedoeld dat bij Eernewoude ligt.

Toch wordt na 1904 nog wel een enkel broedgeval vermeld in de litera-tuur. Snouckaert (1918) wijst namelijk op een bericht in de Nederlandsche Jager van 10 augustus 1918 over het vinden van een ganzenest met eieren onder Eernewoude enige jaren geleden. Bovendien hebben we van de vroegere broodjager en ganzenvanger A. van der Leest uit Garijp (geb. 1906) vernomen dat hij met de visser Bonnema omstreeks 1919 een nest met twee eieren van de Grauwe Gans heeft gevonden in de omgeving van de Eernesloot op circa 1 km ten noorden van Eernewoude. Toen hij na ongeveer een week terugkwam bij het nest bleken de eieren te zijn verdwenen. Van der Leest vermoedde dat dit nog slechts een incidenteel broedgeval betrof. Door deze en andere verder in dit artikel nog te noemen vondsten bij de Leijen wordt het in de Nederlandsche Jager genoemde broedgeval bij Eernewoude onzes inziens waarschijnlijker, hoewel een wat verder van huis broedend paar lokganzen (Riet- of Kolganzen) van een vanger in deze omgeving, niet geheel uitgesloten moet worden geacht. Door Van Oordt en Verwey (1925) werd het als onzeker beschouwd en in de later verschenen Avifauna's is het niet meer genoemd.

Eykman (1941) vermeldt over het broeden van deze soort bij Eernewoude onder meer: ,,Hoogstwaarschijnlijk is zij na 1907 niet meer in dit gebied, waarvan thans een groot deel in cultuur is gebracht, teruggekeerd. Eén ei uit dat jaar bevindt zich nog in de coll. de Vries.'' Vermoedelijk heeft men het jaar 1907, dat hier voor het eerst opduikt, gebaseerd op die eivondst. In de later verschenen avifaunistische literatuur wordt dit jaar ook steeds aangehouden. Het betreffende ei bevindt zich nu in het Rijksmuseum van Natuurlijke Historie te Leiden. Volgens dr. G.F. Mees (schriftelijke mededeling) staat echter in de catalogus van De Vries bij dit ei, dat het op 4 april 1907 is gevonden op buitendijks land bij Hindeloopen en waarschijnlijk afkomstig is van een in legnood verkerend, doortrekkend ♀ ex.! Overigens doet het er weinig toe of hier een vergissing in het spel is, omdat er ook latere broedgevallen dan 1907 bekend zijn geworden uit dit gebied en wijdere omgeving.

Vele jaren na de laatste aan hem bekende broedgevallen merkt De Vries (1932) over het broeden het volgende op: ,, . . .het is niet geheel uitgesloten, dat dit ook thans (zij het op andere plaatsen) nog het geval is. Het is mij echter nog niet gelukt, daaromtrent zekerheid te verkrijgen''. In verband met wat later aan het licht zou komen, is het jammer dat De Vries de plekken waar hij vermoedens over had niet noemde. Zekerheid over die plaatsen heeft hij ook later niet verkregen; hij heeft ze althans niet gepubliceerd.

Buisman en Van Oordt (1939) zeggen uit zeer betrouwbare bron te hebben vernomen dat de Grauwe Gans tot en met 1909 ook onder Nijelamer in Boelstra's polder broedde. Naar aanleiding van dat bericht zijn we op zoek gegaan naar meer gegevens over deze broedplaats, welke bestond uit boezemland van de Tjonger, oude veenderijen en schraallanden, die grotendeels ver van de bewoonde wereld waren gelegen.

De jager G. Posthumus te Wolvega (geb. 1887 te Sonnega) vertelde dat er in zijn jeugd ca. vijf paren Grauwe Ganzen om het Brandemeer en soms een enkel paar verder daar vandaan broedde, onder meer op korte afstand ten noordwesten van Oldelamer. Tijdens de jeugd van zijn vader zouden er meer zijn geweest. Na het ontstaan van Boelstra's polder (op 2 km ten westen van Nijelamer en dichtbij het Brandemeer) werd het te onrustig in de omgeving en omstreeks 1914 was het broeden daar voorbij.

Zijn jongere broer te Sonnega, de jager H. Posthumus (geb. 1896) zei dat er zeker drie nesten waren bij het Brandemeer en omgeving. Zijn verhaal stemde verder overeen met dat van zijn broer en hij voegde er nog aan toe, dat zijn vader niet wilde dat ze de kuikens verontrustten. Hij dacht dat de ganzen tussen 1912 en 1915 waren verdwenen.

IJ. Postma te Munnekeburen, een vroegere broodjager, die alleen maar 's winters in die omgeving kwam, had wel vernomen van het broeden van doorgaans drie of vier paren ten noordoosten van het Brandemeer en ten noordwesten van Oldelamer tot verscheidene jaren voor 1925. Men had hem ook verteld dat de maaiers, die daar vaak de nacht doorbrachten in het veld, de jongen wel doodsloegen als ze de kans kregen.

Los van de hiervoor genoemde broedplaats werd een andere ontdekt, welke ten westen van de Tjonger in het zuidelijke deel van de Grote Sint-Johannesgaaster Veenpolder lag, ongeveer tussen Rottum, Rotstergaast en Vierhuis. Het betrof hier ook een gebied van oude petgaten en wat men in agrarische kringen onland pleegt te noemen.

De oud-ganzenvanger en jager W. van der Wal te Rottum (geb. 1891) wist hierover te vertellen, dat hij vroeger een nest van de Grauwe Gans met vijf eieren had gevonden in het z.g. Oosterschar. H. van der Wal, zijn oudere broer, zou daar volgens hem twee nesten met eieren hebben gevonden. Een van de nesten lag op circa 500 m ten noorden van de plek waar nu de Bisschopszathe staat; de andere wat westelijker. Vermoedelijk waren er niet meer dan twee tot drie paren. Van het broeden kwam vaak niet veel terecht. De eieren werden geraapt en de kuikens doodgeslagen als men ze kon benaderen. Met de geleidelijke ontginning van het Oosterschar gingen de ganzen naar het Westerschar waar ze oorspronkelijk niet waren. In 1913 waren ze nog aanwezig, maar na zijn terugkomst uit militaire dienst heeft hij ze in de lente van 1919 niet meer gezien.

J. van der Wal uit Heerenveen (geb. 1904), een andere broer van hem, herinnerde zich ook de aanwezigheid van de broedparen nog. Hij kon er

276

nog aan toevoegen, dat zijn vader hem vroeger had verteld dat er in diens jeugd daar meer waren.

Van J.T. Hendriksma uit Sneek vernam ik (schriftelijke mededeling) voorts, dat hij van de vroegere broodjager en visser J. Sytsma te Vierhuis (geb. 1897), die oorspronkelijk in Rotstergaast woonde, had vernomen dat deze gedurende twee tot drie jaar omstreeks 1915 twee paren Grauwe Ganzen had vastgesteld in het Schar, onder meer door nestvondsten. Volgens hem zouden ze verdwenen zijn door het veelvuldige rapen van de eieren.

Verder zijn er ook nog broedplaatsen bekend geworden in het gebied van de Leijen en het Bergumermeer waarlangs vroeger veel boezemland lag. De ornithologische gegevens uit het archief van G. Bosch (A. 1) te Leeuwarden brachten ons op het spoor hiervan. Onder meer was hier een aantekening in te vinden van een broedgeval bij de Leijen, dat vastgesteld zou zijn door B. van der Brug uit Ureterp (geb. 1917). Informatie bij hem leverde de volgende gegevens op. In 1935 of misschien een enkel jaar vroeger had zijn vader hem twee nesten van de Grauwe Gans getoond die circa 100 m van elkaar in het riet lagen, op een stuk moerasland dat buiten de omkading van de zogenaamde Male aan de noordoostoever van de Leijen was te vinden. Het ene nest bevatte alleen eieren en op het andere was de gans nog waar te nemen. Van der Brug die daar toen niet ver vandaan woonde en wiens vader het riet in pacht had, is niet in staat geweest om het verdere verloop daar te volgen. Hij dacht echter van zijn vader te hebben begrepen, dat die het broeden daar al minstens enige jaren had geconstateerd. Het moet er niet later dan in de Tweede Wereldoorlog zijn geëindigd. De soort kende hij goed, doordat daar vroeger ook veel Grauwe Ganzen verbleven tijdens de trek. Het betrof beslist wilde exemplaren, aldus Van der Brug.

Ook enige andere personen waren in staat wat informatie over de Leijen te verstrekken. Van F. van der Meer uit Eernewoude hoorden wij, dat diens vader, de ganzenvanger en broodjager Tj. van der Meer uit Garijp (geb. 1885), in het begin van deze eeuw wel ganzelegsels vond bij de Leijen. Ook was het wel voorgekomen dat hij daar een ei in het land vond, afkomstig van een in legnood geraakte gans.

De vroegere broodjager I. Bergsma uit De Tike (geb. 1884) kon wat meer gegevens verschaffen over het broeden langs dit door vervening ontstane meer. Hij noemde twee broedplaatsen van de Grauwe Gans die er in zijn jeugd in elk geval waren, nl. een in de vroeger aanwezige grote moerassige inham van het meer bij en ten oosten van de Opeindervaart en een aan de eerder genoemde noordoostoever. Hij dacht dat er op elk van deze plekken ongeveer vier tot vijf nesten waren geweest. Over het verdwijnen van de laatste plek kon hij niets zeggen, maar via W. Faber uit De Tike ontvingen we later nog de mededeling van hem dat het broeden in het zuiden, bij de Opeindervaart, mogelijk omstreeks de eeuwwisseling geëindigd is. Voor de Tweede Wereldoorlog is deze inham van het meer verdwenen door inpoldering.

Een derde broedplaats bij de Leijen lag daar iets verder vandaan, maar behoorde toch tot het boezemland daarvan. Het waren de zogenaamde Putten, een gebied van oude petgaten en hooilanden tussen de Leijen en de weg van Oostermeer naar Suameer. Het gebied werd in het oosten begrensd door de Lits, het vaarwater dat de Leijen met het Bergumermeer verbindt. Volgens H.A. van der Meulen te Oostermeer (geb. 1903), die daar eieren zocht, broedden er ,,van oudsher'' ganzen. Zelf had hij daar gedurende ongeveer drie jaar, naar hij dacht, meer dan vijf paren Grauwe Ganzen waargenomen en ook regelmatig de nesten daarvan gevonden. Dat was omstreeks 1920 en het moet uiterlijk in 1921 hebben plaatsgevonden, want de Putten zijn in 1922 drooggemalen en later ontgonnen.

Gegevens over broedgevallen in de Putten ontvingen we ook nog van de jager B. Kooistra uit Opeinde (geb. 1902), via zijn plaatsgenoot A. Tiekstra. Kooistra, die uit De Tike afkomstig is, vertelde dat hij daar omstreeks 1914 twee paren Grauwe Ganzen had gezien met elk een toom kuikens. In latere jaren had hij ze niet meer waargenomen.

Van het Bergumermeer kon de vroegere rietsnijder J. van der Heide uit Eestrum (geb. 1892) zich herinneren dat zijn grootvader, die ook in dat vak werkzaam was, hem de plekken wees, waar hij vroeger de nesten had gevonden van de wilde ganzen. Deze broedplaats was in de zogenaamde Poelen een moerassig boezemland dat reeds lang is ingepolderd en dat aan de noordzijde van het meer tegen de Zwemmer aanlag. Het broeden moet daar voor de eeuwwisseling zijn geëindigd.

Tot zover de gegevens die ,,veldmensen'' hebben kunnen toevoegen aan de literatuur over dit onderwerp. Ofschoon een verzoek om medewerking bij het verzamelen van gegevens over de Grauwe Gans en andere vogelsoorten die vroeger in Friesland voorkwamen of broedden, in september 1969 gericht aan de lezers van het tijdschrift Vanellus, geen enkele reactie heeft opgeleverd (mededeling D. Westra), lijkt het ons, gezien het bovenstaande resultaat, toch niet gewaagd te veronderstellen dat er misschien nog wel enige broedplaatsen meer zijn geweest.

De ontginningen werden meestal als hoofdoorzaak aangemerkt van het verdwijnen van deze soort. De sterke bevolkingsgroei sinds de vorige eeuw is onzes inziens echter de werkelijke oorzaak. In die tijd, met een zeer sterk van de landbouw afhankelijke bevolking, moest deze groei wel gevolgd worden door ontginningen. Door het in cultuur brengen van het land en het daarmee gepaard gaande oprukken van de bewoning was men weer beter in staat om verder in de overgebleven broedgebieden door te dringen. Dat veroorzaakte een intensivering van het eieren rapen, (soms ook om deze uit te laten broeden), het doodslaan van jongen of zelfs, zoals F. van der Meer van zijn vader hoorde, het schieten van de gans van het nest, wat een broodjager uit Eernewoude wel deed.

Niet onvermeld mag nog blijven, dat er op 12 juni 1948 twee jonge Grauwe Ganzen, een dood en een levend exemplaar van vijf tot zes weken oud, op een zandplaat in het IJsselmeer bij Nijemirdum zijn gevonden (Ten Kate 1948). Hoogst waarschijnlijk betrof het hier echter kuikens afkomstig van een broedgeval uit de toen nog niet geheel in cultuur gebrachte Noordoostpolder.

Het door menselijke invloeden verdwijnen van de Grauwe Gans uit ons land als broedvogel, en het tot stand komen van reservaten die een geschikte broedbiotoop voor de soort vormden, waar de rust goed werd gehandhaafd, waren aanleiding voor het toenmalige Instituut voor Toegepast Biologisch Onderzoek in de Natuur te Arnhem (sinds 1969 deel uitmakend van het Rijksinstituut voor Natuurbeheer) om te pogen de soort weer regelmatig broedend terug te krijgen.

Een gebied van ca. 500 ha bij Nijetrijne (gem. Weststellingwerf), genaamd de Rottige Meenthe, dat bestaat uit open en min of meer verlande petgaten met veel riet- en graslandpercelen ertussen, leek voor ons doel geschikt. Het had toen echter nog maar voor een klein gedeelte de status van reservaat.

Met medewerking van het Staatsbosbeheer konden in 1962 en 1963 een aantal gekortwiekte Grauwe Ganzen in een met gaas afgezet terrein in genoemd reservaat worden geplaatst om ze daar tot broeden te laten komen, waarna de jongen dan zouden worden vrijgelaten. Omdat bleek dat ze toch niet zouden gaan broeden binnen deze afrastering, kregen ze toen ze weer konden vliegen, in de zomer van 1964 de vrijheid. Deze 25 ganzen waren onder meer afkomstig van de in 1961 en 1962 verzamelde eieren uit de omgeving van Maribo op het Deense eiland Lolland. Die eieren waren in de broedmachine uitgebroed; de kuikens werden met de hand opgefokt. Verder bestond de groep uit een jonge wilde gans die zich erbij had gevoegd, een exemplaar afkomstig van het Deense Wildbiologisch Station in Kalø en vier door ganzenvangers buitgemaakte jonge vogels.

279

De hoop dat zé in het reservaat en omgeving zouden blijven en met bijvoedering daar ook de winter zouden doorbrengen, ging vrijwel geheel in vervulling. Het risico dat een deel van deze tamme dieren voortijdig aan de jacht ten offer zou vallen tijdens de trek, was namelijk groot. In 1965 werden echter toch maar vier paren vastgesteld, waarvan er door verschillende omstandigheden slechts één met succes tot broeden kwam. De ganzen gedroegen zich in de winter van 1965/66 anders dan in de voorgaande. Ze bleven op enkele exemplaren na tot half januari en daarna trokken ze onder invloed van vorst en sneeuw weg. Van eind februari af keerden ze echter geleidelijk aan weer terug, waaruit dus wel de binding met het reservaat bleek. Een tegenvaller was echter het bericht dat er vijf van deze ganzen waren geschoten, waarmee het aantal dood teruggemelde exemplaren tot zeven steeg. De meest kritieke periode, waarin wel verlies aan broedparen kon plaatsvinden, maar nog geen aanvulling door geslachtsrijpe vogels die in het reservaat waren geboren, zou echter minstens tot 1968 duren.

Het aantal paren dat jongen voortbracht, werd in de jaren na 1965 als volgt geschat: 1966: 5, 1967: 5, 1968: 4, 1969: 5, 1970: 8, 1971: 10, 1972: 10 of 11, 1973: 15, 1974: 18, 1975: 18. Uit deze cijfers blijkt dat de aantallen in die kritieke periode verder tamelijk constant zijn gebleven. De oorzaak hiervan zou wel eens kunnen hebben gelegen in de snelle verwildering van de vogels sinds 1966.

Bij de genoemde aantallen zijn ook inbegrepen de een en soms twee paren, die op verscheidene kilometers buiten dit reservaat tot broeden zijn gekomen in de jaren 1973 en 1974 en vermoedelijk ook in 1969 en 1970. Na het vliegvlug worden van de jongen verdwijnen ze daar namelijk en voegen zich dan waarschijnlijk bij de ándere in de Rottige Meenthe.

Al jaren vertrekken nu bijna alle ganzen van eind juli tot in augustus van de broedplaatsen en omgeving. Een gedeelte keert echter later nog voor kortere of langere tijd terug, om in november werkelijk te vertrekken, op enige overwinteraars na. Dat overwinteren vindt sinds 1966 bijna elk jaar plaats door maximaal tien exemplaren. Van half februari en soms al van begin februari af beginnen de ganzen het reservaat weer te bevolken.

Gedurende het voorjaar worden er al jarenlang groeiende aantallen ongepaarde Grauwe Ganzen waargenomen, in en om het reservaat. Sinds 1971 zijn dat ongeveer 30-50 exemplaren en in 1974 zelfs circa 120. Een klein gedeelte van die groep ganzen wordt soms ver in juni gezien, wat op vleugelrui ter plaatse zou kunnen duiden. Van de waarnemingen, gedaan in het reservaat de Rottige Meenthe en omgeving, danken we een groot ge-

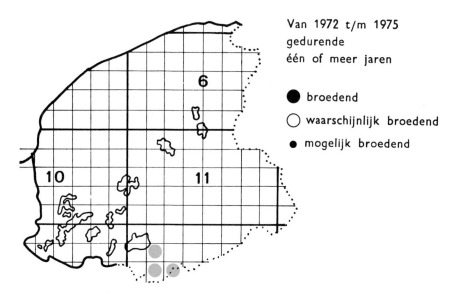

Van 1972 t/m 1975
gedurende
één of meer jaren

● broedend
○ waarschijnlijk broedend
● mogelijk broedend

deelte aan de bewakers R. van der Sluis (tot november 1972) en zijn opvolger H. Ruiter.

Behalve dit experiment dat, na een moeilijk begin, toch duidelijk geslaagd kan worden genoemd, worden er in de Oude Venen bij Eernewoude dergelijke pogingen ondernomen. Het verschil is, dat er door het gebruik van geleewiekte ganzen, nog niet kan worden gesproken van echt in vrijheid broeden. Van P. Annema, bewaker van de terreinen, die daar in eigendom zijn van de vereniging „It Fryske Gea", vernamen we, dat er in 1969 door genoemde vereniging jonge Grauwe Ganzen uit Denemarken waren betrokken. Aanvankelijk waren ze, na geleewiekt te zijn, ingegaan met dezelfde bedoeling als in de Rottige Meenthe, namelijk dat de later uit deze paren voortgekomen jongen vrij rond zouden vliegen, en hopelijk 's winters bij de ouders zouden blijven. In 1972 kwam eerst een ontsnapt paar tot broeden, maar de eieren werden uitgehaald. Binnen de afrastering kwamen de ganzen ook hier niet tot broeden; de eieren werden verlaten. Omstreeks februari 1973 werden ze naar een ander en rustig deel van dit vroeger uitgeveende gebied gebracht, tijdelijk ingegaan om te trachten ze aan een voerplek te wennen en later vrijgelaten. Van deze zes exemplaren is een paar datzelfde jaar met succes tot broeden gekomen en in 1974 en 1975 waren dat twee paren. Twee exemplaren zijn niet lang na de vrijlating dood gevonden.

281

Een tweede poging om de soort weer in te burgeren vindt in een ander deel van de Oude Venen plaats door een particulier. De ganzenvanger F. van der Meer te Eernewoude vertelde mij dat hij in 1970 twee jonge nakomelingen van een aantal in Nederland gevangen Grauwe Ganzen had gekocht. Deze geleewiekte dieren heeft hij losgelaten in een petgatengebied dichtbij zijn huis, waar ze in 1974 en 1975 met enig resultaat tot broeden zijn gekomen. De verwilderde jongen van dit paar vliegen nu in overeenstemming met zijn bedoeling vrij rond.

In dit stadium, waarin de geleewiekte paren nog niet zijn aangevuld met een voldoende aantal ganzen van een volgende generatie, zou het voorbarig zijn om deze beide pogingen reeds als geslaagd te beschouwen.

J. J. S.

In aansluiting op de mededelingen over de Grauwe Gans als broedvogel in Friesland volgen in het tweede gedeelte van dit hoofdstuk nadere informaties over deze soort als doortrekker en overzomeraar in de provincie.

De Grauwe Gans komt in Friesland in vrij groot aantal voor gedurende de trektijden. Sinds meerdere jaren (zeker vanaf het eind der vijftiger jaren) liggen de aantallen voor de soort tussen enige honderden en maximaal 1000 ex. Friesland is dus voor pleisterende Grauwe Ganzen op de doortrek, vergeleken met de Flevopolders en met het Biesbosch-Hollands Diep-Haringvlietgebied van secundair belang. Anders ligt dat met het belang van een deel van de provincie voor ruiende vogels in de voorzomer. Sinds 1957 is dit het geval. De eerste vijf jaar stegen de aantallen tot 2000 en maximaal 6000. Later daalden de aantallen geleidelijk. Vermoedelijk ruien er tegenwoordig minder dan 1000 Grauwe Ganzen.

De Grauwe Ganzen die in Nederland doortrekken en voor een deel ook overwinteren (niet in Friesland) behoren tot een populatie die voornamelijk broedt in Denemarken, Noorwegen, Zweden en Duitsland (BRD, ten dele DDR). Het belangrijkste winterkwartier van deze vogels vormen de Marismas van de Guadalquivir in Zuid-Spanje.

In Friesland worden de Grauwe Ganzen vooral gezien in de maanden september-oktober-november en maart-april. De vogels zijn zeer honkvast en benutten een drietal pleisterplaatsen. Elders in Friesland komen Grauwe Ganzen tijdens de doortrek niet of nauwelijks aan de grond, hoogstens kortstondig in zeer kleinen getale.

De drie geregelde pleisterplaatsen zijn:

9. Gebied aan het IJsselmeer bij Piaam, Gaast, Workum: Regelmatig honderden tot maximum 600 ex. Vooral binnen het kooirecht van Piaam en op de Workumerwaard.

10/11. Het gebied aan het IJsselmeer tussen Oudemirdum en Tacozijl. Regelmatig tientallen tot honderden. Maximaal 300 ex. Vooral in de Huitebuursterpolder en -buitenpolder en in de omgeving van de Sondeler Leijen.

13. Gebied bij de Fluessen en de Morra: Hier kwamen regelmatig honderden Grauwe Ganzen. De laatste jaren weinig of niet meer.

Het gebied waar de ruiende Grauwe Ganzen verblijven is hiervoor genoemd onder 10/11. De Steile Bank voor de kust van Gaasterland is een belangrijk onderdeel van de ruiplaats. Het voedsel van de overzomerende vogels bestaat uit gras (evenals van de doortrekkende ganzen) en in de periode van de eigenlijke rui ook uit fonteinkruid, riet, biezen, lisdodden en rietgras.

De overzomerende Grauwe Ganzen komen vanaf de tweede helft van mei aan; de laatste vogels verdwijnen in juli of begin augustus. Waarnemingen tonen aan dat deze afkomstig zijn uit de hiervoor genoemde broedgebieden en dat het hier gaat om niet broedende, in het algemeen waarschijnlijk dus niet-geslachtsrijpe dieren. Opvallend is, dat de Grauwe Ganzen na de rui grotendeels weer naar het oosten en noordoosten wegtrekken.

J.P.

Kolgans - *Anser albifrons albifrons* (Scopoli)

Blesgoes

Oare nammen: Kolgoes, Kol, Kôlle. Alle nammen ha to krijen mei de greate wite bles oan 'e basis fan 'e rôze snavel. De jongen hjitte: skiere kollen; de âlden: bûnte kollen. (J.B.)

Wintergast in zeer groot aantal.

De Kolgans overwintert in gebieden, die vooral zijn gelegen in het midden en zuidwesten van Friesland. Het aantal varieert in de loop van een winter sterk, zowel in de gehele provincie als in de afzonderlijke pleisterplaatsen. Het maximumaantal dat in een bepaalde winter wordt vastgesteld, ligt meestal tussen 25.000 en 45.000 ex. Deze maxima komen meestal in de tweede helft van de winter voor.

Zonder twijfel komt de Kolgans sinds lange tijden in Friesland voor. Oude gegevens zijn vaag, zodat niet is na te gaan of de aantallen destijds net zo groot waren als thans.

De Kolgans concentreert zich op pleisterplaatsen in Nederland vaak sterk, zodat in een pleisterplaats op een gegeven moment een belangrijk deel van de gehele populatie kan verblijven. De „Nederlandse" Kolganzen behoren tot een populatie, die broedt in het westelijk deel van de toendrazone in de Sovjet-Unie. Andere populaties broeden zo goed als zeker geheel of hoofdzakelijk meer oostelijk (met name ten oosten van de Oeral) en overwinteren in Midden- en Zuidoost-Europa en in Zuidwest-Azië. De Westeuropese winterpopulatie (waarvan de Nederlandse vogels de overgrote meerderheid vormen) telt sinds enige jaren zeker 100.000 of meer vogels.

Op kaart (zie pag. 268) zijn de ganzenpleisterplaatsen in Friesland aangegeven. In het inleidende hoofdstuk is vermeld in welke pleisterplaatsen iedere soort bij voorkeur verblijf houdt. Voor de Kolgans volgen hier nog enige aanvullende bijzonderheden. De getallen volgen de lijst van de slaapplaatsen en de daarbij behorende voedselterreinen.

1. Lauwerszeegebied: Meestal niet boven enige honderden ex.

2/3. Gebied bij de Grote Wielen: Vaak duizenden, maxima tot 10 à 15.000 ex.

4. Gebieden langs het Koningsdiep onder Beetsterzwaag en Tijnje: Vaak duizenden, maxima tot 20 à 30.000 ex.

5/6. Gebieden rond het Sneekermeer, o.a. bij Oldeboorn, Terhorne, Akmarijp, Snikzwaag, Vegelinsoord, Oppenhuizen, Gauw, Poppingawier: Opmerkingen als bij vorige.

7. Gebieden rond de Witte en Zwarte Brekken, onder Hommerts, Jutrijp, IJlst: Vrij onregelmatig, maxima tot 10.000 ex.

8. Gebied rond de Idsegaasterpoel onder Oudega en Heeg: Vrij onregelmatig, maxima tot 10.000 ex.

9. Gebied aan het IJsselmeer bij Piaam, Gaast en Workum: Regelmatig duizenden, maxima tot boven 10.000 ex.

10. Gebied aan het IJsselmeer bij Oudemirdum en Sondel: Zeer regelmatig, maxima tot 10.000 ex. of zelfs hoger.

11. Gebied rond de Grote Brekken: Zeer regelmatig, maxima tot 10.000 ex. of zelfs hoger.

12. Gebieden rond het Slotermeer: Vrij regelmatig, maxima soms boven 10.000 ex.

Samenvattend kan worden gesteld dat de Kolgans een bepaalde voorkeur toont voor een zone in het lage midden van Friesland, een gebied rijk aan meren en nog steeds in het bezit van enige vrij uitgestrekte complexen boezemland met hoge winterwaterstanden. Belangrijke andere voorkomens liggen in een meer westelijke zone veelal langs en vrij dicht in de buurt van het IJsselmeer.

De oppervlakte van alle voedselterreinen die door de Kolgans regelmatig bezocht worden, bedraagt ongeveer 30.000 ha en bestaat geheel uit grasland.

Waarnemingen wijzen er op, dat veel Kolganzen zich regelmatig van de ene naar de andere pleisterplaats begeven. Hierdoor wisselen de grote concentraties in de loop van de winter af en toe van plaats.

Over het voorkomen in de loop van het winterhalfjaar volgt een kort overzicht. Kleine groepjes arriveren in de loop van oktober en november meestal bij Piaam, in Gaasterland en bij de voormalige Lauwerszee. Tot ver in november komt het totaal aantal Kolganzen in Friesland niet boven enige honderden. De grote invasies vinden plaats in december, soms nog in de eerste helft van januari. Aangenomen moet worden, dat de meeste Kolganzen, die Nederland vanuit het oosten en noordoosten bereiken, regelrecht uit de DDR afkomstig zijn, mogelijk ook wel uit Polen en zelfs direct uit de Sovjet-Unie. De massale aankomsten vallen nogal eens in een periode met vorst en sneeuw, maar ook met zacht weer komen soms vele ganzen binnen.

Zoals gezegd treden er in het aantal in de loop van de winter grote variaties op. Een mogelijke oorzaak daarvan is het weer. Tijdens een koudegolf in West-Europa, zijn de omstandigheden in Friesland voor ganzen vaak minder gunstig dan in het zuidwesten van Nederland, vooral indien er sneeuwval is geweest. Bij vorstinval is er dan ook grootscheepse trek waar te nemen van Friesland naar andere delen van het land, o.a. naar de IJsselmeerpolders en pleisterplaatsen in het zuidwesten van Nederland.

Het zou kunnen zijn dat bewegingen binnen het winterkwartier verder worden veroorzaakt door factoren als rust en voedselaanbod. Overigens is nooit bewezen, dat ganzen uit Friesland massaal wegtrekken omdat de beschikbare voeselvoorraad teveel geslonken is.

Het vertrek van de Kolgans uit Friesland naar gebieden ten oosten van ons land kan al vanaf eind januari of begin februari aanvangen, als het weer erg zacht is. Veelal begint het massale vertrek pas aan het eind van februari. En bij een koude nawinter stellen de meeste Kolganzen hun vertrek uit tot begin of midden maart. De laatste vogels worden soms eind maart of begin april gezien. Nog latere waarnemingen zullen vogels betreffen, die door één of andere oorzaak zijn achtergebleven.

Het vogeltrekstation Arnhem verstrekte de volgende terugmeldingen:

Terugmelding van als volgroeide vogels in Friesland geringde exemplaren.

Teruggemeld 1911-1974	in de maanden											
	I	II	III	IV	V	VI	VII	VIII	IX	X	XI	XII
Friesland	55	17	9	4	1	1				2	5	25
overig Nederland	149	15	5	2		2				4	2	67
België	3	1										1
Duitsland	16	7	6				1	2	1	66	82	45
Polen			11	12				1		4	5	
Gr. Brittannië	25	4	2									4
Frankrijk	46	9	2									6
Spanje	1											
Alb./Joegoslavië		1										
Denemarken									1	2	1	3
Bornholm										1		
Noorwegen										1		
Zweden											3	
Oostenrijk											1	
Tsjechoslowakije											1	
Bulgarije	1											
Europees Rusland	1			108	100	22	4	9	24	42	9	1
Aziatisch Rusland				3	4			3	2	4		

Kolganzen Tjerkgaast, maart 1964 - J. Philippona.

Steenloper Oudemirdum, mei 1968,   -   H. D. Schneider

Watersnip Damwoude, mei 1972,   -   O. Hoekstra

Terugmeldingen van als volgroeide vogels in overig Nederland geringde exemplaren.

Teruggemeld	in de maanden											
1911-1974	I	II	III	IV	V	VI	VII	VIII	IX	X	XI	XII
Friesland	35	17	1	3							4	13

Aantallen kolganzen in Nederland en België en de percentages daarvan in Friesland

Winters	Data	Aantallen in Nederland en België	% daarvan in Friesland
1959-60	7 februari	45.000	42
	21 februari	57.000	39
	6 maart	38.500	32
1960-61	15 januari	30.000	57
	12 februari	58.000	41
	26 februari	30.750	67
1961-62	28 december	15.500	31
	14 januari	23.000	48
	4 februari	23.000	37
	18 februari	42.000	39
	5 maart	37.000	59
1963-64	8 februari	57.500	79
	22 februari	48.000	65
	1 maart	30.000	79
1964-65	5 januari	49.500	33
	7 februari	53.000	62
	7 maart	51.500	76
1965-66	12 december	35.000	71
	16 januari	32.750	15
	6 februari	37.500	100
	13 februari	26.250	8
	27 februari	42.500	71
1966-67	15 januari	41.000	35
	5 februari	35.000	92
1967-68	15 januari	52.700	0
	4 februari	50.000	91
	18 februari	31.000	71

Kolganzen bij Giekerk, winter 1973 - P. Munsterman.

Winters	Data	Aantallen in Nederland en België	% daarvan in Friesland
1968-69	12 januari	53.000	42
	1 februari	36.700	49
	15 februari	30.200	35
	23 februari	42.000	11
1969-70	14 december	34.000	17
	12 januari	50.000	2
	15 februari	40.000	55
1970-71	11 januari	101.650	3
	17 januari	84.000	6
	13 februari	72.000	41
1971-72	15 januari	76.000	33
1972-73	13 januari	84.000	19
	17 februari	84.000	45
1973-74	3 december	83.000	3
	3 januari	128.000	14
	16 februari	120.000	28

J.P.

Dwerggans - *Anser erythropus* (Linnaeus)

Goudeachje

De namme Goudeachje slacht fansels op de giele eachring. Oare nammen: Lytse Goes, Lytse Kolgoes, Lytse Blesgoes. (J.B.)

Onregelmatige gast.

De oudste mededeling omtrent het voorkomen van de Dwerggans in Friesland is te vinden bij Albarda (1890) n.l. een levend exemplaar ,,hetwelk (in febr. 1888) in Friesland gevangen en nog in mijn bezit'', aldus een mededeling van F.E. Blauw (1860-1936). Laatstgenoemde bezat een verzameling planten en dieren - waaronder eendachtigen - op het landgoed Gooilust te 's-Graveland.

Voorts werd op 28 januari 1890 te Garijp nog een ♀ juveniel exemplaar gevangen (Albarda 1891).

Na 1900 zijn de volgende waarnemingen geregistreerd:

7 januari 1916	1 ex. gevangen bij Follega, coll. Artis, Amsterdam (Ard. 5, 1916, 94)
2 maart 1918	1 ex. gevangen bij Follega, coll. Artis, Amsterdam (Ard. 7, 1918, 133)
28 november 1941	1 ex. gevangen onder Eernewoude, ,,waarschijnlijk een juv. ex.'' (Lim. 15, 1942, 38)
10 oktober 1943	2 ex. in de Kolken onder Anjum (Ard. 34, 1946, 382)
13 maart 1962	1 ex. tussen Akmarijp en Akkrum (A 1)
4 maart 1962	1 ad. ex. onder Tijnje, tussen plm. 5000 Kol- en 200 Brandganzen (Lim. 37, 1964, 26)
6 november 1963	1 ad. ex. onder Oudemirdum (Lim. 38, 1965, 32)
6 maart 1965	1 ex. tussen Brandganzen onder Sondel (Lim. 40, 1967, 22)
20 maart 1967	5 ex. onder Sondel (Lim. 42, 1969, 44)
8 april 1969	1 ex. gehoord bij Sandfirden (Van. 22, 1969, 82)

Ve.

Rietgans - *Anser fabalis* (Latham)

Swartkopgoes

Oare nammen: Swartkop, Wink. De nammen Swartkopgoes en Swartkop slane op 'e donkere kleur fan 'e kop. De namme Wink is in onomatopé, it lûd dat de fûgel útbringt - de guozzerop - is hwat minder sterk as by oare guozzen, en heart wol hwat op: unk, wunk of wink. Wy fine Wink al yn 1614 yn 'e Fryske literatuer: ,,Edelyck seij de winck, en hie mar ien Jongh'' (J. H. Brouwer en P. Sipma, De Sprekwurden fan Burmania 1614, (1940), nû. 258). (J.B.)

Doortrekker; wintergast in vrij klein aantal.

De Rietgans is in Nederland ongeveer in dezelfde tijd te verwachten als de Kolgans. In de meeste Friese ganzenpleisterplaatsen is de Rietgans een zeer schaarse gast. Alleen in het zuiden van de provincie verschijnt de soort wat regelmatiger en in iets groter aantal. Het maximum aantal zal waarschijnlijk niet meer dan enige honderden exemplaren betreffen.

Volgens oudere gegevens moet de Rietgans vroeger (bijvoorbeeld voor 1940) in Friesland talrijker zijn geweest. Enige gegevens daarover zijn te vinden in artikelen over Friese pleisterplaatsen (Philippona 1962, 1966).

De Rietgans heeft verschillende rassen, waarvan voor Nederland hoofdzakelijk de taigavorm *fabalis* en de toendravorm *rossicus* in aanmerking komen, benevens vogels die tussen beide genoemde rassen intermediair zijn. Het herkennen van de rassen in het veld is moeilijk en daarom wordt niet ingegaan op de vraag of beide dan wel een van de vormen in Friesland voorkomt.

Het geven van een lijst van pleisterplaatsen, zoals dat gebeurd is voor andere soorten ganzen heeft geen zin. De Rietgans wordt namelijk slechts zeer onregelmatig in kleinen getale waargenomen. Veelal betreft het één of enkele individuen, soms enige tientallen, meestal voorkomend tussen de veel talrijker Kolganzen. Alleen in het zuiden van de provincie komen Rietganzen af en toe in wat grotere aantallen voor. Dat is rond het stroomgebied van de Tjonger of Kuinder in de gemeente Heerenveen en Weststellingwerf.

De broedplaatsen van de Rietgans liggen grotendeels in de Sovjet-Unie, en voor kleinere aantallen in Finland en de Scandinavische landen.

Het algemene patroon van trek en overwinteren van de Rietgans doet vrij sterk denken aan dat van de Kolgans. De vogels die in Nederland vanaf december arriveren, komen behalve uit de DDR, waarschijnlijk ook uit Polen, Zweden en de Sovjet-Unie.

De belangrijkste winterkwartieren in Nederland liggen in het midden, zuiden en zuidwesten van het land. Een deel van de Rietganzen overwintert in Spanje en Frankrijk. Een aanzienlijk deel komt in de winter niet westelijker dan de DDR, in tegenstelling tot de Kolgans, waarvan er ten oosten van Nederland.in West-Europa maar weinig overwinteren.

De gegevens over het voorkomen worden voor een groot deel verkregen door de regelmatig uitgevoerde tellingen, en ondersteund door de resultaten van het ringonderzoek, dat sinds jaren in Nederland en nu ook in de DDR wordt uitgevoerd.

J.P.

Kleine Rietgans - *Anser brachyrhynchus* Baillon

Readpoatgoes

Oare nammen: Blaupoatsje, Blauwe Goes. De kleur fan 'e poaten sjogge guon foar blijread, mar oaren foar blau oan. Sadwaende is de fûgel ek bikend ûnder de namme: Blaupoatsje. De namme Blauwe Goes slacht op 'e ljocht-blaugrize boppekant fan 'e fûgel. (J.B.)

Wintergast in groot aantal.

De Kleine Rietgans overwintert hoofdzakelijk in het zuidwesten en in mindere mate in het midden van Friesland. Het maximumaantal ligt meestal tussen 5000 en 8000, maar kon in de zestiger jaren tot 10.000 à 13.000 oplopen. De grootste aantallen zijn tegenwoordig meestal in november of december aanwezig.

De Kleine Rietgans overwinterde voor 1956 weinig in Friesland. Van deze soort gans bestaan twee gescheiden broedpopulaties. De grootste komt voor op IJsland en Groenland, telt 60.000 tot 75.000 vogels en overwintert in Groot-Brittannië; de kleinste broedt op Spitsbergen en overwintert op het Westeuropese continent. De Spitsbergse broedpopulatie telt, blijkens de tellingen op Deense pleisterplaatsen, ongeveer 15.000 individuen. De Kleine Rietgans wordt wel beschouwd als een geïsoleerde eilandvorm van de Rietgans.

Het is opvallend dat de Kleine Rietgans zich meer dan Kol- en Brandgans in Friesland sterk beperkt tot een klein aantal pleisterplaatsen. Dat zijn vooral:

4. Gebieden langs het Koningsdiep onder Beetsterzwaag en Tijnje. Tegenwoordig zelden, destijds regelmatiger; maximum was 1300 ex.

5/6. Gebieden rond het Sneekermeer: Komt hier iets meer voor dan in de vorige gebieden, maar toch zeer onregelmatig. Maximum was 2500 ex.

7. Gebied rond de Witte en Zwarte Brekken: Zeer regelmatig voorkomend, maxima 7000 tot 8000 ex.

8. Gebied rond de Idsegaasterpoel: Zeer regelmatig voorkomend, maxima 7000 tot 8000 ex.

9. Gebied aan het IJsselmeer bij Piaam, Gaast en Workum: Regelmatig, maxima tot 7000 à 8000 ex.

10/11. Gebied aan het IJsselmeer bij de Steile Bank en bij de Grote Brekken (Brekkenpolder): Sporadisch, de laatste jaren iets meer dan bv. in zestiger jaren. Maximum: 1725 ex.

12. Gebieden rond het Slotermeer: Regelmatig, maximaal 1675 ex.

Kol-, Kleine Riet- en Brandganzen Gaastmeer - J. Philippona.

De Kleine Rietgans heeft dus een duidelijke voorkeur voor pleisterplaatsen in het zuidwesten van de provincie. De voedselterreinen bestaan hier geheel uit grasland en hebben een totaal oppervlak van ongeveer 11.000 ha, waarbij alleen de terreinen zijn meegerekend die vallen onder 7, 8, 9 en 12. Door waarnemingen en ringonderzoek is over het voorkomen van de Kleine Rietganzen het volgende bekend: De vogels verlaten Spitsbergen in de loop van september en trekken over het noorden van Noorwegen, de Botnische Golf en het zuiden van Zweden naar Jutland, waar aan de westkust pleisterplaatsen liggen. Tussen noordelijk Noorwegen en Jutland bevinden zich geen belangrijke pleisterplaatsen. In de tweede helft van oktober arriveren al vrij grote aantallen Kleine Rietganzen in Friesland. Het maximum wordt veelal in november of in december bereikt. Merkwaardig is, dat er tegenwoordig in het midden en in de tweede helft van de winter vaak weinig of geen Kleine Rietganzen in Friesland voorkomen, zonder dat bekend is, waar de vogels zich dan wel ophouden. Soms zijn er echter tot in februari en maart flinke aantallen in Friesland te zien. Over het geheel genomen is over de Kleine Rietgans wat betreft de trekbewegingen aanzienlijk minder bekend dan bijvoorbeeld over de Kolgans en de Brandgans. Bij uitzondering (blijkbaar) overwinteren grotere aantallen Kleine Rietganzen van de Spitsbergenpopulatie in Frankrijk. Dit gebeurt in strenge winters, zoals in februari 1956.

In het noorden van de Duitse Bondsrepubliek liggen enige belangrijke pleisterplaatsen, waarover de laatste jaren echter niet veel meer bekend is geworden. Buiten Friesland is ook Damme in België nog een vrij belangrijk winterkwartier.

In het voorjaar concentreren de Kleine Rietganzen zich weer sterk op pleisterplaatsen in Jutland.

Het vogeltrekstation Arnhem verstrekte de volgende staat van terugmeldingen:

294

Het vogeltrekstation Arnhem verstrekte de volgende terugmeldingen:

Terugmeldingen van als volgroeide vogels in Friesland geringe exemplaren.

Teruggemeld 1911-1974	I	II	III	IV	in de maanden V	VI	VII	VIII	IX	X	XI	XII
Friesland	6	2	2							1	1	11
Overig Nederland	7	1	3	1								
Duitsland	6		1								4	1
Poolgebied					2	3		2				
Groot Brit.	2		1									
Frankrijk	2	1										
Noorwegen					1		1			2		
Denemarken									1	47	16	6
Bulgarije					1							

Terugmeldingen van als volgroeide vogels in overig Nederland geringde exemplaren.

Teruggemeld 1911-1974	I	II	III	IV	in de maanden V	VI	VII	VIII	IX	X	XI	XII
Friesland												1

J.P.

Sneeuwgans - *Anser caerulescens* Linnaeus

Sniegoes

Onregelmatige gast.

De Sneeuwgans broedt in Canada en Noord-Amerika en in Europa alleen in N.O. Siberië.
Op 1 maart 1895 ,,werden drie voorwerpen dezer soort onder Hempens (Friesland) door een ganzenvanger van nabij gezien", aldus Albarda (1896), die deze waarneming ook in zijn Aves Neerlandicae (1897) opneemt. De dieren werden niet gevangen. Ook in oktober 1896 zijn twee exemplaren tussen een troep Rietganzen bij Garijp opgemerkt (Albarda 1897). Snouckaert (1908) maakt hier ook melding van.
Pas na 1945 werd de Sneeuwgans weer waargenomen en wel:

7 april 1947	2 ex. onder Sint Nicolaasga, overvliegend (A. 1)
12 augustus 1947	3 ex. onder Heeg, overvliegend (Ard. 38, 1950, 79)
12 april 1948	2 ex. onder Warga, overvliegend (A. 16)

In de periode 1960-1975 werden er de volgende Sneeuwganzen op gemerkt:

1 januari 1963	± 11 ex. boven Zwaagwesteinde, overvliegend (A. 1)
26 februari 1963	5 ex. boven Harlingen, zuidwest vliegend (idem)
10 september 1966	1 ex. bij Heerenveen (Van. 19, 1966, 203; Lim. 42, 1969, 44)
25-27 februari 1970	waarschijnlijk 2 ex. onder Akmarijp (G. 5)
28 februari en	
1 maart 1970	2 ex. onder Terhorne (Van. 23, 1970, 59)
31 januari 1973	1 ex. tussen Heeg en Gaastmeer (Van. 26, 1973, 42)
3 februari 1973	1 ex. Workumerwaard tussen plm. 1500 Kol- en plm. 50 Brandganzen; hetzelfde exemplaar? (idem)
28 september 1974	1 ex. Bantpolder onder Anjum tussen 7 Grauwe Ganzen (Van. 27, 1974, 201)
4 december 1975	1 ad. ex. bij Trophorne - tussen Elahuizen en Waterloo - aan Heegermeer, tussen enkele duizenden Kolganzen (A. 4)
5 december 1975	hetzelfde exemplaar op nagenoeg dezelfde plaats (idem)
6 december t/m	hetzelfde exemplaar in dezelfde omgeving tot onder Jutrijp
31 december 1975	(idem)

De dwaalgasten die we hier een enkele maal zien, trekken mogelijk met andere ganzesoorten mee naar het Westen.

Ve.

Rotgans - *Branta bernicla bernicla* (Linnaeus)

Rotgoes

Oare namme: Rotsje. It earste diel fan Rotgoes en de namme Rotsje binne lûdneibauwend. It lûd fan 'e fûgel is: rott. (J.B.)

Doortrekker in groot aantal; wintergast in vrij klein aantal.
De Rotgans komt in Friesland voor op enige plaatsen aan de Waddenkust. Vroeger was de soort aan de Friese kusten talrijker dan nu. Rotganzen kwamen toen ook voor aan dat deel van de kust (Makkum, Workum, Hindeloopen) dat nu door de afsluiting van de zee is afgesneden (A. 1). Albarda (1884) sprak van ,,groote vlugten aan de kust en op de platen in de Wadden en de Lauerzee''. De aantallen liggen vaak in de orde van tientallen tot honderden, soms echter meer zoals op 7 april 1973, toen er aan de Friese kust 3550 ex. werden vastgesteld (Boere en Zegers 1975).
De Rotganzen die in Nederland voorkomen behoren bijna alle tot de on-

dersoort *bernicla*, de z.g. Zwartbuikrotgans, terwijl de vorm *hrota*, de Witbuikrotgans hier schaars is. De vorm *bernicla* broedt in het uiterste noorden van de Sovjet-Unie onder meer op Kolgujew, Jamal, Gydan en Taimyr. De belangrijkste winterkwartieren van de bernicla-populatie liggen aan de zuidoostkust van Engeland en aan de westkust van Frankrijk. Nederland is vooral belangrijk als tussenstation gedurende de trektijden, hoewel hier ook Rotganzen overwinteren.

Zoals bekend gingen de aantallen van de Rotgans in de dertiger jaren sterk achteruit, vooral door het verdwijnen van de belangrijkste voedselplant, het Zeegras (*Zostera marina*). Mede dankzij een goede bescherming is de soort langzamerhand weer toegenomen. Het totaal op de winterkwartieren in 1973-1974 bedroeg 74.000 ex. (St. Joseph 1974).

De Rotgans is in de winter van alle soorten ganzen het sterkst gebonden aan natuurlijke en halfnatuurlijke milieus. Het voedsel in het Waddengebied bestaat uit het Kleine en het Smalbladig Zeegras (*Zostera nana* en *Zostera stenophylla*) en wieren (Enteromorphasoorten). In het voorjaar forageren de Rotganzen veel op kweldervegetaties en plaatselijk binnendijks op cultuurgraslanden.

Langs de kust van Friesland zijn voor de Rotgans de volgende terreinen van belang: Bantpolder, de kwelders ten westen van Wierum en vanaf Holwerd tot voor Nieuwe Bildtdijk. De ganzen slapen op de Waddenzee. Een enkele keer worden Rotganzen in het binnenland gezien.

De Rotgans begint Nederland in oktober binnen te komen; de aankomst gaat door tot in november en december. De meeste Rotganzen trekken door naar Engeland en Frankrijk. De terugtrek begint in maart. In Nederland zijn dan in april en mei de grootste concentraties te zien, in een periode dat de andere arctische ganzesoorten Nederland al lang hebben verlaten. Men mag aannemen dat de voedselsituatie in het voorjaar in het gehele Waddengebied, zowel in Nederland, Duitsland als Denemarken, zeer gunstig is en dat veel Rotganzen van hieruit zeer snel doortrekken naar de broedgebieden in het hoge noorden.

a. **Witbuikrotgans** - *Branta bernicla hrota* (O. F. Müller)

Dwaalgast.

Van de Witbuikrotgans wordt slechts één waarneming vermeld, n.l. op 31 december 1955 tussen Brandganzen op de Bant nabij Anjum (DLN. 61, 1958, 204).

J.P.

Brandgans - *Branta leucopsis* (Bechtstein)

Paugoes

Oare namme: Tongergoes. De namme Paugoes komt net allinne fan de moaije kleu-ren, dêr't de goes mei pronkje kin, mar ek fan de pau-eftige manier fan rinnen. De namme Tongergoes is ûntstien nei it lûd dat de guozzen meitsje kinne. (J.B.)

Wintergast in zeer groot aantal.

De Brandgans overwintert in het noorden, midden en zuidwesten van Friesland. Met de toename van de Brandgans in het algemeen, zijn ook de aantallen in Friesland groter geworden. De maxima in de provincie stijgen de laatste jaren tot boven de 30.000, een enkele keer tot boven 45.000 exemplaren.
Voor 1950 kwam de Brandgans in Friesland weinig voor (Timmerman 1962). Toen lagen de belangrijkste winterkwartieren nog langs de Wadden-kust van Nedersaksen in Duitsland. In het begin van de vijftiger jaren nam de Brandgans toe aan de Lauwerszee. In de loop van de vijftiger en zestiger jaren werd de soort ook op pleisterplaatsen in Midden- en Zuidwestfries-land steeds talrijker.

De Brandgans is niet in ondersoorten gesplitst, wel bestaan er drie geschei-den broedpopulaties: een Groenlandse die overwintert in Ierland en Schot-land, een Spitsbergse met zijn winterkwartier in Schotland en tenslotte een Noordrussische die hoofdzakelijk in Nederland overwintert. De groei van de ,,Russische'' broedpopulatie is bijzonder duidelijk: van 20.000 aan het eind van de jaren vijftig tot 45.000 exemplaren in de afgelopen jaren.
Per pleisterplaats zijn nog de volgende bijzonderheden voor de Brandgans te vermelden.

1. Lauwerszeegebied: Belangrijkste winterkwartier voor de Brandgans in West-Europa. Massale aankomst in oktober en november. Aantallen zeer hoog, maximaal tienduizenden, soms tot boven 40.000 ex.
4. Gebied langs Koningsdiep onder Beetsterzwaag en Tijnje: Regelmatig in de wintermaanden. Meestal tientallen tot honderden, maximum 2500.
5/6. Gebieden rond het Sneekermeer: Belangrijk winterkwartier, vaak hon-derden tot duizenden, met toppen tot bijna 15.000 exemplaren.
7. Gebieden rond de Witte en de Zwarte Brekken: Vrij onregelmatig, meestal honderden, soms enige duizenden; maximum 10.000 exemplaren.
8. Gebied rond de Idsegaasterpoel: Regelmatig, meestal honderden, maxi-mum 4000 ex.

9. Gebied aan het IJsselmeer bij Piaam, Gaast en Workum: Regelmatig, meestal tientallen of honderden, maximum 2000 ex.

10/11. Gebied aan het IJsselmeer bij Oudemirdum, Sondel en de Grote Brekken: Zeer belangrijke pleisterplaats, vaak duizenden, maximum 11.000 exemplaren.

12. Gebied rond het Slotermeer: Vrij onregelmatig, soms honderden, maximum 1900 ex.

De Brandgans heeft een sterke voorkeur voor de streek bij het Lauwersmeer, het enige gebied in Friesland, waar de soort vanaf oktober tot in maart in groten getale verwacht kan worden. In verschillende andere pleister plaatsen is de Brandgans vanaf december tot in maart te verwachten. In

Brandganzen ,,op har iepenst'' Paesens, 1970   -   H. F. de Boer.

het gebied bij het IJsselmeer onder Oudemirdum en Sondel arriveert de Brandgans soms al in november. In alle gebieden, behalve dat bij het Lauwersmeer, komt de Brandgans dikwijls gemengd voor met de Kolgans en plaatselijk soms met de Kleine Rietgans.

Over het voorkomen in het winterhalfjaar kan in het kort nog het volgende worden opgemerkt (zie ook Bauer en Glutz von Blotzheim, 1968 en Ebbinge en Canters, 1973): De Russische Brandganzen (Ebbinge en Canters spreken van de Barentszee populatie) volgen, hoewel ze niet zo ver verwijderd broeden van de Kolganzen die in West-Europa overwinteren, duidelijk een andere, meer noordelijk gelegen trekroute, waarbij het opvalt dat er tussen de broedgebieden en de Westeuropese winterkwartieren, weinig plaatsen bekend zijn waar de soort in de herfst langduriger blijft pleisteren, dit duidelijk in tegenstelling tot de Kolgans. De bekende pleisterplaatsen liggen in het Oostzeegebied, vooral op eilanden bij Estland en op Gotland (Zweden). Daarna verschijnen de Brandganzen vooral aan de westkust van Sleeswijk-Holstein (BRD). Zoals reeds opgemerkt begint de massale aankomst in Nederland, met name in het Lauwerszeegebied, in de tweede helft van oktober. Later, vooral vanaf december, zijn ook in andere delen

Brandganzen in de vlucht; ,,Quo vadis?'' De Bant bij Anjum - H. F. de Boer.

van Friesland vaak Brandganzen aanwezig. Sinds 1965-66 werd Schier-monnikoog een belangrijk winterkwartier. Zeer belangrijk voor de Brand-gans is in Zuidwest-Nederland het Hollands Diep-Haringvlietgebied. Min-der regelmatig verschijnen flinke aantallen Brandganzen in de Noordoost-polder en in de Flevopolder. Voedselbiotopen zijn zuivere cultuurgraslan-den, kwelders op Waddeneilanden en, met name in de Lauwerszeepolder, zeekraal (3300 ha), waarop de Brandganzen vooral in de herfst fourageren. De totale oppervlakte aan grasland in Friesland waarop regelmatig Brand-ganzen voedselzoeken, zal niet ver liggen onder het getal (30.000 ha) dat bij de Kolgans werd opgegeven.

De Brandgans vertrekt hoofdzakelijk in maart uit Nederland, in het alge-meen wat later dan de Kolgans, hetgeen goed te bemerken is in pleister-plaatsen, waar beide soorten talrijk overwinteren, zoals het gebied bij de Steile Bank. Op de voorjaarstrek ontstaan duidelijker concentraties dan in de herfst, met name in Sleeswijk-Holstein, op Gotland en in Estland.
Het vogeltrekstation te Arnhem verstrekte onderstaande gegevens:

Terugmeldingen van als volgroeide vogels in Friesland geringe exemplaren.

Teruggemeld 1911-1974	I	II	III	IV	V	VI	VII	VIII	IX	X	XI	XII
Friesland	27	3	15	1								10
Overig Nederland	7	2	2		1						1	3
België			1									
Duitsland	1	1		3	2				2	12	25	6
Gr. Brittannië												1
Frankrijk	3											2
Denemarken										3	4	
Bornholm										1		
Noorwegen	1						1				1	
Zweden					6	5			2	3		
Finland										1		
Europees Rusland					6	18	3	1	9	4		

Terugmeldingen van als volgroeide vogels in overig Nederland geringde exemplaren.

Teruggemeld 1911-1974	I	II	III	IV	V	VI	VII	VIII	IX	X	XI	XII
Friesland		2										

J.P.

Canadagans - *Branta canadensis canadensis* (Linnaeus)

Kanadeeske Goes
De fûgel is út Noard-Amearika wei ynfierd yn Europa, lykas de namme ek al oantsjut. (J.B.)

Onregelmatige gast.

De Canadese gans broedt in Alaska en in het noordelijk deel van de Verenigde Staten en werd meer dan twee eeuwen geleden in Groot-Brittannië in gevangenschap gehouden. Ook in Zweden is dit thans het geval (Sluiters, 1975). In beide landen zijn verwilderde populaties ontstaan. Vooral uit Zweden wijken in sommige winters exemplaren uit naar deze streken. Wat Friesland betreft, zijn in de literatuur voor 1965 weinig gegevens te vinden. Aan de hand van de archiefgegevens (AVF) en de literatuur vanaf 1965 is het volgende overzicht samengesteld:

24 januari 1965	4 ex. aan de weg Heerenveen-Beetsterzwaag (Vj. 13, 1965, 531)
31 januari 1965	6 ex. onder Oudemirdum (Lim. 40, 1967, 22)
1 februari 1965	6 ex. onder Terwispel (A. 2)
25 april 1965	1 broedpaar zuidelijk van de weg Bolsward-Afsluitdijk (idem)
30 april 1965	1 nest in terrein naast Workumerwaard onder Hindeloopen (idem)
15 mei 1965	3 ex. onder Bergum (idem)
16 mei 1965	een broedgeval tussen Leeuwarden en Mantgum. Dit betrof ontsnapte exemplaren (idem)
19 juni 1965	1 ex. onder Friese Palen (idem)
31 december 1965	2 ex. onder Eernewoude (Van. 19, 1966, 16)
6 september 1966	4 ex. bij Peasens (A. 5)
31 januari 1967	6 ex. onder Akmarijp (Van. 20, 1967, 29)
8 december 1967	1 ex. tussen Brandganzen onder Ezumazijl (A. 5)
8 maart 1969	8 ex. onder Nijemirdum (Vj. 1969, 67)
midden maart 1969	1 ex. onder Jutrijp 0A. 4)
11 januari 1970	1 ex. Workumerwaard (Van. 23, 1970, 59)
1 februari 1970	1 ex. in de Wildlanden onder Grouw (idem)
8 maart 1970	9 ex. onder Lemmer tussen ± 30 Kolganzen (idem)
14 januari 1971	2 ex. in de Deelen onder Tijnje, temidden van Rietganzen (Van. 24, 1971, 40)
5 juni 1972	10 ex. in de Lauwerszeepolder (Van. 25, 1972, 184)
9 januari 1973	20 ex. bij het Tjeukemeer (G. 5)
24 november 1974	1 ex. onder Akmarijp, overvliegend naar west (Van. 28, 1975, 100)
29 november 1974	100 ex. Rottige Meenthe onder Nijetrijne (G. 5)

Ve.

Roodhalsgans - *Branta ruficollis* (Pallas)

Readboarstgoes

Onregelmatige gast.

De Roodhalsgans is broedvogel van de toendra's (en bostoendra's) van West-Siberië. Het talrijkst op het Gydan-schiereiland (struiktoendra) en het zuidwestelijk deel van Taimir. Het overwinteringsgebied ligt in hoofdzaak in Azerbeidschan aan de zuidwestoevers van de Kaspische Zee. In kleiner aantal meer zuidelijk in centraal Europa, vooral in Hongarije en Roemenië. Nederland ligt aan het eind van een trekweg, waardoor we deze soort hier een enkele maal kunnen waarnemen.

De oudst bekende waarneming is van 15 december 1888 toen onder Eestrum drie exemplaren werden gezien; één exemplaar werd gevangen (Albarda 1890). Deze waarneming wordt ook in 1897 door Albarda herhaald.

Tussen 1920-1950 zijn er nog enige Roodhalsganzen gezien:

1 februari 1922	1 ad. ♀ ex. onder Zurich, coll. RML (Ard. 12, 1923, 4)
11 januari 1929	3 ex. geschoten bij Sint Jacobiparochie, waarvan 1 ♂ juv. ex. in coll. FNM (Brouwer en Haverschmidt 1929)

Vooral ná 1950 werd de gans opgemerkt. Onderstaand hiervan een overzicht:

2 april 1955	2 ex. Makkumerwaard (Van. 8, 1955, 196)
4 april 1958	1 ex. Sondelerleijen (G. 5)
29 oktober 1959	1 ex. Bantpolder onder Anjum (Van. 13, 1960, 88)
3, 10 januari 1960	1 ex. Bantpolder onder Anjum (Lim. 34, 1961, 162)
9 februari 1960	1 ex. Huitebuursterpolder onder Nijemirdum (G. 5)
17 april 1960	2 ex. Noordbergum (Van. 13, 1960, 119)
6 maart 1962	1 ex. Beetsterzwaag (Lim. 39, 1966, 50)
30 oktober 1962	1 ex. Steile Bank onder Nijemirdum (idem)
13 januari 1963	1 ex. Bantpolder onder Anjum (Van. 17, 1964, 51)
8 februari 1963	1 ex. onder Langezwaag (Lim. 39, 1966, 50)
15, 16 februari 1963	1 ex. westelijk van het Koevordermeer (idem)
22, 23 februari 1963	1 ex. oostelijk van het Slotermeer (idem)
1 maart 1963	1 ex. onder Woudsend, in 1963 steeds hetzelfde exemplaar? (Lim. 39, 1966, 50)
8 februari 1964	1 ex. Terwispeler Grootschar (G. 5)
16 februari 1964	1 ex. Doniawerstal (idem)
14 maart 1965	1 ex. Tjerkgaast (Lim. 40, 1967, 23)
9 januari 1966	2 ex. onder Piaam (Lim. 42, 1969, 45)
27 februari 1966	1 ex. onder Sneek (idem)

15 januari 1967	1 ex. Terkaplesterpoelen (G. 5)
18 februari 1967	1 ex. onder Akmarijp (Lim. 42, 1969, 45)
24 december 1968	2 ex. onder Gaastmeer (Van. 22, 1969, 20)
22 december 1970	1 ex. Bantpolder onder Anjum, tussen Brand- en Kolganzen (Lambeck 1971)
16 januari 1972	1 ex. onder Vegelinsoord (Van. 25, 1972, 40)
19 januari 1974	1 ad. ex. onder Anjum, tussen ± 3500 Brandganzen (Van. 27, 1974, 56)

Bij deze soort, die veel in gevangenschap wordt gehouden, dient men ook ernstig rekening te houden met ontsnapte exemplaren.

Ve.

Knobbelzwaan - *Cygnus olor* (Gmelin)

Knobbelswan

Oare nammen: Nuete Swan, Swan, Ald Fries. De swarte knobbel op 'e snavel hat oanlieding jown ta de namme Knobbelswan.

De Swan (Bildtsk en Stedfrysk: Swaen) komt al foar by de sprekwurden fan Burmania (1614), nammentlik: De Swan behoeft syn feeren zoo wol as de mosck zijns. (In hear en in arbeider ha beide forlet fan har ynkommen). It wurd Swan wurdt wol yn forbân brocht mei it Latynske „sonus" (toan) en moat oarspronklik bitsjut hawwe: de sjongende fûgel (Suolahti, 408).

„Hja sit as in swan yn 't nêst", wurdt sein fan in lui, grou wiif, dat altyd noflik op in stoel sitten bliuwt. Ek: „Hja is in briedswan".

De Swanneblom is de Nymphaea alba L.; de Swannepopel is Butomus umbellatus L.; Swannebrea is Kalmuswoartel (Acorus calamus L.). In Swannebiter is in libel. (J.B.)

Jaarvogel; vrij schaarse broedvogel; onregelmatige trekker en wintergast.

Een opvallender vogel dan de Knobbelzwaan is in het vlakke Friesland nauwelijks denkbaar. Zijn grootte, de witte kleur en het zoevende geluid bij het vliegen zijn hier debet aan.

Het is dan ook geen wonder dat deze vogelsoort in de Middeleeuwen al een belangrijke plaats innam in het volksleven. Het zwanehalsmotief in het uilebord op vele Friese boerderijen bewijst de populariteit van deze sierlijke vogel. De jacht op zwanen werd bedreven mede omdat de slag- en staartpennen zeer geliefd waren voor het maken van schrijfpennen. Diverse boerderijen hadden een recht van „Zwanedrift", d.w.z. het recht om zwanen te houden die niemand anders dan de rechthebbende mocht verjagen of doden.

In de Bourgondische tijd was de zwanejacht zelfs een privilege. In 1529 kreeg raadsheer Everardus Nicolai opdracht om de aanspraken op de zwanejacht vast te leggen voor de bewoners van Harlingen, Franeker en de Vijf

Delen in een zogenaamd „Zwaneboek". Dit Zwaneboek bevatte een opgave van de districten (kriten) waar een zwanejacht bestond en van de door de eigenaren der zwanen gebruikte merken op nebbe en zwemvliezen. Tijdens de Republiek kreeg de stadhouder de zwanejacht maar ook toen bleven de oude zwanedriften in stand.

Een enkele boerderij, bijvoorbeeld de voormalige state Hoxwier onder Mantgum, heeft nu nog een zwanedrift (Encyclopedie van Friesland, 1958). De zwanen mogen hier niet worden verstoord tijdens het broeden en slechts de boer zelf mag de zwanen vangen en verkopen (De Vries, 1959).

Voor de afsluiting van dc Zuiderzee broedden er geen Knobbelzwanen in Nederland. Alleen in parken en in de zwanedriften in Friesland kwamen tamme zwanen tot broeden. De jonge zwanen werden vaak gevangen en verkocht, ook ontvluchtten deze dieren soms en gingen zwerven.

Knobbelzwanen afkomstig uit het noorden en oosten kwamen slechts in strenge winters naar Friesland en verbleven dan veelal in wakken in het ijs op de Friese meren, o.a. in 1929 (med. A. Timmerman). Ook in de winters 1939/1940 en 1940/1941 waren er weer wilde Knobbelzwanen in Friesland, bijv. op 20 en 21 februari 1940 vier ex. in de Willemskade te Leeuwarden (Lim. 13, 1940, 81); in een wak nabij Lemmer zag men op 7

Knobbelzwanen in een wak bij Kornwerderzand, maart 1963   -   H. F. de Boer.

februari 1941 15 ad. en 1 juv. ex.; op 9 februari 29 ad. en 1 juv. en op 10 februari 10 ad. en 1 juv. (Lim. 14, 1941, 62).

Na de strenge winter van 1945-1946 is een deel van de buitenlandse wilde Knobbelzwanen blijven hangen en vond er deels paarvorming plaats met de ontvluchte tamme Knobbelzwanen uit parken en zwanedriften. Dit had tot gevolg dat op steeds meer plaatsen in Nederland broedparen werden aangetroffen. Het eerste broedgeval in Nederland was op het Zwarte Meer in 1946 (med. A. Timmerman).

Spoedig daarna werd ook op de Makkumerwaard een nest gevonden en langzaam groeide het aantal broedparen. In het eind der zestiger jaren bewoog dit aantal zich rond de 10 broedparen (A. 22). Omdat al deze broedgevallen niet nauwkeurig werden genoteerd, zijn ze niet meer te achterhalen.

Bij bezoeken aan diverse gebieden in Friesland werden o.a. de volgende gegevens genoteerd:

mei 1957	te Brantgum: een broedgeval (A. 26)
mei 1957	te Genum: een broedgeval (idem)
mei 1958	bij Birdaard: een vroedgeval (A. 26)
mei 1958	ten oosten van Stiens: een broedgeval (idem)
april-mei 1958	bij Oosthem: een nest in het riet aan de zuidoever van het Pikemeer (A. 19)
mei 1958	bij Oudehaske: een nest met 5 eieren in It Lytse Wide, Douwe Pôlle (idem)
broedtijd 1958	ten noorden van Driesum: een paar in rietmoeras (G. 5)
broedtijd 1958	op de Makkumer Kooiwaard: 1 broedpaar met 3 jongen, waarvan 2 jongen met wit dons (A. Timmerman)
23 april 1958	De Rottige Meenthe onder Nijetrijne: 2 broedparen met elk 6 eieren (G. 5)
16 april 1959	De Rottige Meenthe: 1 broedpaar met 8 eieren, later 8 en 7 jongen gezien (idem)
mei 1959	bij Dokkumer Nieuwezijlen: 1 broedpaar (A. 26)
mei 1959	ten zuiden van Driesum: 1 broedpaar in de Brekken (idem)
19 mei 1961	De Rottige Meenthe: 2 nesten elk met 6 eieren (G. 5)
15 april 1962	De Rottige Meenthe: 1 broedpaar (idem)
20 juli 1962	De Rottige Meenthe: 6 jongen gezien (idem)
6 april 1964	De Rottige Meenthe: 1 nest met 2 eieren (idem)
1964	Vogelhoek bij de Morra onder Hemelum: 1 broedpaar (idem)
1965	De Rottige Meenthe: 3 nesten gevonden (idem)
1966	De Rottige Meenthe: 1 nest gevonden, later 10 jongen en 4 oude ex. (idem)
1967	De Rottige Meenthe: 2 nesten gevonden (idem)
april 1970	bij St. Nicolaasga: 1 broedend ex. bij de kooi aan het Tjeukemeer (idem)
1971	bij de kooi Tjeukemeer: 1 broedgeval, in mei verstoord (idem)

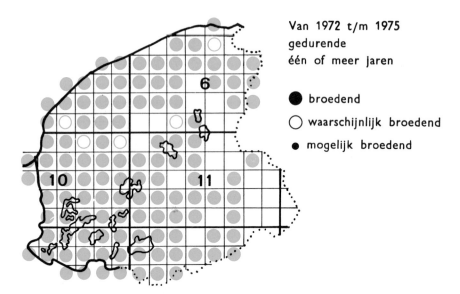

Van 1972 t/m 1975
gedurende
één of meer jaren

● broedend

○ waarschijnlijk broedend

● mogelijk broedend

Stellig bevat deze opsomming slechts een fractie van het werkelijke aantal broedgevallen.

In de jaren 1972 tot 1975 werden van de medewerkers van de Stichting Avifauna van Friesland diverse gegevens over broedgevallen van de Knobbelzwaan ontvangen welke in het verspreidingskaartje zijn verwerkt.

Toen na de aanleg van de Afsluitdijk in 1932 het IJsselmeer steeds zoeter werd, kwamen de Knobbelzwanen hier in steeds grotere aantallen voedsel zoeken. Er ontwikkelde zich in het IJsselmeer een weelderige vegetatie van fonteinkruiden, vooral in de ondiepe gedeelten. Voor de zwanen, die graag fonteinkruiden eten, was hier in ruime mate voedsel aanwezig, en hun aantal groeide 's winters dan ook geleidelijk van enkele tientallen wilde omstreeks 1941 tot ±2000 wilde en verwilderde in de zestiger jaren. De waarneming bij de Mokkebank onder Laaxum van een troepje van zeven „wilde zwanen" in 1941 haalde zelfs nog de Lw. Crt. van 25 juni.

Van 1968 tot 1970 is in snel tempo het fonteinkruid uit het IJsselmeer bijna verdwenen als gevolg van het steeds meer verontreinigde en soms giftige water van de Rijn, dat via de IJssel in het IJsselmeer terecht kwam. Misschien heeft ook „overbegrazing" een rol gespeeld. De zwanen hadden hier geen voedsel meer en kwamen op het land grazen. Vooral het malse, pas gezaaide gras is bij de Knobbelzwanen zeer geliefd. Voor veel boeren betekent dit een flinke schade.

Daar de Knobbelzwaan, die voorheen als jachtvogel onder de jachtwet viel, in 1956 onder de bescherming van de vogelwet werd gebracht, is het niet mogelijk de schade aan de boeren te betalen uit het jachtfonds. Ingevolge de ,,Vogelwet 1936'' wordt thans, aan de jachtgerechtigde op diens verzoek, een vogelvergunning H verleend, om na gebleken schade, een nader te bepalen aantal Knobbelzwanen af te schieten. In de periode 1 mei 1973 tot 1 mei 1974 werden 22 van deze vergunningen verleend voor 125 Knobbelzwanen. Van dit aantal werden 30 jonge en 15 oude vogels afgeschoten. In 1972 was dit aantal 56 jonge en 32 oude vogels (G. 5). Ook werden enkele vergunningen verleend voor het beperken van de legsels.

Uit diverse tellingen langs de kust van het IJsselmeer en in het binnenland, is gebleken dat het aantal Knobbelzwanen dat in Friesland verblijft, langzaam terug loopt. Tot 1969 pleisterden tussen de Afsluitdijk en Staveren in het IJsselmeer 750-1000 exemplaren. Tussen Staveren en Lemmer 500-750 exemplaren en in het binnenland van Friesland 250-500 exemplaren (G. 5).

Deze aantallen zijn daarna niet meer geteld. Wel is er een belangrijke verplaatsing geconstateerd, namelijk van het IJsselmeer (voedselgebrek) naar het binnenland van Friesland. Het totaal aantal zal thans tussen 750 en 1000 exemplaren liggen. Alleen in zeer strenge winters zal dit aantal tijdelijk worden aangevuld met enkele Knobbelzwanen uit het noorden.

H.T. v.d. M.

Wilde Zwaan - *Cygnus cygnus* (Linnaeus)

Kloekswan
Oare nammen: Gûlswan, Wylde Swan. De nammen Gûlswan en Kloekswan binne jown fanwege it trompeteftich lûd dat de fûgels útbringe. (J.B.)

Wintergast in vrij klein aantal.

Deze vogel van IJsland, Schotland, Noord-Scandinavië, Finland, Rusland en Siberië wordt hier in de wintermaanden waargenomen in groepen die variëren van enkele exemplaren tot soms enige tientallen. In strenge winters en bij langdurige vorstperioden, kunnen de aantallen iets toenemen. Een telling in januari 1956 gaf voor geheel Nederland een totaal van 2200 exemplaren.

In de oudere literatuur zijn vrijwel geen gegevens te vinden over aantallen hier overwinterende Wilde Zwanen. Slechts Albarda (1896) vermeldt éénmaal een groot aantal, namelijk een troep van ruim 200 exemplaren op 4 oktober 1887 tijdens een strenge winter op de Smalle Eester Zanding.

De Wilde Zwanen zijn waarschijnlijk tot de jaren vijftig talrijker geweest dan nu. Vooral door het wegvallen van grote gebieden welke voorheen in de wintermaanden onder water liepen, zijn veel geschikte fourageerterreinen weggevallen. Buiten de incidenteel drassig staande terreinen zijn regelmatig Wilde Zwanen waar te nemen in de Van Oordts Mersken onder

Beetsterzwaag, De Warrenpolder onder Giekerk, op boezemland aan het Tjeukemeer en langs de IJsselmeerkust.

Buitendijks op de Waddenzee worden ze slechts weinig waargenomen en vrijwel uitsluitend als langstrekkende vogels. Eénmaal, op 20 januari 1959, waren er ongeveer 10 exemplaren buitendijks bij Kornwerderzand. (G. 5) Enkele waarnemingen van iets grotere aantallen zijn:

25 februari 1962	23 ex. tussen Kornwerderzand en Kop Afsluitdijk, hiervan 6 à 7 juv. Ex. (A. 2)
14 maart 1970	± 100 ex. op ondergelopen land onder Oldeouwer (Vj. 18, 1970, 358)
november 1970	30 à 50 ex. Van Oordts Mersken onder Beetsterzwaag (A. 2)
29 november 1970	30 ex. bij Grouw, zuidwestelijk laag overvliegend (idem)

W. de J.

Kleine Zwaan - *Cygnus columbianus bewickii* Yarrell

Lytse Swan

Wintergast in vrij groot aantal.

Het broedgebied van de Kleine Zwaan wordt gevonden in de toendrazone van Noord-Rusland en Noord-Siberië. Een gering deel van deze populatie overwintert in Zuidwest-Azië bij de Kaspische Zee en in Kazakstan. Het grootste deel trekt langs de Noordelijke IJszee over Finland en Zuid-Zweden naar de overwinteringsgebieden aan de kusten van de Noordzee.

Vóór 1900 overwinterden deze vogels vrijwel alle in Ierland, namen nadien daar in aantal af, terwijl gelijktijdig in Nederland een toename werd geconstateerd. (Glutz und Bauer II, 1968).

In Friesland was de Kleine Zwaan toen nog een algemene verschijning. Albarda schreef in 1884 ,,Herhaaldelijk waargenomen. In den winter van 1870/1871 in grooten getale''. Ook Snouckaert (1908) vermeldt niets over enige toename van deze soort.

De grote aantallen werden eerst na de afsluiting van de Zuiderzee in 1932, waargenomen. Na de afsluiting werd het water zoet en kon er zich een uitgestrekte Fonteinkruidvegetatie *(Potamogeton pectinatus)* ontwikkelen. De grote hoeveelheid voedsel welke hierdoor aanwezig was maakte de IJsselmeerkust als overwinteringsgebied optimaal. De vóór de afsluiting hier overwinterende Kleine Zwanen forageerden op de wortelstokken van het Zeegras, *Zostera marina*. Gegevens over aantallen aan de Friese Zui-

Kleine Zwanen, Oudega (Sm.) - *D. Franke.*

derzeekust vóór de afsluiting overwinterende Kleine Zwanen zijn helaas niet voorhanden.

De eerste Kleine Zwanen komen in de eerste decade van oktober naar het IJsselmeer. Een zéér vroege waarneming van 6 ex. bij de Mokkebank was op 20 augustus 1960.

De eerste waarneming dateert van begin januari 1933 toen tussen Laaxum en Mirns een aantal van ruim 200 exemplaren werd geteld. Aanmerkelijk grotere aantallen werden in de winter van 1934/1935 opgemerkt. Een bewaker uit de omgeving van Makkum vermeldt dat bij de Makkumer Waard soms wel 1000 ex. aanwezig waren. Een andere waarnemer merkt op dat bij Makkum, Workum, Hindeloopen en Laaxum soms vele honderden aanwezig waren (Vogels Z.G. 1936, 51). 7 februari 1938 werden tussen Laaxum en Mirns plm. 290 en bij Nijemirdum 1085 Kleine Zwanen geteld, een totaal van ongeveer 1375 ex. (2e aanv. 1939, 15).

Ook in de navolgende jaren werden in dit gebied regelmatig meer of minder grote aantallen waargenomen.

7 november 1944	± 100 ex. Tacozijl (A. 3)
7 november 1944	950 ex. Hondennest onder Nijemirdum (idem)
7 november 1944	500 ex. Mokkebank onder Laaxum (idem)
29 november 1957	968 ex. van Lemmer tot Afsluitdijk (Lim. 32, 1959, 46)
28, 29 oktober 1958	3000 ex. Tacozijl (G. 5)
18 november 1958	1200 ex. Makkumer Kooiwaard (idem)
2 december 1958	1000 ex. Hondennest onder Nijemirdum (idem)
18, 19 december 1958	1000 ex. Makkumer Noordwaard (idem)
22, 23 december 1959	1790 ex. van Lemmer tot Afsluitdijk, in groepen van 100 tot 800 ex. (idem)
7 november 1964	1000 ex. van Kornwerderzand langs Afsluitdijk en bij de Makkumer Waarden, ook 500 Knobbelzwanen (A. 2)

Opvallend is het geringe aantal jonge exemplaren. Waarnemingen vanaf 1968 wijzen hier duidelijk op. Bijv. 21 oktober 1975 55 uitgekleurde en 9 donkere (jonge) exemplaren, drie families vormend (2, 3 en 4) (A. 22).

De aantallen zijn de laatste jaren gestaag afgenomen (vooral na 1969) en men ziet hoogstens 100 vogels per groep. Bijv. op 28 november 1970 tussen Staveren en Makkum slechts 40 exemplaren (A. 2). Oorzaak hiervan is de sterke vervuiling van het IJsselmeerwater waardoor de Fonteinkruiden grotendeels zijn verdwenen. Een gelijktijdige toename van het zeer grote aantal in dit gebied overzomerende en ruiende Knobbelzwanen, maakte dat in de herfst dit voedsel voor de Kleine Zwanen reeds was gesonsumeerd of losgewoeld. In hoeverre een herstel van de gunstige situatie op het IJsselmeer mogelijk is hangt ten zeerste samen met een goede zuivering van het daarin geloosde afvalwater. Het schijnt overigens dat de aantallen in Engeland in de laatste jaren zijn toegenomen (Hudson, 1975).

Een goede vervanging van de IJsselmeerkust kunnen de meren in de Lauwerszeepolder vormen. Tot nu zijn slechts kleine groepjes in dit gebied waargenomen welke korte tijd pleisteren.

Elders in de provincie worden regelmatig groepjes Kleine Zwanen waargenomen, bij voorkeur in de gebieden welke tot een diepte van 10 tot 50 centimeter onder water staan. De laatste jaren ziet men ze echter ook geregeld grazen op de weilanden, veelal in gezelschap van een aantal Knobbelzwanen.

De door het grazen op de weiden mogelijk ontstane schade aan de grasmat wordt niet door deze soort maar door de Knobbelzwaan veroorzaakt. De laatste soort blijft tot ver in het voorjaar terwijl de Kleine Zwaan reeds voor de grasgroei naar de broedgebieden is vertrokken (DLN 75, 1972, 279; A. 2).

Waarnemingen in het binnenland zijn o.a.:

3 oktober 1920	28 ex. Hempens (A. 1)
2 januari 1955	53 ex. Grote Wielen onder Leeuwarden, hiervan 13 ex. eerstejaars (idem)
4 oktober 1960	± 80 ex. Giekerk (idem)
22 januari 1967	73 ex. ondergelopen land van Warrenpolder onder Giekerk, hiervan 9 eerstejaars (A. 2)
11 februari 1967	76 ex. dezelfde plaats (idem)
11 februari 1973	60 ex. Wâldlân bij de Hooidammen, hierbij ± 30 Knobbelzwanen (idem)
23 februari 1975	120 ex. Warrenpolder onder Giekerk (idem)
9 maart 1975	22 ex. Jan Dirkspolder (Oude Venen) (idem)

Het grootste aantal dat in het binnenland bijéén werd waargenomen was een groep van 250 ex. die in de periode van 27 tot 30 december 1960 op ondergelopen land bij Beetsterzwaag werd gezien (Lim. 35, 1962, 54).

W. de J.

Vale Gier - *Gyps fulvus fulvus* (Hablizl)

Feale Gier

Dwaalgast.

Van deze gier, waarvan het broedgebied hoofdzakelijk in Noord-Afrika en Zuid-Europa is gelegen, zijn één vondst en onderstaande waarnemingen in Friesland bekend:

± 18 juni 1930	1 juv. ex. geschoten onder Twijzel, coll. RML (Org. 3, 1931, 151)
20 juni 1973	1 ex. te Harlingen op dak van een huis in de Oosterparkwijk. De vogel verdween in noordelijke richting, lastig gevallen door Kokmeeuwen en Kauwen. Er is een stukje film van gemaakt.
30 juli 1975	1 ex. op dak van een boerderij te Nijega (Sm.). De volgende dag werd de Vale Gier gezien op het erf van een boerderij te Wommels. De vogel verbleef er de gehele middag om onopgemerkt in de late avond of nacht te verdwijnen (A. 2)
2 augustus 1975	1 ex. rondvliegend boven de Mokkebank onder Laaxum. De vogel werd eerst aangevallen door Scholeksters. Een Bruine Kiekendief, die er boven vloog, hield de Vale Gier gezelschap. Deze verdween in westelijke richting (A. 22)

M. de J.

Steenarend - *Aquila chrysaëtos chrysaëtos* (Linnaeus)

Keningsearn

Dwaalgast.

Van de Steenarend die zijn broedgebied heeft in Schotland, Scandinavië, Zuid-Europa en Zuid-Rusland zijn voor Friesland zes waarnemingen bekend:

12 december 1900	1 ex. gevangen bij Lippenhuizen; levend naar Artis vervoerd (Snouckaert (1908))
7 december 1908	1 ex. geschoten bij Oudeschoot, coll. FNM (Jaarbericht C.NV., 5 1915, 96; Lim. 12, 1939, 128)
24 juni 1959	1 ex. op grote hoogte overvliegend boven Warga (Van. 12, 1959, 162; Lim. 34, 1961, 198)
12 december 1963	1 juv. ex. tussen Gaast en Piaam (Lim. 38, 1965, 35)
24 mei 1971	1 ex. Bokkeleane onder Harich, hier ook op 25 en 26 mei waargenomen. In het geheel niet schuw, kon tot op ± 30 meter worden benaderd (Van. 24, 1971, 163)
13 juli 1971	1 ex. bij Lemmer, vloog in richting N.O.P. Hetzelfde exemplaar?

M. de J.

Bastaardarend - *Aquila clanga* Pallas

Bastertearn

Dwaalgast.

Van deze stootvogel, broedvogel in Finland, Rusland tot in de Balkan zijn voor Friesland twee waarnemingen bekend:

begin juni 1911	1 ♀ ex. geschoten te Beetsterzwaag, coll. Artis (E.D. van Oort (1912), 38)
9 maart 1975	1 ex. in de Oude Venen bij Eernewoude ter hoogte van de Oksepoel, overvliegend in zuidelijke richting (A. 2)

Daarnaast bevindt zich in de collecties van het FNM te Leeuwarden nog een exemplaar uit Friesland, dat in 1912 (nadere datum ontbreekt) werd bemachtigd.

M. de J.

Buizerd - *Buteo. buteo buteo* (Linnaeus)

Mûzefalk

Jaarvogel; schaarse broedvogel; doortrekker.

Uit de vorige eeuw is zeer weinig bekend omtrent het voorkomen van de Buizerd als broedvogel in Friesland. Albarda (1884) vermeldt hierover niets. Dat de Buizerd destijds broedvogel was in Friesland, wordt evenwel o.a. bewezen door het twee-legsel dat op 22 april 1895 te Oudeschoot werd verzameld. (coll. RML, Lim. 16, 1943, 102).
In het begin van deze eeuw was de soort een zeer schaarse broedvogel in het oosten van de provincie (Ard. 17, 1928, 11) o.a. bij Olterterp in 1922 (Jaarb. N.O.V.).
Nadien zijn waarschijnlijke of zekere broedgevallen op de volgende plaatsen genoteerd:

Appelscha	1943, waarschijnlijk (A. 1)
	1944, (Ard. 34, 1946, 346)
	1945, (Ard. 34, 1946, 347)
	1947, Compagnonsbossen, eerste legsel verstoord, vervolglegsels vastgesteld (A. 1)
Duurswoude	1944, waarschijnlijk (A. 1)
	1945, waarschijnlijk (idem)

Lippenhuizen	1945. (idem)
	1947. (idem)
	1948. eveneens broedgeval omgeving Lippenhuizen-Beetster-
	zwaag (idem)
Olterterp	1945. (Ard. 34. 1946. 347)
	1946. (Lim. 19. 1946. 122)
Veenklooster	1947. (A. 2)
	1948. (idem)
Kortehemmen	1948. (A. 1)

Voor de jaren vijftig wordt het aantal broedparen van de Buizerd in geheel Nederland door Bierman op meer dan 40 geschat (Bijleveld, 1974). Voor Friesland zijn in deze jaren de volgende gevallen bekend geworden:

Duurswoude	1950. 6 broedgevallen met zekerheid en 1 waarschijnlijk (A. 1)
	1951. (idem)
	1952. meerdere (Ard. 42. 1954. 316)
	1955. waarschijnlijk 2 broedgevallen (A. 1)
	1956. 2 broedgevallen (Lim. 30. 1957. 96)
	1959. enkele broedgevallen (A. 1)
Oldeberkoop	1951. (idem)
Kortehemmen	1951. (idem)
Beetsterzwaag	1951. (idem)
	1958. (Lim. 33. 1960. 26)
	1959. horst met 4 jongen (A. 1)
Appelscha	1951. enkele broedparen (idem)
Hemrik	1952. (idem)
	1953. (idem)
Olterterp	1953. 2 broedgevallen (idem)
Lauswolt	1953. (A. 13; A. 15)
	1956. waarschijnlijk (A. 15)
Bakkeveen	1956. (A. 1)
	1958. twee broedgevallen (idem)
Oranjewoud	1956. (idem)
	1957. (idem)
Veenklooster	1959. (idem)

Rooth en Mörzer Bruyns schatten de Nederlandse Buizerdpopulatie in het begin van de jaren zestig op 50 - 100 broedparen (Bijleveld, 1974). In Friesland bleef de Buizerd, die overwegend bosrijke streken bewoont, en gesloten bos vermijdt, in de jaren zestig evenals in de vijftiger jaren een schaarse tot zeer schaarse broedvogel, voornamelijk in het zuidoosten van de provincie.

In de periode 1960-1969 werden op de volgende plaatsen broedgevallen geconstateerd:

Veenklooster	1960, 1961, 1964, 1965, 1966, 1967, 1968, 1969 (A. 1; A. 2)
Bakkeveen	1960, 1963, 1964, 1966, 1967 (idem)
Oranjewoud	1961, 1962, 1968 (A. 2; A. 19)
Appelscha	1961, vier broedgevallen (A. 1)
Duurswoude	1964 (A. 1), 1965 (A. 2)
Lippenhuizen	1968 (A. 2)

In 1967 werden in geheel Nederland in totaal 94 broedgevallen met zekerheid vastgesteld, de totale populatie werd geschat op circa 125 exemplaren (Bijleveld, 1974).

In 1970 heeft de Buizerd bij Olterterp gebroed (A. 2), in 1971 waren er in Friesland broedgevallen (bij Veenklooster en Van Oordts Mersken onder Beetsterzwaag (A. 2; G. 5), en bij Duurswoude/Bakkeveen.

In 1972 werden in Nederland 161 broedgevallen vastgesteld, waarvan elf in de provincie Friesland (Erkens, 1973) o.a. in de omgeving van Appelscha, vier broedparen; Veenklooster en Van Oordts Mersken bij Beetsterzwaag (A. 18).

In 1973 werd de Buizerd op de volgende plaatsen broedend aangetroffen: Elsloo; Bakkeveen; omgeving Allardsoog onder Bakkeveen; Beetsterzwaag/Olterterp; Oudeschoot/Mildam (A. 18)

In 1974 waren er in Friesland circa 20 broedparen, o.a. te Bakkeveen en Beetsterzwaag (A. 18).

In 1975 was er voor het eerst een broedgeval in het Katlijker Schar (A. 18). Uit het voorgaande blijkt dat het aantal broedparen van de Buizerd in Friesland is toegenomen. Illustratief is de ontwikkeling van de buizerdstand in de omgeving van Duurswoude en Bakkeveen: (A. 23) 1969 geen, 1970 één paar; 1971 twee paren; 1972 twee of drie paren, 1973 drie of vier paren, 1974 vier paren, 1975 vier paren. Dit beeld is in overeenstemming met de landelijke situatie.

Ongetwijfeld zal deze ,,toename'' mede een gevolg zijn van de wettelijke bepalingen op het gebruik van o.a. bestrijdingsmiddelen in de land- en tuinbouw. Deze pesticiden hebben een zeer zware tol van het totale stootvogelbestand geheven, bijvoorbeeld in het voorjaar van 1960. Er werd toen een massasterfte onder de vogels geconstateerd. Het betrof circa 55 vogelsoorten, waaronder 100 Buizerden (Bijleveld, 1974). In de periode tussen november 1968 en november 1969 stierven in Zeeland door vergiftiging minstens 103 stootvogels en 111 uilen (Bijleveld, 1974). Uit Friesland zijn weinig gegevens bekend omtrent vergiftigingsgevallen. Bij Veenklooster werden evenwel in april 1969 zeker zeven Buizerden dood aangetroffen (A. 2).

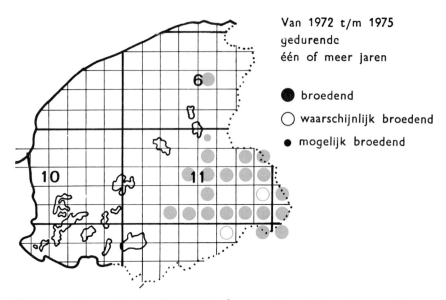

Van 1972 t/m 1975
gedurende
één of meer jaren

● broedend

○ waarschijnlijk broedend

• mogelijk broedend

Trekbewegingen: De AVN (1970) zegt over de trekbewegingen: ,,Doortrekker in vrij klein aantal van eind augustus tot in november en van februari tot in mei". In Friesland trekt de Buizerd door in vrij klein aantal vanaf eind augustus: 25 augustus 1958, Eernewoude, 32 ex. (Taapken in Vj. 6, 1958, 74). Opvallend was de trek van Buizerden op 31 augustus en 1 september 1958: 31 augustus 1958, Makkum, zeven ex., Leeuwarden acht ex., Drachten 17 ex. (A. 2); op 1 september 1958 passeren circa 200 ex. de Makkumerwaard (A. 1; Bosch, 1958) en tussen 14.00 en 14.30 uur trekken 128 Buizerden (waaronder tevens Ruigpootbuizerden) in een langgerekt front over Sondel (Gaasterland) (A. 1).

Tot in oktober en november wordt nog trek waargenomen: 12 oktober 1952, 20 ex. over Franeker (A. 1).

De soort overwintert jaarlijks in Friesland in vrij klein aantal. Vanaf februari trekken weer Buizerden door: 21 februari 1971, vijf ex. over Rinsumageest (A. 2); op 6 maart 1969, acht ex. over Bakkeveen (A. 2). Na maart neemt het aantal waarnemingen af. Op 3 april 1966 acht ex. over Leeuwarden in noordelijke richting (A. 2).

Trek vindt plaats tot in mei: 25 mei 1964, Bakkeveen, eerst 21, later 13 Buizerden trekkend in oostelijke richting (A. 2). Vermeldenswaard is de waarneming op 8 juni 1953: 12-15 ex. vrij hoog over Leeuwarden in zuidwestelijke richting (A. 1).

In Friesland doortrekkende of overwinterende Buizerden zijn waarschijnlijk vogels van Zweedse of Noorse populaties (Glutz, Bauer en Bezzel 1971).

Buizerden, afkomstig uit Nederland, overwinteren in België, Noord-Frankrijk en in het noordwesten van de Duitse Bondsrepubliek (Glutz, Bauer en Bezzel (1971).

Ringvondsten: Een als nestjong in Friesland geringde Buizerd werd uit West-Duitsland teruggemeld in de maand mei. Een volgroeide Buizerd, op 12 maart 1948 te Tietjerk geringd, werd eind oktober/begin november 1948 dood gevonden in de omgeving van Kopenhagen (Denemarken). Twee volgroeide Buizerden, in de wintermaanden in Friesland geringd, werden uit West-Duitsland en Denemarken teruggemeld.

A.F.

Ruigpootbuizerd - *Buteo lagopus lagopus* (Pontoppidan)

Rûchpoatfalk

Doortrekker en wintergast in zeer klein aantal van oktober tot eind april.

In Friesland is de Ruigpootbuizerd, waarvan het broedgebied in Scandinavië, Noord-Rusland en Noord-Siberië ligt, doortrekker en wintergast in zeer klein aantal van oktober tot begin april; de „vroegste" datum is 28 augustus 1947 Eernewoude, 1 exemplaar (A. 1). Uit de maand september zijn zes waarnemingen uit de provincie Friesland bekend (A. 1, A. 2 en G. 5); de „laatste" datum is 23 april 1970, één exemplaar onder Makkum (A. 2).

Omtrent het voorkomen van de Ruigpootbuizerd in Friesland in de vorige eeuw, vermeldt Albarda (1884): „in februarij en maart in lage landen, waar hij, gewoonlijk op eene kleine verhevenheid, op muizen, mollen enz. zit te loeren". Uit het begin van deze eeuw zijn geen gegevens uit Friesland betreffende deze soort bekend.

In de herfst en winter van 1931/1932 was de Ruigpootbuizerd talrijk langs de Friese Waddenkust, doch ook op andere plaatsen in de provincie werden meerdere exemplaren gezien (Ard. 21, 1932, 51 en A. 1). Op 27 maart 1932 werden ca. tien exemplaren gezien in de omgeving van Veenwouden (A. 12).

In de winter van 1934/1935 waren er o.a. veel exemplaren in de omgeving van Lemmer (A. 1); op 28 december 1941 werden „tientallen" Ruigpootbuizerden waargenomen tussen Lemmer en Vollenhove (Ard. 31, 1942,

121). Op 6 september worden vijf exemplaren boven Oudemirdum (Gaasterland) gesignaleerd. (Lim. 34, 1961, 198). Uit de veertiger en vijftiger jaren zijn weinig gegevens bekend.

In de herfst van 1969 en de winter van 1969/1970 werden vrij veel Ruigpootbuizerden gezien:

september 1969	2 waarnemingen o.a. 7 september, 1 ex. Wommels (A. 2)
november 1969	2 waarnemingen o.a. 5 november, 1 ex. o/ Makkum, (idem)
december 1969	4 waarnemingen o.a. 15 december 1969, 2 ex. Makkum (idem)
januari 1970	8 waarnemingen o.a. 2 jan. 1970, 1 ex. Noorderleeg (idem)
februari 1970	5 waarnemingen o.a. 11 febr. 1970, 1 ex. bij het Tjeukemeer (idem)

In Europa werd in de winterperiode van 1969/1970 een invasie-achtig voorkomen van de Ruigpootbuizerd „buiten" het normale overwinteringsgebied vastgesteld.

In de herfst en winter van 1973/1974 werd deze stootvogel vrij veel gezien in onze provincie, zoals blijkt uit de gegevens van Staatsbosbeheer (G. 5). Zeker 36 waarnemingen werden uit deze gegevens bekend, waarvan 2 in de maand september, 4 in oktober, 7 in november, 7 december, 7 in januari, 4 in februari, 4 in maart en 1 in de maand april.

A.F.

Sperwer - *Accipiter nisus nisus* (Linnaeus)

Sparwer
Oare nammen: Finkefalk, Koekútfearren. Sparwer is gearstald út *sparwa (= mosk) en *aren (= earn). (J.B.)

Jaarvogel; zeer schaarse broedvogel in het oosten van de provincie; doortrekker in vrij klein en wintergast in klein aantal.

Albarda (1896) vermeldt broeden te Leeuwarden, Beetsterzwaag, Olterterp en Weidum.

De volgende broedgevallen zijn bekend (voorzover niet anders vermeld, ontleend aan A. 1 en A. 2):

1894	Kuikhorne, 14 mei, vijf-legsel verzameld door Ts. Gs. de Vries, coll. RML.
1924	Olterterp, 24 juli, twee jongen op het nest geringd
1926	Olterterp, 25 juli, een nest met twee jongen. In die omgeving was reeds een ander nest uitgevlogen (Ard. 17, 1928, 10)
	1 augustus. Een uitgevlogen nest in de bossen van Duurswoude (Ard. 17, 1928, 10).
	Op 25 mei was er eveneens bij Olterterp een vier-legsel verzameld, coll. RML.

Tussen 1927 en 1944 werden er, zoals in die tijd niet ongebruikelijk, in het oosten van de provincie herhaaldelijk broedsels van de Sperwer verzameld. In de collecties van het RML bevinden zich de volgende legsels:

4-legsel	Bakkeveen, 17 mei 1927
6-legsel	Olterterp, 26 mei 1928
4-legsel	Olterterp, 9 mei 1928
4-legsel	Olterterp, 12 mei 1930
5-legsel	Olterterp, 27 mei 1930
5-legsel	Olterterp, 16 mei 1932
5-legsel	Olterterp, 18 mei 1932
6-legsel	Olterterp, 26 april 1933
5-legsel	Oldeberkoop, 17 mei 1934
4-legsel	Oldeberkoop, 16 mei 1939
4-legsel	Oldeberkoop, 23 mei 1939
4-legsel	Oldeberkoop, 13 juni 1942
5-legsel	Nijeberkoop, 4 juni 1943
6-legsel	Nijeberkoop, 3 juni 1944

Verder werden nog de volgende broedgevallen bekend:

1941	vier jongen in de bossen bij het Sanatorium te Appelscha (Ard. 31, 1942, 92)
1950	Kortehemmen, de soort heeft hier meerdere jaren aanéén gebroed, op 16 juni werden twee jongen geringd
1951	Kortehemmen, twee nesten, waarvan één uitgehaald
1953	Veenklooster, vijflegsel, twee jongen kwamen uit en werden geringd
	Hemrik, drie jongen geringd
	Beetsterzwaag, drie jongen uitgevlogen

Na dit jaar zijn er gedurende vele jaren geen broedgevallen gemeld. Uit de gegevens aanwezig in archief G. 5 blijkt dat er in de Van Oordts Mersken onder Beetsterzwaag in 1972 twee broedgevallen waren en mogelijk in hetzelfde jaar één in Oldeberkoop.

Uit de laatste jaren zijn verder slechts een aantal meldingen tijdens de inventarisatie voor het Atlasproject uit de omgeving van Bakkeveen, Appelscha en Beetsterzwaag.

Buiten de broedperioden wordt deze stootvogel overal in Friesland gezien. De archiefgegevens AVF liggen als volgt over het jaar verdeeld (waarnemingen tijdens het broeden niet genoteerd):

Maand	I	II	III	IV	V	VI	VII	VIII	IX	X	XI	XII
aantal ex.	16	33	21	14	6	—	5	7	9	56	28	17

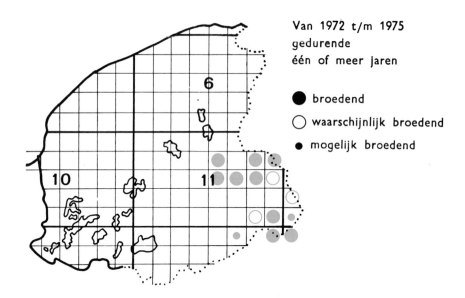

Van 1972 t/m 1975
gedurende
één of meer jaren

● broedend
○ waarschijnlijk broedend
• mogelijk broedend

Uiteraard is dit maar een fractie van het totale aantal dat aanwezig zal zijn geweest.

Door hun wijze van jagen verongelukken er vaak Sperwers tegen kippegaas, windschermen, ramen in huizen, schuren en tegen duiventillen. Dit aantal loopt waarschijnlijk elk jaar in de tientallen. Een preparateur in Harlingen ontving tussen 1960 en 1970 een vijftigtal doodgevlogen exemplaren (A. 6).

Vooral langs de IJsselmeerkust passeren in de herfst vaak trekkende Sperwers, die nogal eens in nylonnetten worden gevangen en na geringd te zijn weer worden losgelaten. De hoge herfstaantallen in bovenstaand overzicht worden ten dele veroorzaakt door waarnemingen aan de zuidkust (Mokkebank onder Laaxum, A. 22). In het bijzonder in oktober, tijdens de massale doortrek van vink- en lijsterachtigen, is de Sperwer daar een normale verschijning. Dagen dat er vijf exemplaren tegelijk jagen behoren dan niet tot de uitzonderingen.

Van de Mokkebank geringde Sperwers zijn er een aantal terugmeldingen genoteerd:

één uit februari	(Pas de Calais, Frankrijk); na vier maanden.
twee uit maart	(Hoornsterzwaag en Creil); na vijf maanden.
twee uit april	(ten N.O. van Bremen, Duitsland en Jutland, Denemarken); na zes maanden.

| één uit oktober | (Sjaelland, Denemarken); na drie jaar. |
| één uit december | (Perk, België); na drie maanden. |

Een op 8 januari 1947 te Wolvega doodgevlogen exemplaar was op 27 juni 1946 geringd te Österild in Noordwest-Denemarken.

Verdere terugmeldingen betreffende de periode 1911-1974 werden verstrekt door het Vogeltrekstation te Arnhem.

Van de als nestjong in Friesland geringde Sperwers zijn teruggemeld in Friesland: mei (1) en in overig Nederland: maart (1), april (1), augustus (2).

Van de als nestjong in overig Nederland geringde exemplaren is teruggemeld in Friesland: maart (1).

Van de als volgroeide vogel in Friesland geringde exemplaren zijn teruggemeld in: Friesland (3), overig Nederland (1), België (1), Frankrijk (1), Duitsland (1), Denemarken (1), Noorwegen (1).

Van de als volgroeide vogel in overig Nederland geringde exemplaren is teruggemeld in Friesland: april (1).

M. de J./D.T.E. v.d. P.

Havik - *Accipiter gentilis gentilis* (Linnaeus)

Hauk

Hoewol Hauk ien fan de âldste Fryske fûgelnammen is, dy't ús bikend binne (de namme is yn it Aldfrysk, havek en hauk), is de etymology fan it wurd noch frij tsjuster. Suolahti bringt de namme yn forbân mei „heffe" en it suffiks -uka. De namme soe dan bitsjutte: de griper. Oare ôfliedkundigen bringe de namme yn forbân mei it Aldyndysk „kapi-". Dat bitsjut brún. Of hja sykje forbân mei it Poalske „Kobuz" en it Russyske „Kobec", beide namme foar falkésoarten. It bliuwt dus rieden. Sprekwurd: Mei lege hannen is it kwea hauken fangen. (J.B.)

Mogelijk weer zeer schaarse broedvogel in het Oosten van de provincie.

Volgens Alberda (1884) broedde de havik in kleinen getale te Veenklooster, Oudwoude, Olterterp, Oldeberkoop en in Gaasterland.

Het volgende verslag van de broedgevallen van de Havik kan met behulp van gegevens uit archieven AVF worden opgesteld. De soort kan thans weer gerekend worden tot de broedvogels van Friesland, in 1974 heeft de Havik gebroed in de omgeving van Appelscha. De voorlaatste broedgevallen dateren uit 1959 bij Duurswoude en uit 1962 bij Bakkeveen.

Begin april 1946 werden bij Beetsterzwaag, naar men meende, twee eieren verzameld, maar dat bleken eieren van de Buizerd te zijn. Het omgekeerde vond plaats op 4 mei 1948. Toen vond men bij Beetsterzwaag een vermeend „buizerdnest" dat later toch een haviksnest bleek te zijn. Er waren drie eieren, die op 12 mei werden verzameld. Het nest zat in een jonge eik op acht à negen meter hoogte. Overigens was er op 30 juni 1946, in Friesland, een viertal „vlugge jongen". (Ard. 38, 1950, 206). In het voorjaar van 1950 werd in het veld een volwassen mannetje gevonden; de vogel had een duif in de krop.

In juli 1950 bevond zich een horst in een complex sparrenbos bij Bakkeveen op circa twaalf meter hoogte. De jonge vogels waren uitgevlogen. Onder de boom vond men prooiresten van Ekster, Grote Bonte Specht, duif, kleine vogels, eekhoorn en veel uitbraaksel, geheel of gedeeltelijk bestaande uit veren. Ook trof men een borstbeen en een poot aan van een Boomvalk, die opgezonden zijn naar het RML.

Op 2 juni 1950 werd een horst ontdekt in een hoge den in het bos bij Duurswoude op een hoogte van ongeveer twaalf meter. Het had horizontale „grijparmen". De horst was oud en zeer groot met aan de buitenkant groene takjes. De oude vogels alarmeerden steeds met een zeer luid, doordringend en snel herhaald „kjè-kjè-kjè-kjè". Op de eerste juli werd waargenomen dat twee jongen uitvlogen. Begin mei 1951 cirkelden drie Haviken hoog boven Beetsterzwaag en hetzelfde jaar, op 5 mei werd bij Bakkeveen een nest met eieren gevonden. Tot 15 mei werd er niet bij gelegd en waren de eieren koud. De eieren werden uitgehaald en naar het FNM gestuurd. Later deelde de jachtopziener mee, dat het nest niet was verlaten, maar dat de oude vogel steeds zeer vroegtijdig het nest verliet en onmiddellijk naar beneden wegstreek, waardoor men meende dat de horst verlaten was. Op 17 mei 1951 werd een nieuwe horst gevonden in een ander bos. Op 10 juni werd het nest gecontroleerd, maar het bleek helaas leeg te zijn.

Op 21 juni 1951 werd een nest ontdekt bij Duurswoude in een opgaand dennenbos op acht à tien meter hoogte. Af en toe alarmeerden de oude vogels. Op 2 mei werd een nest bij Bakkeveen gevonden, waar een mannetje af vloog; de volgende dag werd een nest bij Duurswoude ontdekt waar de oude vogel afvloog. Datzelfde jaar werd bericht dat in 1948 of 1949 een Havik had gebroed achter Lippenhuizen, richting Wijnjeterp. De vier eieren waren uitgehaald. In het RML bevindt zich een drie-legsel afkomstig van Beetsterzwaag (1951). Op 13 april 1952 was er een nest bij Duurswoude. Op 17 mei lag een halve dop onder de nestboom en een paar weken later waren de jongen te zien. Op 21 juni waren er drie „nieuwe" Haviken boven de bossen. In 1952 werd te Duurswoude een jonge Havik geschoten. Op 16 juni 1953 was bij Hemrik een nest met drie jongen, die later geringd zijn toen ze twaalf dagen oud waren. In dezelfde omgeving is waarschijnlijk

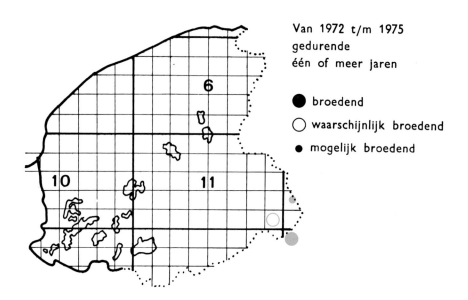

Van 1972 t/m 1975
gedurende
één of meer jaren

● broedend
○ waarschijnlijk broedend
• mogelijk broedend

nog een broedsel groot geworden. In Appelscha-Ravenswoud werden hetzelfde jaar drie pas uitgevlogen jongen waargenomen. Op 27 februari 1953
kreeg het FNM een jong mannetje uit Duurswoude.

In 1954 bevonden zich op 16 juni drie jongen op een horst bij Duurswoude. In 1955 vlogen in de buurt van Appelscha drie jongen uit. Het jaar
daarop waren ze niet op de nestplaats, vanwege werkzaamheden te dicht in
de buurt. In 1958 werd tijdens een excursie van de Nederlandse Ornithologische Vereniging bij Beetsterzwaag een horst ontdekt (Lim. 32, 1959,
171; Lim. 33, 1960, 27). In 1959 broedden er weer Haviken bij Duurswoude (A. 1). In 1962 broedde de Havik bij Bakkeveen; waargenomen is
onder meer hoe een Zwarte Kraai boven het weiland in de vlucht gegrepen
werd en het bos in werd gebracht in de richting van het nest (A. 23).

Sinds 1955 heeft de Havik afwisselend op de twee aanwezige horsten in het
Harinxmabos te Oranjewoud gebroed. In 1959 werd deze stootvogel daar
niet meer gezien. Ook in 1960 en later is de Havik daar niet meer waargenomen (A. 19).

Verder werd de soort nog waargenomen op 22 april 1965 bij Oldeberkoop
(A. 2), terwijl op 11 oktober 1970 onder Leeuwarden een exemplaar ach-
tervolgd werd door kraaiachtigen en torenvalken.

M. de J.

Rode wouw - *Milvus milvus milvus* (Linnaeus)

Reade Glé

Oare namme: Reade Wou. De namme Glé stiet yn forbân mei glide. De glydzjende sweefflecht fan de fûgel is tige opmerklik. Wou kin ûntstien wêze nei it min of mear miaukjende lûd dat de fûgel soms makket. (J.B.)

Doortrekker.

Albarda (1884) schrijft: „Een paar malen in het najaar in de nabijheid van Leeuwarden waargenomen".
Nadien werden van deze broedvogel van Centraal-Europa de volgende waarnemingen in Friesland bekend:

Laatste week augustus 1937	1 ex. Makkum (A. 1)
28 augustus 1948	1 ex. Sneekermeer (A. 1)
15 augustus 1953	1 ex. in de Wallebossen onder Beetsterzwaag (idem)
24 september 1953	1 ex. Piaam (Lim. 26, 1953, 107)
11 september 1960	1 ex. Oudega (Sm.) (A. 1)
22 maart 1962	1 ex. Stiens, overvliegend naar oostzuidoost (Lim. 37, 1964, 29)
15 september 1964	1 ex. Makkumerwaard (A. 1)
19 september 1965	1 ex. Staveren (Lim. 40, 1967, 25)
12 februari 1967	1 ex. Haskerland (Lim. 42, 1969, 46)
12 en 14 maart 1968	1 ex. Allardsoog bij Bakkeveen (Van. 21, 1968, 109)
26 april 1968	2 ex. Ooststellingwerf (Lim. 43, 1970, 43)
8 september 1968	1 ex. Wartena (idem)
1 januari 1971	1 ex. in en bij de eendenkooi onder Ternaard (Van. 24, 1971, 40)
6 april 1971	1 ex. onder Appelscha (Van. 24, 1971, 107)
30 april 1971	1 ex. Fochteloërveen (Vj. 19, 1971, 533)
23 mei 1971	1 ex. Hijumermieden, overvliegend in oostelijke richting (Van. 24, 1971, 139)
15 januari 1972	1 ex. onder Oudemirdum (Van. 25, 1972, 40)
28 april 1973	1 ex. Oudkerk, overvliegend (Van. 26, 1973, 107)
11 t/m 14 april 1974	1 ex. onder Lippenhuisterheide van Van Oordts Mersken onder Beetsterzwaag (Van. 27, 1974, 101)
25 april 1974	1 ex. onder Achlum (idem)
23 mei 1974	1 ex. onder Lippenhuizen (Van. 27, 1974, 124)
24 mei 1974	1 ex. Van Oordts Mersken onder Beetsterzwaag, hetzelfde exemplaar? (G. 5)
14 januari 1975	1 ex. Oosterbierum, in oostelijke richting vliegend (Van. 28, 1975, 101)
15 januari 1975	1 ex. onder Rottum, in zuidelijke richting vliegend (idem)
19 april 1975	1 ex. onder Langweer, in oostelijke richting vliegend (idem)

Volgens de AVN (1970) neemt het aantal waarnemingen de laatste jaren toe, hetgeen ook uit bovenstaande gegevens blijkt.

M. de J.

Zwarte wouw - *Milvus migrans migrans* (Boddaert)

Swarte Glé

Onregelmatige gast.
De Zwarte Wouw is broedvogel van Europa, behalve in het uiterste westen (o.a. Scandinavië en Engeland).

In Friesland zijn tot nu de volgende waarnemingen van de Zwarte Wouw bekend:

19 juli 1955	1 ex. Lippenhuizen, overvliegend (Lim. 29, 1956, 48)
28 maart 1958	1 ex. onder Hallum, overvliegend (Vj. 6, 1958, 60)
14 maart 1962	1 ex. Duurswoude (Van. 15, 1962, 86)
23 augustus 1962	1 ex. Sint Annaparochie (Van. 16, 1963, 89)
8 april 1969	1 ex. Oudemirdumerklif, overvliegend in zuidelijke richting (Vj. 17, 1969, 91)
7 mei 1970	1 ex. tussen Oude- en Nijemirdum, overvliegend (Van. 23, 1970, 131)
30 augustus 1970	1 ex. De Deelen onder Tijnje (Van. 23, 1970, 230)
23 april 1971	1 ex. onder Offingawier, overvliegend in zuidelijke richting (Van. 24, 1971, 107)
24 juni, 24 juli, 12 augustus 1972	1 ex. onder Gersloot (A. 2)
26 mei 1973	1 ex. boven de Lauwerspolder, overvliegend in noordoostelijke richting (Van. 26, 1973, 136)
28 mei 1973	1 ex. onder Stiens (idem)
3 juni 1973	1 ex. boven de Lauwerspolder, hetzelfde exemplaar van 26 mei? (Van. 26, 1973, 181)
11 april t/m 14 april 1974	1 ex. Van Oordts Mersken onder Beetsterzwaag (G. 5)
18 mei 1974	1 ex. Mirns (A. 22)
19 april 1975	1 ex. Zuidoostpolder onder St. Jacobiparochie, overvliegend naar zuidwest (A. 2)

M. de J.

Zeearend - *Haliaeëtus albicilla* (Linnaeus)

Goes-earn

Oare Fryske nammen: Sé-earn, Earn. (J.B.)

Onregelmatige gast.

In Europa broedt de Zeearend in Scandinavië, het Noorden van de beide Duitslanden en van Polen, in Rusland en op de Balkan. De trekdrang van de oude Zeearenden is duidelijk geringer dan die van de jonge vogels. In Noorwegen bijvoorbeeld, waar nog een redelijke zeearendenstand is, blijven de oude vogels vrijwel steeds in de buurt van het broedgebied. Van de jongen trekt slechts een deel in de winter weg; het andere deel zwerft rond (Glutz, Bauer, Bezzel IV, 1971). De waarnemingen in Friesland betreffen dan ook in verreweg de meeste gevallen onvolwassen exemplaren.

In de vorige eeuw nam men de Zeearend over de gehele provincie verspreid waar. In sommige jaren was de soort zelfs relatief talrijk. De vogel hield zich destijds het liefst op in bosrijke streken, vooral in de buurt van water, zoals in Opsterland, Doniawerstal en Gaasterland. ,,In den winter van 1852 liet zich een voorwerp, hetwelk waarschijnlijk ziek of verwond was, midden in de stad Leeuwarden op de straat neder, waar het spoedig werd bemagtigd'', aldus Albarda (1884). Brouwer (1948) vermeldt over deze stootvogel: ,,In Sept.-Oct. 1895 hield zich een jong exemplaar in de Oude Venen op; De Vries zag het driemaal tussen Grouw en Eernewoude''.

Uit het archief van de AVF kan na 1900 het hieronder volgende beeld worden gegeven:

30 oktober 1915	1 ex. geschoten onder Tzum, coll. FNM
1 november 1915	1 ex. gevangen onder Achlum, aldaar was ook een jong exemplaar aanwezig (A. 1)
8 november 1918	1 jong ♂ ex. onder Blija (Ard. 7, 1918, 134)
winter 1931/32	1 ex. in de bossen van Olterterp-Beetsterzwaag (A. 1)
14 november 1937	1 jong ex. bij Lemmer (Ard. 27, 1938, 108)
augustus/september-oktober 1938	1 ex. in de Zuidwesthoek, o.a. op de Workumerwaard (Vogels Z.Z.G. 2e Aanvulling 1939, 6)
20 december 1938	1 jong ex. tussen Leeuwarden en Tietjerk (Ard. 28, 1939, 103)
2 februari 1947	1 ex. in de Boornevallei onder Beetsterzwaag (A. 2)
4 en 5 februari 1947	1 ex. in Veenklooster (Lim. 22, 1949, 386)
14 december 1949	1 ex. bij Lemmer (Van. 3, 1950, 151)
31 december 1949	1 ex. bij Gorredijk (Lim. 24, 1951, 104)
24 oktober 1950	1 ex. bij Zurich (A. 16)

15 december 1951	1 ex. bij Bantega (Van. 5, 1952, 11 en 56)
7 februari 1952	1 ex. bij Bantega (idem)
16 april 1952	1 ex. bij Leeuwarden (Van. 6, 1953, 94; Lim. 26, 1953, 107)
14 november 1957	1 juv. ex. Makkumerwaard, „mogelijk hetzelfde ex. in november ook onder Gorredijk en 1 december te Drachten" (Van. 11, 1958, 370; Lim. 32, 1959, 47)
3 januari 1958	2 ex. bij Beetsterzwaag (Vj. 6, 1958, 38)
4 januari 1958	1 ex. bij Terwispel en 8 januari 2 ex. bij Beetsterzwaag (Van. 11, 1958, 370-371)
28/29 oktober 1958	1 ex. onder Gaastburen (G. 5)
11 november 1958	1 ex. noordelijk van Oudemirdum, waarschijnlijk hetzelfde van 28 oktober, ook op 6 december waargenomen (Van. 12, 1959, 59; Lim. 33, 1960, 27)
4 maart 1959	1 ex. bij Oudemirdum (Lim. 34, 1961, 199)
13 maart 1959	1 ex. bij Tacozijl (idem)
29 november 1959	1 juv. ex. op de Makkumerwaard (Van. 13, 1960, 41; Lim. 34, 1961, 199)
4 oktober 1960	1 ex. bij Zwarte Haan (Van. 13, 1960, 238; Lim. 35, 1962, 56)
23 december 1961	1 ex. De Bant bij Anjum (Van. 15, 1962, 86; Lim. 36, 1963, 18)
25 januari 1963	1 ex. Makkumerwaard (Van. 16, 1963, 30; Lim. 38, 1965, 36)
13 februari 1966	1 ex. in de omgeving van Harlingen, pakte Meerkoeten uit zee, die op de dijk werden gekropt (Van. 19, 1966, 57)
14 maart 1966	1 ex. hoog over Drachten in noordelijke richting vliegend (Van. 19, 1966, 85).
5 mei 1967	1 ad. ex. Kollumerland (Vj. 15, 1967, 384)
20 t/m 22 mei 1967	1 ex. zittend en vliegend op de Schelpenbank bij Workum (Van. 20, 1967, 197; Lim. 42, 1969, 47)
31 augustus 1968	1 ex. onder Makkum, „Stoot op rubber lokeend" (Vj. 16, 1968, 641)
27 december 1970	1 ex. bij de zeedijk naar Lauwersoog (Vj. 19, 1971, 452)
28 november 1971	1 ex. bij de Mokkebank onder Laaxum (Van. 24, 1971, 260)
1 januari 1972	1 ex. Drachten (A. 2)
27 februari 1972	1 ad. ex. overvliegend tussen Giekerk en Zwartewegsend (idem)
16 april 1973	1 ex. Van Oordts Mersken onder Beetsterzwaag (G. 5)
27 oktober 1973	1 ex. Makkumer Noordwaard „een 100% zuivere determinatie was helaas niet mogelijk" (Van. 26, 1973, 229)
12 december 1973	1 juv. ex. onder Olterterp (Van. 27, 1974, 32)
12 december 1973-10 februari 1974	rondom Olterterp door meerdere waarnemers op zeker 5 verschillende data waargenomen (Van. 27, 1974; 32, A. 24)
29 december 1973	1 juv. ex. in de Lauwerszeepolder (Van. 27, 1974, 32)

M. de J.

Wespendief - *Pernis apivorus* (Linnaeus)

Huningfalk

Oare nammen: Wapsebiter, Wespebiter. De Huningfalken sitte graech to plúzjen by bije- en wespenêsten, al sil it dan meastal to rêdden wêze om 'e larven. (J.B.)

(Voormalige) broedvogel; doortrekker in zeer klein aantal; in sommige jaren in grotere aantallen.

Albarda (1896) vermeldt een broedgeval te Beetsterzwaag. Dit was het eerste (bekende) broedgeval in Friesland. Er waren drie jongen, waarvan er één werd geschoten. Over broedgevallen is verder weinig bekend. In 1944 werd op 7 augustus, eveneens te Beetsterzwaag, een exemplaar gezien, wat volgens de waarnemer (G.F. Makkink) ,,op een broedgeval in die omgeving zou kunnen wijzen'' (Ard. 34, 1946, 347). In 1970 heeft een paartje in het zuidoosten van de provincie gebroed (Boswachterij Appelscha) (A.2). Ook tussen 1972 en 1975 is er in deze omgeving (misschien net over de Friese grens) door de Wespendief gebroed (A.18).

De volgende waarnemingen zijn bekend uit de trekperioden:

1923	1 ex. te Veenklooster (A. 1)
8 maart 1924	1 ex. te Drachten (idem)
17 augustus 1924	2 ex. te Veenklooster (idem)
21 augustus tot half september 1924	2 ex. te Veenklooster. Krabden riet uit badhuisje en legden raten bloot in slootswal (Ard. 15, 1926, 53)
12 september 1924	1 ex. te Veenklooster. Hetzelfde exemplaar? (A. 1)
29 juli 1927	1 ex. te Veenklooster (idem)
6 september 1927	1 ex. bij Leeuwarden. Uit sloot gehaald, op 2 september (geringd) en losgelaten (Ard. 17, 1928, 36)
7 september 1927	1 dood ex. op het Bildt (idem)
8 september 1928	1 ex. te Grouw. Bleef daar ongeveer een week, haalde wespenesten uit (A. 1)
9 september 1928	1 ex. te Leeuwarden. Kon niet vliegen; op 14 september naar Artis gebracht (Ard. 18, 1929, 28)
27 augustus 1933	1 ex. boven Eernewoude. Niet zeker (G.A. Brouwer (1948))
8 juli 1936	1 ex. te Eernewoude (Ard. 26, 1937, 71)
14 en 15 juli 1945	1 ex. te Cornjum (A. 1)
8 september 1949	1 ex. te Oranjewoud. Gegrepen, later gestorven, coll. FNM (Van. 2, 1949, 117-118)
17-26 september 1949	1 ex. te Leeuwarden. Verbleef op Noorder en Oude Begraafplaats, ook in naaste omgeving daarvan waar te nemen (A. 1)
24 mei 1951	1 ex. te Leeuwarden. Vloog tegen een raam, werd later (geringd) losgelaten. Op 27 mei opnieuw gegrepen, nu losgelaten in Veenklooster, waar nog een tweede Wespendief was (Van. 4, 1951, 90; Lim. 24, 1951, 105)

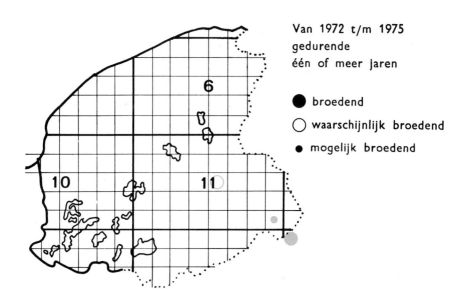

Van 1972 t/m 1975
gedurende
één of meer jaren

● broedend
○ waarschijnlijk broedend
● mogelijk broedend

5 en 6 oktober 1951	1 ex. te Balk (A. 1)
12 mei 1953	1 ex. te Beetsterzwaag (A. 16)
juli 1953	1 ex. te Veenklooster (A. 1)
27 mei 1954	1 ex. te Veenklooster (Van. 7, 1954, 110; Lim. 27, 1954, 147)
Zomer 1959	1 ex. onder Sint Nicolaasga. Verbleef aldaar ongeveer veertien dagen (A. 1)
9 juli 1959	1 ex. te Veenklooster. Uitgekrabde hommelnesten gevonden (Van. 12, 1959, 192)
15-17 september 1959	1 ex. te Sneek. Groef in het Burgemeester De Hooppark wespenest uit (Van. 12, 1959, 22)
12 mei 1960	1 ex. te Makkum, overtrekkend in oostelijke richting (A. 2)
1961	1 ex. te Duurswoude - Bakkeveen (Lim. 35, 1962, 56)
14 september 1966	1 ex. Rijsterbos, overvliegend (A. 2)
15 mei 1967	2 ex. te Leeuwarden, overvliegend (idem)
11 september 1967	1 ex. Rijsterbos (idem)
25 t/m 28 mei 1968	In deze periode werden geregeld troepjes waargenomen, b.v. in Sneek (4 ex.); Lekkum (13 of 14 ex. overvliegend in zuidoostelijke richting); Metslawier (4 ex.); Leeuwarden (4 ex.); Veenklooster (o.a. op 25 mei 5 ex. in de lucht, later plm. 9 ex. Door het gehele bos van Fogelsanghstate werd het aantal op 10 à 20 Wespendieven geschat. Een dag later waren ze alle verdwenen); Jelsum (14 ex.) en Bakkeveen (o.a. op 27 mei 20 ex.). In totaal werden meer dan 100 exemplaren geteld. Ook op de Waddeneilanden verbleven veel Wespendieven (A. 2 en Lim. 43, 1970, 44)

september 1970	1 ex. Nannewijd onder Oudehaske (G. 5)
23 mei 1971	1 ex. te Hijum, overtrekkend (Van. 24, 1971, 163-164)
23 mei 1971	1 ex. te Holwerd, overtrekkend (idem)
23 mei 1971	3 ex. te Leeuwarden (idem)
24 mei 1971	1 ex. te Rottum, overtrekkend in oostelijke richting (idem)
25 mei 1971	1 ex. Noorderbegraafplaats, Leeuwarden (A. 2)
26 mei 1971	10 ex. bovén het Lauwersmeer, overtrekkend (Van. 24, 1971, 163-164)
26 mei 1971	1 ex. Oude Begraafplaats, Leeuwarden (AM 2)
28 juli 1971	1 ex. te Boyl (idem)
1 augustus 1971	1 ex. te Katlijk (idem)
2 augustus 1972	1 ex. onder Giekerk (Van. 25, 1972, 184)
11 augustus 1972	1 ex. Rijsterbos (idem)
12 augustus 1972	1 ex. bij Osingahuizen (idem)
22 augustus 1972	1 ex. te Oranjewoud (idem)
2 september 1972	1 ex. boven Leeuwarden, „zeer laag overvliegend" (idem)
1 oktober 1972	1 ex. onder Appelscha (G. 5)
27 mei 1973	1 ex. bij voormalige vuilstorting Leeuwarden (Saiter)
13 juni 1973	1 ex. Rottige Meenthe onder Nijetrijne (G. 5)
17 juni 1973	1 ex. Hoge Warren onder Grouw, zeer licht gekleurd
19 augustus 1973	1 ex. te Joure, overvliegend (Van. 26, 1973, 206)
13 september 1973	1 ex. Grote Wielen onder Tietjerk (G. 5)
16 september 1973	1 ex. van Oordt's Mersken onder Beetsterzwaag (idem)
4 oktober 1973	4 ex. boven Leeuwarden, in troep langzaam overvliegend in noordwestelijke richting
2 augustus 1974	1 ex. bos Beetsterzwaag - Olterterp, in baltsvlucht

Samenvatting van waarnemingen:

	mrt	apr	mei	juni	juli	aug	sept	okt
Aantal exemplaren	31	—	>130	2	6	11	13	3

M. de J.

Bruine Kiekendief - *Circus aeruginosus aeruginosus* (Linnaeus)

Brune Hoanskrobber

Oare nammen: Hoannebiter, Hoannemosk, Mûzebiter, Aeijefretter, Ketoel; yn 'e Stelling-werven: Skoffert; Hynljippen: Brune Hönnebiter. (J.B.)

Vrij schaarse broedvogel; doortrekker in vrij klein aantal; wintervogel in zeer klein aantal.

In de perioden dat in de droogvallende IJsselmeerpolders veel kiekendieven broeden, bedraagt het aandeel van de Friese populatie maar een tiende; in de tijdvakken daarbuiten kan dit oplopen tot een derde of bijna de helft van de gehele populatie in Nederland.

Enige gegevens over het aantal broedparen gedurende enkele jaren:

	1974	1973	1972	1970	1965	1942
Nederland	?	104-267	193-236	55-80	100	?
Friesland	26-38	24-36	24-28	(20-25)	(10-20)	30-40

(-) = gedeeltelijk geschat.

De Bruine Kiekendief was vroeger een vrij algemene broedvogel in Friesland. De gegevens geven weinig inzicht in de verspreiding in het verleden. Wij kunnen hooguit zeggen dat de huidige broedgebieden ook toen werden bewoond (met uitzondering van de Lauwerszeepolder en de platen die in 1932 droogvielen in het IJsselmeer). De belangrijkste gegevens zijn hierna per gebied samengevat.

Noordoost-Friesland. In dit gebied ten noorden van de lijn Leeuwarden-Tietjerk-Noordbergum-Eestrum-Gerkesklooster bevinden zich terreinen die al sinds 1919 in de literatuur naar voren komen als broedgebieden. Het zijn met name: Grote en Kleine Wielen, Buitenveld, omgeving Oudkerk, Houtwiel en voorheen de Mieden bij Twijzel. In 1974, 1973 en 1972 bedroeg het aantal opgegeven paren hier respectievelijk 1-3, 5-6 en tenminste 1 paar (A. 18).

De enige min of meer complete opgaven van vroeger dateren uit de jaren 1942 en 1943. Ts. Gs. de Vries vermeldt in Lim. 15, 1942, 125, dat hij in 1942 onder de rook van Leeuwarden 2, bij Tietjerk en Suawoude 4 en in de driehoek Hardegarijp-Roodkerk-Veenwouden 7 nesten vond. In het Buitenveld waren in 1943 6 nesten (B. 3). De onvolledige opgaven van de jaren daartussen schommelen tussen de 1 en 4 paren. ,,De Mieden'' ging als broedgebied verloren; daar broedden in 1944 4 paren en in 1951 nog 1 paar (A. 1; A. 3). Het laatst bekende broedgeval van de Kleine Wielen was in 1965.

Bergumermeer en de Leijen. In 1974, 1973, 1972 en 1971 bedroeg het aantal paren dat bekend werd resp. 1-2, 1-2, 1 en 2 (A. 18). Aan het Bergumermeer waren in 1945 3 broedparen, 1948 nog zeker 2 paren (A. 4). Zij ontbraken in 1967 maar in ieder geval sinds 1971 is hier jaarlijks weer 1 paar aanwezig. Van de Leijen is bekend dat er in 1953 en 1958 2 paren waren en in 1971 1 paar (A. 1; A. 2).

Vanaf 1972 stellen de vogels ieder jaar broedpogingen in het werk maar verdwijnen wanneer de recreatie ,,losbarst'' (A. 18). In 1975 is van een vijflegsel slechts één ei uitgekomen; de andere vier zijn waarschijnlijk door een overmaat aan verstoring na 1 juni, onvoldoende bebroed (A. 24).

Centraal Friesland. Dit is het gebied ten oosten van de lijn Leeuwarden-Akkrum. Het wordt aan de zuidzijde begrensd door Nieuwebrug en heeft als centrum: Eernewoude. In 1974, 1973 en 1972 bedroeg het aantal paren in het gehele gebied 3-4, 4 en 3 (A. 18). In Eernewoude (Princehof, Oude Venen e.o.) waren in 1918 een tiental nesten (A.

Jonge Bruine Kiekendieven Eernewoude, 1963 - H. F. de Boer.

1), in 1933 8-10 paren, in 1941 op een gedeelte van het gebied 6 nesten (Ard. 32, 1943, 200).

Brouwer (1948) schat het totale aantal paren in 1942 voor de Oude Venen op 15 à 18. In 1947 zijn er 13 paren en in 1948 14 paren; dan wordt ingegrepen, van de 14 nesten worden er 8 vernietigd; in zes nesten zaten al grote jongen (A. 1). Het „probleem" was opgelost. In 1953 waren er tenminste 2-3 paar. Daarna was er weer een toename; in 1956, 14-15 paar (A. 1).

In 1964 waren er 3 paren (A. 1), in 1966 nog 2 paren (A. 2), in 1972 vrij zeker 3-5 broedgevallen en in 1974 2 (A. 18). In de omgeving van het Pikmeer bij Grouw waren in 1922 ontzettend veel kiekendieven zodat de kievitbroedplaatsen verlaten waren (Ard. 12, 1923, 70). Er zijn ook broedgevallen bekend uit de jaren 1931, 1937, 1953, 1958, 1972, 1973 en 1974; steeds 1 paar. Voor De Deelen onder Oldeboorn gaan de gegevens terug tot 1955. In 1974, 1973 en 1972 bedroeg het aantal paren hier 3-4, 4 en 3.

Oostelijk van Tjeukemeer. Dit gebied wordt tevens begrensd door Heerenveen, Wolvega en Nijetrijne; hier bevinden zich het Ooster- en Westerschar bij Rotsterhaule, Oldelamer en de Rottige Meenthe onder Nijetrijne. In 1974, 1973 en 1972 waren er respectievelijk 7, 4-6, 6-7 paren (A. 18). Gegevens die teruggaan tot 1944 doen vermoeden dat de stand hier vrij stabiel is.

Lindevallei Wolvega. In 1942 was het aantal paren in de Lindevallei nog „vrij aanzienlijk", maar hier zou in de naaste toekomst de nestgelegenheid nog belangrijk inkrimpen door ontginning van ruige terreinen in de Nijkspolder en Stroomkant, van de percelen van Quintus langs de Steggerdervaart enz. (Ard. 32, 1943, 201). In 1942 waren er minstens 4 paren (A. 3); in 1944 zeker 2 paren en in 1952 8 à 9 paar (A. 3). In 1967 en 1963 waren er zeker 2 paren; in 1974, 1973 en 1972 respectievelijk 1, 1-2 en 1 paar (A. 18).

Zuidoost-Friesland. Hier zijn zekere en waarschijnljke broedgevallen bekend van het Fochterloërveen, de Lippenhuisterheide, Katlijk, Appelscha en voorheen zeker of mogelijk: Duurswoudsterheide, Delleburen, Bakkeveen. In 1974, 1973, 1972 en 1971 bedroeg het aantal paren hier respectievelijk 1-3, 0-1, 0-2, 0-2 (A. 18).

Grote meren. In 1974 en 1973 werden vastgesteld 3-6 en 3-7 paren (A. 18). De Bruine Kiekendief werd vroeger vaak aangetroffen in de smalle rietkragen rond de grote meren. Dat was het geval bij het Sneekermeer, de Terkaplester Poelen en de Goïngarijpsterpoelen; daar broeden nog jaarlijks 2 à 3 paar.

Bij het Koevordermeer, Langweer werd in 1944 en 1945 1 paar aangetroffen, terwijl in 1956 in die omgeving 4-5 paren aanwezig waren. Voor 1960 werden zij vermeld als broedvogel van de Grote Brekken tussen Follega en Tjerkgaast.

De oevers van het Tjeukemeer waren vroeger rijk aan kiekendieven, 1941 3-4 paar (A. 1), 1944 4 paren (A. 1), 1955 3-5 paar (A. 1) en in 1971 voor het eerst sinds jaren weer een paar. Bij het Slotermeer werden in 1952 2 paren aangetroffen; nadere gegevens ontbreken.

In het gebied rond de Fluessen waren in 1974, 1973 en 1972 respectievelijk bekend 1-4 paar, 2-5 paar en tenminste 1 paar (A. 18). Zij waren hier vroeger veel algemener, vooral in de vijftiger jaren. Zo waren er bij IJlst in 1944, 1945 en 1946 nog 4, 1 en 3 paren en in 1956 nog 4-5 paar. Rond de Morra werden in 1948 liefst 8 paren vastgesteld en in 1952 7-8 paren. In die tijd waren er in de gehele Zuidwesthoek veel (A. 1).

Lauwersmeer. Aan de westrand van het Lauwersmeer en de overgang naar het oude land waren er in 1974, 1973 en 1972 aanwezig 2-4, 1-2 en 2 paren (A. 18).

IJsselmeerkust. Door de aanleg van de Afsluitdijk in 1932 raakten de Makkumerwaard en de Kooiwaard, de Workumerwaard en de Mokkebank onder Laaxum langzamerhand met riet begroeid. Daar broedden in 1974, 1973 en 1972 respectievelijk 2, 1 en 1 paar (A. 18). In mei 1942 waren voor het eerst twee nesten op de Kooiwaard in aanbouw, waarvan de legsels waarschijnlijk door hoog water verloren zijn gegaan. Later is er ook op de Makkumerwaard een nest gevonden; dit broedsel werd echter door de ouden in de steek gelaten, nadat er een schuilhutje van een vogelfotograaf bij was geplaatst (Haverschmidt, Ard. 32, 1943, 200).

Uit de jaren daarna is een reeks gegevens bekend van de Makkumerwaard: in 1943, 1944, 1946, 1951, 1954, 1955, 1961, 1962, 1966 en 1967 respectievelijk 2, circa 8, 8, 1, 1, 1, 5, 3, 3 en 2 paren; nadien jaarlijks 1-2 paar. Op de Makkumer Noordwaard broeden zij in ieder geval sinds 1952, gewoonlijk 1-2 paar. Er zijn verder enkele gegevens bekend uit de omgeving van Workum, 1944, 2, 1963 ca. 4, 1965 1 paar en van Gaast 1942 2 paren.

In 1975 was er over het algemeen sprake van een toename van het aantal broedgevallen in Friesland ten opzichte van de drie voorafgaande jaren (A. 18).

De veranderingen die hiervoor zijn aangetoond hebben verschillende oorzaken:

- de oorlogsjaren en de droogvallende IJsselmeerpolders leidden tot een toename in een reeks van jaren;
- een plaatselijk groot voedselaanbod b.v. muizen, kan leiden tot meer paren en grote legsels gedurende één jaar;

339

- de kwaliteit van het broedgebied kan aan waarde inboeten door ontginning, ontsluiting, ontwatering, opslaand moerasbos, te intensieve recreatie en stroperij; dit leidt tot een geleidelijke of plotselinge achteruitgang.
Er zijn aanwijzingen dat de stand al vóór 1940 afnam (Eernewoude, Pikmeer, Midden-Nederland). In de jaren 1939-1945 is sprake van een duidelijke toename in vrijwel geheel West- en Midden-Europa. De vogels werden in die periode minder vervolgd. (Glutz, Bauer, Bezzel IV 1971).

De toename zette zich voor Nederland na 1945 voort omdat in de drooggevallen Noordoostpolder grote aantallen Bruine Kiekendieven gingen broeden. Deze populatie had naar alle waarschijnlijkheid een uitstralingseffect op de omringende gebieden, o.a. Friesland en misschien zelfs wel Groot-Brittannië. Al in 1944 ging men de kiekendieven in Friesland vervolgen.
„Geen kiekendieven kunnen meer in de omgeving van Zandgaast bij het Koevordermeer broeden omdat het krengen van vogels zijn" wordt er geklaagd. In 1951 werden zij in de gehele Zuidwesthoek op eigen houtje vervolgd; „er waren er veel te veel." In 1952 werden bij Koudum 1 à 2 paar geduld van de 7 à 8 paren die aanwezig waren. In de buurt van Koufurderrige (Koevordermeer) zaten in 1956 wel 4 à 5 paar; zij werden daar in de jachttijd door de jager geschoten (A. 1).
In 1951 werd in de Noordoostpolder een grootscheepse bestrijdingsactie op touw gezet. De nesten werden verstoord, gifeieren werden uitgelegd en kiekendieven geschoten. Deze bestrijding die in het broedseizoen werd uitgevoerd, kostte in ieder geval 384 Bruine Kiekendieven het leven. Verder zouden er 38 Grauwe en 17 Blauwe Kiekendieven door het verorberen van vergiftigde eieren zijn omgekomen. Dat na 1952 de Bruine Kiekendieven vrijwel waren verdwenen uit de Noordoostpolder zal niemand verbazen.
Daarna waren kiekendieven ook uitermate schaars in Friesland. De groeiende populatie in Oostelijk-Flevoland heeft zich niet doen gelden. Pas omstreeks 1969 tekende zich een opleving af, waarschijnlijk onder invloed van de groeiende populatie in Zuidwest-Flevoland. Vanwege de ontginningen daar, mag niet worden verwacht dat de situatie zich in Friesland blijvend gunstig zal ontwikkelen. Er moet scherp op worden toegezien dat niet opnieuw een hetze tegen de kiekendieven wordt ontketend.

De hiervoor onderkende schommelingen zijn gebaseerd op aantallen broedparen en opmerkingen van waarnemers. In Friesland zijn in de periode 1922 t/m 1974 93 nestvondsten gemeld. De opgegeven legselgrootte zal in meerdere gevallen kleiner zijn dan in werkelijkheid het geval was, omdat

340

eieren of jongen die verloren gingen voordat iemand het nest vond, niet werden meegerekend.

Aantal eieren of jongen per nest	Aantal nestvondsten in de perioden:				
	1922/1938	1939/1945	1946/1956	1957/1968	1969/1974
2	—	1	2	3	5
3	2	2	3	2	6
4	7	12	6	8	5
5	—	8	4	6	3
6	—	2	—	2	—
7	—	3	1	—	—
Totaal aantal nesten	9	28	16	21	19
Minimale gemiddelde legselgrootte	3,78	4,61	4,00	4,18	3,32

Het valt op dat de berekende legselgrootte wat kleiner is dan gegevens voor andere gebieden aantonen; het verschil is echter klein. De beide tabellen zijn weer een aanwijzing dat een optimistische toekomstverwachting voor de Bruine Kiekendief niet gerechtvaardigd is. Het grotere aantal paren in de periode na 1968 gaat naar alle waarschijnlijkheid gepaard met gemiddeld kleine legsels in vergelijking tot voorgaande periodes; er zijn verhoudingsgewijs veel kleine en weinig grote legsels.

Naast de verschillen tussen reeksen van jaren kunnen er ook van jaar tot jaar grote verschillen optreden. Ondanks de gemiddeld grote legsels in de oorlogsjaren was in 1941 in de Oude Venen het aantal jongen per nest gering; in 5 nesten waren aanwezig 1; 2; 2, misschien 3; 3 jongen en 3 eieren plus 1 jong. Het kleine aantal jongen moet wellicht worden toegeschreven aan voedseltekort in verband met de sterke achteruitgang van de meerkoetenstand na de twee strenge winters (Ard. 32, 1943, 200).

Op de horsten worden vaak resten van jonge en volwassen Meerkoeten gevonden. In 1934 werd gezien hoe drie kiekendieven bezig waren uit 40 Meerkoeten er één te vangen. De koeten vormden soms een dichte zwarte massa, die weer uiteenstoof, het water opspattend. De kiekendief profiteert ook van jaren met veel muizen. Na de grote legsels in en kort na de Tweede Wereldoorlog werden in 1961 bij Hardegarijp en op de Makkumerwaard weer 2 nesten met ieder 6 eieren aangetroffen; dit was een plaagjaar van veldmuizen.

Enkele waarnemers beschreven wel eens wat ze aan voedselresten vonden.

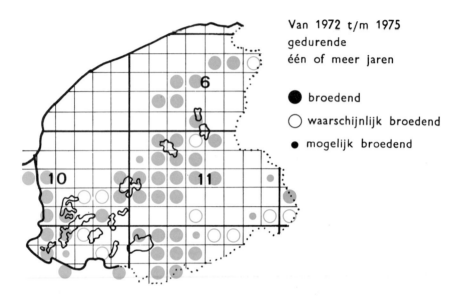

Van 1972 t/m 1975
gedurende
één of meer jaren

● broedend
○ waarschijnlijk broedend
• mogelijk broedend

In 1948 werden bij een roestplaats in Eernewoude gevonden: 6 snoekekoppen, resten van 2 ratten, van 1 jonge haas, van 1 kraai, van 1 volwassen Grutto en verschillende kikvorsen. In 1936 vond men bij een nest onder Wolvega: 2 poten van een halfwas Meerkoet, 1 poot van een volwassen Meerkoet, 2 vissen (zeelt?), haarballen en 1 muizekop.

Brouwer (1948) geeft een uitstekende beschrijving van de gang van zaken tijdens het broedseizoen in de Oude Venen. ,,Vanaf half maart worden gewoonlijk de baltsvluchten gehouden, waarna meestal in de derde decade van april de eieren worden gelegd. Vervolglegsels worden soms nog einde juni (b.v. 23 juni 1929) gevonden. In de 2e helft van mei komen de jongen uit het ei, waarna het nog 8 weken duurt eer zij kunnen vliegen. Vlugge jongen ziet men dan ook zelden vòòr 10 juli. De prooidieren worden meestal in het eigenlijke moerasgebied buitgemaakt (jonge koeten, ratten, vis), maar ook van de jonge steltlopers in de omringende hooilanden wordt een tol geheven. Tweemaal zag ik een oude kiekendief met een paling vliegen. Na het uitvliegen worden de jongen nog gedurende enkele weken door de ouden van voedsel voorzien; zij zitten dan nabij de nestplaats in de toppen der elzen naar de komst van hun ouders uit te kijken. Komt één der ouden in zicht, dan vliegen zij hem luid roepend tegemoet, waarbij de prooi aan de eerstkomende in de lucht wordt overgegeven''.

Bij uitzondering slepen ze al in januari met nestmateriaal zoals in Eernewoude in 1947 en 1948. In het voorjaar kan het soms tot felle gevechten komen met andere vogels. Bij Langweer viel een kiekendief eens een zwaan aan, hij liet zich er telkens op vallen, maar de zwaan sloeg hem met zijn machtige vleugels weg, tot zesmaal toe, toen moest hij meer dood dan levend de aftocht blazen (A. 1).

Er is echter ook wel eens een kiekendievenest gevonden op 8 meter afstand van een roerdompnest (A. 4). De geschiedenis vermeldt niet wat ervan terecht is gekomen. In de Rottige Meenthe bouwde in 1964 een kiekendief zijn nest tussen de Purperreigers. In een brief van 1957 beschrijft een onderwijzer hoe één van zijn leerlingen onder Steggerda een nest aantrof in de gaffel van een els, ongeveer 4 à 5 meter hoog (A. 1). Vermeld wordt nog het lot van een nest uit 1936, gevonden ten oosten van Leeuwarden. Dit nest bevatte drie jongen die door de ouden waren verlaten. De pulli zijn naar een nest in de buurt overgebracht waarin al vier eieren lagen; zij werden desondanks door de pleegouders geaccepteerd (Ts. Gs. de Vries 1936).

De trek begint gewoonlijk half september, maar uitzonderingen zijn mogelijk. Zo werden op 31 augustus 1963 al doortrekkende exemplaren gezien bij de Rottige Meenthe onder Nijetrijne (G. 5).

Onderstaand overzicht met gegevens, verzameld in Friesland, tussen 1 januari 1965 en december 1974, geeft een indruk hoe de trek verloopt.

	jan.	febr.	maart	sept.	okt.	nov.	dec.
Aantal waarnemingen	15	23	15	20	15	13	5
Aantal exemplaren	16	26	24	58	17	20	7

In dit overzicht valt het grote aantal waarnemingen op in de wintermaanden december en januari; een gevolg van de reeks zachte winters. In september worden nog veel paren met jongen gezien. Waarnemingen van grotere aantallen buiten de maanden juli, augustus en september zijn vooral bekend van de Makkumerwaard: 15 april 1951 10 ex., 8 januari 1956 6 ex., 14 april 1957 5 ex., 6 oktober 1959 11 ex., 9 sept. 1965 9 ex. Op de dijk tussen Finkum en Vrouwenparochie werden op 2 oktober 1960 10 exemplaren waargenomen tijdens de grote trek. Op 22 december 1956 trokken 5 exemplaren over het Sneekermeer (A. 1).

Volgens gegevens van het Vogeltrekstation te Arnhem zijn er tussen 1911 en 1973 27 terugmeldingen van Bruine Kiekendieven die in Friesland op één na alle als nestjong zijn geringd. Het als volgroeide vogel geringde exemplaar werd teruggemeld uit Marokko. Uit Spanje kwam één terugmelding, uit Frankrijk kwamen er 12, uit België drie, uit overig Nederland vier en uit Friesland zes. De terugmeldingen uit Frankrijk, Spanje en Marokko hebben alle betrekking op de wintermaanden. In België en Nederland zijn zij geconcentreerd tussen april en oktober.

Eerder zijn oorzaken genoemd die schommelingen bewerkstelligen, met name de oorlogsjaren, de aanleg van de IJsselmeerpolders, strenge winters die tot vermindering van het voedselaanbod kunnen leiden en jaren met veldmuizenplagen die de legselgrootte stimuleren. Cultuurtechnische maatregelen welke leiden tot een meer intensieve weidebouw, recreatie en stroperij spelen echter ook een rol.

Cultuurtechnische en waterbouwkundige werken doen zich op verschillende manieren gevoelen in het Friese land. Niet alleen ten ongunste: hieraan zijn ook de broedplaatsen op de platen voor de IJsselmeerkust en in het Lauwersmeer te danken. Ontginning, toenemende ontsluiting en diepe ontwatering zijn echter de keerzijde van de medaille. De ontginningen in de Lindevallei en elders hebben de broedgebieden doen inkrimpen. De toenemende ontsluiting leidt ertoe dat meer mensen ,,achter in het veld'' komen, wat vooral tot verstoring leidt als de vogels zich vestigen. Ontsluiting in combinatie met diepe ontwatering leidt tot meer intensieve weidebouw waardoor schrale graslanden, hooilanden en moerassige slootkanten verdwijnen. In zulke gebieden wordt de vogelstand in de zomer gehalveerd of nog minder. De kleine zoogdieren nemen geleidelijk in aantal af. De biotoop voor de Bruine Kiekendief verschraalt; hij wordt teruggedrongen tot enkele reservaten.

De sterke toename van de watersport is al evenmin gunstig voor de Bruine Kiekendief. Op de Leijen wordt de laatste jaren geconstateerd dat wanneer de recreatie sterk toeneemt de kiekendieven verdwijnen of slechts een fractie van hun eieren uitbroeden. Niets vermoedende recreanten schrikken de wijfjes op van het nest, waardoor zowel eieren als jongen eruit kunnen worden gestoten. De Bruine Kiekendieven zijn vrijwel verdwenen uit de smalle rietkragen rond de grote meren in de Zuidwesthoek. De Kleine Wielen werden ingericht als recreatiegebied; na 1965 broedden daar geen kiekendieven meer.

Wie mocht denken dat na het in werking stellen van de Vogelwet in 1936 het uitroeien van kiekendieven beëindigd werd, komt bedrogen uit. De piek die optrad tussen 1944 en omstreeks 1956 werd grotendeels clandestien uitgeroeid en tot op heden worden waarschijnlijk Bruine Kiekendieven neergeschoten. Aan een brief van 1973 wordt ontleend: ,,Maar nu de ja-

344

gers. Zoals ik al schreef waren er drie jonge kiekendieven bij het nest; het waren prachtvogels. Op 22 augustus had ik opgemerkt dat de derde die wat was achtergebleven nu eindelijk te voorschijn kwam, misschien was het de tweede. Ik was er nog getuige van hoe hij een jonge eend te pakken nam. Op 23 augustus waren de jagers aan het schieten op de enkele eenden die hier waren. Toen ik bleef staan met de auto en ze door de kijker opnam, werden de heren wat onzeker en gingen weg. De oude kiekendieven kwamen gauw weer terug. De volgende dag zag ik dat het wijfje in de lucht weer een prooi aannam van het mannetje. Dus volgens mij moeten er nog jongen geweest zijn. Gewond? Ik heb ze niet meer gezien. Als ze gedood en meegenomen zijn, valt het niet eens te bewijzen" (A. 18).

Wanneer de Bruine Kiekendief voor Friesland behouden zal blijven, zijn maatregelen nodig. Maatregelen die allereerst gericht moeten zijn op bescherming tegen stroperij en tegen verstoring door watersporters. Er dienen rustgebieden te worden ingericht, vooral in het gebied van de grote meren. Het is echter minstens zo belangrijk dat in het broedgebied voldoende voedsel aanwezig is. Zulke gebieden moeten blijven bestaan en hun beheer dient erop te worden afgestemd. Deze vogels hebben behoefte aan open moerasterreinen, hooiland en schrale graslanden. Het is bekend dat „It Fryske Gea" en Staatsbosbeheer zich reeds vele jaren moeite getroosten de terreinen op deze wijze te beheren; dat dient te worden gestimuleerd. Het is ook mogelijk nieuwe kiekendievenreservaten te ontwikkelen. De Rijksdienst voor de IJsselmeerpolders bewijst dat momenteel in Flevoland.

W.F.A.

Blauwe Kiekendief - *Circus cyaneus cyaneus* (Linnaeus)

Blauwe Hoanskrobber

Zeer schaarse onregelmatige broedvogel; doortrekker in klein aantal.

In zijn Naamlijst (1884) wordt door Albarda het voorkomen van Blauwe Kiekendieven beschreven, maar in 1885 (Albarda, 1886) herroept hij dit: hij bedoelde Grauwe Kiekendieven. In zijn „Naamlijst van Nederlandsche Vogels" (1897) deelt hij mede dat de Blauwe Kiekendief niet zeldzaam is in lage moerassige streken; broedende waargenomen in o.a. Friesland. De gegevens over de maten van vier eieren van een legsel in het RML, gevonden te Rinsumageest op 14 mei 1904 geven meer zekerheid (Van Oort, 1926). Nadien zijn broedgevallen of aanwijzingen daarvoor bekend van

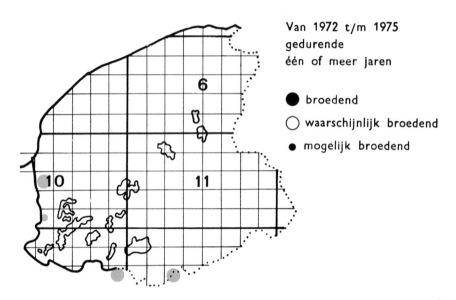

Van 1972 t/m 1975
gedurende
één of meer jaren

● broedend
○ waarschijnlijk broedend
● mogelijk broedend

Zuidoost-Friesland en van de Makkumerwaard en Mokkebank onder Laaxum. Op de heide ten noorden van Appelscha nam Bosch op 29 mei 1951 tweemaal deze stootvogels waar; hij acht broeden waarschijnlijk (A. 1). Op 28 juni 1941 werd boven het Fochteloërveen een jagend ♂ exemplaar waargenomen; ook in de beide voorgaande zomers (Ard. 31, 1942, 91-92). Op 3 april 1964 werd aldaar een ♀ ex. gezien (A. 15). Waarschijnlijk hebben ze er in 1966 gebroed; zij werden toen ook waargenomen op 25 april, 4 mei (♂) en 12 mei (♀). Volgens een mededeling van 4 april 1967 waren zij hier geregeld aanwezig (A. 2). In mei 1975 werd hier opnieuw een exemplaar waargenomen. Waarschijnlijk komt de Blauwe Kiekendief hier jaarlijks als broedvogel voor, maar nader onderzoek is gewenst.

Voor de Mokkebank en de Makkumerwaard in het IJsselmeer die in 1932 droogvielen wordt het broeden op de Mokkebank in 1961 waarschijnlijk geacht; op 2 juni werd aldaar een prachtig uitgekleurd ♂ exemplaar waargenomen (dagboek J.H.P. Westhof); op 10 juni weer, maar nu roepend (A. 1). In 1969 was een ongetwijfeld jong ♀ ex. van vorig jaar de gehele zomer aanwezig (A. 2); op 23 augustus werd een ♀ ex. waargenomen zowel boven de Makkumerwaard als boven de Workumerwaard (mogelijk hetzelfde exemplaar) (A. 2). Op 16 mei 1970 vloog een paartje boven de Noordwaard, een week later - op 23 mei - werd daar een ♂ ex. waargenomen (A. 2). Op 16 juni 1970 werd op de Makkumer Noordwaard dan eindelijk een nest met twee jongen en één aangepikt ei gevonden (A. 2). Op 29 mei 1971 werd weer een nest met eieren gevonden op de Makkumer Noordwaard (A. 5). Later zijn drie jongen gezien (A. 18). In 1972 was er weer een nestvondst (drie-legsel) op de Noordwaard. Het nest is later door een hoge waterstand verloren gegaan (A. 22). In 1974 werd onder Bantega een broedgeval vastgesteld (A. 18).

Er zijn nog enkele interessante voorjaars- en zomerwaarnemingen voor andere terreinen te melden. Op 3 mei 1954 werd een ♂ ex. waargenomen bij Nijega (H.O.) (A. 1). In 1961, 1965 en 1967 werden in het Buitenveld onder Hardegarijp achtereenvolgens op 3, 4 en 27 april Blauwe Kiekendieven gezien (A. 1; A. 2). In het westen van de Lindevallei onder Wolvega werd op 2 augustus 1960 een ♀ of jong exemplaar waargenomen (A. 1). Op 12 juni 1961 werd een Blauwe Kiekendief gezien in de Rottige Meenthe onder Nijetrijne (G. 5). Een ♀ of een jong exemplaar werd op 15 augustus 1964 boven het Noorderleeg waargenomen (A. 1). In het voorjaar van 1973 werden regelmatig deze stootvogels in het zuiden van de provincie gesignaleerd; zij broedden in het aangrenzende Overijssel. Op 11 mei 1974 werd een ♀ ex. gezien onder Goïngarijp (A. 20).

Er zijn in de periode 1924 t/m 1974 buiten de zomermaanden 124 waarnemingen gedaan, die betrekking hebben op 148 vogels. De meeste waarnemingen zijn verricht in het gebied van de grote meren (44%), de plaatsen liggen verspreid over het gehele gebied maar met een concentratie ten oosten van het Tjeukemeer waar zij ook vaak pleisteren. Van het Bergumermeer en omstreken komt 16% van de waarnemingen, vooral in het Buitenveld onder Hardegarijp; van de IJsselmeeroevers komt 14%: op de Makkumerwaard en de Mokkebank worden regelmatig Blauwe Kiekendieven jagend aangetroffen. Voor de Waddenkust en het Lauwersmeer wordt 12% genoteerd. Na de afsluiting van de Lauwerszee worden daar gedurende de trektijd steeds Blauwe Kiekendieven gezien. Bij de midwintertelling van het ingedijkte Lauwersmeer van 1 tot 7 januari 1969 werden vijf exemplaren waargenomen. Elke winter zijn hier de vogels aanwezig. Voor de Waddenkust is de volgende waarneming van belang: op 21 februari 1969 een exemplaar op de kwelder bij Blija. Deze vogel kwam vanuit zee, vermoedelijk van Ameland (A. 2).

Van Eernewoude zijn maar zes waarnemingen bekend, maar daar moeten er veel meer geweest zijn, want er was een slaapplaats. In november 1938 ontdekte G.A. Brouwer namelijk dat het terrein waar vóór 1935 verscheidene paren van de Grauwe Kiekendieven kwamen broeden, 's winters door de Blauwe als roestplaats gebruikt werd. „Het aantal slapers is in de schemer moeilijk vast te stellen; het bedroeg op 10 november 1938 zeker 6, misschien 8, alle exemplaren in wijfjeskleed; op 12 november 1942 minstens 6, w.o. 2 mannetjes. Voorjaar 1938 werden een mannetje en een wijfje nog op 7 april waargenomen boven het eiland Ulekrite, waar toen veel muizen waren" (Brouwer, 1948).

De weinige winterwaarnemingen in Zuidoost-Friesland, inclusief de Lindevallei (7%), hebben betrekking op de in laatstgenoemd gebied aanwezige natuurreservaten en het Fochteloërveen. De overige waarnemingen (3%) zijn gedaan ten westen van Leeuwarden, o.a. boven de vliegbasis waar in maart 1964 een maand lang een exemplaar huisde dat veel muizen ving (A. 1).

Tenslotte geeft onderstaande tabel een overzicht van verzamelde waarnemingen van doortrekkende en overwinterende Blauwe Kiekendieven in Friesland over de periode 1924 t/m 1974.

	I	II	III	IV	V	VI	VII	VIII	IX	X	XI	XII
aantal waarn.	28	17	19	4	—	—	—	—	2	12	27	15
aantal exempl.	37	21	19	4	—	—	—	—	2	14	35	16

W.F.A.

Grauwe Kiekendief - *Circus pygargus* (Linnaeus)

Skiere Hoanskrobber

Zeer schaarse onregelmatige broedvogel; overzomerend in zeer klein aantal.

De gegevens over het voorkomen van de Grauwe Kiekendief gaan terug tot het midden van de vorige eeuw, toen zij volgens Albarda in het midden van de provincie broedden. In zijn Naamlijst (1884) maakte hij weliswaar melding van deze stootvogels, maar in 1885 (Albarda: 2) herroept hij dit. In die periode waren zij „niet zeldzaam, maar eenigszins plaatselijk. In grooten getale in de Kraanlanden en petten tusschen Oldeboorn en Boornbergum, waar hij op drijftillen (hier sompen genaamd) die met rietgrassen, gagel en wolwilgen begroeid zijn, zijn nest bouwt". In een bijdrage van deze vogelkundige in „Bouwstoffen voor eene Fauna van Nederland" onder redactie van J.A. Herklots (1866) noemt hij de Grauwe Kiekendief

,,zeldzaam; Eenmaal broedende gevonden in een graanveld tusschen Boer en Ried". Volgens de in 1897 gepubliceerde Naamlijst - ook van Albarda - is deze stootvogel onder andere in Friesland broedende gevonden.

Uit de voorafgaande verwarrende gegevens groeit in de twintigste eeuw een duidelijker beeld. Grauwe Kiekendieven broeden of hebben sindsdien gebroed in de volgende gebieden: Hardegarijp en omstreken, met ondermeer het Buitenveld; Bergumermeer en de Leijen; Eernewoude; Boornbergumerpetten; de grote meren, vooral ten oosten van het Tjeukemeer; de Lindevallei en Zuidoost-Friesland (archief AVF).

De gegevens uit de omgeving van Hardegarijp gaan terug tot 1921 toen bij Oudkerk op 16 augustus twee exemplaren werden verzameld; zij bevinden zich in de collecties van het FNM te Leeuwarden, tezamen met een juveniel exemplaar, dat op 27 augustus 1951 in Tietjerk werd verkregen. In het Buitenveld werd op 28 mei 1943 een nest met één ei gevonden; zes dagen later werden de schaalresten van een ,,leeggevreten'' ei gevonden (Lim. 16, 1943, 157). In 1948 werd op 25 juni nog een exemplaar gezien (A. 4). In 1947 bevond zich bij het Bergumermeer op 7 mei een paartje; op 1 mei 1948 weer een exemplaar (A. 4). In 1953 heeft bij de Leijen, in de omgeving van de Tike één paar waarschijnlijk met succes gebroed (A. 1).

Voor Friesland zijn de meeste gegevens afkomstig uit Eernewoude en omgeving. De reeks waarnemingen begint in 1924 toen men op 18 juni vijf jongen zag uitvliegen (A. 1). Op 26 mei 1925 waren in de Oude Venen twee nesten uitgehaald (A. 1). Op 12 juni 1927 werden daar drie nesten gevonden (A. 1) en in 1929 waren er minstens vijf paren (Ard. 19, 1930, 24).

De reeks waarnemingen zet zich voort in 1932 toen op 16 mei een nest met één ei werd aangetroffen (Brouwer, 1948). Op 5 juni 1933 waren er maar liefst vijf ♂ exemplaren tegelijk in de lucht (Brouwer, 1948) en op 21 juni werd in de Brouwers Mieden in het elzenbroek een nest met drie jongen en één ei aangetroffen (A. 16); er waren toen zeker een zestal paren (Ard. 23, 1934, 26). In die periode is er bijna sprake geweest van kolonievorming. Eykman beschrijft in DNV II, 1941 hoe Ts. Gs. de Vries in centraal Friesland acht nesten vond op onderlinge afstanden van honderd tot tweehonderd meter. Zulke en nog dichtere concentraties zijn ook bekend van de omringende landen.

Na 1933 liep bij Eernewoude de stand ernstig terug en wel van zeven à tien paren tot twee à drie paren. Brouwer (1938) beschrijft dat hij ,,in een bepaald gebied waar gewoonlijk 4 of 5 nesten waren, er slechts 2 nesten aantrof. Het eene, dat een legsel van 3 bevatte, werd verstoord, het andere bevatte 2 eieren en tenslotte 1 jong met een gekneusde poot zoodat ik het moest afmaken!" ,,In 1936 en 1937 werd in de ,Oude Venen' geen enkel nest gevonden, hoewel er in de wijdere omgeving waarschijnlijk nog 2 of 3 paren gebroed hebben" (Brouwer, 1938). In 1938 werd één paar gevonden. In 1941 stelde prof. dr. G.J. van Oordt twee paren vast; op 25 juni 1942 zag Brouwer twee ♂ en één ♀ ex. in de lucht en in 1943 vond Haverschmidt twee nesten met achtereenvolgens drie en vier jongen (Ard. 33, 1945, 158). Voor 1944 schatte Brouwer het aantal paren op vier (Ard. 34, 1946, 344). In 1946 werden twee broedsels gevonden; in 1947 werden drie paren vastgesteld; de eerste vogel werd toen op 20 april gezien. In 1948 heeft de soort hier weer gebroed. Van 1949, 1950 en 1951 zijn de aankomstdata bekend, namelijk 29, 18 en 20 april (A. 1). In 1953 werden op 14 mei twee ♂ exemplaren gezien boven de Oude Venen (A. 15).

Uit de periode daarna zijn slechts weinig gegevens bekend. In juni 1958 werd wel één exemplaar waargenomen (A. 19). Op 21 mei 1966 werd nog een nest in de Oude Venen gevonden maar dat was op 11 juni verlaten (A. 2). Volgens een mededeling van de opzichter van It Fryske Gea heeft er in 1972 weer een paartje gebroed in de Oude Venen. In 1975 waren hier twee broedgevallen (A. 18). Van de Boornbergumerpetten, een moerasgebied ten zuidoosten van Eernewoude, zijn eveneens enkele broedgevallen bekend. Bij een excursie op 12 juli 1925 werd wel zes keer een exemplaar gezien (A. 1). Op 11 juli 1926 werden twee bijna volwassen jongen geringd en op 22 mei 1927 werd een nest met vier eieren aangetroffen (A. 1).

Uit het gebied van de grote meren ontbreken gegevens van vóór de Tweede Wereldoorlog maar of daar toen geen Grauwe Kiekendieven gebroed hebben is de vraag, vooral voor de streek ten oosten van het Tjeukemeer. In 1944 werd in de trekgaten bij Joure het eerste paartje vastgesteld (A. 1), terwijl H.T. van der Meulen in 1946 of 1947 nog een paar aantrof ten noorden van Joure in de Brijpot (mondelinge mededeling). In 1945 broedde een paar in de omgeving van Zandgaast bij het Koevordermeer (A. 1). Op een nieuw opgespoten baggerdepôt werd een nest met twee jongen en één ei gevonden (A. 19). In 1952 werd op 17 juni waargenomen hoe een ♂ ex. een prooi overgaf boven de Fluessen (A. 1). De overige waarnemingen wat de grote meren betreft hebben betrekking op de moerasgebieden bij het Tjeukemeer. Op 3 juni 1944 werden Grauwe Kiekendieven waargenomen bij het Brandemeer onder Rotstergaast (A. 19). Op 6 mei 1947 bevond zich een paartje bij Rotsterhaule en op 1 mei 1950 werden twee exemplaren gezien ten zuiden van Oudehaske boven het Nannewiid (A. 1). In 1955 werd op 1 juni een paartje waargenomen jagend langs de noordoever van het Tjeukemeer (A. 15). In 1974 broedde een paar bij Bantega; de jongen zijn uitgevlogen (A. 18).

De eerste gegevens van de Lindevallei dateren van 1941, toen daar op 9 mei minstens drie paar werden aangetroffen (A. 1). In 1942 was de soort op 8 april alweer aanwezig (A. 1). Haverschmidt stelde toen één paar vast waarvan de beide jongen op 27 juli „het nest nog maar pas verlaten hadden" (Ard. 33, 1945, 158). In 1943 zag hij regelmatig een paartje jagen en in 1944 bij zijn bezoek op 24 mei gingen twee ♀ ex. op de wieken waarvan er één vier eieren had (Ard. 34, 1946, 344). Lebret zag op 19 april 1945 een ♂ bij Noordwolde (A. 3). Omstreeks 25 mei 1946 werd bij Oldeberkoop één exemplaar dood gevonden (Lim. 20, 1947, 203). In 1947 werden aan beide kanten van de straatweg bij Wolvega maar liefst vier paar vastgesteld (A. 1). Op 6 mei 1948 werden ten westen van deze weg nog twee ♂ exemplaren en één ♀ exemplaar waargenomen (A. 1). Op 14 april 1949 werd enige malen een exemplaar gezien (A. 1). In 1951 werd op 16 mei een nest gevonden in het westen van de Lindevallei; er nestelden toen naar schatting drie paar (A. 1). Op 19 april 1952 werd een exemplaar in de Lindevallei waargenomen (A. 19). Al op 10 maart 1954 kwam de eerste Grauwe Kiekendief weer aan; dat jaar waren er zeker twee paar (A.1). In 1955 waren zij als broedvogel aanwezig, ze werden hier in juli waargenomen (G. 5). Op 11 mei 1968 was één ♂ exemplaar aanwezig in de Rottige Meenthe onder Nijetrijne (G. 5). Op 18 augustus 1974 werd weer een jonge vogel gezien in de Rottige Meenthe (A. 18). Die kan echter ook afkomstig zijn van de Weerribben in Overijssel waar in mei en juni 1974 baltsgedrag waargenomen werd - in de Weerribben heeft in 1973 een paar gebroed (A. 18) - of van het eerder vermelde broedgeval bij Bantega.

In Zuidoost-Friesland zijn broedgevallen en aanwijzingen daarvoor bekend van de Lippenhuisterheide, bij Gorredijk, het Haulerveld, de Duurswoudsterheide, de heide bij Appelscha, en het Fochteloërveen.

Op de Lippenhuisterheide werd in 1951 minstens één exemplaar jagend waargenomen, o.a. op 24 juli (A. 1). Van het Haulerveld zijn eveneens voorjaars- en zomerwaarnemingen bekend; 18 maart 1952, 1 ex.; 21 juni 1953, 1 ♂ ex.; 1954 regelmatig gezien (A. 1). Op de Duurswoudsterheide werd op 14 juni 1953 een ♂ ex. gezien; in 1954 werd daar regelmatig een paar waargenomen (A. 1). Bij Appelscha werd in 1938 achter de Lycklamavaart bij de negende wijk een nest gevonden (A. 1). In 1944 waren er nabij Hildenberg onder Appelscha twee paar; daar werd op 23 mei 1945 in de nieuwe bosaanplant ten zuidwesten van Appelscha een nest gevonden (A. 1). Op 29 mei 1951 waren op de noordelijke heide bij dit dorp min-

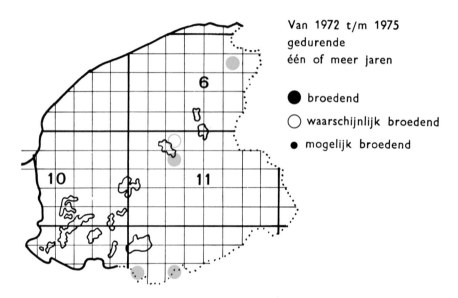

Van 1972 t/m 1975
gedurende
één of meer jaren

● broedend
○ waarschijnlijk broedend
• mogelijk broedend

stens twee paar (A. 1). De waarnemingen in het Fochteloërveen beginnen in 1938 toen in dat jaar een nest met vier eieren werd gevonden (Lim. 17, 1944, 74). Op 8 juli 1942 werd ,,een nest met 2 jongen en 1 ei aangetroffen in hooge struikheide" door Buisman en Haverschmidt (Ard. 32, 1943, 201). In 1944 werd weer een nest in de heide gevonden; er waren drie jongen waarvan één dood. Bij het nest werd in braakballen o.a. veel konijnehaar vastgesteld (A. 1). Op 23 mei werd een nest gevonden dat op 5 juni drie eieren bevatte; het lag in een jonge bosaanplant van het Staatsbosbeheer (A. 1). Op 17 mei 1950 werden de Grauwe Kiekendieven waargenomen, terwijl er in 1951 drie paar aanwezig waren (A. 12; A. 1). Op 24 mei 1953 werd er één ♂ gezien (A. 19). In 1966 werd op 12 mei een jagend ♂ ex. gesignaleerd (A. 15); 14 juni 1966 werd er weer een waarneming gedaan (Lim. 43, 1969, 48). In het jaar daarop werd op 6 april één exemplaar en op 25 april één ♀ ex. waargenomen; die zomer waren zij daar regelmatig te zien (A. 2).

Van totaal 18 broedparen zijn opgaven bekend over het aantal eieren (29) en/of jongen (30). In een aantal gevallen zijn de nesten pas bezocht toen er jongen waren. Er kunnen dus eieren of jongen onopgemerkt verloren zijn gegaan. De gemiddelde grootte van de legsels was ,,tenminste" 3,3 ei. Dit wijst, in vergelijking met andere gebieden in Duitsland, Hongarije en Bel-

Kemphanen rechts Scholekster Eernewoude, februari 1971, - D. Franke

gië, op een normale legselgrootte en broedresultaten. Het aantal getelde eieren en/of jongen per broedsel was éénmaal 1, driemaal 2, zesmaal 3, zesmaal 4 en tweemaal 5.

In de literatuur worden maar negen aankomstdata genoemd, waarvan twee in maart (10/3, 18/3), één begin april (8/4) en de overige tussen half en eind april. De vogels die in de jaren dertig bij Eernewoude broedden verschenen ongeveer 20 april en vertrokken vóór begin september (Brouwer, 1948).

Buiten de bekende broedgebieden worden in de zomer nu en dan Grauwe Kiekendieven gezien aan de Waddenkust zoals boven het Noorderleeg (o.a. op 7 en 23 juni 1953 (A. 1)) en in het Lauwersmeer (1970). Het is denkbaar dat dit broedvogels zijn van de Waddeneilanden. Ook van de IJsselmeerkust zijn zomerwaarnemingen bekend, bijvoorbeeld Makkumerwaard (o.a. 11 mei 1952 (A. 19)) en de Mokkebank onder Laaxum (1971). Er zijn nauwelijks gegevens bekend over de doortrek van Grauwe Kiekendieven, maar het is natuurlijk mogelijk dat vogels die naar de broedgebieden doortrekken ten onrechte als broedvogel zijn gesignaleerd.

W.F.A.

Slangenarend - *Circaëtus gallicus gallicus* (Gmelin)

Slange-earn

Dwaalgast.

In Nederland is deze dwaalgast die o.a. in Zuid-Frankrijk, Spanje en Italië en verder in Oost-Europa broedt, zevenmaal aangetroffen (Sluiters 1975), waarvan éénmaal in Friesland. Over deze vondst bericht Bos (1968) uitvoerig. Aan zijn publikatie worden de volgende gegevens ontleend. Tijdens de winter van 1962/1963 vond Bos bij een visser een stootvogel die hem deed denken aan de Slangenarend. De visser had de vogel ,,verzwakt op het wad van de Lauwerszee (Lim. 42, 1969, 48) aangetroffen" en heeft nog geprobeerd het dier in leven te houden. Enige tijd later is het evenwel gestorven. De juiste plaats wordt echter met opgegeven en omschreven als ,,on the mud-flats near the Frisian coast".

De determinatie werd bevestigd door W. H. Bierman te Haarlem. Het is de eerste winterwaarneming van de Slangenarend in Nederland.

M. de J.

Visarend - *Pandion haliaetus haliaetus* (Linnaeus)

Fisk-earn

Doortrekker.

De Visarend, broedvogel o.a. van Scandinavië en de Oostzeelanden, is een vrij geregelde bezoeker van Friesland, zij het dan ook in zeer klein aantal. Merendeels betreft het solitaire exemplaren, maar toch zijn er meerdere Visarenden tegelijk waargenomen, en wel op:

21 augustus 1932	2 ex. Oude Venen bij Eernewoude (Brouwer 1948)
23 augustus 1943	2 ex. dezelfde plaats (idem)
12 augustus 1947	2 ex. boven Eernewoude (A. 2)
10 mei 1951	3 ex. boven Eernewoude (Van. 4, 1951, 87)
30 augustus 1962	2 ex. boven de Rottige Meenthe onder Nijetrijne (G. 5)
11 september 1968	2 ex., mogelijk 3 ex. boven de Noordwaard onder Makkum (A. 2)
20 oktober 1968	3 ex. boven de Terkaplesterpoelen (A. 2)
20 november 1969	2 ex. onder Piaam (A. 2)
7 augustus 1972	2 ex. boven de Rottige Meenthe onder Nijetrijne (G. 5)
6 februari 1974	2 ex. boven het Sneekermeer (G. 5)

Over het algemeen is het verblijf van korte duur, maar er zijn waarnemingen over een langere periode geregistreerd:

27 augustus 1950- 25 september 1950	1 ex. boven de Noordoostpolder en Lemmer. De stootvogel stond meestal op een lange paal en at regelmatig bleien (A. 1)
8 september 1962- 4 oktober 1962	1 ex. op het Nannewiid onder Oudehaske (A. 1)
6-13 september 1965	1 ex. op de Noordwaard onder Makkum (A. 2)
2-8 september 1967	1 ex. boven de Noordwaard onder Makkum (A. 2)
11-22 september 1968	eerst 2, later 3 ex. op de Noordwaard onder Makkum. Later op 22 september was er nog 1 ex. aanwezig (A. 2)
4-18 september 1971	1 ex. bij de Steile Bank onder Oudemirdum (Van. 24, 1971, 235-236)
6-26 mei 1972	1 ex. boven de waarden onder Makkum (Van. 25, 1972, 154)

Onderstaande tabel geeft duidelijk aan dat de Visarend voornamelijk in de maanden mei, augustus en september gesignaleerd wordt.

jan.	febr.	mrt.	april	mei	juni	juli	aug.	sept.	okt.	nov.	dec.
3	2	—	6 ·	16	3	—	13	22	5	4	2

In de collecties van het FNM te Leeuwarden bevinden zich twee exemplaren, namelijk van 11 oktober 1937, 1 juv. ♂ ex., Warstiens (ook in Lim. 10, 1937, 165) en van 11 april 1944, 1 ♀ ex., onder Eernewoude.
Tweemaal werd een draadslachtoffer geregistreerd, te weten het exemplaar van 11 oktober 1937 en verder nog een op 9 september 1953 onder Drachten (Lim. 26, 1953, 107).
Het ligt voor de hand dat de Visarend, die hoofdzakelijk van vis leeft, het meest wordt gezien in waterrijke gebieden. Vooral langs de IJsselmeerkust, vanaf de Afsluitdijk tot aan de Steile Bank onder Oudemirdum, is de kans op een ontmoeting met de Visarend het grootst. Verder ook in de Zuidwesthoek, in de Rottige Meenthe onder Nijetrijne, en bij Beetsterzwaag, Oldeberkoop, de Deelen onder Tijnje en vooral in de Oude Venen nabij Eernewoude. Ook het Lauwersmeer moet worden genoemd.

M. de J.

Slechtvalk - *Falco peregrinus peregrinus* Tunstall

Noardske falk

Wintergast.

De Slechtvalk broedt in het grootste deel van Europa. Er zijn ook enkele broedgevallen uit Nederland bekend.
De oudst bekende waarneming in Friesland is van 1857. In het voorjaar van dat jaar hield zich een paartje op in de bossen bij Veenklooster en op 14 mei werd een adult ♀ exemplaar geschoten en toegezonden aan Albarda (Albarda 1884). Op 12 september 1885 werd een ♂ exemplaar onder Beetsterzwaag geschoten (Albarda 1886).
De Slechtvalk wordt vrijwel in alle jaren eens of meerdere malen in Friesland waargenomen, en wel het meest in het winterhalfjaar. In de meeste gevallen betreffen de waarnemingen solitaire vogels, hoewel er soms meerdere exemplaren bij elkaar werden gezien (b.v. 2 januari 1931, 3 of 4 exemplaren, Veenklooster (A. 1) en 1937/38, 3 exemplaren in de omgeving van de Oude Venen onder Eernewoude (A. 1)). In 1933 en 1934 was één exemplaar de gehele zomer in de buurt van Appelscha aanwezig (A. 1). In 1934/35 was één Slechtvalk de gehele winter in de Oude Venen en is daar gebleven tot eind april (A. 1). Vooral de omgeving van Veenklooster schijnt bij deze stootvogel geliefd te zijn, want in tal van jaren zijn er meldingen van 1 à 4 exemplaren (b.v. 2 januari 1936, 3 of 4 Slechtvalken (A. 1)). In de winter van 1942/43 werd onder Uitwellingerga door twee

verschillende wilsterflappers elk één exemplaar gevangen (A. 1). Vooral 1947 was een goed „slechtvalkenjaar", want er waren meer dan in andere jaren het geval was (A. 1).

In de collecties van het FNM te Leeuwarden bevinden zich de volgende exemplaren:

6 december 1918	1 ♂ ex. Veenklooster
11 januari 1920	1 ♀ ex. Veenklooster
7 januari 1930	1 ♀ ex. in jeugdkleed, Leeuwarden
28 oktober 1932	1 ♂ ex. Olterterp
27 september 1937	1 ♀ adult ex., Bakkeveen
4 november 1937	1 ♂ ex. Hallum
12 oktober 1939	1 ♀ ex. Olterterp
11 maart 1942	1 ♀ ex. in de binnenstad van Leeuwarden
Voorjaar 1947	1 ♀ ex. Goutum
20 december 1954	1 ♀ ex. Oenkerk

Ontleend aan de archieven A. 1 en A. 2 geven we nog enige bijzonderheden over de Slechtvalk.

In 1936 werd onder Koudum waargenomen dat door een Slechtvalk een Torenvalk, die een troep spreeuwen najoeg, werd geslagen en gekropt (A. 1).

Op 7 december 1941 werden bij Grouw twee Slechtvalken in gevecht met een Buizerd gezien. De laatste lag op de rug met de poten omhoog (A. 1).

Op 23 januari 1972 werd een Slechtvalk waargenomen tussen Akkrum en Terhorne die werd aangevallen (of in gevecht was) met een Torenvalk en een ♂ Blauwe Kiekendief (A. 20).

Op 30 maart 1948 sloeg een Slechtvalk bij Eernewoude een eend in de lucht. Valk en prooi tuimelden naar beneden en kwamen in het water terecht. De eend dook onmiddellijk onder. Toen moest de valk de eend wel loslaten en afdruipen (A. 2).

Op 3 maart 1965 werd in de Louwsmeerpolder onder Tietjerk gezien dat een Slechtvalk een ♀ Smient op de grond sloeg. Uit een troepje van zeven Smienten, dat aan kwam vliegen, streek de voorste op het ijs neer. De vogel drukte zich op het ijs, terwijl de valk er overheen vloog. Hij kwam terug en sloeg de nog altijd liggende eend. Hij begon direct met de pluk. Het duurde plusminus zeven minuten voordat de Smient dood was. Het kroppen vergde ongeveer drie kwartier, waarna de Slechtvalk op een hoogspanningsmast ging zitten uitrusten (A. 2).

Als verdere prooidieren worden uit Friesland nog gemeld: Bonte Kraai, Meerkoet (2 februari 1955, onder Dokkumer Nieuwezijlen (A. 12)), wilde en tamme duiven, Kievit, Stormmeeuw, Kokmeeuw, Torenvalk, Fuut (15 maart 1947, onder De Hoeve bij Noordwolde een overvliegende Slechtvalk met een Fuut in zijn klauwen; de stootvogel liet de, nog levende, Fuut achter; deze was in goede conditie en woog ruim 800 gram (A. 1)), Spreeuw, Kuifeend (14 februari 1951, de rond Eernewoude verblijvende Slechtvalk ving hoofdzakelijk Kuifeenden (A. 1)), Koolmees, zwaluw, Wulp, Huismus en Houtduif.

M. de J.

Giervalk - *Falco rusticolus rusticolus* Linnaeus

Jachtfalk

Dwaalgast.

De Giervalk, die zijn broedgebied heeft in Noord-Scandinavië en Noord-Rusland, is deze eeuw waarschijnlijk éénmaal in Friesland gezien. Mr. T. Lebret vermeldt in zijn dagboek dat hij op 10, 11 en 12 mei 1944 tussen Eernewoude en Oudemiede een valk zag, die hij eerst voor een Asgrauwe Kiekendief hield: de stootvogel had spitse vleugels, een zwaar lijf en een trage slag. Door de slechte belichting - de zon half tegen - is de grootte wellicht verkeerd geschat. Deze waarneming wordt niet vermeld in de AVN (1970).
Snouckaert geeft in zijn Avifauna Neerlandica (1908) een juveniel ♀ exemplaar op, dat in november 1870 bij Beetsterzwaag werd geschoten. Verder spreekt hij nogmaals over een in Friesland geschoten Giervalk. Volgens mededeling in Bouwstoffen (Herklots, 1866), III, 418, is de vogel toen opgenomen in het Museum van Natuurlijke Historie te Groningen dat evenwel in 1906 afbrandde waarbij alles verloren ging.

M. de J.

Smelleken - *Falco columbarius aesalon* Tunstall

Stienfalk
Oare nammen: Smelfalk, Smelke en soms Blauwe Gier. (J.B.)

Wintergast; doortrekker.

Het Smelleken, waarvan het broedgebied zich uitstrekt over Ierland, Schotland, IJsland, Denemarken en Noorwegen, wordt met uitzondering van de maanden juni en juli het gehele jaar in Friesland waargenomen, zij het dan ook in klein aantal. Doorgaans hebben de waarnemingen betrekking op

solitaire exemplaren. Op 10 november 1969 werden evenwel twee exemplaren boven de Buismankooi bij Piaam waargenomen (A. 2).
Aan de hand van de gegevens, aanwezig in de archieven van de AVF kon onderstaande tabel worden samengesteld:

Maand	I	II	III	IV	V	VI	VII	VIII	IX	X	XI	XII
Aantal ex.		2	3	3	4	2	—	—	4	1	6	7	4

Hierbij moet worden opgemerkt dat er in de maand augustus enige dubieuze waarnemingen zijn gedaan.
In de collecties van het FNM te Leeuwarden bevinden zich de volgende exemplaren:

3 april 1935	1 ♀ ex. Wartena
23 oktober 1928	1 juv. ♀ ex., Hoornsterzwaag
1 december 1955	1 juv. ♀ ex., Tzummarum

a. IJslands Smelleken - *Falco columbarius subaesalon* Brehm
In de collecties van het FNM te Leeuwarden bevindt zich een exemplaar van deze subspecies. Het is een adulte ♀ vogel, die op 9 oktober 1950 te Woudsend werd gevonden (AVN, 1970; Hekstra en Voous, 1961, 17).·

M. de J.

Boomvalk - *Falco subbuteo subbuteo* Linnaeus

Blauwe Wikel
Oare nammen: Beamwikel, Beamfalk. (J.B.)

Vrij schaarse broedvogel.

In alle jaren hebben er in Friesland minstens enkele paartjes Boomvalken gebroed. Stellig zijn er meer broedgevallen dan men vermoedt.
De Boomvalken verschijnen hier omstreeks eind april en blijven tot in september. De vroegste waarneming was op 4 april 1926 bij Veenklooster (A. 1), de laatste datum was 30 oktober 1942 te Leeuwarden (Lim. 15, 1942, 105).
Albarda (1884) noemt de Boomvalk „zeer gewoon in de woudstreken''. De oudst bekende broedgevallen zijn de volgende:

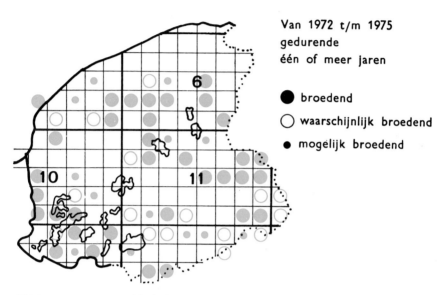

Van 1972 t/m 1975
gedurende
één of meer jaren

● broedend

○ waarschijnlijk broedend

• mogelijk broedend

1904	Tietjerk, Ts. Gs. de Vries, een ei is aanwezig in RML
1907 (of 1908)	Sneek, ook van dit broedgeval is een ei in RML
1917	Leeuwarden, 2 juv. ex. gevonden op de grond, een jong stierf, het andere is later weggevlogen (A. 1)
1925	Veenklooster (idem)
1929	Rijperkerk, Vijversburg (Org. 1, 1929, 14)
1930	Leeuwarden, Prinsentuin (Ard. 20, 1931, 68)

Nadien worden in nagenoeg ieder jaar één tot verscheidene broedgevallen gemeld. Het betreft de volgende plaatsen (tot 1970): Leeuwarden (18×), Rijperkerk (10×), Tietjerk (6×), Gaasterland (9×), Veenklooster (5×), Oudkerk (5×), Jelsum (5×), Cornjum (4×), Marssum (3×), Wommels (3×), Koudum (2×), Akkrum (2×), Rauwerd (2×), Eernewoude (2×), Wolvega, Joure, Ferwerd, Kortehemmen, Hallum, Ternaard, Lekkum, St. Johannesga, Workum, Sneek, Langweer, Duurswoude, Schettens, Lollum, Zwaagwesteinde, Terwispel, Nijetrijne, Beetsterzwaag, Oranjewoud.

Diverse malen, vooral enkele jaren geleden, is door correspondenten de mening uitgesproken dat het aantal broedende Boomvalken zou afnemen, o.a. door het kappen van iepen (A. 1; A. 2). Er zijn echter ook, met name sinds het begin der zeventiger jaren, andere geluiden. Hoopgevend is bijv. het herstel van de boomvalkenpopulatie in de omgeving van Duurswoude en Bakkeveen (A. 23): 1969 één paar, 1970 één paar, 1971 twee paar, 1972 drie paar, 1973 vijf paar, 1974 zes paar, 1975 zes of zeven paar.

De Boomvalken broeden vooral in hoog opgaand geboomte. Dit kan bos zijn, maar dikwijls ook worden de nesten gevonden in hoge bomen op begraafplaatsen (o.a. Leeuwarden), in parkbossen (Cornjum, Jelsum, Rijperkerk, Oenkerk, Oudkerk, Marssum, Rauwerd), in mantels van boerderijen en in kooibossen bij eendenkooien. Ook in de hoge bomen langs straatwegen werden vroeger nesten gevonden, bijv. tussen Rauwerd en Deersum, 1959 (A. 1). Als regel worden ekster- of kraaienesten gebruikt.

In de zomermaanden maken de valkjes (soms een familie met jongen) graag jacht op libellen en andere grote insekten, of op kleine vogels. In archief AVF worden hieromtrent de volgende waarnemingen gevonden: leeuwerik (A. 1), zwaluwen waaronder Oeverzwaluwen (div. malen, A. 1), dikke kevers (A. 1), waarschijnlijk Bontbekpleviertje (Bildtpollen A. 1), libellen (A. 1, Brouwer 1948, A. 2), mussen (A. 1), jonge Spreeuw (A. 2), in augustus aan het Wad regelmatig steltlopertjes (A. 2), muis (Org. I, 1929, 110). In 1936 sloeg boven het Rijsterbos een Boomvalk op een vleermuis (DLN 41, 1937, 254).

Buiten het broedseizoen kunnen overal in Friesland jagende Boomvalken worden waargenomen.

Een in Friesland geringd nestjong werd in hetzelfde jaar (1941) bij Grenoble in Frankrijk geschoten (20 oktober).

M. de J./D.T.E. v.d. P.

Roodpootvalk - *Falco vespertinus vespertinus* Linnaeus

Readpoatfalk

Onregelmatige gast.

De dichtstbijzijnde broedgebieden van de Roodpootvalk liggen in oostelijk Europa en op de Balkan.

Volgens de AVN (1970, 28) een „vrij zeldzame gast". Wat Friesland betreft zijn de volgende waarnemingen bekend geworden:

4 september 1927	3 ex. onder Hindeloopen, jagend op libellen. Ze jaagden zowel vliegend als biddend maar stonden nooit erg lang stil. Later op de dag werd hetzelfde groepje bij Workum waargenomen (A. 1; Ard. 17, 1928, 36)
22 maart 1933	2 ex. bij Garijp (A. 16)
6 augustus 1957	2 ex. plaats niet vermeld (A. 1)
27-31 mei 1963	1 ♂ ex. onder Nijetrijne (Van. 16, 1963, 145; Lim. 38, 1965, 38)
25 september 1963	1 ex. onder Sonnega (A. 1)

23 mei 1969	1 ex. Mokkebank onder Laaxum (A. 22)
29 december 1971	1 ex. in het Katlijker Schar (Van. 25, 1972, 185)
21-28 mei 1973	1 paartje, op 28 mei alleen het ♂ in het SBB-reservaat onder Nijetrijne (Van. 26, 1973, 136)
21 februari 1975	1 ♂ ex. bij Jutrijp-Hommerts, vloog laag boven een sloot; steeds van hek tot hek (A. 4)

Het aantal waarnemingen lijkt de laatste jaren toe te nemen.

M. de J.

Torenvalk - *Falco tinnunculus tinnunculus* Linnaeus

Reade Wikel

Oare nammen: Wikel, Wikelder, Toerfalk; Hynljippen: Wikelder. It wikeljen (,,bid-den'') fan 'e fûgel is tige opmerklik.
Sizwize: Hy wie in wikel ûnder de mosken, ntl. in nijenien yn in selskip. (J.B.)

Jaarvogel; vrij talrijke tot talrijke broedvogel.

Dat in de provincie Friesland de Torenvalk, op een enkele uitzondering na, in alle atlasblokken als broedvogel kan worden genoteerd is een verheugend teken. Verwonderlijk is dat nu ook weer niet. De biotoop voor deze soort, namelijk een open terrein, is hier nog ruimschoots aanwezig.
Albarda (1884) vermeldt: ,,De gemeenste van dit geslacht. Broedt in bosschen, op torens en oude gebouwen, zelfs in de steden''. Ook in 1975 is de Torenvalk de meest algemeen voorkomende stootvogel in Friesland. Aan Albarda's opsomming van nestplaatsen kunnen in 1975 verscheidene, soms eigentijdse - gedacht wordt aan het broedgeval in een op de kant liggende witte mayonaise-emmer - worden toegevoegd.
Als niet-nestbouwer gaat de voorkeur van de Torenvalk uit naar oude en vaak ook pas uitgehaalde kraaie- en eksternesten. Voorts wordt gebroed in oude reigernesten, eendekorven, als ,,eendekorf'' geplaatste melkbussen en zeker niet in de laatste plaats in de al weer vele jaren met succes gebruikte valkekasten. De Torenvalk is broedvogel in steden en dorpen op torens en oude gebouwen, in boerderijen achter het ,,ûleboerd'', in oude molens, in het staartstuk van een windmotor etc. Op de meest uiteenlopende plaatsen kan een broedende Torenvalk worden aangetroffen. Een heel ,,aparte'' plaats koos in 1949 een paartje Torenvalken in Dantumawoude. Een midden in een vijver op paaltjes opgestelde eendekorf werd als broedplaats uitverkoren (A. 1). Zelfs zijn er grondnesten gevonden in streken waar weinig of geen bomen zijn (Kollumerwaard Lauwerszeepolder, A. 5). De

bezetting van de broedplaatsen evenwel kan van jaar tot jaar sterk wisselen en wordt wel in verband gebracht met het voldoende aanwezig zijn van muizen.

Ook kan het aantal jongen per nést sterk verschillen als gevolg van het ,,voedselaanbod''. In muizenarme jaren wordt overgegaan op vogels, vooral mussen en spreeuwen. Bij het ontbreken van muizen worden de jonge Torenvalken grotendeels met jonge spreeuwen grootgebracht. De nestvoering van de valkekasten, die normaal vrijwel uitsluitend uit muizehaar bestaat - afkomstig van uiteengevallen braakballen - kan in zulke ,,spreeuwenjaren'' uit veer- en vleugelresten van deze vogels bestaan.

Boven de weilanden en niet minder boven wegbermen, speciaal die van de autowegen, kunnen biddende ,,wikels'' worden aangetroffen; vooral ook na de broedtijd. Wordt de Torenvalk evenwel veel boven steden en dorpen gezien, dan mag worden aangenomen dat de muizenvoorraad beperkt is en dat dan speciaal de huismus tot de prooidieren behoort. Zelfs wordt dan wel eens een merel geslagen.

Het geheel ontbreken van veldmuizen bracht zo nu en dan wel enige bezorgdheid bij de vogelwachters teweeg, die bevreesd waren dat door het ontbreken van de muizen de ,,wikels'' zich wel eens konden vergrijpen aan de jonge weidevogels. Gezien het feit dat een enkele keer poten van jonge weidevogels in een torenvalkekast worden aangetroffen, is deze vrees niet geheel ongegrond. Bij het geheel ontbreken van voedsel, zoals gedurende de laatste oorlogswinter 1944-'45, toen uitgestrekte gebieden langdurig geïnundeerd waren en alle veldmuizen verdronken, werden vaste broedplaatsen niet opgezocht.

Door het plaatsen van valkekasten, die ook een enkele maal door Ransuil en Holenduif worden bewoond, heeft er zich een torenvalkenpopulatie ontwikkeld die zich speciaal tot deze kasten aangetrokken voelt. Door het maken van deze nestplaatsen kon ook het ringonderzoek bij deze soort op gang komen. Echter niet iedere eendekorf-eigenaar kon het waarderen dat de korven, voor de eenden uitgezet, door andere soorten als nestplaats werden ingenomen. Zo kon het dan ook gebeuren dat onder de rook van Leeuwarden in mei 1960 een 8-legsel van de Torenvalk uit een eendekorf werd verwijderd (A. 1).

Doordat de kasten uiteraard op bereikbare plaatsen werden opgehangen, wat in toenemend aantal geschiedde, konden de hierin geboren jonge Torenvalken gemakkelijk worden geringd. Eén van de eersten en mogelijk wel de allereerste die zulke kasten plaatste, was G.J. Postma te Bantega die in 1957 twee voor Holenduiven bestemde nestkasten door Torenvalken be-

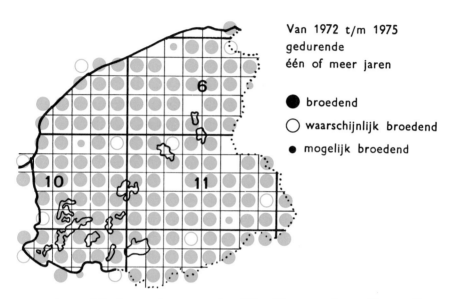

woond zag. Hierin werden respectievelijk vijf en zes jonge Torenvalken groot gebracht. Deze kasten waren, juist omdat ze voor de Holenduiven bestemd waren, voorzien van een vlieggat en weken dus belangrijk af van het tegenwoordige met zoveel succes gebruikte model.

Door dit resultaat aangemoedigd werden nog enkele kasten bijgeplaatst en in 1958 waren er zelfs vijf broedparen. Ook gebeurde het meerdere malen dat, wanneer de Torenvalken hun jongen hadden grootgebracht, de Holenduiven alsnog bezit van de kasten namen en hierin dan met succes hun jongen grootbrachten.

Vele van deze jonge Torenvalken werden geringd; van het nest met vier jonge valkjes, die op 8 juli 1966 werden geringd, werden binnen een tijdsbestek van vier maanden niet minder dan drie, alle uit het buitenland, teruggemeld. Dit uitzonderlijk hoge terugmeldingspercentage is interessant genoeg om hier te vermelden:

15 augustus 1966 Bürow, Schwerin, Duitsland, gedood bij duiventil
23 augustus 1966 Behlendorff, Schleswig Holstein, Duitsland, in regenton verdronken
6 november 1966 Hédauville, Somme, Frankrijk, in staat van ontbinding gevonden.

Het succes in Bantega was o.a. voor de Vogelwacht Sneek & Omstreken een stimulans om in haar wachtgebied en later tot ver daarbuiten torenvalkekasten aan te brengen. Werd begonnen met een enkele kast, in 1963 waren er van de zes geplaatste kasten reeds vijf door Torenvalken be-

363

Torenvalk, oktober 1975 Anjum - P. Munsterman.

woond. Jaarlijks werd het aantal kasten uitgebreid en in 1965 telde men tien broedparen, in 1968 werden 23 broedgevallen van de Torenvalk geregistreerd. In een enkel geval werd een Ransuil of Holenduif in een valkekast aangetroffen. Op andere plaatsen werd dit voorbeeld gevolgd door plaatselijke vogelwachten zowel als door particulieren. Zoals reeds eerder gesteld konden in deze kasten veel jonge Torenvalken worden geringd.

Het Vogeltrekstation te Arnhem verstrekte het hieronder opgenomen overzicht van terugmeldingen van als nestjong in Friesland geringde Torenvalken:

Teruggemeld					in de maanden								
(1911-1974)	I	II	III	IV	V	VI	VII	VIII	IX	X	XI	XII	tot.
Friesland	22	14	20	11	6	3	12	7	8	7	15	14	139
Overig Nederl.	13	6	9	8	4	3	4	6	3	—	3	4	63
België			2							2			4
Duitsland	3	2	2	1	1	1	1	4	1	1	4	2	23
Groot-Brittannië	1		1										2
Frankrijk		2	1		1				1	2	2	3	2	14
Noorwegen				1									1
Algerië										1			1
op zee								1					1
totaal	39	24	35	21	12	7	17	19	14	13	25	22	248

Blijkbaar is het overgrote deel van de Torenvalken stand- en zwerfvogel, terwijl een klein deel een naar het zuidwesten gerichte trek vertoont.

Op de Makkumerwaard werden eveneens torenvalkekasten geplaatst. In dit moeilijk bereikbare en boomarme terrein werden geregeld Torenvalken waargenomen. De in de herfst van 1959 geplaatste kast werd in 1960 reeds bewoond en de hierin geboren Torenvalken werden geringd. In de hierop volgende jaren werd het aantal kasten geleidelijk tot vijftien opgevoerd. In dit afgesloten gebied deed zich een unieke gelegenheid voor om ringproeven met de daar geboren jonge Torenvalken te doen. Onderstaand staatje laat de ontwikkeling van de Makkumerwaard-populatie zien:

jaar:	aantal geringde pulli:	aantal broedparen:
1960	3	1
1962	5	1
1963	8	2
1964	15	3
1965	3	1
1966	11	3
1967	12	3 (w.o. één met 7 pulli)
1968,	9	2
1969	17	6
1970	27	8
1971	26	7
1972	42	10
1973	13	4
1974	63	14 (w.o. één met 7 pulli)
1975	10	3

In totaal werden 264 jonge Torenvalken geringd. Voorts blijkt uit dit overzicht dat de bezetting van de broedgelegenheid van jaar tot jaar zeer grillig verloopt; 1974 was een absoluut topjaar toen van de vijftien kasten er niet minder dan veertien werden bewoond.

Van deze 264 geringde Torenvalken waren bij het afsluiten van dit overzicht 44 exemplaren teruggemeld. Veruit het grootste aantal meldingen kwam uit Friesland (31). Hierbij waren er 23 die binnen een straal van 25 km van de ringplaats bekend werden.

Uit overig Nederland werden er in totaal vijf opgegeven: Noordholland twee, Zuidholland één en de IJsselmeerpolders twee. Uit het buitenland werden er acht Torenvalken gemeld; Duitsland vier, Frankrijk twee, België één. Eén Torenvalk werd zelfs bij Oran in Algerije gevonden.

Van de terugmeldingen was het aantal verkeersslachtoffers 11 (25%!), wat op zichzelf niet zo verwonderlijk is, wanneer gedacht wordt aan de vele langs de wegbermen prooi zoekende Torenvalken.

De sterfte onder de jonge, tot volle wasdom gekomen, vogels is het grootst, zoals uit onderstaand overzicht blijkt:

teruggemeld in het	aantal:
eerste levensjaar	15
tweede levensjaar	16
derde levensjaar	5
vierde levensjaar	4
vijfde levensjaar	1
zesde levensjaar	1
zevende levensjaar	2

J.H.P. W.

Korhoen - *Lyrurus tetrix tetrix* (Linnaeus)

Kuorhin

Oare nammen: Koarhin, Bjirkhin. Spesiael foar it mantsje: Kuorhoanne, Bjirkhoanne. It earste diel fan de namme Kuorhin is onomatopé. (J.B.)

Jaarvogel; vrij schaarse tot schaarse broedvogel.

Historische gegevens

Het lijkt waarschijnlijk dat het Korhoen eerst tegen het einde van de vorige eeuw de heidevelden van het midden en zuiden van Nederland ging bevolken, maar al eeuwen lang aanwezig was in de vier noordelijke provincies (Eygenraam, 1965). Taconis (1948) maakt melding van een in 1542 uitgevaardigd plakkaat over de jacht in Friesland waarin sprake is van „moerhoenderen" en volgens Scheygrond (1969) werd deze naam voor de Korhoenders gebruikt. Dit wordt bestreden door De Vries (1933) die aannemelijk maakt dat de naam moerhoenderen waarschijnlijk op waterhoenders slaat. Maar De Vries vermeldt ook dat in een „Orde en reglement op de Jagt" van 1653, dat in het „Groot Placaat en Charterboek van Vriesland" voorkomt, over het „Velt- ofte Korhoen" wordt gesproken, zodat het toch waarschijnlijk lijkt dat de soort in ieder geval al in de 17de eeuw in Friesland voorkwam.

Betreffende het Korhoen in vroeger tijden haalt S.J. van der Molen in zijn bijdrage Falkeflappers yn de Wâlden (It Beaken 37 (1975), 307-314) de kroniek van Winsemius (1622) aan, waarin deze geschiedschrijver over het landschap van Opsterland opmerkt: „Alhier zijn mede planteyt Patrijsen, Corhoenderen ende Snippen . . . ”

Voor Friesland meldt Albarda (1884) het Korhoen als broedvogel op heidevelden in de gemeenten Oost- en Weststellingwerf, Opsterland, Smallingerland en Achtkarspelen. De laatste heideresten zijn reeds lang uit de twee laatstgenoemde gemeenten verdwenen, en daarmee tevens de Korhoenders. In de drie eerstgenoemde gemeenten kwamen de Korhoenders in de veertiger en vijftiger jaren echter nog op talrijke plaatsen voor. Volgens een schatting van Eygenraam (1949) zou het Korhoenderbestand in Friesland in 1948 tussen de 200 en 300 hebben bedragen.

Vanaf het begin van de zestiger jaren waren er in Friesland nog maar enkele korhoendervelden over: Duurswoude, Delleburen bij Oldeberkoop, de Schapepoel bij Elsloo en het Fochteloërveen. Bovendien werden enkele malen Korhoenders waargenomen op het Katlijker Schar. Op de meeste van deze plaatsen is het Korhoen in 1975 niet meer aanwezig of slechts in zeer geringe aantallen (mededeling Inspecteur Faunabeheer, F. Veenstra). De laatste meldingen van waargenomen Korhoenders van Duurswoude dateren van 1967 (A. 2) en 1970 (A. 24), die van Delleburen van 1973 (A. 19), die van de Schapepoel van 1974 (A. 18) en die van het Katlijker Schar van 1975 (Inspecteur Faunabeheer, F. Veenstra). De enige plaats waar thans nog aanzienlijke aantallen Korhoenders voorkomen, bevindt zich in de uiterste Zuidoosthoek van Friesland: het Fochteloërveen.

Ten aanzien van de historie van de jacht vermeldt Scheygrond (1969): „Voor 1940 was de zoekjacht - dus voor de voet, met de hond - nog in zwang. Tussen 1945 en 1960 werd de drijfjacht op hanen gedurende een week geopend, aanvankelijk in december, later in januari. Omdat bij deze wijze van jagen het afschieten van hennen niet was te vermijden, is ze verboden”. In Nederland wordt sinds 1962 wel weer incidenteel op Korhoenders gejaagd. Met een bijzondere vergunning van de Directie Faunabeheer mogen dan in april één of enkele hanen met de kogel op een baltsplaats worden afgeschoten. Op deze manier blijven de hennen buiten schot. De vergunning is in Friesland tot nu toe nooit afgegeven. Voor 1962 werd hier wel regelmatig op Korhoenders gejaagd. Zo werden bijv. nog in 1955 tien hanen op het Fochteloërveen geschoten, een recordopbrengst voor dat veld in die jaren (Inspecteur Faunabeheer, F. Veenstra).

De Korhoenders van het Fochteloërveen

Door recent wetenschappelijk onderzoek komen steeds meer gegevens beschikbaar die er op wijzen dat er een verband bestaat tussen de sociale

367

organisatie van dierpopulaties en de oecologische omstandigheden waarin zij verkeren. Het Korhoen is door zijn weinig voorkomende sociale organisatiestructuur (,,arenasysteem'') in dit opzicht bijzonder belangwekkend. Met het oog hierop worden al jarenlang door medewerkers en studenten van het Zoölogisch Laboratorium van de Rijksuniversiteit te Groningen gegevens verzameld betreffende gedrag, oecologie en populatiedynamica van de korhoenderpopulatie op het Fochteloërveen. Zoveel mogelijk hanen en hennen werden daartoe gevangen en met behulp van pootringen en vleugelmerken gemerkt, zodat het mogelijk was het lot van individueel herkenbare vogels te volgen. In een aantal artikelen is het gedrag van Korhoenders en de mogelijke samenhang met oecologische omstandigheden aan de hand van waarnemingen op het Fochteloërveen uitvoerig beschreven (Kruijt, 1962; Kruijt & Hogan, 1967; Kruijt, de Vos & Bossema, 1972; de Vos, 1972). Enkele van deze resultaten van het onderzoek zullen, naast nog niet eerder gepubliceerde gegevens, hierna besproken worden.

De meeste vogelsoorten leven, in elk geval tijdens de broedtijd, in paarverband. Bij het Korhoen is, in tegenstelling hiermee, van samenwerking tussen de geslachten bij de voortplanting, afgezien van de copulatie, geen sprake. Haan en hen gaan elk hun eigen weg. De hanen vestigen een territorium dat zij meestal het gehele jaar door verdedigen en waarop zij vertoon geven *(zie kleurenfoto's)* en met zo veel mogelijk hennen trachten te copuleren. De hennen zijn hiertoe slechts bereid gedurende een korte periode in het voorjaar (vroegst waargenomen copulatie: 11 april; laatst waargenomen copulatie: 17 mei). Elk van de hennen bezoekt voor de broedtijd één of meerdere territoriale hanen en staat tenslotte één van hen toe met haar te copuleren. Regel is dat de hennen één keer per jaar copuleren, maar sommige hennen copuleren meerdere keren, soms met verschillende hanen. Niet-territoriale hanen zijn praktisch geheel van de voortplanting uitgesloten.
Een deel van hun faam ontlenen de Korhoenders aan hun arena's (of leks). Een arena is een plaats waar meerdere hanen aan elkaar grenzende (vaak kleine) territoria verdedigen *(kleurenfoto)*. Naast de hanen die een territorium verdedigen op een arena zijn er de solohanen die op ver van de arena's afgelegen plaatsen uitgestrekte territoria bezitten. De meeste copulaties vinden plaats op arena's, maar ook solohanen verrichten soms een groot aantal copulaties. Op arena's verkiezen de hennen voor een copulatie in verreweg de meeste gevallen een haan met een centraal gelegen territorium. In samenhang met de verschillen in levenswijze tussen hanen en hennen

Tureluurs Eernewoude, mei 1972,   -   D. Franke

Kemphanen Damwoude, mei 1969,   -   O. Hoekstra

heeft zich bij het Korhoen een uitgesproken sexuele dimorfie ontwikkeld
(zie kleurenfoto's). Behalve in het uiterlijk komt deze tot uiting in het
gewicht van de sexen, zoals tabel 1 toont. Het gemiddeld gewicht van
adulte hennen' bedraagt 74% van dat van adulte hanen. Er bestaan grote
gewichtsverschillen tussen de hanen onderling en tussen de hennen onderling, maar de lichtste adulte haan weegt meer dan de zwaarste adulte hen.
De gewichten uit tabel 1 voor Korhoenders op het Fochteloërveen komen
sterk overeen met die van Koskimies (1958) voor Finse korhoenders. De
adulte hanen en hennen zijn gemiddeld wat zwaarder, terwijl de juvenielen
wat lichter zijn dan in Finland.

Tabel 1

Het gewicht van Korhoenders in relatie tot geslacht en leeftijd. De gewichten zijn gemeten in de periode oktober-maart.

		gemiddeld gewicht	laagste gewicht	hoogste gewicht	aantal dieren
Hanen	1e jaars	1236 g	1085 g	1345 g	28
	adult	1351 g	1160 g	1500 g	59
Hennen	1e jaars	933 g	825 g	1005 g	13
	adult	995 g	840 g	1110 g	52

De Korhoenderpopulatie van het Fochteloërveen bewoont voornamelijk
het Friese deel van het uitgestrekte veengebied en de daaraan grenzende
bouw- en weilanden. Figuur 1 geeft een beeld van de ligging en de uitge-
strektheid van het woongebied van de populatie. Het veen zelf is buiten
beschouwing gelaten. Waarnemingen konden daar door de ontoegankelijk-
heid en de onoverzichtelijkheid van het gebied niet goed uitgevoerd worden.
Het woongebied van de afzonderlijke individuen is niet identiek aan dat
van de populatie. Figuur 1 geeft hiervan een duidelijk voorbeeld. Op de
met A gemerkte plaats bevindt zich een arena. De territoriale hanen van
deze arena zijn nooit op meer dan 2 km afstand van de arena gezien tijdens
een periode van ongeveer drie jaar regelmatig waarnemen. Ook voor hanen
met territoria op andere plaatsen werd vastgesteld dat zij sterk gebonden
zijn aan een beperkt gebied dat zelden of nooit wordt verlaten. Een soort-

gelijke plaatsgebondenheid treedt eveneens in zekere mate op bij niet-territoriale hanen en bij hennen. Bij individuen uit deze categorieën betreft het grotere gebieden en kunnen zo nu en dan verschuivingen in het woongebied optreden.

Afhankelijk van de overeenkomst in plaatsvoorkeuren sluiten individuen zich meer of minder vaak bij elkaar aan en foerageren dan in groepen. In deze groepen bevinden zich vaak zowel hanen als hennen. De meeste groepen bestaan echter uit hanen of merendeels hanen dan wel hennen of merendeels hennen. Een zekere scheiding tussen de geslachten blijft dus steeds gehandhaafd.

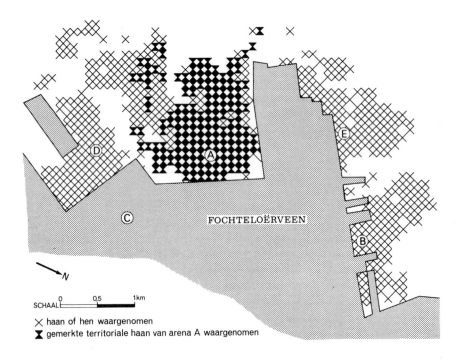

× haan of hen waargenomen
✗ gemerkte territoriale haan van arena A waargenomen

Figuur 1.

Woongebied van de Fochteloërveen-populatie en woongebied van de territoriale hanen van arena A, voor zover deze zich uitstrekken over de aan het veen grenzende cultuurlanden.
gegevens uit de periode oktober 1968 - mei 1971.

Het woongebied van iedere haan en hen strekt zich uit over zowel veen, weiden als bouwland. Elk van deze drie vegetatietypen voldoet aan een deel van hun behoeften aan dekking, mogelijkheden tot voortplanting en voedsel.

Zoals reeds door Eygenraam (1965) werd opgemerkt, is het veen/heidegebied onmisbaar door de dekkingsmogelijkheden die het biedt. Alle dieren brengen hier de nacht door en ook tijdens slechte weersomstandigheden overdag (storm en regen) wordt de dekking van het veengebied opgezocht, terwijl de hennen zonder uitzondering op het veen nestelen *(zie kleurenfoto's)*. Voor het geven van vertoon en voor het uitvoeren van paringsgedrag zoeken de hanen plaatsen met lagere vegetatie op. Hiervoor worden voornamelijk de graslanden gebruikt en in mindere mate de bouwlanden en open plaatsen in het veengebied.

Zowel het veengebied, de weilanden als de bouwlanden leveren een deel van het voedsel voor hanen en hennen. Het menu, dat voor adulte dieren praktisch geheel plantaardig is, wisselt met de jaargetijden en is zeer gevarieerd. Heide is er een belangrijk bestanddeel van en waarschijnlijk zijn berkekatjes van essentieel belang in perioden waarin de grond bedekt is met een dikke sneeuwlaag. Naast deze onderdelen van het menu levert het veengebied een zeer belangrijk deel van het dierlijk voedsel waarvan de jonge dieren gedurende de eerste twee weken van hun bestaan afhankelijk zijn (insekten, spinnen, enz.).

In figuur 2 wordt het aantal bezoeken van fouragerende hanen en hennen aan grasland en bouwland (aardappel- en graanvelden) vergeleken. Het bouwland was gedurende de seizoenen 1968-'69 en 1969-'70 vooral van belang gedurende het najaar (augustus t/m november). In december liep het bezoek, mogelijk als gevolg van de vorstinval, sterk terug. In de maanden april en mei nam het daarna weer iets toe. Opvallend is dat de hennen over het algemeen vaker op het bouwland en minder vaak op het grasland werden aangetroffen dan de hanen. Wanneer per maand de aantallen waargenomen bezoeken aan cultuurland van hanen en hennen worden vergeleken, dan blijkt dat relatief zeer veel henbezoeken werden waargenomen in de periode waarin het bouwland in trek was. Deze gegevens wijzen er op dat het fourageergedrag van hanen en hennen verschilt. Het grasland neemt voor de hanen een belangrijker plaats in dan voor de hennen.

Gedurende elf opeenvolgende jaren zijn tijdens het voorjaar regelmatig waarnemingen verricht op de vijf belangrijkste baltsplaatsen binnen het woongebied van de Korhoenderpopulatie van het Fochteloërveen (in figuur

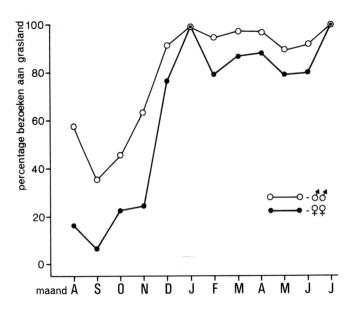

totaal aantal waargenomen bezoeken aan cultuurland

| ♂♂ | 30 | 55 | 211 | 248 | 189 | 240 | 222 | 478 | 500 | 340 | 77 | 21 |
| ♀♀ | 49 | 104 | 290 | 461 | 219 | 197 | 157 | 230 | 518 | 164 | 15 | 12 |

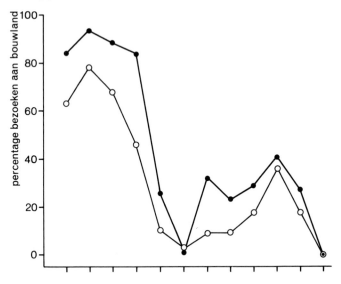

Figuur 2.

Relatieve frequentie van de bezoeken van hanen en hennen aan bouwland en grasland in opeenvolgende maanden.
gegevens uit de periode augustus 1968 - juli 1970.

372

1 gemerkt met de letters A t/m E). Het aantal adulte hanen dat in de loop der jaren op de verschillende plaatsen een territorium verdedigde, staat vermeld in tabel 2. Hieruit blijkt dat zich maar op één plaats (A) geduren- de alle elf jaren een arena heeft gehandhaafd. Op alle andere gebieden bevond zich afwisselend een arena of een solohaan. Dit staat ongetwijfeld in verband met fluctuaties van het totale aantal hanen in de populatie en heeft waarschijnlijk ook te maken met veranderingen in de kwaliteit van de fourageergebieden.

Doordat een zeer groot deel van de hanen individueel herkenbaar was gemaakt kan een nauwkeurige en betrouwbare schatting worden gegeven van het totale aantal hanen in de populatie in elf opeenvolgende seizoenen (zie tabel 3). Voor de hennen is een dergelijke nauwkeurige schatting niet mogelijk doordat ze voor een veel kleiner deel gemerkt waren en veel minder vaak werden waargenomen. Gedurende de vijf opeenvolgende sei- zoenen 1968-'69 t/m 1972-'73 was het aantal hennen ongetwijfeld hoger dan het aantal hanen. Daarvoor en daarna was de geslachtsverhouding waarschijnlijk bij benadering 1 : 1.

Wanneer de schatting van de totale omvang van de populatie (minimaal 40-50 individuen) wordt vergeleken met die van Uythoven (1971) voor andere Korhoenderpopulaties in Nederland, dan blijkt de Fochteloërveen- populatie te behoren tot de voor Nederlandse begrippen middelgrote tot grote populaties.

Bij het zoeken naar een verklaring voor de opgetreden fluctuaties van het aantal hanen in de populatie (zie tabel 3) moeten drie mogelijke oorzaken in beschouwing worden genomen: migratie en mortaliteit van volgroeide hanen en aanwas van juveniele hanen.

De dichtstbijzijnde andere Korhoenderpopulaties (Elsloo en Witten) be- vonden zich op geruime afstand (circa 9 km) van het Fochteloërveen en waren bovendien van geringe omvang. Dit alleen al maakt het onwaar- schijnlijk dat immigratie een rol speelde. Overigens werd hiervoor ook geen enkele aanwijzing gevonden. Het aantal adulte ongemerkte hanen in de Fochteloërveen-populatie was gering en plotselinge uitbreidingen die uitsluitend door immigratie verklaarbaar zouden zijn, deden zich niet voor. Regelmatig verdwenen er hanen en hennen tijdens de waarnemingsperiode. Van de twee jaar of langer niet waargenomen vogels werd 38% van de hanen en 24% van de hennen dood gevonden en teruggemeld via het Vogeltrekstation te Arnhem. De betreffende 31 hanen en 14 hennen werden, op twee na, allen gevonden in het bekende woongebied van de populatie. De twee uitzonderingen betreffen een haan die op circa 1 km afstand dood in een vossenhol werd aangetroffen en een andere haan die op circa 2

Tabel 2

Aantallen adulte hanen die gedurende de periode 1 april - 15 mei een territorium verdedigden op de gebieden A t/m E (zie figuur 1) in opeenvolgende jaren.

	A	B	C	D	E
1965	8	14	—	—	—
1966	17	15	6	1	—
1967	15	10	4	3	1
1968	9	5	2	1	1
1969	2	4	1	1	1
1970	5	1	2	4	1
1971	7	1	1	2	1
1972	6	1	1	1	1
1973	9	1	—	2	1
1974	6	1	—	1	1
1975	8	1	—	0	3

—: aantal onbekend

Tabel 3

Geschatte aantal hanen in de populatie in opeenvolgende seizoenen.

Seizoen (september-augustus)	totaal aantal hanen op 1 september	aantal juveniele hanen op 1 september	aantal hanen dat tijdens het seizoen verdween c.q. stierf
1964-65	55	17 (31%)	11 (20%)
1965-66	52	8 (15%)	8 (15%)
1966-67	50	6 (12%)	20 (40%)
1967-68	36	6 (17%)	23 (64%)
1968-69	18	5 (28%)	5 (28%)
1969-70	18	5 (28%)	4 (22%)
1970-71	19	5 (26%)	6 (32%)
1971-72	19	6 (32%)	3 (16%)
1972-73	17	1 (6%)	5 (29%)
1973-74	20	8 (40%)	3 (15%)
1974-75	35	18 (51%)	onbekend

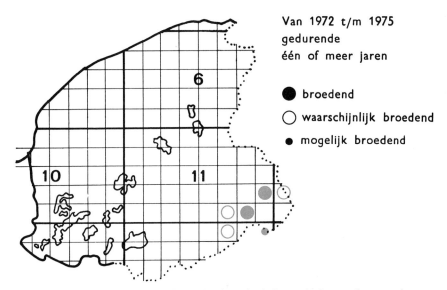

Van 1972 t/m 1975
gedurende
één of meer jaren

● broedend

○ waarschijnlijk broedend

• mogelijk broedend

km afstand te Veenhuizen dood in de tuin bij een huis werd gevonden en die hoogstwaarschijnlijk daarheen gesleept was door een predator. Geen enkele aanwijzing dus voor het plaatsvinden van emigratie.

Concluderend kan worden gezegd dat het niet waarschijnlijk is dat migratie plaats vond, hoewel zoiets nooit met zekerheid is uit te sluiten. Het aantal hanen is er zeker niet belangrijk door beïnvloed. Mortaliteit van volgroeide dieren en aanwas van juvenielen moeten dus bepalend zijn geweest voor het aantalsverloop van de hanen.

Wanneer wordt aangenomen dat dieren die niet meer werden waargenomen, zijn gestorven, dan kan de mortaliteit van de hanen worden berekend. Uit de in tabel 3 vermelde gegevens blijkt dat deze van jaar tot jaar sterk kan variëren (15-64%). Opvallend hoog was de mortaliteit in de seizoenen 1966-'67 en 1967-'68, respectievelijk 40% en 64%. Doordat het aantal juvenielen dit verlies niet compenseerde, daalde het aantal hanen van 50 naar circa 20 stuks. De oorzaak van deze uitzonderlijke sterfte kon niet met zekerheid vastgesteld worden.

De mortaliteit van de hennen kan niet op dezelfde wijze berekend worden als die van de hanen omdat het moment waarop de hennen verdwenen c.q. stierven niet met dezelfde nauwkeurigheid kon worden vastgesteld. Dit geldt ook voor het deel van de hennen dat gemerkt was. De beschikbare gegevens wijzen er echter op dat de mortaliteit bij de hennen even hoog was of iets lager dan bij de hanen.

Eerstejaarshanen verdedigen aanvankelijk geen territorium. Een deel van hen (20%) vestigt zich laat in het voorjaar. Veel van deze territoria, wellicht alle, worden na het voorjaar weer verlaten. In de loop van hun tweede levensjaar vestigen de meeste hanen zich (87%). Vaak doen ze dat pas vlak voor of tijdens de copulatieperiode. Aan het einde van het derde levensjaar hebben praktisch alle hanen zich gevestigd (96%). De vestiging van de adulte hanen is definitief, waardoor het overgrote deel van de derdejaars en oudere hanen het gehele jaar door met de verdediging van hun territorium is belast. Uit de gegevens in tabel 4 blijkt dat de mate waarin de hanen van verschillende leeftijden zijn betrokken bij de territoriumverdediging positief correleert met hun mortaliteit. Het verdedigen van een territorium verkleint dus mogelijk de levenskansen van een haan. Er zijn hiervoor nog meer aanwijzingen. De sterfte vindt bijvoorbeeld vooral plaats tijdens en na de periode maart t/m mei, waarin de competitie om grond tussen de hanen het hevigst is. De zware belasting die deze competitie voor de hanen vormt, komt ook tot uiting in het feit dat oudere hanen zich niet onder alle omstandigheden op hun territorium kunnen handhaven. Zesdejaars of oudere hanen verdedigden tijdens het voorjaar nooit een territorium op het centrum van een arena met vijf of meer territoriale hanen. Vier maal kon worden vastgesteld dat hanen tijdens hun leven hun centrale territorium verloren na afloop van hun vijfde levensjaar. Hanen van die leeftijd of ouder kunnen zich nog wel enige tijd handhaven aan de rand van een arena

Tabel 4

Mortaliteit van gemerkte hanen van verschillende leeftijden in verschillende periode van het jaar.

leeftijd	september-februari		maart-augustus		
	totaal aantal	aantal dood	totaal aantal	aantal dood	jaarlijkse mortaliteit
1e jaars	(14)	0 (0.0%)	14	1 (7.1%)	7.1%
2e jaars	17	0 (0.0%)	35	5 (14.3%)	14.3%
3e jaars en ouder	104	13 (12.5%)	101	34 (33.7%)	42.0%

Per halfjaarlijkse periode staat het aantal hanen vermeld dat aan het begin van de periode (1 september of 1 maart) gemerkt was en het aantal daarvan dat gedurende de periode verdween c.q. stierf.
Tussen mei en september werd er niet gevangen en gemerkt. Daarom staat voor de periode september-februari het aantal eerstejaars hanen vermeld dat tijdens die periode werd gemerkt.

of als solohaan. Hiervan zijn tien gevallen bekend. Voor hanen is de hoogste leeftijd die met zekerheid kon worden vastgesteld 8 jaar (voor hennen 7 jaar). Slechts ongeveer de helft van de hanen (en hennen) bereikt echter het einde van het vierde levensjaar.

Helminen (1963) schat de gemiddelde jaarlijkse mortaliteit van Finse Korhoenders op 40-60%. De vergelijkbare waarde voor de Fochterloërveen-populatie bedraagt slechts 29%. Ook vergeleken met andere soorten hoenderachtigen is dit een zeer lage mortaliteit (Helminen, 1963). Zeer opvallend is de lage mortaliteit bij juveniele dieren (zie tabel 4). Helminen geeft voor deze leeftijdsklasse een schatting die ongeveer gelijk is aan die voor adulte dieren. Bij de vergelijking van deze cijfers moet wel in aanmerking worden genomen dat in Finland vele Korhoenders per jaar afgeschoten worden, wat op het Fochteloërveen niet het geval is.

Op grond van de lage mortaliteitscijfers zou men in de verleiding kunnen komen om de Fochteloërveen-populatie als zeer welvarend te betitelen. Dit is echter onjuist. Vergelijking van het aantal juveniele dieren in de populatie met opgaven van elders leert dat dit zeer laag is. Joensen (1967) geeft voor Denemarken percentages die in vier opeenvolgende jaren varieerden van 37-63%. Rajala (1966, 1967, 1970) bepaalde voor Finland in drie verschillende jaren een gemiddeld percentage van 59-61%. Voor de hanen van het Fochteloërveen bedraagt het gemiddelde percentage juvenielen over een periode van elf jaren 25% (voor variaties van jaar op jaar zie tabel 3). De betekenis hiervan kan het best geïllustreerd worden aan de hand van een eenvoudig rekensommetje. Het is waarschijnlijk dat praktisch alle hennen copuleren, bevrucht worden en eieren leggen. Wanneer dit wordt aangenomen, moeten er bijvoorbeeld in het seizoen 1966-'67 door circa 40 hennen vermoedelijk 250-300 eieren geproduceerd zijn. Dit aantal eieren leverde naar schatting 12 juveniele dieren op (6 hanen en 6 hennen, zie tabel 3). Een geweldig hoog percentage van de eieren en/of zeer jonge dieren ging dus verloren (95-96%). Over de oorzaken hiervan is niets bekend.

Door het grote aantal juveniele dieren in het seizoen 1974-'75 steeg de populatieomvang onmiddellijk zeer aanzienlijk. De geringe aanwas van juveniele dieren kan dan ook aangemerkt worden als de factor die verhinderde dat de populatie tot een grotere omvang uitgroeide. Anderzijds kan worden gesteld dat de lage mortaliteit van volgroeide dieren tot dusverre heeft voorkomen dat de populatie uitstierf.

de V./J.P.K.

Patrijs - *Perdix perdix perdix* (Linnaeus)

Patriis
Ek wol: Patrys, Petrys. (J.B.)

Jaarvogel; vrij talrijke broedvogel; standvogel.

De Patrijs wordt reeds genoemd in het Zeeuwsch Landrecht (1290): „Die een patrijse vaet . . . hi sal den here gilden C X scellinge . . . " en als dief gestraft worden. In 1384 en latere jaren wordt de vogel aangeduid met „veldhoenders". Hertog Albrecht (1404) gelast zijn „patrijsgaarder" „te gaderen ende te bewaren onze Patrisen . . . tot onzen profijt ende oirbair overal in onzen Lande van Hollant". Ook in de oude Friese oorkonden wordt de Patrijs vaak genoemd.

De Patrijs is een echte bodemvogel van het open veld; op de grond zoekt hij zijn voedsel, hij rust er overdag en 's nachts en zijn nest maakt hij ook al op de grond. Het etmaal wordt doorgebracht volgens een vaste indeling. 's Ochtends begint de vogel met voer zoeken (tot ongeveer 10 uur voormiddags), daarna begeeft hij zich naar de dekking voor de middagrust (tot ongeveer 4 uur). Vervolgens wordt andermaal voer gezocht tot de avond komt; dan begeeft hij zich weer naar de dekking om op een geschikte plaats te overnachten. De noodzakelijke verplaatsingen worden grotendeels te voet afgelegd, afgewisseld door een kort eindje vliegen als de route daartoe noopt. Aan verstoring zal hij zich lopend onttrekken. Als de verstoring te na komt drukt hij zich. Pas als deze methodes niet afdoende zijn, verwijdert hij zich door weg te vliegen; een echte loopvogel dus, die slechts noodgedwongen op de wieken gaat.

Evenals het etmaal is ook het jaar volgens een vast schema in te delen; eind februari of begin maart raken de Patrijzen gepaard; er vormen zich spannetjes van een haantje en een hennetje, die bij elkaar blijven. Aangenomen wordt dat de haan eerst een terrein uitzoekt groot genoeg om het (dan schaarse) voedsel voor een paartje te verschaffen: Dat „territorium" wordt door de haan tegen concurrerende soortgenoten verdedigd. Binnen dat terrein wordt gepaard en genesteld en in het laatst van april zijn de eerste eieren te verwachten. Na drie weken zijn de kuikens vliegvlug; na tien tot elf weken zijn ze volwassen. Zij vormen met de ouders een klucht (of volk). Deze blijft de rest van het jaar in een beperkt gebied, waaraan zij zeer trouw zijn en dat zij tot in bijzonderheden kennen. Verandering van woongebied komt voor door samenvoeging van kluchten, vooral tegen de winter als het voedsel weer schaars is geworden. De exemplaren die zijn overgebleven gaan in het daarop volgende voorjaar uit elkander, waarbij nieuwe spannetjes tot stand komen en de jaarcyclus opnieuw begint.

De (omstreeks begin juni te verwachten) pas geboren jonge Patrijzen voeden zich aanvankelijk vrijwel uitsluitend met insekten en hun larven (b.v. mieren,,eieren''), maar nemen, als ze vliegvlug zijn ook zaden en granen op. In 9 weken daalt het percentage dierlijk voedsel van 95% tot 15% van de totale voedselopname. De volwassen Patrijs voedt zich in hoofdzaak met plantaardige kost, al neemt hij ook wat dierlijk voedsel tot zich (per jaar niet meer dan 2.5% van het totaal). De plantaardige kost is afhankelijk van het gedurende de wisseling der seizoenen aanwezige aanbod en bestaat uit bloemen en knoppen (7.5%), granen als tarwe, gerst, haver en boekweit (21.5%), knollen en bieten (6%), gras- en onkruidzaden (21%), grassen, klaver en ander groenvoer (42%). Naar de seizoenen ingedeeld dienen in voorjaar en in zomer insekten (en hun larven) als voedsel; in de herfst worden zaden en granen en in de winter grassen en groene plantendelen gegeten. Maar ook dan weten de Patrijzen de zaden door de wind in heggen, bosranden en op de heiden gewaaid, de granen op de wegen, waarlangs de oogst is afgevoerd en op de boerenerven, waar ze verder zijn behandeld, te vinden.

Daar het voedsel voor een groot deel van het jaar op de bouwakkers aanwezig is, is de Patrijs afhankelijk van de akkerbouw en dus een cultuurvolger.

Het nest bestaat uit een spaarzaam met grassen en bladeren belegd kuiltje in de grond, goed verborgen onder ruig gewas (als oude heide en struiken) en koren (mits dicht gegroeid), soms in ,,onland'', bij voorkeur zo uitgezocht dat het in de morgenuren zon ontvangt en tevens de luwte geniet tegen de overheersende windrichting, terwijl - zo mogelijk - er dekking is boven het nest en er onder het gewas een uit- en ingang komt. Er wordt droge, waterdoorlatende grond voor uitgezocht. Het legsel bevat 8-12, soms meer (Dronrijp 1938, 21) eieren. Deze zullen van twee of meer vrouwtjes zijn. Er zijn nog enige grote aantallen bekend: 1965, Tzummarum, 21 eieren; 1944, 1947, Oudemirdum, 19 eieren; Leeuwarden, 18 eieren; 1948, Bergum, 19 eieren; 1954, Makkum, 21 eieren; 1959, Akkrum, 18 eieren. Soms werd samenleggen met de Wilde Eend geconstateerd (1962, tussen Sybrandahuis en Birdaard; 1968, Stiens; 1968, Leeuwarden) (A. 1, A. 2).

De Patrijs voelt zich het beste thuis op warme, droge grond, waar voedsel, rust- en nestgelegenheid is. Landbouwstreken hebben daarbij de voorkeur.

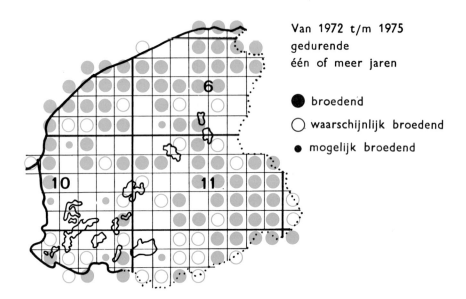

Van 1972 t/m 1975
gedurende
één of meer jaren

● broedend
○ waarschijnlijk broedend
• mogelijk broedend

Bovendien is voor de gezondheid van de vogels van groot belang dat de bodem de mogelijkheid bevat om in droog stof te „baden" (ter bestrijding van ongedierte - luis) in de veren, en ook om grove zandkorrels of gruis van kiezel of steentjes op te nemen (zodat ook hardere delen van het voedsel in de spiermaag kunnen worden verwerkt). Zo kan men deze vogel aantreffen op de klei en in de Wouden in gras-klaver-koren, aardappel, knolrapen en bietenvelden, op hoogvenen, in bosranden, duinen en heiden (1951, veel op overgebleven heide onder Gorredijk) (A. 1). Bovendien op nog braakliggende opgespoten terreinen, bijv. gronddepots kanaalwerken (Bergum), Kornwerderzand, Makkumerwaard, gronddepot Koevorder- meer, Lauwerszeepolder, vliegveld Leeuwarden, terreinen bestemd voor industrie of woningbouw, zand bergingen en hooggelegen spoorwegdijken.
De dichtheid van de bezetting kan op vruchtbare zand- en zavelgronden en in de kleipolders op zo'n 12 paar per 100 ha liggen. In gebieden met alleen veeteelt ligt zij aanzienlijk lager. Als voorbeeld: in 1971 waren er in het wachtgebied van de vogelwacht het Bildt (op 360 ha) elf broedgevallen en in het terrein van de vogelwacht Grouw (2300 ha) één. De vogelwacht Doniawerstal meldde in 1972 op 175 ha één broedpaar. Uit de vele gege- vens in AVF valt de volgende verhouding op te maken: klei : zand : veen = 12 : 7 : 6.
Veel berichtgevers meldden in de oorlogsjaren een uitbreiding van het

aantal Patrijzen. Van bepaalde plaatsen luidt het „hier nooit eerder gezien; hier in 30 jaar niet gezien, sterke toeneming na uitbreiding akkerbouwgronden". Later schijnt er weer een duidelijke afname te zijn.

Duizenden jaren lang is de Patrijs in West-Europa broed- en standvogel geweest en tot op de dag van heden heeft hij zich aldus gehandhaafd. Toch is het een kwetsbare vogel. De eieren kunnen in een zeer hete en droge broedtijd zo uitdrogen, dat de vrucht sterft. De legsels worden belaagd door Eksters en Zwarte Kraaien. De kuikens zijn gevoelig voor vocht en koude, vooral in de tijd, dat ze te groot zijn geworden om onder de vleugels van het ouderpaar beschutting en warmte te vinden. Zij sterven aan longontsteking of verzwakken zo, dat zij geen weerstand hebben tegen parasieten. Ze vallen ten offer aan roofdieren (wezels, bunzings, hermelijnen, verwilderde katten en vossen) die hun spoor kunnen volgen. In de winter is er meer voedsel nodig om de vogels krachtig te houden, maar juist dan is het voedsel schaars en bij strenge vorst en sneeuwval ontbreekt het zo goed als geheel. Ook dan treedt verzwakking op en waar de dekking spaarzaam is, worden ze prooi van kiekendieven, valken en kraaien. Slechts weinig Patrijzen bereiken de leeftijd van 3 of 4 jaar en als regel sterft 80% voor het tweede levensjaar bereikt is. Daar komt bij dat de Patrijs steeds is bejaagd en ook dat kort de stand in.

De Patrijs was van oudsher cultuurvolger en hij heeft er eeuwen over gedaan om zich aan de immer veranderende bodemcultuur aan te passen, maar nu, na twee wereldoorlogen, hebben de ontwikkelingen in de landbouwmethodes zich tegen hem gekeerd in een tempo, waartegen hij niet was opgewassen. Zo wordt niet alleen in Nederland, maar ook elders in West-Europa een - soms sterke - achteruitgang van de patrijzenstand vastgesteld. Men overdenke hierbij het volgende.

Op de greiden is het streven van de grondgebruiker gericht op het telen van snelgroeiende vroege grassen met hoge voedingswaarde voor het (melk) vee. Al het andere groeisel is „onkruid" (boter-, paarde-, pinksterbloemen, distels, klaver, muur) en wordt geweerd en zo het zich desondanks voordoet, verdelgd; chemische meststoffen en verdelgingsmiddelen staan ten dienste; het tijdstip, waarop gemaaid wordt (met de cyclomaaier) wordt vervroegd tot eind mei en begin juni, voordat gras en „onkruid" bloeit en zaad zet en valt dan samen met het tijdvak waarin 3/4 van de Patrijzen geboren wordt (tussen 10 en 20 juni) en de legsels allang bebroed zijn; insekten worden met insecticiden bestreden; er zijn bedrijven, waar het melkvee niet meer in het land komt, maar het voer vers wordt verstrekt, terwijl het surplus in rijkuilen tijdelijk wordt opgeslagen; de van het aldus

Patrijs bij Anjum - H. F. de Boer.

gevoerde vee afkomstige mest bevat geen zaden, als het al over het land wordt gebracht; voor een economisch verantwoorde exploitatie zijn in verband met de mechanisatie grote kavels noodzakelijk.

De heiden worden niet meer door schapen geweid; daardoor wordt de hei te oud en overwoekerd door vliegdennen, Amerikaanse vogelkers („bospest"), buntgras, benten en pijpestrootjes; de meeste heidevelden zijn trouwens ontgonnen en tot gras- of bouwland gemaakt.

In de bouw wordt de oogst met de combined harvester gemaaid, ook nat (waarop kunstmatige droging volgt); het stro wordt in pakken geperst en afgevoerd; de stoppelploeg rijdt achter de stroladers aan; aardappelen, bieten, knollen worden machinaal gerooid en langs de weg tijdelijk opgeslagen onder plastic; ook hier verdwijnen de kleine bedrijven en ontstaan door de noodzaak machines te bezigen grote oppervlakten, bij voorkeur met een eenzijdig produkt bebouwd; chemische middelen bestrijden het onkruid (korenbloemen, margrieten, klaprozen, ganzevoeten) en vergiften doden de insekten.

Grote, aaneengesloten dicht bij de boerderij gelegen kavels komen door ruilverkavelingen tot stand. De kleine akkers, houtwallen, knotwilgen, oude bomen en stukjes onland verdwijnen met de ruige slootkanten (diepontwatering) en de zand- en kleiwegen worden van een gesloten wegdek voorzien. De veranderingen zijn in korte tijd (enkele decennia) tot stand gekomen en de gevolgen waren voor de Patrijs noodlottig, want hem werd alles ontnomen, wat hij voor zijn welzijn nodig had; voedsel (zaden en insekten), zand- en stofbaden en grit, nestgelegenheid en beschutting tegen slechte weersomstandigheden en predatoren.

A.H.P.

Veenpatrijs - *Perdix perdix sphagnetorum* (Altum)

Feanpatriis

Thans zeer waarschijnlijk voormalige broedvogel.

De Veenpatrijs is slechts op de hand van de gewone Patrijs te onderscheiden, doordat er alleen verschillen in het verenpak zijn. Zo zijn bijvoorbeeld
de donkerbruine vederpartijen van de vleugels bij de Veenpatrijs zwart of
zwartbruin. De borst is meer donkergrijs en het schild zwart of zwartbruin.
De kastanjerode vlektekening aan de zijden van de (grijze) Patrijs zijn bij
de Veenpatrijs veel donkerder en de slagpennen donkerbruin tot zwartbruin.

Het verspreidingsgebied van de Veenpatrijs ligt - wat ons land betreft in
Drenthe, Zuidoost-Groningen, Zuidoost-Friesland en Noord-Overijssel.
Friese exemplaren in de collectie Hens* waren afkomstig uit Haulerwijk,
Buitenpost, Oldeberkoop, Nijeholtpade, Wijnjeterp, Appelscha, Oudehor-
ne, Donkerbroek, Makkinga, Oosterwolde, Heerenveen, Beets, Beetsterzwaag en Nijehorne (DNV III, 1949). Van de twee exemplaren in het Fries
Natuurhistorisch Museum te Leeuwarden was een ♀ ex. van 1 november
1937, afkomstig uit Appelscha en het tweede ♀ ex. van 7 november 1941
van onbekende herkomst, maar door poelier de Jong te Leeuwarden verhandeld. Hekstra en Voous zagen deze balgen en deze ,,vertoonden op
bijzonder fraaie wijze het donkere kleurpatroon van deze interessante vrijwel verdwenen relictvorm" (Lim. 34, 1961, 17).

De Latijnse naam duidt op veenmos (sphagnum) dat tussen 8000 en 3000
v. Chr. de Friese hoge venen deed ontstaan. Men veronderstelt dat daar
toen deze donkere Veenpatrijs leefde en noemt dit ras dan - ietwat roman-
tisch - ,,oer-patrijs", die langzamerhand door de gewone Patrijs is verdrongen. Vast staat te dezen aanzien alleen, dat in de grensgebieden de grijze en
de Veenpatrijs met elkander paren waardoor er allerlei overgangen voorkomen.

Pogingen in deze jaren ondernomen door de Stichting Avifauna van Friesland om vast te stellen dat dit ras nog als broedvogel in Friesland voorkomt, hebben geen resultaat gehad.

* Zwartwit foto's - afgedrukt in Eykman (DNV III, 1949) tegenover pag. 1032 en
1033 - van balgen uit de collectie Hens, thans in het Instituut voor Taxonomische
Zoölogie (Zoölogisch Museum) te Amsterdam, geven het verschil aan.

A.H.P.

Kwartel - *Coturnix coturnix coturnix* (Linnaeus)

Kwartel
Kwartel is in onomatopé. In kwartel ropt, slacht of kwikt.
In pear folkssechjes: Slacht de kwartel om distiid folle, dan hat er reinen yn 'e holle. Sa folle as de kwartel yn 'e rogge efterinoar ropt, safolle gounen sil de rogge dat jiers it ljippen jilde (in ljippen wie 0.833 hl). Hy is sa dôf as in kwartel. Kwarteldôf is sabeare dôf. (J.B.)

Zomervogel.

De Kwartel is in Friesland een onregelmatige broedvogel. In de meeste jaren waarin nestvondsten zijn gemeld was de soort zeer schaars. Er zijn echter ook jaren bekend, waarin de Kwartel op grond van de vele waarnemingen in de broedtijd als een schaarse of mogelijk vrij schaarse broedvogel mag worden betiteld.

Het oudste ons bekende gegeven over het voorkomen in Friesland dateert uit 1866, toen de Kwartel door Albarda werd vermeld als in de gehele provincie broedend. Dezelfde auteur beschreef de soort in 1897 als overal in de bouwstreken broedend. Dit klopt ten dele met de mededelingen van Schlegel in 1853, 1858 en 1878. Deze vermeldde de Kwartel namelijk als broedvogel in het gehele land, voornamelijk in hooiland en op graanvelden, zij het in vele streken slechts in kleinen getale. Alles bijeen mag echter worden aangenomen dat deze soort in de vorige eeuw in Friesland evenals elders in ons land beduidend talrijker was dan thans. Dit hangt waarschijnlijk nauw samen met de voorliefde voor plaatsen met een extensieve bodemcultuur (DNV III, 1949), een terreintype dat in ons land steeds schaarser wordt.

De beschikbare gegevens wijzen er op dat de kwartelstand in deze provincie in de loop van deze eeuw soms sterk schommelde. De topjaren blijken ten dele jaren te zijn waarin in andere provincies „invasies" zijn gemeld. In de minimumjaren waren meestal ook elders in ons land weinig of geen Kwartels aanwezig. Na de oorlog mogen waarschijnlijk de jaren 1947, 1950, 1952, 1953 en 1965 voor Friesland als vrij goede kwarteljaren worden betiteld. Het jaar 1964 spant echter ook hier de kroon. De soort werd toen namelijk door vogelkenners op tenminste 18 verschillende plaatsen gesignaleerd. Het werkelijke aantal Kwartels was stellig hoger, want het is niet aannemelijk dat iedere roepende vogel is geregistreerd.

Dit geldt trouwens ook voor de eerder genoemde jaren die als „vrij goed" werden betiteld op grond van het feit dat in elk van deze jaren zes tot negen roepplaatsen zijn gemeld. Het is niet bekend welk percentage van de tij-

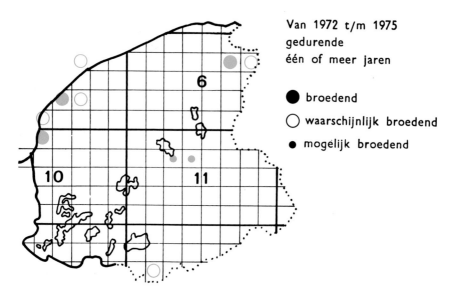

Van 1972 t/m 1975
gedurende
één of meer jaren

● broedend
○ waarschijnlijk broedend
● mogelijk broedend

dens ,,invasies'' waargenomen vogels werkelijk tot broeden komt. Mogelijk komen in die jaren - als de stand van de ,,eigen'' vogels wordt aangevuld met Kwartels die ten gevolge van aanhoudende droogte niet ,,terecht kunnen'' in hun gebruikelijke broedgebieden in Oost-Europa (Kipp, 1956) - relatief veel vogels niet tot broeden. Het is echter ook denkbaar dat de grotere populatiedruk dan juist stimulerend werkt op de voortplanting. Het is in dit verband opmerkelijk dat in het topjaar 1964 in Friesland slechts één zeker broedgeval is geconstateerd tegenover bijvoorbeeld respectievelijk drie en twee gevallen in de jaren 1947 en 1950, toen beduidend minder roepende vogels zijn geregistreerd. Het lijkt overigens niet verantwoord om aan dit zeer geringe aantal gegevens verdere conclusies te verbinden.

Van de in totaal 15 in Friesland geregistreerde broedgevallen hebben er helaas 13 of 14 betrekking op legsels die tijdens het maaien zijn verstoord: 1931 Irnsum, 1934 Siegerswoude, 1941 Wartena, 1945 Hitzum, 1947 Cornjum, Ried en Boyl, 1950 Hallum en St. Annaparochie, 1952 St. Jacobiparochie, 1954 Wier, 1955 Gorredijk, 1958 Elsloo, 1961 Westhoek en 1964 Oude Leije. Alleen van het in 1934 gevonden legsel is met zekerheid bekend dat het goed is uitgekomen. Uit de archiefgegevens AVF blijkt dat er slechts enkele plaatsen zijn, waar het voorkomen in meer dan twee verschillende jaren werd gemeld. Dit was het geval in Oudemirdum (3 jaren), Elsloo (4 j.), Gorredijk (4 j.) en de omgeving van St. Anna- en St.

Jacobiparochie (7 j.). Mogelijk mag hieruit worden afgeleid, dat de omgeving van deze plaatsen aantrekkelijker is voor Kwartels dan andere delen van de provincie. Het is echter ook mogelijk dat de grotere activiteit van lokale berichtgevers mede een rol heeft gespeeld.

Dankzij sommige berichtgevers is ook iets bekend over de biotopen waarin in Friesland Kwartels zijn waargenomen. Dit zijn achtereenvolgens: bouwland (1), koren (1), tarwe (1), rogge (2), bieten (1) en hooiland (2). Van drie gevonden broedsels werd er één aangetroffen in vlas, de beide andere bevonden zich in een klaverveld. Deze gegevens zijn helaas te summier om een uitspraak te kunnen doen over eventuele biotoop-voorkeuren.

De (weinige) waarnemingen betreffende aankomst en doortrek in Friesland vallen alle binnen de genoemde voor Nederland vermelde gebruikelijke perioden, met uitzondering van die van de boven reeds genoemde Kwartel die op 30 november 1968 bij Fochteloo werd waargenomen.

Het is jammer dat er uit Friesland in tegenstelling tot andere provincies (zie bijv. de Avifauna's van Noord-Brabant (1967) en Midden-Nederland (1971)) geen gegevens bekend zijn over de vangst en jacht in vroegere jaren.

S.B.

Fazant - *Phasianus colchicus* (Linnaeus)

Fazant

Jaarvogel; standvogel, ingevoerd.

De naam is ontleend zowel aan de rivier de Phasis (die van de Kaukasus naar de oostoever van de Zwarte Zee stroomt) als aan de streek waar de rivier in zee uitmondt en waaraan in oude tijden de naam Kolchis (in het Latijn: Colchis) was gegeven. Die streek ligt in het tegenwoordige Georgië. Volgens Martialis, die in de eerste eeuw na Christus in Rome leefde, werd de (tamme) Fazant uit Colchis door Griekse schepen naar het Westen en het Romeinse Rijk gebracht, niet alléén wegens de verenpracht der hanen, maar ook door de voortreffelijke smaak van het wildbraad. Omstreeks het jaar 350 schreef de Romein Palladius in zijn verhandeling over het boerenbedrijf (,,De re rustica'') een handleiding voor het opfokken van Fazanten; verschillende van zijn aanwijzingen worden door de tegenwoordige fazantenfokkers nog opgevolgd.

Schlegel (1868) neemt de Fazant niet op onder de Nederlandse broedvogels, maar vermeldt hem als enige vertegenwoordiger van de soorten, ,,die

Fazanthaan „verdwaald" op het winterse Wad, De Bant bij Anjum, 1971 - H. F. de Boer.

van elders ingevoerd werden en zo volkomen verwilderd zijn, dat zij zonder hulp van den mensch op zich zelven in vrijen staat leven en voorttelen". Bij deze soort „moeten zelfs in vele gevallen allerlei kunstmiddelen aangewend worden om haar in dezen staat te behouden, hare vermeerdering te bevorderen of hare vernieling tegen te gaan".

Albarda (1884) schrijft: „Enige jaren geleden is deze vogel ingevoerd in Opsterland, Schoterland en Ooststellingwerf, waar hij thans geheel in het wild leeft en voortteelt. Vooral in eerstgenoemde gemeente is hij zeer menigvuldig. Hij heeft zich vandaar ook over een deel van Smallingerland uitgebreid". In 1897 zegt dezelfde schrijver: „oorspronkelijk geplant, maar thans in volkomen wilden staat levende in alle provincies, behalve Groningen en Drenthe".

De AVN (1970) noemt hem een „zeer talrijke broedvogel in het hele land". Deze Fazant is een bastaard, in Engeland ingevoerd en daar (veel later) gekruist met andere van de 33 fazantenrassen, die in het Aziatische gebied (van de Zwarte Zee tot Japan) voorkomen, met name in Japan: *Ph. c. versicolor*, overwegend groen, in China: *Ph. c. torquatus* met witte halsring; in Zuidwest-Kazakstan: *Ph. c. mongolicus* (hoewel niet uit Mongolië afkomstig), koperrood met halve witte halsring (alleen in de nek) en witte vleugelveren.

387

Nu was de oorspronkelijke vorm een soort zonder halsring. Of deze andere soort *colchicus* in West-Europa verwilderd is, is niet zeker en nog ongewisser is het tijdstip, waarop deze volièrevogel zich in het wild wist te handhaven. Wat in Engeland met de oorspronkelijke soort *Ph. c. colchicus*, waarvan in een ordonnantie van 1059 melding wordt gemaakt, is gebeurd, staat wel vast: omstreeks het midden van de 18de eeuw, werd deze gekruist met de vorm *torquatus*, in de 19de eeuw ook met *versicolor* en in de 20ste eeuw met *mongolicus*. Bij die kruisingen bleek de witte halsring dominant. Bovendien verscheen voor het eerst in 1927 een mutatie, die zeer donker gekleurd was en waarvan de haan geen halsring had. Deze mutatie bleek constant en kreeg de wetenschappelijke aanduiding *tenebrosus*. Het staat bovendien vast, dat exemplaren van de Engelse kruisingsprodukten in de 19de en 20ste eeuw naar Nederland zijn geëxporteerd en hier te lande uitgezet.

Het resultaat van een en ander is, dat een zuiver exemplaar van de nominaatvorm hier niet meer te vinden is, dat de jachtfazant bijna steeds een halsring draagt en dat er zeer donkere exemplaren voorkomen zonder halsring.

De Fazant is een bodemvogel: op de grond zoekt hij zijn voedsel, op de grond maakt de hen haar nest en op de grond rust hij, ook des nachts, tenzij er bomen aanwezig zijn, die hem gelegenheid geven op een tak te overnachten. Dan geeft hij daaraan de voorkeur om - als een kip die op stok gaat - te ,,roesten". In de slaap vertrouwt hij op zijn scherp gehoor.

Het vliegen (snelheid tussen de 50 en 60 km per uur) is een glijvlucht, afgewisseld met 2 of 3 snelle vleugelslagen en gaat recht toe recht aan op geringe hoogte naar een open landingsplaats vanwaar hij lopend de dekking opzoekt.

De hen zoekt een geschikte plaats voor het nest, goed gedekt in de heggen, bosranden, wegbermen, tegen boomstammen, in koren- en grasland (slootkanten en greppels), moeras en rietkragen, meest zo, dat althans gedurende een deel van de dag, het zonlicht er in schijnt. Meer dan een kuiltje in de grond, dorre bladeren en naalden, is het niet - wat grasjes of wortels of takjes liggen er in en later komen er enkele buikveertjes van de hen bij.

Het legsel bestaat gewoonlijk uit acht tot twaalf effen, glanzende, peervormige eieren (lang ruim 4 cm, breed $3\frac{1}{2}$ cm) van lichtgrijze tot olijfbruine kleur. Ze worden in hoofdzaak omstreeks de maand mei gelegd, en gedurende 24 dagen alléén door de hen bebroed. Deze heeft de naam een zorgeloze moeder te zijn, zodat maar drie, hoogstens vier kuikens groot worden. Dat geringe resultaat wordt mede veroorzaakt door geregelde ver-

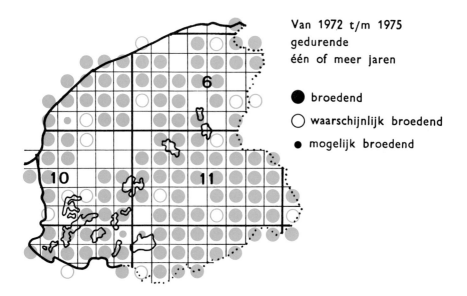

storing (waardoor kuikens onverzorgd achterblijven) en de kwetsbaarheid van de jongen voor honden, vocht en verschillende parasieten.

De Fazant voelt zich op vele terreinen goed thuis: in duinen, grienden, oeverbosjes met veel riet, boomgaarden, randen van loof- en gemengd bos en ook in - vooral met elzen begroeide - moerassen, weilanden en op landbouwgronden.

De geschikte biotoop omvat open veld met voedsel het hele jaar door, vaste dekking, geschikte slaap- en rustplaatsen, die beschutting geven ook tegen wind en sneeuwval en dekking tegen predatoren. Het totaalbeeld is dat van een cultuurlandschap met bossen en/of bosjes, heide, ruigte en heggen. Zodanig terrein moet echter nog meer bieden, eerst gelegenheid om in droog stof te ,,baden'' (ter bestrijding van luis) en om kiezel of steentjes op te nemen, zodat ook de hardere delen van het voedsel in de spiermaag kunnen worden verwerkt en vervolgens - vooral in de zomer - de aanwezigheid van water. Dit laatste brengt het gevaar mee, dat bij hevige regenval of stijging van de waterspiegel, nesten met eieren in het water komen te liggen, waardoor dat broedsel mislukt. Deze ,,zorgeloosheid'' treft men bij Fazanten veel aan, bij Patrijzen nooit.

Men hoort wel het verwijt dat Fazanten gemakkelijk wegtrekken. Het is de vraag of dit de Fazanten kan worden aangewreven, omdat het wellicht meer aan een bepaalde biotoop ligt dan in de aard van de vogel. De oorzaak van het vertrekken uit het terrein waar ze opgroeiden kan ook liggen in voedselgebrek ter plaatse en voedselaanbod elders en als het jonge geslachtsrijpe hanen betreft, in de omstandigheid dat er geen hennen meer ,,vrij'' zijn.

Pas uit het ei gekomen kuikens zullen zich voeden met eiwitrijk dierlijk voedsel, insekten en hun larven uit de directe omgeving van het nest, waarin ze zijn uitgebroed. Na een paar weken nemen zij ook plantaardig voedsel op, dat geleidelijk de hoofdvoeding wordt. Dat zijn in het bijzonder zaden: zeer kleine (van muurachtigen) tot grote (hazelnoten en eikels), maar vooral zaden van grassen en granen. Naast dit hardvoer nemen ze ook groene plantedelen, bessen, vruchten, bieten en knollen; bovendien komt er steeds dierlijk voedsel bij: regenwormen, slakken, insekten, spinnen (soms in grote aantallen in pas ingezaaid en opschietend graan), ja zelfs kikkers, jonge ringslangetjes en adders en diverse soorten muizen staan op het menu.

Bij het voedselzoeken krabt de Fazant (als een kip) maar graaft ook in de grond met de snavel, die snel heen en weer wordt bewogen. Zo kan hij knolletjes, wortelstokken, bollen en zaden tot een diepte van 8 cm bereiken en voedselzoeken onder een sneeuwlaag van 30-35 cm dikte.

Zo vindt - dat zal na het vorenstaande wel duidelijk zijn - de Fazant in Friesland een geschikte biotoop en goede voedselmogelijkheden. Hij komt dan ook in de aantekeningen, verzameld in A. 1 en A. 2, regelmatig voor tussen 1912 en heden, op de hoge gronden van de Wouden, in het lage midden, in het kleibouw- en het kleiweidegebied en in de Zuidwesthoek van Gaasterland.

De redenen, waarom de Fazant uit het Oosten werd overgebracht waren, zoals reeds gezegd, tweeërlei: de sierlijkheid van de vogel (en kleurenrijkdom van de haan) en de goede smaak van het vlees. Dat gaat nog op.

Maar de Fazant is niet meer een volière-vogel, die opgehokt leeft om tenslotte geslacht te worden. Dat hij tot zijn dood vrij in de natuur leeft, heeft hij daaraan te danken, dat hij hier te lande en in Friesland werd gejaagd als een begeerd wild, ook al eindigt hij zijn leven als wildbraad. Zolang de jager belangstelling heeft voor dit wild zal dit zich weten te handhaven ook al zijn in de loop der tijden de landbouw- en veeteeltgebieden anders ingericht dan voorheen en worden de bossen anders verzorgd dan vroeger.

Dat komt, omdat hij een ideaal jachtobject is, waarvoor de beheerder van een veld zich moeiten en kosten wil getroosten. Deze weet de biotoop van het jachtveld te verbeteren, waarop de Fazant positief reageert; de stand kan door de jager worden gereguleerd, waarbij hem de tot een levendige tak van bedrijvigheid uitgegroeide handel in eieren, kuikens en volwassen vogels ten dienste staat. Hij zal door voedsel te verschaffen de vogels door de moeilijke wintertijd heen helpen om zo een goede stand op te bouwen en door deskundig afschot te handhaven. Daarvan zal ook de recreant profiteren, die de vogels op de wandeling weet te zien om te genieten van de kleurenpracht. Als hij en de jachtveldbeheerder elkaar zullen kunnen vinden, de ene door de rust in het veld niet te verstoren, de ander door in de gesloten tijd het wild te verzorgen en in stand te houden, waar tegenover staat dat hij op weidelijke wijze tol heft, dan ziet de toekomst voor de Fazant er gunstig uit en zijn beider belangen gediend.

A.H.P.

DE KRAENFUGEL

Nammen

Fan dizze fûgel binne twa Fryske nammen yn gebrûk. By de fûgelminsken is it ornaris *Kraen*, by oaren ek wolris *Kraenfûgel*. De offisiéle wittenskiplike namme „Grus" is it Latynske wurd foar Kraenfûgel. „Grus" hat hwat to krijen mei it tiidwurd „gruo" yn it Middelieuske Latyn dat it roppen fan 'e Kraen oantsjut.

Etymology

Foar de etymology fan „Kraen" jowe wy earst inkelde foarmen út oare talen. Ingelsk: crane; Dútsk: Kranich; Aldheechdútsk: chranuh; Middelnederlânsk: crane; Angelsaksysk: cran; Gryksk: géranos. Dizze en noch oare foarmen forûnderstelle in Indogermaenske woartel *ger, mei de bitsjutting roppe, skreauwe.[1]

Taeleigen

Fierder hat de Kraenfûgel hwat to krijen mei inkelde oare wurden. De kraen (hefkraen) dy't swiere lêsten to plak bringe kin.
In kraen yn in fet of by de wetterlieding; in wetterkraen, in gaskraen, benzinekraen.
In kraentsjekanne, de kofjekanne mei in kraen. In kraenseage is in greate twamansseage, hwerby't ien man ûnder en ien man boppe it to skulpen hout stie.
Dizze boppeneamde foarwerpen hawwe allegearre har namme krige nei oanlieding fan de halsfoarm fan de Kraenfûgel.

Toponimen

It docht by ûndersiik bliken dat de Kraen gauris yn toponimen foarkomt. Sa binne der forskillende „Kraenlannen", dêr't de fûgels alear rêst namen op har tochten. It wiene faek sompige wylde greidlannen of lân dat „der foar fûgelweide hinne lei".
Wy founen:
1. It Kranelân ûnder Drylts: „9 P.M. Land, het Crane Land genaamd onder IJlst". Ut 1774[2].

391

2. Kraenlân, in stik lân yn 'e lege mieden ûnder Moarmwâld[3].
3. Kraenlân, in stik lân by Aldegea (Sm.) „7 Mad Mieden genaamd het Kraanland, bij de Hooidam geleegen in Oudega". Ut 1773[4].
4. Kraenlannen yn Smellingerlân by de Feanhoop[5].
5. Kraenlannen, ûnder Goaijingahuzen[6].
6. Kranen, ûnder Surch[7].
Ek komme foar: Kraenslânswei en Kraenlânsset (by Boarnburgum). Boppedat fine wy yn 'e oare provinsjes fan Nederlân ûnderskate Kraennammen.

Planten

By de planten ha wy de „Kraneblom" (Koekoeksbloem, Lychnis flos-cuculi L.), dy't faek yn sompige greidlannen waekst. Se wurde ek wol neamd: Théblommen, Koekútsblommen of Miedeblommen[8]. Boppedat noch de Kranebek (Naaldekervel, Scandix pecten-veneris L.)[8]. De snavelfoarmige fruchtsjes ha oanlieding jown ta de namme fan dizze plant. Dus krekt as by de „geranium". (Gryksk géranos is Kraen).

Folkskunde

Yn 'e folkskunde hawwe de kranen ek in rol spile. Foaral it fleanen wurdt acht slein. Fleane se heech, dan komt der moai waer. As se lûd roppend (koer! koer!) om in hûs fleane, dan komt dêr meikoarten in breid. Kranen yn 'e loft hawwe ek wol in oarloch foarsein[9].
It feit dat de Kranen, lykas guon oare fûgels, faek op ien poat rêste hat oanlieding jown ta alderlei folksforhalen. Der wurdt wol sein, dat de Kranen wachten útsette mei in stien yn 'e poat of bek. Mocht sa'n wachtfûgel yn 'e sliep reitsje, dan soe er de stien falle litte en towekker skrilje. Op sommige gevels moat de Kraen sa, dus mei in stien yn 'e bek of yn 'e poat, ôfbylde wêze[10]. In hûs mei sa'n gevelstien kin de biwenner oan in skaeinamme holpen hawwe. Bygelyks: Kraan, Van Kranen, Kranenborg, Kranenburg, Kranendonk, allegear famyljenammen dy't yn Fryslân foarkomme[11]. Johan Winkler (1840-1916) fortelt, dat der to Ljouwert in wachthúske by in poarte west hat mei in kraenfûgel yn 'e gevel ôfbylde. Dêr boppe stie: „So moet men waken" en der ûnder: „In die cranenwacht"[12]. Yn 'e Bréstrjitte to Ljouwert moat eartiids ek sa'n gevelstien west ha[13]. Sa komt de kraen mei in stien ek yn 'e heraldyk foar.

J.B.

Noaten:
1. H. Suolahti, Die deutschen Vogelnamen, Stuttgart 1909, 392.
2. Leeuwarder Courant, 29 desimber 1774.
3. J. J. Kalma, Yn de Kraenlannen. De Pompeblêdden XIX, 1948, 139-141.
4. Leeuwarder Courant, nûmer 829, 1773.
5. Smellingera-land, Drachten 1948, 139.
6. Sjoch noat 3.
7. Register v.d. Aanbreng, III, 414.
8. D. Franke en D. T. E. van der Ploeg, Plantenammen yn Fryslân, Ljouwert 1955.
9. Sjoch noat 3.
10. Loquele 1907, 273.
11. Nederlands Repertorium van familienamen, Amsterdam 1964, deel Friesland.
12. Sjoch noat 10.
13. J. van Lennep en J. ter Gouw, De Uithangtekens, Amsterdam 1868, II, 352.

Kraanvogel - *Grus grus grus* (Linnaeus)

Kraen

Onregelmatige gast.

Het broedgebied van de Kraanvogel ligt onder meer in Noord-Duitsland, Polen en Rusland, maar eeuwen geleden is hij ook in Friesland broedvogel geweest. Reeds De Vries (1932) en Braaksma (1937) hebben hier op gewezen. Bewijzen vindt men in bewaard gebleven officiële plakkaten en ordonnanties. Het oudst bekende stuk waarin de Kraanvogel in Friesland vermeld wordt is een te Leeuwarden op 3 januari 1542 uitgevaardigd plakkaat (Charterboek). Hierin wordt verboden ,,eyeren van swanen, velthoenderen, *craenen*, reygers, moerhoenderen, putoeren ende dyergelycke voegelen, te soecken, roouen oft raepen, in wat plaetsen dattet sy''. In een plakkaat van 3 april 1561 wordt eveneens het vangen van ,,craenen'' en het rapen van de eieren verboden. Ook in het ,,placaat en ordonnantie omtrent de Jacht en Visscheryen'' van 16 mei 1591 wordt ,,expresselyck geïnterdiceert ende verboden, de eyeren van . . . cranen . . . te rouen''. Tevens blijft het schieten van deze vogels verboden. Nadien vinden we in de plakkaten de Kraanvogel niet meer met name genoemd.

Waar de broedplaatsen gelegen hebben is niet bekend, maar het lijkt aannemelijk hier onder andere te denken aan de uitgestrekte veengebieden in de omgeving van Boornbergum. De nog bestaande toponiemen zouden hier misschien ook een aanwijzing voor kunnen zijn. Bij de voortgaande vervening, die reeds in de 17e eeuw begon, zullen de broedplaatsen zijn vernietigd.

Sindsdien komt de Kraanvogel alleen nog als doortrekker in Friesland voor. Tegenwoordig niet meer elk jaar. De eerste vermelding als zodanig vinden we bij Albarda (1884), die schrijft dat hij in oktober 1872 ,,tweemaal in den laten avond'' het trompetgeluid van hoog overtrekkende Kraanvogels hoorde. Bovendien vermeldt hij dat een paar jaar voordien een dood voorwerp in een rietveld bij Veenwouden werd gevonden. In 1909 moet een exemplaar geschoten zijn te Opeinde (Sm.).

Daar Friesland buiten de eigenlijke trekroute van de Kraanvogels valt (Braaksma, 1957), blijft het aantal waarnemingen gering. Braaksma geeft op zijn kaartje geen voorjaarswaarnemingen uit Friesland maar de archieven A. 1 en A. 2 bevatten de volgende waarnemingen:

21, 23 maart 1935	Workum (gehoord)
maart 1936	1 juv. ex. St. Jacobiparochie (waargenomen). Bleef tot in mei in dezelfde omgeving

18 maart 1936	Lemmer (gehoord)
19 maart 1936	± 12 ex. Lemmer (gezien, hoog overtrekkend)
4 maart 1944	Leeuwarden (gehoord)
16-25 maart 1969	± 30 ex. (op verschillende plaatsen waargenomen)
14-15 april 1966	1 ex. Oranjewoud (waargenomen)

Ook op de najaarstrek passeren een enkele maal Kraanvogels de provincie Friesland. Uit bovengenoemde archieven en uit D. 3 zijn de volgende waarnemingen bekend:

herfst 1929 of 1930	3 ex. Driesum
22 september 1934	Workum (gehoord)
15 oktober 1934	Huizum (gehoord)
1-2 september 1935	Workum (gehoord)
herfst 1947	7-8 ex. Bantega (overvliegend)
11 augustus 1955	2 ex. Sneek
11 augustus 1955	8 ex. Wijnaldum (paar uren pleisterend)
11 augustus 1955	6-8 ex. Leeuwarden
oktober 1966	3 ex. Makkum
18 augustus 1973	Waddenkust (D. 3)
15 september 1973	5 ex. Waddenkust (idem)

Eveneens uit de archieven A. 1 en A. 2, alsmede uit A. 22 zijn de waarnemingen die buiten de eigenlijke trekperioden vallen:

1 mei 1965	1 ex. Blija
1 mei 1965	3 ex. Kornwerd
4 mei 1937	1 ex. tussen Koudum en Hindeloopen
begin juni 1946	1 ex. het Bildt
6 juni 1951	1 ex. Ureterp (zeer laag overvliegend)
28 juni 1975	1 ex. Mokkebank (enkele weken aanéén (A. 22))
29 juni 1947	1 ex. Lindevallei
12-13 juli 1966	1 ex. Nieuwe Bildtzijl
20 juli 1966	1 ex. Noorderleeg Hallum
9 augustus 1966	1 ex. dezelfde plaats
30 november 1949	1 ad. ex. Marssum
10 december 1949	1 ex. Bolswardervaart (hetzelfde?)

Over het algemeen is de kraanvogeltrek in Friesland dus bepaald geen spectaculair verschijnsel en pleisteren komt dan ook nauwelijks voor.
Veel aandacht trok dan ook de aanwezigheid van minstens een dertigtal Kraanvogels tussen 16 en 25 maart 1969, tijdens een plotselinge koude-inval. Op 16 maart werden de eerste exemplaren gesignaleerd te Oudemirdum en hier werden permanent 20 à 30 vogels waargenomen, foeragerend op bouwlandjes tegen de bosrand. Nu en dan kon de baltsdans worden waargenomen.

Uit de archieven A. 1, A. 2 en A. 22 blijkt dat de Kraanvogels ook op andere plaatsen in Friesland gedurende één of meer dagen verbleven: Makkum (5 ex.), Holwerd (1 ex.), Pingjum (3 ex.), Witmarsum (3 ex.), Leeuwarden (3 ex.), Oldeboorn (8 ex.), Jubbega (18 ex.), Baard-Oosterlittens (2 ex.), Grouw (3 ex.).

Op 25 maart werden de laatste exemplaren waargenomen. Veel waarnemers werden getroffen door de snelheid waarmee de grote vogels, al fouragerend, over de stoppelakkers trokken. Bij Witmarsum werd enkele malen geconstateerd hoe ze op de geploegde akkers kleine aardappeltjes consumeerden.

D.T.E. v.d. P.

Waterral - *Rallus aquaticus aquaticus* Linnaeus

Wetterhintsje

Jaarvogel; doortrekker in vrij groot aantal, vooral in de nazomer tot diep in de herfst; broedvogel van riet- en zeggemoerassen, brede rietkragen, langs meeroevers en brede dijksloten.

Er moet worden aangenomen dat door de verborgen leefwijze van de Waterral, over het voorkomen van deze soort als broedvogel nog weinig bekend is.

Albarda (1884) vermeldt: ,,In den herfst zeer gemeen. Wordt hij invallende vorst dikwijls in stallen, schuren enz. gevangen''. In 1897 wist dezelfde auteur te melden dat de soort onder andere in Friesland broedende was aangetroffen. Toch moet de Waterral in die tijd een zeer algemene broedvogel geweest zijn, omdat juist destijds het voor de soort vereiste biotoop zo ruim voorhanden was.

Tijdens de trektijd kan de soort, behalve in de voor hem vertrouwde omgeving, op alle mogelijke andere plaatsen worden aangetroffen, zelfs tot midden in de steden, in parken, plantsoenen en tuinen. Dat de Waterral dan ook nog op veel andere plaatsen kan worden gezien blijkt onder andere uit het archief Bosch (A. 1). Uit de vele aantekeningen daarin worden de volgende waarnemingen overgenomen:

3 december 1925	1 ex. woning aan het Vliet te Leeuwarden binnengevlogen tijdens langdurige vorstperiode, later ter plaatse gestorven
20 oktober 1936	1 ex. een huis aan de Oostersingel te Leeuwarden binnengelopen, kon worden gegrepen, geringd en losgelaten

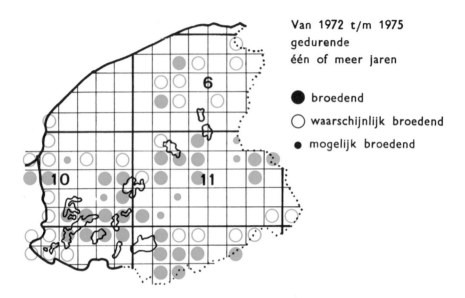

Van 1972 t/m 1975
gedurende
één of meer jaren

● broedend
○ waarschijnlijk broedend
• mogelijk broedend

Tijdens een winter met sneeuw en ijs vallen er onder de exemplaren die hier trachten te overwinteren veel slachtoffers. Tengevolge van voedselgebrek worden er geregeld sterk vermagerde, soms niet meer tot vliegen in staat zijnde Waterrallen aangetroffen. Veel van deze vogels komen om of worden, dichter in de buurt van de menselijke bewoning, door katten gegrepen.

De meeste Waterrallen evenwel verongelukken tijdens de trektijd tengevolge van het in botsing komen met de draden van bovengrondse leidingen (elektriciteit en telefoon). Uit de archieven van Bosch (A. 1), de Jong (A. 2) en van Van der Ploeg (A. 4) blijken de notities van draadslachtoffers ten opzichte van de andere meldingen en waarnemingen ver in de meerderheid te zijn.

Veel broedgevallen werden vastgesteld in die terreinen waar het riet in eind april tot midden mei nog gesneden werd en waarbij dan uiteraard veel broedsels verloren gingen. Zo werden in de lente van 1948 talrijke nesten vernietigd door rietsnijders (A. 1). Ook in de buurt van Schoterzijl is bijna ieder jaar wel een uitgemaaid nest (A. 1).

De Waterral is vooral ook broedvogel van de Makkumerwaarden, de Kooiwaard onder Piaam en de Mokkebank bij Laaxum. Vooral de uitgestrekte Makkumerwaarden herbergen meerdere broedparen. Deze buitendijkse gebieden werden tot ver in de zestiger jaren in de broedtijd regelmatig overspoeld. Bij iedere voorjaarsstorm uit het zuidwesten kwam het water over de waarden, alles met zich meenemend. De nesten van vele op de waarden broedende vogels werden uiteraard vernietigd. De reeds zwaar bebroede eieren dreven tot aan de IJsselmeerdijk om daarna aan de hoogwaterlijn te blijven liggen. Tussen deze aangespoelde eieren werden ook een paar maal die van de Waterral aangetroffen.

Uit de inventarisatie-rapporten in het kader van het Atlasproject blijken de meeste broedgevallen en waarnemingen tijdens de broedtijd, naast de hierboven reeds genoemde, in de Zuidwesthoek, zuidoostelijk van het Tjeukemeer en in de gebieden rond Eernewoude en het Bergumermeer te zijn vastgesteld.

J.H.P.W.

Waterral in tuin ,,Fûgelflecht" Buitenpost, 1972   -   H. F. de Boer.

Porseleinhoen - *Porzana porzana* (Linnaeus)

Bûnt Reidhintsje

Zomervogel; vrij schaarse tot schaarse broedvogel; doortrekker in klein aantal.

Het Porseleinhoen is een broedvogel van rietmoerassen en slikvelden met een niet geheel gesloten begroeiing. Albarda (1884 en 1897) schrijft: ,,Algemeen broedende in moerassen en rietvelden. Vele voorwerpen trachten hier te overwinteren, maar vinden daarbij meestal den dood''. Sprak Albarda van algemeen broedende, in de AVN (1970) wordt het Porseleinhoen een schaarse broedvogel genoemd.

Uit de ter beschikking staande gegevens blijkt het Porseleinhoen, wat Friesland betreft nog niet zo schaars te zijn als wel wordt verondersteld. Het feit dat de soort een broedvogel van meestal moeilijk toegankelijke gebieden is, maakt het observeren er niet eenvoudiger op. Bovendien is het Porseleinhoen zeer schuw en is het een grote uitzondering wanneer men de vogel in de broedtijd te zien krijgt.

In tegenstelling tot de Waterral, die ook overdag actief is, is het Porseleinhoen een vogel van de schemering. De nachtelijke leefwijze is er mogelijk mede de oorzaak van dat broedgevallen over het hoofd worden gezien, of althans niet worden vastgesteld. Bovendien zijn veel vogelaars onbekend met het geluid van het Porseleinhoen.

De volgende broedgegevens zijn geregistreerd:

de oudst bekende nestvondst is uit 1904, toen onder Wartena een 4-legsel werd gevonden. In 1906 was de soort weer broedvogel onder Wartena en werd ook onder Hardegarijp het Porseleinhoen broedend aangetroffen. In 1916 was er een broedgeval onder Tietjerk en op 7 mei 1925 werd onder Veenwouden een 10-legsel gevonden (A. 1). In 1933 werd bij Veenwouden het nest van een Porseleinhoen uitgemaaid; de vier overgebleven eieren bevinden zich in de collectie van het FNM (A. 1). Op 2 juni 1937 werd een oude vogel met donsjong bij Eernewoude gezien (A. 1). Het Porseleinhoen is jaarlijks broedvogel van de Makkumerwaarden (zeker reeds vanaf de veertiger jaren) waar verschillende nestvondsten zijn gedaan, in 1968 zelfs drie (A. 22). Ook is het Porseleinhoen vrijwel jaarlijks broedvogel van de Mokkebank; in de kraggenvelden onder Bantega werd de soort eveneens jaarlijks vastgesteld (G. 5). Sedert 1959 is het Porseleinhoen vrijwel jaarlijks broedvogel in de Rottige Meenthe onder Nijetrijne (G. 5).

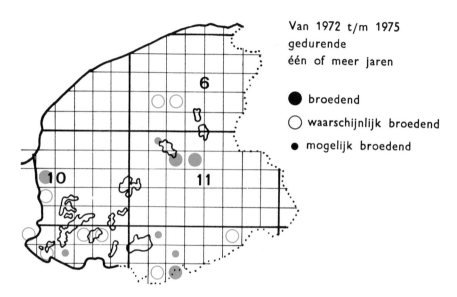

Van 1972 t/m 1975
gedurende
één of meer jaren

● broedend
○ waarschijnlijk broedend
● mogelijk broedend

Het Porseleinhoen trekt in Friesland door van augustus tot in november en in het voorjaar van midden maart tot in mei. Veel van de gegevens over het Porseleinhoen hebben betrekking op draadslachtoffers. Sinds de dertiger jaren zijn hiervan 15 gevallen geregistreerd en wel uit de volgende maanden: april 5, juli 1, augustus 2, september 6 en oktober 1 (A. 1).
De laatst bekende datum betreft een Porseleinhoen dat op 17 november 1917 bij een poelier werd afgegeven (A. 1). Mogelijk was dit een koudeslachtoffer omdat het in die dagen winters weer was.

J.H.P.W.

Klein Waterhoen - *Porzana parva* (Scopoli)

Lyts reidhintsje

Waarschijnlijk onregelmatige broedvogel; onregelmatige gast.

Het Klein Waterhoen is broedvogel van Centraal- en Oost-Europa. Over het voorkomen in Friesland is weinig bekend. Albarda (1884 en 1897) weet van de soort en over het voorkomen in deze provincie niets te melden. Het eerste bericht betreffende de vermoedelijke waarneming van een Klein Waterhoen vinden we in Ard. 34, 1946, 351, waar Haverschmidt de navolgende ervaring meedeelt:

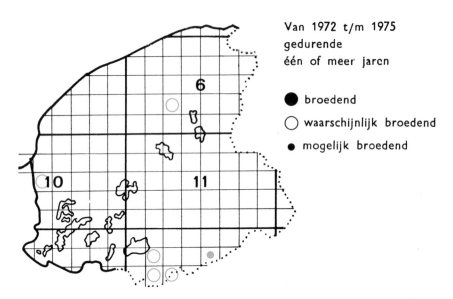

Van 1972 t/m 1975
gedurende
één of meer jaren

● broedend

○ waarschijnlijk broedend

• mogelijk broedend

„In de Linde-petten onder Wolvega zag ik op 18 juni 1944 een klein
hoentje, dat ik voor *Porzana parva* hield. Het vogeltje, dat vlak langs mij
vloog, terwijl ik rechtop in de boot stond, maakte de indruk van een
miniatuur waterhoentje. De bovenkant was egaal bruin, zonder lichte stip-
pels, terwijl de vleugels geen witten boeg vertoonden. De lange, neerhan-
gende pooten waren groen. De kleur van den snavel en van de onderzijde
heb ik niet kunnen zien".

Op 28 november 1948 werd te Oranjewoud een viertal op korte afstand
waargenomen. (A. 1).

In 1955 en in de jaren daarna tot 1960, met uitzondering van 1958, werd
de soort gedurende de broedtijd in de kraggenvelden bij Bantega gehoord.
(A. 1). Dezelfde waarnemer zag begin november 1956 een viertal fourageren in een dichtgegroeide sloot. In de zomer van 1959 en ook weer in het
jaar daarop werden in eerdergenoemde kraggenvelden de ouden met jongen
gehoord. (A. 1). Ook in de Rottige Meenthe onder Nijetrijne werd het
Klein Waterhoen enige malen waargenomen (G. 5). In 1967 werden namelijk in genoemde terreinen op 25 juli 6 exemplaren geteld. Op 21
augustus 1968 werd in hetzelfde gebied een dood ex. gevonden, vermoedelijk een draadslachtoffer (A. 1).

Van 1972 tot en met 1974 was het Klein Waterhoen met waarschijnlijk
enige broedparen in de Rottige Meenthe aanwezig. (A. 18).

Ook in de Brandemeer (gem. Weststellingwerf) hebben tussen 1972 en 1974 waarschijnlijk enkele paren gebroed (A. 18).

In 1967 zou het Klein Waterhoen op de Stoenkharne te Hindeloopen gebroed hebben, terwijl in het broedseizoen de vogel ook op de Workumerwaard werd opgemerkt (G. 5).

Van de Zuidwaard bij Makkum kwam de melding van een vangst ten behoeve van het ringonderzoek. Op 15 juli 1973 kon hier een adult ex. na geringd te zijn weer worden losgelaten (dagboek Hermsen).

J.H.P.W.

Kleinst Waterhoen - *Porzana pusilla intermedia* (Hermann)

Dwerchreidhintsje

Toevallige broedvogel; onregelmatige gast.

In zijn ,,Naamlijst van Nederlandsche Vogels" van 1897 schrijft Albarda: ,,Vrij zeldzaam. Werd in Overijsel, te Zwartsluis; in Noord-Holland, in de Zaanstreek; in Zuid-Holland, bij Rotterdam en in Noord-Brabant, bij 's Hertogenbosch en te Stra waargenomen; te Vlijmen, aldaar broedende gevonden". Over Friesland was dus blijkbaar niets bekend.

Het broedgebied van het Kleinst Waterhoen strekt zich uit van Nederland tot in Zuidoost-Europa.

Er zijn slechts weinig gegevens over het voorkomen van het Kleinst Waterhoen in Friesland. De verborgen leefwijze moet, evenals bij Porseleinhoen en Klein Waterhoen, waarschijnlijk als voornaamste reden van deze onbekendheid gezien worden.

Het archief Bosch (A. 1) heeft als oudste aantekening die van een exemplaar dat te Boyl op 12 juni 1935 als vermoedelijk draadslachtoffer dood gevonden werd. Het geprepareerde voorwerp bevindt zich in de collecties van het FNM te Leeuwarden.

In mei 1944 en ook weer in mei 1946 werd op de Makkumerwaard een ,,verstormd" nest aangetroffen. In beide gevallen werden de eieren, beide drie-legsels, door Ts. Gs. de Vries als zijnde van het Kleinst Waterhoen herkend. De eieren waren evenwel zo zwaar beschadigd dat ze niet meer geprepareerd konden worden.

In 1973 en in 1974 was de soort weer op de Makkumerwaard aanwezig wat blijkt uit ringvangsten. Op 21 juli 1973 werd een adult ex. in een fuik gevangen en geringd en op 5 juni 1974 kon andermaal een Kleinst Water-

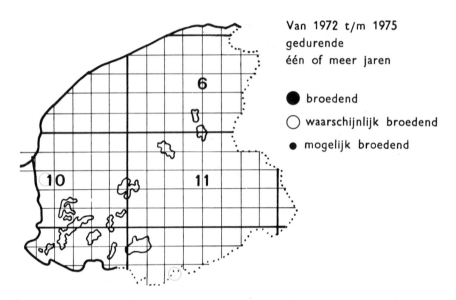

Van 1972 t/m 1975
gedurende
één of meer jaren

● broedend
○ waarschijnlijk broedend
• mogelijk broedend

hoen worden geringd. Dit laatste, een adult ♂ ex., kon met behulp van een geluidsband, met de hand worden gegrepen (dagboek K. Hermsen).
In 1974 was de soort eveneens in het Klaarkampstermeer onder Rinsumageest aanwezig, waar op 26 juli 8 exemplaren werden waargenomen (G. 5). Op 8 augustus 1974 werd in de ,,Van Oordts Mersken'' (Gem. Opsterland) een tweetal exemplaren vastgesteld (A. 18).

J.H.P.W.

Kwartelkoning - *Crex crex* Linnaeus

Teapert
Oare nammen: Kreakhintsje, Kreaker. De nammen hâlde allegear forbân mei it eigenaerdige lûd fan de fûgel: rerrp-rerrp.
In teapert ,,krêket''. In teapert wurdt as by- of skelnamme sawol brûkt foar in âld, teutsjend en rabjend wiif as foar ien dy't kwea en finnich is. (J.B.)

Deze zomervogel is thans in Friesland in sommige jaren een schaarse broedvogel. In andere jaren daarentegen mag de soort nog als vrij schaars worden betiteld.

In de AVN (1970) wordt de Kwartelkoning vermeld als een zomervogel en

402

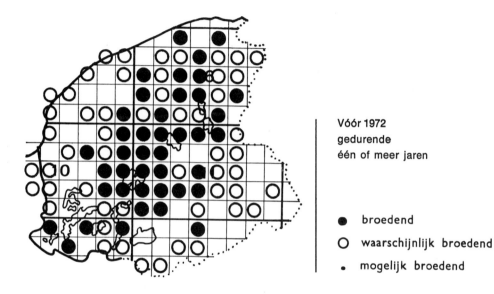

Vóór 1972
gedurende
één of meer jaren

● broedend

○ waarschijnlijk broedend

• mogelijk broedend

vrij schaarse broedvogel, die doortrekt van half augustus tot in oktober en van half april tot eind mei. Als vroegste datum wordt 2 april 1944 genoemd. Verder zijn vijf winterwaarnemingen vermeld. Deze hebben echter geen van alle betrekking op Friesland.

De oudste gegevens over het voorkomen in deze provincie dateren uit 1884 toen de Teapert door Albarda werd vermeld als ,,hier en daar in de hooilanden broedende''. Deze beschrijving suggereert dat de Kwartelkoning destijds minder talrijk was dan wij nu geneigd zijn te veronderstellen. Het lijkt echter waarschijnlijker dat Albarda's kennis over de verspreiding van deze vooral 's nachts zeer actief roepende vogel erg onvolledig was. Hoe dit ook zij, het is wel duidelijk dat het aantal broedparen in Friesland, evenals elders in Europa (bijv. British Birds 38, 142-148; Lim. 35, 1962, 250-259; Handbuch der Vögel Mitteleuropas 5, 1973, 449-457), sedert het in gebruik nemen van de eerste maaimachines omstreeks 1900, zeer sterk is teruggelopen. Het is helaas niet meer te achterhalen hoeveel paren er gedurende de eerste decennia van deze eeuw nog in Friesland plachten te broeden. Mede gelet op de grote oppervlakte geschikte biotoop, in de vorm van boezemland en andere landerijen die 's winters vaak onder water kwamen te staan, moeten dit echter vele honderden, zo niet enkele duizenden, zijn geweest. Het monotone geluid was volgens oudere inwoners ,,bijna overal'' in de graslanden te horen, zodat het geen wonder is dat de uitdrukking

„âlde teapert" nog steeds als synoniem voor „kletskous" in vrijwel alle delen van de provincie wordt gebruikt.

Omstreeks 1925 was de soort nog steeds zo algemeen, dat Friese verzamelaars bereid waren om de eieren tegen die van een gewone soort te ruilen (Handbuch der Vögel Mitteleuropas 5, 1973, 455). Blijkens inlichtingen huisden er omstreeks die tijd op enkele plaatsen langs de Linde en langs de Tjonger nog ongeveer drie paren per 50 ha grasland (G. 5). Toch werd in 1926 reeds melding gemaakt van een sterke vermindering van het aantal broedgevallen in Friesland (Ard. 15, 1926, 85). De beide bijgevoegde kaarten waarop de roep- en broedplaatsen van respectievelijk vóór en na 1972 zijn aangegeven, geven een indruk van de verspreiding. Hierbij dient te worden opgemerkt dat nu aan het voorkomen beduidend meer aandacht wordt besteed dan vroeger.

De voornaamste oorzaak van de achteruitgang is stellig de steeds meer vervroegde hooioogst, waardoor de vogels relatief weinig kans meer krijgen om jongen groot te brengen. Tijdens het maaien worden soms zowel oude als jonge vogels gedood. De archiefgegevens in AVF vermelden respectievelijk tenminste 9 en 13 voorbeelden hiervan. Het aantal uitgemaaide legsels is nog beduidend groter: van de in het archief vermelde broedgevallen hebben er minstens 49 betrekking op legsels die tijdens het maaien zijn vernield of die als zij konden worden gespaard later door kraaiachtigen zijn geroofd. Verder blijkt een legsel in een karrespoor te zijn stuk gereden en een ander legsel door koeien te zijn vertrapt. Het woord „minstens" dat bij de 49 mislukte legsels is gebruikt houdt verband met de mededeling (A. 1), dat omstreeks 1920 bij de Grote Wielen onder Giekerk op één dag ten minste 45 eieren werden uitgemaaid. Deze mededeling is vertaald als ten minste 4 legsels.

Dat in het archief ook 26 geslaagde broedgevallen zijn vermeld is een feit dat wellicht menig Kwartelkoning-kenner zal verbazen. Het geeft overigens vermoedelijk een vertekend beeld van de werkelijke verhouding tussen het aantal geslaagde en het aantal mislukte broedgevallen. De opgaven zijn namelijk voor een belangrijk deel afkomstig van boeren die deze en andere vogels een goed hart toedragen en die daarom steeds trachten om de eventueel aanwezige legsels bij het maaien zo veel mogelijk te ontzien. Het is jammer dat dit, mede dankzij de aanwezigheid van Zwarte Kraaien en andere eierrovers, lang niet altijd het gewenste resultaat oplevert. Ieder geslaagd broedsel is er echter één en Kwartelkoningen bezitten gelukkig vaak grote legsels: 11 of 12 eieren zijn eerder regel dan uitzondering!

Dit laatste feit, gevoegd bij de genoemde bereidheid van veel boeren om de

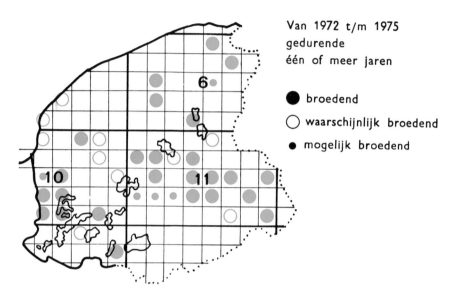

Van 1972 t/m 1975
gedurende
één of meer jaren

● broedend

○ waarschijnlijk broedend

• mogelijk broedend

legsels zo veel mogelijk te ontzien, zijn tezamen met het recente instellen van enkele reservaten, waar met het oog op deze vogels pas erg laat in het seizoen wordt gemaaid, hopelijk voldoende om de achteruitgang een halt toe te roepen. Het feit dat er de laatste jaren nog al eens melding wordt gemaakt van het voorkomen van Kwartelkoningen in landbouwgewassen zoals graan en koolzaad lijkt eveneens een gunstig perspectief te bieden.

Broedgevallen tussen landbouwgewassen hebben vermoedelijk gemiddeld een beduidend betere kans van slagen dan in de meeste graslanden het geval is, omdat het bouwland extensiever wordt bewerkt. Meldingen over het voorkomen van Kwartelkoningen op bouwland zijn gedurende het laatste decennium zowel ontvangen uit het Bildt en uit de Wouden als - zij het slechts incidenteel - uit de omgeving van de voormalige Lauwerszee.

De vroegere ,,bûtlannen'' en de ,,blaugerzen'' (= boezem- en blauwgraslanden) herbergen echter nog steeds de meeste Kwartelkoningen. Dit hangt ongetwijfeld nauw samen met het nog altijd vrij extensieve beheer waardoor de vogels in de voor hen aantrekkelijke ruige begroeiing een redelijke kans krijgen om een broedsel groot te brengen. De voorkeur voor deze terreinen is mogelijk mede te danken aan het feit dat zij 's winters ten dele nog al eens onder water komen te staan (Lim. 35, 1962, 253). Gebeurt dit echter ook in de broedtijd, zoals in 1965 nabij Terwispel tot twee keer toe het geval was, dan komt er uiteraard van de legsels weinig of niets terecht.

Kwartelkoning, 30 juni 1966 Zwagerveen - M. J. van Kammen.

Het is vrij algemeen bekend dat de stand van de Kwartelkoning sterk kan variëren. De oorzaken van deze schommelingen zijn echter nog steeds onduidelijk. Er wordt gedacht aan „invasies" van vogels die bij de terugkeer van hun winterverblijfplaatsen in Afrika in het voorjaar hun oorspronkelijke woongebieden elders in Europa - bijvoorbeeld ten gevolge van grote droogte - ongeschikt hebben bevonden. Het is echter ook mogelijk dat grote verschillen in broedsucces in de voorgaande jaren een rol hebben gespeeld. Een combinatie van deze beide factoren behoort eveneens tot de mogelijkheden (Lim. 35, 1962, 230-259; Lim. 43, 1970, 138-151). De archiefgegevens doen vermoeden dat in Friesland 1962, 1963, 1964, 1965, 1966, 1968, 1972 en 1973 jaren met een redelijk goede Kwartelkoning-stand zijn geweest, maar dat 1961, 1967, 1969, 1974 en 1975 daarentegen als uitgesproken slechte jaren moeten worden aangemerkt.

De verspreidingskaart van deze soort is voor een groot deel samengesteld door L. M. J. van den Bergh (RIN). Hij baseerde zijn gegevens op het meerdere malen op verschillende dagen horen van roepende ♂ exemplaren op dezelfde plaats en op ander territoriumgedrag, zoals het reageren van de vogels op het met een bandrecorder weergegeven geluid van de soort.

S.B.

Waterhoen - *Gallinula chloropus chloropus* (Linnaeus)

Reidhintsje

Jaarvogel; talrijke broedvogel.

Zoals gewoonlijk zijn de historische gegevens, die de talrijkheid betreffen, zeer mager. Het enige gegeven van een gebied in Friesland dat een langere tijd betreft, komt van Brouwer. Deze schrijft in 1934 in ,,De avifauna van het Prinsenhof en omgeving (Friesland)'' in Ard. 23, 1934: ,,'n Enkel paar broedt: 21 Mei '33 werd mij in het Prinsenhof een nest gewezen met 12 eieren. Volgroeide jongen, die ik voor doortrekkers hield, vertoonden zich in Augustus o.a. 16 Augs. '33. Enkele probeerden te overwinteren, o.a. een adult ex. op 28 December '33, dat zich onder een zomerhuisje verschool''.

In Het Princehof (1948) merkt Brouwer op: ,,Het aantal broedparen is nog gering, maar in 1945 was het duidelijk toegenomen, vergeleken bij 15 jaar geleden''. Deze geleidelijke toename van het Waterhoen op langere termijn wordt, wat heel Nederland betreft, ook vermeld door Haverschmidt (1942) en Van IJzendoorn (1950), en wordt indirect gesteund door gegevens uit Denemarken (Glutz-Bauer-Bezzel V, 1973: 't eerst bekende broedgeval in 1865; thans algemeen, speciaal in Zuid-Denemarken) en uit Engeland en Schotland (Parslow 1973). Overigens lijkt in Friesland deze toename in de laatste decennia tot stilstand te zijn gekomen; het bestand is nu in grote trekken gelijkblijvend. Voor de toekomst van de Waterhoentjes hoeft in geen geval te worden gevreesd: tegen de toenemende asfaltering van Nederland heeft een deel zich veilig gesteld door in stadsparken en langs drukke wegen te gaan broeden.

Op kortere termijn kan het bestand echter sterk schommelen door koud winterweer. Na de strenge winters 1939-'40 en 1941-'42 was er bijvoorbeeld onder Dronrijp en Akkrum geen Waterhoen meer te vinden (A.1). Na de winter 1962-'63 werden onder Makkum slechts twee exemplaren gezien, tegen zeker twintig in andere jaren (A.1). Ook eisen roofvogels en katten bij strenge koude een grote tol: alleen al op Vogelsanghstate te Veenklooster werden acht stuks geslagen in de winter 1962-'63 (A.1). In deze zelfde winter waren de Waterhoentjes in Ternaard eerst in vrij grote aantallen te zien bij de huizen; maar langzamerhand kwamen alle om (A.2). Toen in januari 1950 de grond hard bevroren was, kwam een Waterhoen in een stadstuin in Leeuwarden van de koolplanten eten (A.1). Dat ze zo hun leven nog kunnen rekken, is te danken aan de gevarieerdheid van hun menu.

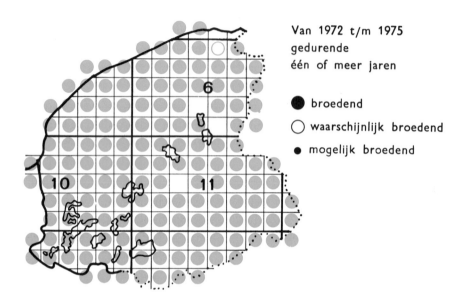

Van 1972 t/m 1975
gedurende
één of meer jaren

● broedend
○ waarschijnlijk broedend
• mogelijk broedend

In zijn biotoopkeuze is het Waterhoen evenmin veeleisend. Voous (1960) spreekt van ,,een bijna onuitputtelijke verscheidenheid van dichte moerasvegetaties met zoet water''. Dat dit nog niet ruim genoeg geformuleerd was, bleek voor het eerst bij de inventarisatie van het Lauwerszeegebied, voor en na de indijking. In 1968 hebben daar in een zout (!) milieu zeker vier paren Waterhoentjes gebroed (Lim. 42, 1969, 227-228). Uit de gegevens in de archieven van de AVF blijkt dat dit nu ook het geval is in het buitendijkse gebied tussen Zwarte Haan en Holwerd. In 1972 hebben onder Nieuwe Bildtzijl vijf paren buitendijks gebroed, onder Ferwerd acht paren buitendijks en in de zomerpolder, onder Blija en Holwerd vier paren buitendijks en in de zomerpolder (A.18).

Van de Meerkoet onderscheidt het Waterhoen zich doordat het in het algemeen talrijker is op de kleine wateroppervlakten, poeltjes, sloten enz.; op grotere wateroppervlakten, kanalen, meren e.d. overheerst daarentegen de Meerkoet. Uit de gegevens van AVF blijkt niet of dit een natuurlijk en ,,vrijwillig'' verschil in biotoopkeuze is, of dat de Meerkoet het Waterhoen van de grotere wateren heeft verdreven. Wellicht is hier ook sprake van een verschil in ,,niche''.

De broedperiode, waarin twee legsels gebruikelijk zijn, duurt gewoonlijk van april tot in augustus. De uiterste data voor Friesland zijn: 19 maart 1961 onder Marssum een nest met acht of negen eieren (A.1) en 31 oktober 1974 (een bijzonder zacht najaar) bij Rotsterhaule een nest met vier eieren (Van. 28, 1975, 19; Lim. 48, 1975, 212). Legsels van twaalf of meer eieren worden doorgaans beschouwd als het produkt van twee of meer wijfjes. Maar te Zwartewegsend werd op 17 juni 1961 een negen-legsel verzameld, waarin duidelijk drie verschillende types aanwezig waren, die ook in drie verschillende stadia (van licht tot vrij sterk) waren bebroed (A.2).

Het nest bevindt zich meestal tussen de moerasvegetatie. Soms echter ligt het op de oever. Zo werd in mei 1967 in het Noorderleeg onder Hallum op circa twee meter van een dobbe zonder riet een nest gevonden (A.2). Min of meer exclusief voor Friesland schijnt het broeden van het Waterhoen in eendenkorven te zijn. Voor de periode 1933 tot en met 1968 staan in de archieven tien van deze broedgevallen vermeld; éénmaal had een Wilde Eend reeds drie eieren gelegd, toen de korf in beslag genomen werd door het Waterhoen (A.1).

Ook in bomen wordt wel eens gebroed: juli 1952 bij Rottevalle op laag boven het water hangende wilgetakken; juni 1951 bij Lemmer in een oud kraaienest op ongeveer twee meter boven het water; 1961 onder Wartena in een oud eksternest (A.1). Bomen worden door het Waterhoen meestal in groepjes ook wel gebruikt om te overnachten, van laag tot wel zeven meter hoog. Hiervan zijn verscheidene waarnemingen bekend, alle uit de maanden november tot en met april.

Een deel van de Friese Waterhoentjes blijft 's winters hier, met alle risico's daarvan. Een ander deel trekt weg naar Zuid-Engeland en waarschijnlijk naar Noord- en West-Frankrijk. Bewezen is dit laatste nog niet: uit Frankrijk zijn tot dusverre nog geen in Friesland geringde Waterhoentjes teruggemeld, echter wel in overig Nederland geringde exemplaren. Een op 19 juli 1951 in Friesland geringd nestjong werd op 4 december 1955 in Zuidwest-Engeland aan de rivier de Wye teruggevonden. Deze leeftijd van $4\frac{1}{3}$ jaar is trouwens respectabel voor een Waterhoen, als men bedenkt dat ruim 90% nog geen volle twee jaar oud wordt (Glutz-Bauer-Bezzel V, 1973). Anderzijds komen broedvogels uit het noorden en oosten in Friesland de winter doorbrengen. Een Deense broedvogel (geringd mei-juni) was in december in Friesland. Verder verstrekte het Vogeltrekstation te Arnhem nog de volgende ringgegevens uit de jaren 1911-1974. Van de als volgroeide vogel in Friesland geringde Waterhoentjes zijn er vier terugmeldingen, namelijk één uit Friesland (in januari), één uit overig Nederland (in april) en twee uit Groot-Brittannië (in april en december). Van de in de rest van Nederland als volgroeide vogel geringde Waterhoentjes zijn er zeven terugmeldingen uit Friesland, waarvan twee in februari, vier in maart en één in juli.

De trek verloopt gespreid en geleidelijk; in het najaar ligt het zwaartepunt in september-oktober, in het voorjaar in maart-april. In de tussenliggende periode verzamelen de overwinterende vogels zich vaak op gunstige plaatsen tot grotere groepen. Zo waren van ongeveer half november 1973 tot in maart 1974 in de weilanden onder Giekerk steeds 30-40 exemplaren aanwezig; maar tijdens een vorstperiode waren ze niet meer in de weilanden, maar hoogstwaarschijnlijk in het dorp (Kiers 1974). Op 28 december 1954 werden in een wak in het ijs van een spoorsloot onder Harlingen zelfs 72 exemplaren bijeen gezien (A.16).

Dat snoeken een gevaar vormen voor met name de jongen van vele soorten watervogels, is bekend. Voor het Waterhoen werd dit geïllustreerd, toen in juli 1952 uit een gevangen snoek van twee pond een poot van een halfwas Waterhoen tevoorschijn kwam (A.1).

Albinisme komt bij het Waterhoen weinig voor. Toch werd in 1953 onder Makkum en van 19 september 1954 tot ongeveer 20 oktober 1954 onder Scharnegoutum een wit exemplaar gezien (A.1).

M.J.S.

Meerkoet - *Fulica atra* (Linnaeus)

Markol

Oare nammen: Merkol, Merkel, Swarte Blesein, Poep. (J.B.)

Jaarvogel; zeer talrijke broedvogel; doortrekker en wintervogel in zeer groot aantal.

Over het voorkomen van de Meerkoet merkt Albarda (1884) op: „gemeen op meren en plassen en aldaar broedende". In 1897 zegt dezelfde auteur „broedt overal op meren, plassen, poelen, veenpetten enz.". Zeer waarschijnlijk is toen de Meerkoet inderdaad zeer algemeen geweest. Indirect wordt dit gesuggereerd door het verslag van een inventarisatie van Ts. Gs. de Vries in 1906, waarbij een gebied van ± 10 km² onland nauwkeurig werd afgezocht (Versl. en Med. N.O.V. 4, 1907, 19-20). Hij vond zeer veel nesten, de meeste van soorten die blijkbaar zó gewoon waren, dat hij het onnodig vond per soort de aantallen nesten te noteren. Deze voor hem zo vertrouwde soorten waren: Kievit, Grutto, Tureluur, Kemphaan, Meerkoet, Rietgors, Grote Karekiet, Zwarte Stern e.a. Enkele van de soorten waarvan hij wèl de aantallen gevonden nesten vermeldt, zijn: Bruine Kiekendief (2), Porseleinhoen (4), Waterhoen (2), Fuut (1), Wilde Eend (6), Tafeleend (5) e.a.

In die tijd was blijkbaar de Meerkoet zeer algemeen, en tevens veel talrijker dan het Waterhoen. Ook thans is de koet nog het talrijkst. Maar, terwijl er, in vergelijking met 70 jaar geleden, vermoedelijk beduidend meer Waterhoentjes zijn, is de stand van de Meerkoet vermoedelijk niet, of in mindere mate, toegenomen.

Overigens zijn er in het broedbestand van de Meerkoet binnen deze 70 jaren sterke schommelingen geweest. Brouwer (1948) schrijft: ruim 15 jaar geleden algemeen, sindsdien zeer sterk in aantal verminderd. Omstreeks 1930 waren, zo zegt hij, 50 à 80 koeten op de grote plassen in de Oude Venen te zien gedurende de zomermaanden, in 1946 waren er ,,niet veel meer overgebleven''. Hiervan noemt de auteur een aantal oorzaken. Nadat de soort tien jaren lang niet was bejaagd, werd in het seizoen 1933-1934 de meerkoetenjacht weer toegestaan; de invloed van de jacht zal extra groot zijn geweest, daar de jagers meenden dat de koet een bedreiging vormde voor de eendenstand. Veel meer invloed echter hebben de strenge winters 1939 tot en met 1942 en 1946-1947 gehad. Dit wordt ook onderstreept door archief-notities als: ,,Staveren, 1940, minder'' (A. 1) en ,,Staveren, 1941, bijna niet meer'' (A. 1).

Van de laatste strenge winter (1962-'63) heeft de Meerkoet zich inmiddels weer ruimschoots hersteld. In het wachtgebied van de Vogelbeschermingswacht Akkrum wordt een toename gemeld van 0 nesten in 1965 tot 39 in 1974; voor Franeker zijn deze cijfers: 48 (1965) en 241 (1974); voor Suameer 6 (1965) en 28 (1974). Niet in alle wachtgebieden is de groei evenwel zo spectaculair, sommige vertonen zelfs in 't geheel geen groei; ook is het zeer goed mogelijk dat de groei in Akkrum, Franeker en Suameer mede is toe te schrijven aan uitbreiding van het wachtgebied, en deels stellig ook aan het soms niet of onvolledig noteren van de nesten. Niettemin blijft er een algemene tendens over van toename in de laatste decade. Het is zeer wel denkbaar dat een lichte vorm van organische waterverontreiniging, die leidt tot grotere voedselrijkdom, hierin mede een rol speelt.

De optimale biotoop is voedselrijk stilstaand water met dichte (oever-)begroeiing en met vrij grote stukken open water. Hoewel het niet uitgesloten lijkt dat de Meerkoet kan broeden op buitendijkse, zoute gronden (Lim. 42, 1969, 228), mag toch worden aangenomen dat de verzoeting van het IJsselmeer sinds de afsluiting, benevens de dichtere begroeiing van de oevers en het wegvallen van het getij, een groot aantal Meerkoeten heeft toegevoegd aan de Friese populatie.

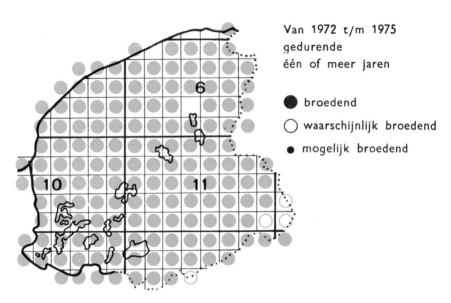

Van 1972 t/m 1975
gedurende
één of meer jaren

● broedend
○ waarschijnlijk broedend
• mogelijk broedend

Broeden doet de Meerkoet als regel eenmaal per jaar, soms tweemaal. Te Goëngahuizen echter bleek in 1967 een meerkoetenpaar zelfs driemaal jongen groot te brengen; het eerste ei werd op 20 maart gelegd; van alle drie broedsels werden 2 jongen groot (A. 2). De broedtijd loopt, volgens Ts. Gs. de Vries, van april, soms reeds van de tweede week van maart, tot in september (Eykman, III, 1949). In dit verband is de waarneming van 12 of 13 november 1955 van belang, toen in de Tjonger onder Spanga twee ouden met drie jongen werden gezien (A. 1).

Bij het bestuderen van 100 meerkoetenesten kwam Bos (1971) tot de conclusie dat 37% was gemaakt van riet, lisdodde, of beide; verder waren 11% van de nesten landnesten van harig wilgenroosje, zegge en smeerwortel. Dezelfde auteur kwam tot de conclusie dat de eerder vermelde „bedreiging” die de Meerkoet zou vormen voor de eenden, een fictie is. Wel zou er sprake kunnen zijn van een zekere voedselconcurrentie.

Was Brouwer (1948) reeds bezorgd over de recreatie, die mede de meerkoetenstand kort zou houden, tegenwoordig is dit gevaar nog vele malen groter (hoewel voor andere soorten in sterkere mate dan voor de Meerkoet). Er lijkt dan ook een tendens te ontstaan dat de Meerkoet van de grotere, onrustige kanalen etc. trekt naar kleinere slootjes e.d., althans voor de nestbouw. Indien deze tendens zich voortzet, komt de Meerkoet meer in de biotoop van het Waterhoen (zie aldaar) terecht, en kan de sterkere koet

Meerkoet Eernewoude, april 1971 - D. Franke.

een concurrent van het hoentje worden. In de kleinere slootjes in het Bildt
is dat reeds duidelijk het geval.

De trek van de soort verloopt van begin augustus tot in december en van
februari tot eind april (AVN 1970). Van de Nederlandse broedpopulatie
trekt ongeveer de helft naar het buitenland, de andere helft overwintert in
Nederland. De meeste trekkers van de Nederlandse populatie gaan naar
Frankrijk (ruwweg 85%), enkele naar Oost-Engeland en naar Spanje. De
scheiding tussen stand- en trekvogels is niet scherp: een vogel die het ene
jaar in Nederland overwintert, kan in volgende winters elders vertoeven.
Vorstvluchten zijn gebruikelijk bij deze soort. Een late (en tevens vrij
snelle) verplaatsing is die van een op 13 december te Piaam geringd exemplaar, dat op 20 december bij Kamerijk (=Cambrai) in Noord-Frankrijk
was.

De als standvogels in Nederland overwinterende Meerkoeten worden aangevuld met vogels die afkomstig zijn uit Scandinavië en de landen aan de
Oostzee en die hier doortrekken of overwinteren. Men vindt dan ook de
grootste concentraties in het winterhalfjaar (van september, soms eind augustus, tot in maart, soms april); deze groepen vertoeven met name langs
de IJsselmeerkust, maar ook wel elders (b.v. Dokkumer Nieuwezijlen, Grote Wielen onder Giekerk etc.). Enkele waarnemingen zijn:

21 augustus 1958	4.000 ex. Makkumerwaard (G. 5)
16 september 1959	10.000 ex. Hondennest (idem)
7 oktober 1936	8.000-10.000 ex. Kornwerd-Hoek Afsluitdijk (A. 1)
9 november 1958	15.000 ex. Kornwerderzand (idem)
27 november 1957	20.000 ex. Piaam-Afsluitdijk (G. 5)
29 december 1948	4.350 ex. Kop Afsluitdijk-Kornwerderzand (A. 1)
24 januari 1948	1.000 en 3.000 ex. bij Makkum (idem)
18 februari 1958	6.000 ex. Makkum-Piaam (G. 5)
3 maart 1960	1.000 ex. Makkumerwaard-Afsluitdijk (idem)

De elders (niet op het IJsselmeer) waargenomen aantallen zijn bijna steeds kleiner, en belopen veelal tientallen tot honderden. Over de periode 1970 tot en met 1974 publiceerde Kiers (1974) een uitvoerig verslag betreffende het Wielengebied. Hij vond daar een hoogste aantal van ongeveer 1.200 exemplaren, dat in maart-april snel kleiner werd. Voorts constateerde hij dat bij vorst de overwinterende Meerkoeten deels naar de steden gaan, deels naar de weilanden (bij Giekerk en langs de Westerdijk).

Enkele waarnemingen van Meerkoeten die bij winterweer de stad opzoeken, zijn:

26 december 1964   150 ex. Leeuwarden (A. 2)
26 februari 1950   11 ex. Leeuwarden (A. 1)
21 maart 1950   14 ex. Leeuwarden (idem)

Ook in de zomermaanden kunnen soms groepen waargenomen worden:

29 mei 1968   400 ex. Makkumerwaard (A. 19)
8 juni 1960   200 ex. Kooiwaard (A. 1)
10 juni 1967   50 ex. Kop Afsluitdijk (A. 2)

Dit zullen veelal overzomerende, niet broedende vogels zijn: de Meerkoet is namelijk in zijn tweede kalenderjaar geslachtsrijp, maar komt dan nog lang niet altijd tot broeden.

Dat Meerkoeten 's winters de nabijheid van de mensen kunnen zoeken, en vooral dat zij tot broeden kunnen komen in stadsparken e.d. bewijst wel hun grote aanpassingsvermogen. Over hun toekomst behoeft men zich dan ook weinig zorgen te maken.

Ve./M.J.S.

Grote Trap - *Otis tarda tarda* Linnaeus

Greate Trapgoes
Kiliaen hat al „trapgans" en „trap". It is ûntliend út it Poalsk-Tsjechyske „drop". (J.B.)

Onregelmatige gast.

Het broedgebied van de Grote Trap ligt in Oost-Europa en Zuidoost-Spanje.

Albarda (1884) schrijft „ongeveer vijftien jaren geleden zijn in de nabijheid van Leeuwarden vijf stuks door ons waargenomen." De vogels „vlogen telkens 1000 à 1200 schreden en zoodra zij zich nedergezet hadden, zochten eenigen hunner voedsel, terwijl een paar met uitgestrekte halzen op den uitkijk stonden".

Uit de periode vóór 1900 zijn nog drie waarnemingen bekend, namelijk half december 1890 (Staveren ♀); uit dezelfde maand een ♂ ex. (Laaxum) en een ♀ op 27 februari 1891 te Drogeham (Albarda 1891). Tussen 1900 en 1950 zijn waarnemingen opgetekend, gedateerd Giekerk 1910 (coll. FNM); februari 1940, Nijemirdum ,,waarschijnlijk een ♂, levend gevangen" (niet bewaard (Ard. 30, 1941, 245)). Vinke (1956) vermeldt een, op 1 maart 1956 gedane, waarneming te Staveren. Uit hetzelfde jaar dateert een vondst onder Sint Jacobiparochie op 12 juli dat in een particuliere collectie werd ondergebracht (Bosch 1957, 32). Op 29 en 30 januari 1972 werden gedurende een koude-inval bij Goïngarijp twee exemplaren waargenomen (Van. 25, 1972, 41).

In ,,Enige grote trappen in Friesland waargenomen" (Anonymus 1960) worden onderstaande waarnemingen opgenomen:

17 april 1960	1 ex. onder Lichtaard
18 april 1960	1 ex. Bergum
19 april 1960	1 ex. onder Lichtaard
29 en 30 januari 1972	2 ex. bij Goïngarijp
16 mei 1972	2 ex. in de Lauwerszeepolder oost van de Vlinderbalg.

Sluiters (1975) schrijft dat er in 1969/70 een kleine invasie was. Voor Friesland werden geen nadere gegevens hierover gevonden.

Ve.

Kleine Trap - *Otis tetrax* Linnaeus

Lytse Trapgoes

Dwaalgast.

Van de Kleine Trap, die zijn broedgebied in Zuid- en Oosteuropa heeft, zijn in Friesland de volgende exemplaren bekend; waarschijnlijk zal het steeds de ondersoort *oriëntalis* betreffen; zeker geldt dit voor de exemplaren van 1908 en 1935.

17 december 1895	2 ex. onder Beetsterzwaag, waarvan een ♀ ex. geschoten (Albarda (1896)
29 januari 1895	1 ♂ ex. onder Strobos (Albarda 1897)
3 februari 1896	1 ♂ ex. Achtkarspelen, coll. Artis, Amsterdam (DNV 3, 1949)
december 1908	1 ex. Oppenhuizen (B. 2)
22 november 1935	1 ♀ ex. Sint Jacobiparochie, coll. FNM (Org. 8, 1936, 139)

Ve.

Scholekster - *Haematopus ostralegus ostralegus* Linnaeus

Strânljip

Oare nammen: Bûnte Liuw, Stynske Ljip, Bûnte Ljip, Stynske Liuw, Fjildekster; Hearrenfean: Stynske Kiwyt; It Bildt: Bonte Luw; Hynljippen: Straandleep; Skylge: Bonte Pyt. Stynske is in forkoarting fan Eastynjeske. (J.B.)

Jaarvogel.

Zeer talrijke broedvogel in de gehele provincie, waarvan het aantal broedparen nog steeds toeneemt. Doortrekker langs de Waddenkust in groot aantal van eind juli tot in november en van begin februari tot in mei. Wintervogel in zeer groot en zomergast in groot aantal langs de Waddenkust.

1. Afmetingen

De Friese broedvogels behoren tot het type met lange, dunne spitse snavels (tabel 1). Onder de doortrekkers en wintergasten aan de Waddenkust komen ook exemplaren voor met korte, dikke snavels met stompe punt. De mannetjes zijn gemiddeld iets kleiner dan de vrouwtjes; dit komt o.a. tot uitdrukking in de snavellengte, in een lichter gewicht en in mindere mate in de vleugellengte.

2. Broedbiologie

2.a. Nestelbiotoop

Vooral grasland, van allerlei typen, met een voorkeur voor goed ontwaterde weilanden met een lage tot halfhoge begroeiing (tot 40 cm hoogte), ook buitendijks (kwelders). Natte hooilanden worden als regel vermeden, maar broedgevallen komen hierin wel voor. Verder bebouwd en onbebouwd akkerland, vooral (rondom Franeker) in aardappelen, suikerbieten en wintertarwe (bij uitkomen der eieren in begin juni ongeveer 30-35 cm hoog). In gebieden met afwisselend grasland en akkerland is er een voorkeur voor nestelen op akkerland. Zo werden rondom Franeker over de jaren 1968 t/m 1974 gemiddeld drie maal zoveel nesten gevonden op akkerland als op grasland, n.l. 13,2 tegenover 4,5 per 100 ha, berekend op een totaal van 1942 nesten op 25760 ha, waarvan 35% akkerland en 65% grasland (Vogelbeschermingswacht Franeker e.o., verslag 1974). De jongen worden na het uitkomen naar de voedselrijkere graslanden geleid. De Scholekster heeft een voorkeur voor open gebieden, maar landschappen met houtwallen worden niet vermeden, de dichtheden zijn er echter lager. Naast deze algemene komen ook minder algemene nestelbiotopen voor, want de Scholekster is allerminst kieskeurig wat zijn nestplaatskeuze betreft. Zo broedt hij regelmatig op opspuitterreinen, zandwinplaatsen en zanddepots, soms op de dijken van deze terreinen (waarnemingen Hulscher). Een enkel paar broedt nog op heide (bijv. in 1968 5-6 paar in het 110 ha grote heide-reservaat „Delleburen" onder Oldeberkoop); soms in het bos, vooral op kaalkapterreinen of perceeltjes grasland in het bos, bijv. Nijeholtpa, 16 april 1949, nest op kaalkap met spaareiken (A. 1); Olterterp, 9 mei 1964, drie-legsel weilandje in bos (A. 2); Oranjewoud, Harinxmabos, 1957, 1962 en 1967 broedend op hertenkamp (A. 19); Wolvega, een vier-legsel in hakhout (Haverschmidt, 1946).

Tabel 1

Afmetingen van Scholeksters in Friesland.

ge-slacht[1])		snavellengte (mm)[2])	gem.	vleugellengte (mm)[3])	gem.		gewicht (g)	gem.
I	♂♂	70,8-80,6	75,8(20)	240-270	257,3(31)	490-625	562,1(17)	
	♀♀	73,1-90,8	82,8(16)	251-273	259,4(22)	545-700	593,1(13)	
II	♂♂	66,4-80,8	73,6(21)	242-271	259,5(20)	-	-	
	♀♀	76,4-83,8	80,8 (9)	254-263	259,3 (8)	-	-	
III	?	67,5-92,3[4])	78,3(161)	-	-	477-615	546,7(159)	
IV	?	67,0-89,5	77,2(50)	240-270	257,6(66)	435-625	521,0(66)	
V	?	66,5-88,7	77,0(119)	249-279	264,4(114)	460-595	524,1(115)	

I	3e kalenderjaar of ou-der	, slaapplaats Drachten 10 april 1975 (Hulscher)
II	id.	, verkeers- en draadslachtoffers, div. plaatsen binnen-land Friesland broedtijd 1975 (Hulscher/Koopman)
III	id.	, slaapplaats Drachten 10 april 1975 (Hulscher)
IV	id.	, slaapplaatsen Heerenveen e.o. 25 maart-20 juli 1974 (Koopman)
V	id.	, op nest gevangen 1975 Rotsterhaule (Koopman) en Drachten (Hulscher)

[1]) geslachtsbepaling d.m.v. sectie
[2]) vanaf veerbasis tot punt van de bovensnavel
[3]) maximale lengte (gestrekt en aangedrukt)
[4]) de langste snavel was 98.8 mm van een exemplaar met doorgegroeide, gekruiste snaveltoppen

Scholekster nestelend op boom, Hardegarijp, 12 juni 1945 - F. Haverschmidt.

Andere bijzondere nestplaatsen vermeld in de bronnen van de AVF zijn: in alleenstaande bomen, meest wilgen (8x), tot 2 m boven de grond (zie o.a. Balkster Courant, 30 mei 1942 en Haverschmidt, 1946); op hekpalen (3x) (o.a. Leeuwarder Courant, 29 april 1975 met foto's); op bulten grind (2x); op mesthoop (1x) (A. 1); op hooiopper (1x) (A. 1) op bezette eendekorf (3x); op talud zeedijken (A. 4); op zij- en middenberm van snelwegen (3x); tussen de palen van de dijkbekisting Lauwerszeedijk (2x).

De meeste gevallen komen vaker voor maar slechts een klein aantal is geregistreerd.

Twee bijzondere nestplaatskeuzen, het broeden langs spoorbanen en op grinddaken vragen iets meer aandacht vanwege de omvang waarin het voorkomt.

2.a.1. Spoorbanen

De eerste berichten komen uit 1922-1927 met broedende paren te Hardegarijp, tussen Akkrum en Heerenveen en bij Follega (deze laatste langs de toenmalige stoomtrambaan Lemmer-Joure-Sneek (Org. 8, 1929, 113)). Uit 1934-1939 zijn er opgaven van drie paar langs het baanvak Buitenpost-Visvliet (onbekende krant 29 juli 1935), (A. 1), drie paar langs het baanvak Leeuwarden-Heerenveen respectievelijk bij Wirdum, Barrahuis onder Wirdum en Huizum en een paar bij Uitwellingerga langs de toenmalige

stoomtrambaan Lemmer-Joure-Sneek (A. 1). Twee recente kwantitatieve waarnemingen zijn: langs het baanvak Leeuwarden-Sneek (20 km) zeven nesten in 1965 (A. 2) en langs de spoorlijn Leeuwarden-Harlingen, baanvak Hatzum-Kiesterzijl (9 km), negen nesten in 1969 (Vogelbeschermingswacht Franeker, verslag 1969).
Bij al deze nesten liggen de eieren in het grind naast of tussen de rails. Vlak voor het naderen van de trein wippen de vogels even van het nest om het broeden te hervatten direct nadat het laatste rijtuig is gepasseerd. Over het broedsucces zijn geen precieze waarnemingen bekend, maar dit is waarschijnlijk laag. Zo zag men uit Oudega (W.) van de ongeveer 40 gevonden nesten in 1962-1969 langs de spoorbaan bij Hindeloopen slechts één kuiken, de rest van de jongen zou door de trein gedood zijn (A. 2). Ook de oude vogels worden wel gegrepen zoals een terugmelding van een broedende geringde vogel (ringnr. 4005115) bij Oosterwierum aantoont.

2.a.2. Daknesten

Beginnen we met de waarnemingen. Het oudste bericht stamt uit 1931, toen een paartje met succes jongen grootbracht op het dak van een gebouw van de ijsclub Thialf te Heerenveen (Leeuwarder Courant 2 juli 1931). Het best gedocumenteerde broedgeval komt ook uit Heerenveen, waar van 1950 t/m 1973 elk jaar met wisselend succes een paartje broedde op het dak van een bijgebouwtje van het ziekenhuis ,,de Tjongerschans" (Bosch, 1968 en daarop volgende (1973) correspondentie met P. Blanksma). Andere broedgevallen in Heerenveen waren: in 1938 op het dak van de R.H.B.S. (A. 1) en in 1949 en 1950 op het dak van een woning aan de Thialfweg (A. 1). Waarnemingen in andere plaatsen zijn in alfabetische volgorde:

Drachten:	1966 en 1967 op een simplexwoning (Ferbeek, 1967); 1975 minimaal vijf paar aan de zuidoostrand van deze plaats en één paar in het centrum (med. J. de Vries).
Joure:	1971-1974 op een theeverpakkerij (personeelsblad Melange van 13 juli 1972 en 28 juni 1974, met foto's).
Leeuwarden:	1952-1956 op het met spaarzaam mos begroeide golfplatendak van een houtloods (L.Crt. 5 mei 1956); 1968 en 1970 op in aanbouw zijnde woning in de nieuwbouwwijk ,,Bilgaard" (L.Crt 17 juni 1970 met foto's, L.Crt. 6 juni 1970); 1967-1970 op het dak van een meubelfabriek (L.Crt. 16 april 1970); 1975 minstens 17 paar in de hele stad (med. H. Eikhoudt).
Molenend:	1945-1949 op het dak van de vlasfabriek (A. 1)
St. Nicolaasga:	1971-1975 op het dak van Maeykehiem (L.Crt., 29 mei 1975 met foto's)
Oranjewoud:	1972 en 1973 op het dak van een 20 m hoge verzorgingsflat (Van. 27, 1974, 29)
Stiens:	1967-1970 op het dak van een 6 à 7 m hoge sportzaal (A. 2)
Terzool:	1951, 1952 en 1962 op het dak van een 2 m hoge ijstent (A. 1)
Wolvega:	1961 op het dak van het verpleeghuis (A. 1)

De meeste gevallen doen zich voor in nieuwbouwwijken aan de rand van de steden. In de centra van de steden zijn weinig geschikte platte daken (med. W. de Jong). Vooral hoge gebouwen zijn favoriet zoals flats, scholen, fabrieken enz., maar ook eengezins-

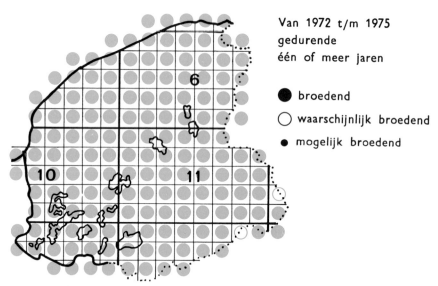

Van 1972 t/m 1975
gedurende
één of meer jaren

● broedend

○ waarschijnlijk broedend

● mogelijk broedend

woningen. Deze worden soms al bezet voordat ze zijn afgebouwd. Dikwijls was de Scholekster al broedvogel op de plaats waar later de huizen zouden worden gebouwd (Ferbeek, 1967). Hoewel de algemene indruk bestaat dat het broeden op daken toeneemt (med. W. de Jong) neemt het aantal broedparen in een bepaalde nieuwbouwwijk na een aantal jaren weer af. Zo vond Eikhoudt (mondelinge mededeling) in 1969 in een deel van de toen in aanbouw zijnde wijk Bilgaard van Leeuwarden 6 á 7 broedende paren, in 1975 in hetzelfde deel geen enkel paar; in de hele wijk was het aantal broedparen in 1969 10-20, in 1975 was dat nog maar 6 paar. De eieren liggen meestal in een kuiltje in het grind, zonder nestmateriaal, of hoogstens rondom het nest wat extra aangebrachte steentjes van een bepaalde grootte of kleur (foto bij Ferbeek, 1967). De jongen blijven na het uitkomen op het dak waar ze door beide ouders worden gevoerd, vooral met regenwormen, die in de naburige graslanden worden gezocht. Dit voedergedrag maakt het mogelijk dat Scholeksters met succes op daken kunnen broeden, hoewel in de meeste gevallen het broedsucces gering is. Er zijn weinig gegevens over bekend. Kleine jongen worden nogal eens door de wind van het dak geblazen. Dit gaf soms aanleiding om de jongen van het dak te halen voordat zij vliegvlug waren en hen vervolgens naar het dichtstbijzijnde weiland te brengen in de hoop dat de ouders daar de zorg voor hun jongen zouden voortzetten. Dit is in een aantal gevallen gelukt (Ferbeek, 1967). In Oranjewoud moest er zelfs een gondel aan te pas komen om de jongen veilig van het 20 m hoge dak te krijgen (Van. 27, 1974, 29). Bij het paartje op het ziekenhuis te Heerenveen gingen in 1967 de drie jongen van het eerste broedsel verloren, maar van het tweede broedsel vloog één van de twee jongen op 9 augustus uit (A. 2). In 1968 vlogen twee jongen uit die daarna nog regelmatig op het dak terugkwamen. In 1973 vlogen twee van de drie jongen, 30 dagen na het uitkomen van de eieren uit, overeenkomend met de normale periode waarbij scholeksterjongen vliegvlug worden. Er zijn geen waarnemingen dat de jongen uit vrije wil het dak verlaten voor dat zij vliegvlug zijn.

2.b. Broedseizoen

De vinddata van de eerste eieren over de periode 1917-1974 geeft tabel 2. Wij moeten bedenken dat de registratie van eerste scholekstereieren minder nauwkeurig zal zijn geweest dan die van de Kievit. De vroegste datum is 31 maart, de laatste 24 april. De jaarlijkse verschillen hangen samen met de weersomstandigheden. Koude en vooral droogte verlaten de leg. Als regel kan gesteld worden dat de eerste paren omstreeks half april beginnen te leggen.

Kwantitatieve gegevens over het verloop van het broedseizoen zijn niet bekend. Als men uitgaat van a. de periode (begin 2e juni-decade) waarin de meeste jongen worden geringd (fig. 1), b. een legperiode van 5-6 dagen, c. een gemiddelde broedduur van 27 dagen en d. een gemiddelde ouderdom van de jongen bij het ringen van 10 dagen, dan is hieruit te berekenen dat het hoogtepunt van de leg van het eerste legsel in de eerste mei-decade valt, terwijl de laatste paren pas eind mei leggen. Latere legdata hebben betrekking op vervolglegsels. Tot in augustus kunnen scholekstereieren worden gevonden (Van. 16, 1963, 211) bijv.: eind juli 1946, Ysbrechtum, Scholekster broedend op 1 ei (A. 1); 2 augustus 1934, Oosterwierum, onbebroed drie-legsel (A. 1); 9 augustus 1935, Roodkerk, onbebroed twee-legsel (Org. 8, 1935, 71).

Fig. 1   Verdeling van de ringdata van 179 in Friesland van 1915-1974 geringde scholeksterpulli die in latere jaren zijn teruggemeld.

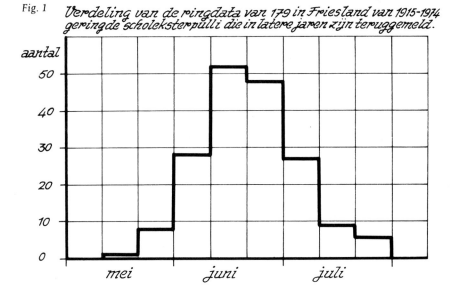

421

De vroegste datum waarop donsjongen zijn waargenomen is 7 mei 1967 te Franeker (Vogelsbeschermingswacht Franeker e.o., verslag 1967), de laatste datum is 20 augustus 1956 te Warga (A. 16). Er zijn geen aanwijzingen dat de broedtijd in de laatste jaren eerder begint dan vroeger, zoals bij de Grutto (vgl. tabel 2).

Tabel 2 **Vinddata eerste scholekstereieren.**

1917	24 april	eerste ei bij poelier (A. 1)
1919	18 april	eerste ei bij poeler (A. 1)
1920	2 april	eerste ei bij poelier (A. 1)
1921	15 april	eerste ei bij poelier (A. 1)
1922	19 april	reeds enige eieren bij poelier (A. 1)
1926	3 april	1 ei, Workum (A. 1)
1933	6 april	1 ei, Tzummarum (A. 1)
1934	14 april	eerste ei bij poelier (A. 1)
1935	15 april	3 eieren, Tzummarum (A. 1)
1936	10 april	2 eieren, Tjalleberd (A. 1)
1937	14 april	3 eieren (bebroed), Jelsum (A. 1)
1938	4 april	1 ei, Jelsum (A. 1)
1939	15 april	1 ei, Molkwerum (A. 1)
1941	16 april	eerste ei bij poelier (A. 1)
1946	3 april	eerste ei bij poelier (A. 1)
1948	14 april	3 eieren, Rauwerd (A. 1)
1949	7 april	1 ei, Akkrum (A. 1)
	9 april	broed, Goutum (A. 1)
1950	5 april	1 ei, Cornjum (A. 1)
1953	19 april	4 eieren, Koudum (A. 1)
1956	8 april	1 ei, Stiens (Van. 9, 1956, 190)
1957	8 april	1 ei, Warga (A. 1)
	9 april	2 eieren, Oosterwierum (Leeuwarder Courant 11 april 1957)
1959	15 april	3 eieren, Oosterwierum (A. 1)
1960	5 april	3 eieren, Leeuwarden (med. H. Zumkehr)
1961	13 april	broed, Akkrum (A. 1)
1962	15 april	1 ei, Gaast (A. 1) en Rotsterhaule (Van. 15, 1962, 111)
	17 april	broed, Flansum (A. 1)
1963	9 april	1 ei, Wommels (A. 1)
1964	13 april	1 ei, Wommels (Van. 17, 1964, 119)
1965	9 april	1 ei (2x), IJlst (A. 2)
1966	15 april	3 eieren, Oosterzee (A. 2)
1967	31 maart	1 ei, Rauwerd (correspondentie G. Bosch)
1968	8 april	2 eieren, Drachten (A. 2)
	9 april	3 eieren, Friens (A. 2)
1969	18 april	3 eieren, Marssum (A. 2)
1970	9 april	1 ei, Warns (A. 2)
1971	5 april	4 eieren, Franeker (B.F.V.W.-Franeker, verslag 1971)
1972	5 april	2 x 1 ei, Hemelum (A. 2)
1974	2 april	2 eieren, (med. Griepsma)

2.c. Legselgrootte

Het aantal eieren van volledige eerste legsels varieert voor Friese broedvogels van 1-5(6). Vijf eieren, gelegd door één wijfje, vindt men regelmatig, zes eieren slechts bij uitzondering. Er is slechts één opgave van een zes-legsel (St. Annaparochie 1970), waarbij opgemerkt wordt dat alle eieren van hetzelfde type waren (A. 2). De meeste legsels van vijf of meer eieren worden, te oordelen naar verschillen in eitekening door meerdere vrouwtjes gelegd. Er is zelfs een opgave van een legsel van twaalf eieren (Oldeboorn 1969), echter zonder opgave van bijzonderheden (A. 2).

Bosch vermoedde regionale verschillen in legselgrootte. Een uitgebreide enquête leverde veel maar onvolledig materiaal op, waarin weinig lijn te ontdekken viel (Van. 11, 1958, 428; 12, 1959, 99; 13, 1960, 99, Leeuwarder Courant, 29 september 1958 en 18 oktober 1958). Drie- en vier-legsels kwamen overal in Friesland voor, vaak in wisselende verhoudingen op

Tabel 3

Verdeling van de legselgrootte in 3 wachtgebieden van de B.F.V.W.

	eieren/nest	1969	1970	1971	1972	1973	1974	1975
Franeker	1	1,6	0,6	1,6	1,2	4,1	2,9	0,7
	2	8,3	8,3	11,1	8,6	6,6	12,9	10,7
	3	31,4	32,0	44,5	45,1	35,8	40,8	39,4
	4	58,5	58,7	42,5	45,1	53,5	43,1	49,1
	5	0,2	0,4	0,3	-	-	0,3	-
	gem.	3,47	3,51	3,29	3,34	3,38	3,26	3,37
	aantal nesten	446	509	306	328	363	348	401
Grouw	1	1,6	1,8	2,9	2,0	3,6	4,0	2,5
	2	7,9	8,3	13,0	11,4	14,7	12,4	9,0
	3	26,0	33,7	41,3	46,8	37,6	42,0	35,8
	4	63,7	55,8	42,8	39,8	44,1	41,6	52,7
	5	0,8	0,4	-	-	-	-	-
	gem.	3,53	3,45	3,24	3,24	3,22	3,21	3,41
	aantal nesten	254	276	138	246	197	226	279
Drachten	1	-	4,4	2,7	3,5	3,5	8,2	
	2	-	5,9	9,5	12,9	13,8	11,5	
	3	46,4	47,1	51,3	36,5	55,1	44,2	
	4	53,6	42,6	36,5	47,1	27,6	36,1	
	gem.	3,54	3,02	3,22	3,27	3,07	2,92	
	aantal nesten	41	68	74	85	58	61	

korte afstanden van elkaar. Een duidelijke samenhang met grondsoort (klei, veen, zand), grondgebruik (akkerland, grasland), voedselrijkdom of weersomstandigheden was niet aan te tonen.

Kwantitatief materiaal uit latere jaren van drie grote wachtgebieden van de BFVW (tabel 3) laat zien dat er wel plaatselijke en van jaar op jaar kleine verschillen bestaan in de verhouding van de aantallen één tot vijf legsels en in de gemiddelde legselgrootte. In hoeverre deze verschillen reëel zijn is niet uit te maken. Bij de opgaven is niet altijd onderscheid gemaakt tussen eerste- of vervolglegsels (deze zijn kleiner), een aantal legsels zal bij eerste aantreffen nog onvolledig zijn geweest en bij een aantal legsels zullen zeker eieren verloren zijn gegaan voordat de legsels werden gevonden. Het aantal factoren dat de legselgrootte bepaalt is groot en vraagt nauwkeurig onderzoek. De gemiddelde legselgrootte die voor Friesland in de buurt van 3,4-3,5 ligt, is groter dan de legselgrootte op de Waddeneilanden (iets kleiner dan 3). Dit verschil hangt waarschijnlijk samen met de grotere voedselrijkdom van de Friese broedterreinen (Hulscher, 1970). Droogte, zoals bijvoorbeeld in 1959, heeft tot gevolg dat veel Scholeksters het broeden overslaan of kleinere legsels maken (Van. 12, 1959, 261 en waarnemingen van Hulscher in 1974 bij Drachten, toen de maand april erg droog was).

2.d. Gecombineerde legsels

Gecombineerde legsels van twee (of meer) scholeksterwijfjes in één nest komen regelmatig voor (zie legselgrootte). In een aantal gevallen zal hier sprake zijn van bigamie (één mannetje met meerdere vrouwtjes). Voor Friesland is hierover nooit iets gepubliceerd, in buitenlandse literatuur wel (British Birds 43, 23 en 308). Ook gecombineerde legsels met andere soorten weidevogels komen regelmatig voor. Er zijn zeventien geregistreerde gevallen van gecombineerde legsels met Kievit, zeven met Grutto, één met Tureluur en zelfs één met Waterhoen (L. Crt. 22 mei 1975 met foto). Bovendien werden er zeven maal broedende Scholeksters op alleen kievitseieren waargenomen (zie o.a. Van. 10, 1957, 96; Van. 14, 1961, 98; L. Crt. 21 mei 1935, 6 mei 1959 met foto, 28 mei 1964; Balkster Courant 12 juni 1948; A. 1; A. 2; Vogelbeschermingswacht Franeker e.o., verslagen 1965 en 1967; Vogelbeschermingswacht Grouw, verslag 1974). Meestal is het de Scholekster (acht waarnemingen(die zijn eieren legt in het nest van de Kievit, waarin dan reeds een al of niet volledig legsel aanwezig is, slechts éénmaal is waargenomen dat een Kievit één ei legde bij drie scholekstereieren. Tweemaal bleken de kievitseieren reeds verlaten voordat de Scholekster bijlegde. Geannexeerde kievitslegsels werden voor de overname door de Scholekster meestal wel door de Kievit bebroed en éénmaal werd waargenomen dat Scholekster en Kievit vochten voordat de Kievit zijn nest opgaf (A. 1). Eenmaal werd waargenomen dat de Scholekster in een geannexeerd kievitsnest met één ei waarin hij drie eieren bijgelegd had, het kievitsei uit het nest rolde en later vernietigde toen de waarnemer dit opnieuw in het nest legde (A. 2 uit L. Crt. 21 mei 1935). Bij gecombineerde legsels broedt bijna altijd alleen de Scholekster (tien waarnemingen) tegenover éénmaal alleen de Kievit. Meestal verdwijnen de Kieviten na een poosje, een enkele maal zouden ze in de buurt van het nest gebleven zijn (Van. 14, 1961, 98).

Bij een gecombineerd legsel met de Grutto werd waargenomen dat op twee achtereenvolgende dagen volgend op de dag dat één scholekster- en één grutto-ei in één nest werden gevonden, zowel de Grutto als de Scholekster elk een ei bijlegden, dus tot een totaal van zes eieren. Scholekster en Grutto broedden om beurten (Tolman, 1911). Bij vier van de zeven annexatiegevallen van kievitslegsels is geconstateerd dat de Scholekster tot annexatie overging na verlies van eigen eieren. De geschiedenis van een dergelijk annexatiegeval in 1975 in Drachten, door J. en W. de Vries en Hulscher gecontroleerd, was als volgt: 5 mei een scholeksterpaar (beide vogels kleurgeringd) broedt op twee scholekstereieren in de berm van Rijksweg 43; 12 mei legsel compleet (vier eieren); 20 mei twee eieren door onbekende oorzaak verdwenen, enkele eischilfers nog aanwezig, de twee overgebleven eieren worden nog bebroed; 21 mei alle scholekstereieren verdwenen, één van de Scholeksters komt van een vier-legsel van een Kievit die 100 m verder op dezelfde berm nestelde (op 20 mei had deze Kievit nog drie eieren, zodat op 21 mei het legsel voltallig was); 4 juni een van de vier kievitseieren is kapot,

Overtijende Scholeksters, De Bant bij Anjum   -   H. F. de Boer.

de Scholekster broedt; 10 juni zijn alle eieren verdwenen, Scholeksters afwezig (op 8 juni nog wel bij het nest aanwezig, nestinhoud toen niet gecontroleerd). De Kieviten werden na annexatie niet meer bij het nest waargenomen. Blijkbaar doet bij het verloren gaan van het eigen legsel het zien van eieren in de naaste omgeving, ook al zijn dat eieren van een andere soort, gecombineerd met een hoge broeddrang, de Scholekster tot annexatie overgaan. Bij het tot stand komen van gecombineerde legsels gaat er waarschijnlijk ook iets mis met de normale afloop van het broedproces op het moment dat de Scholekster nog aan de leg is. Waarnemingen hierover zijn gewenst.

Het broedresultaat van gecombineerde legsels is meestal nihil. Gelijktijdig uitkomen van kievits- en scholekstereieren, mits alle vers gelegd, is mogelijk omdat de broedduur van beide soorten ongeveer gelijk is. Gelijktijdig uitkomen van scholekster- en kievits-eieren schijnt éénmaal waargenomen te zijn (Van. 14, 1961, 98 en L. Crt. juni 1960). In dit geval zou de Kievit in de buurt gebleven zijn en toen de eieren uitkwamen gingen Kievit en Scholekster elk met hun eigen jong(en) op pad. Jan P. Strijbos vermeldt een geval (buiten de provincie) van een gecombineerd legsel van drie kievits- en twee scholekstereieren, waarbij de Scholekster met zijn eigen jongen er van door ging toen deze uitkwamen en de kievitseieren in de steek liet. Over het uitbroeden van alleen kievitseieren en eventueel gedrag ten opzichte van de jongen is niets bekend. Het lijkt uitgesloten dat een Kievit, mocht hij ooit scholekstereieren uitbroeden, in staat is jonge Scholeksters groot te brengen. Immers jonge Scholeksters moeten gevoerd worden en jonge Kieviten zoeken zelf hun voedsel. Omgekeerd is de kans dat een Scholekster jonge Kieviten kan groot brengen misschien iets groter, maar onwaarschijnlijk is het wel. Daarvoor verschillen beide soorten te veel in het verzorgingsgedrag van hun jongen. Er is een geval bekend van een Scholekster die zijn eigen drie-legsel in de steek liet en ging broeden op één 30 m verder gelegen kievitsei dat reeds was aangepikt. De Kievit had twee eerder uitgekomen jongen reeds weggelokt. De Scholekster broedde het kievitsei uit. Het kievitsjong werd bij zijn eigen ouders teruggezet, maar de volgende dag was dit jong weer bij de Scholekster, welke nog minstens drie dagen agressief bleef. Hoe dit geval is afgelopen wordt niet vermeld (A. 18).

2.e. Totale broedpopulatie

Fig. 2 geeft een overzicht van de verspreiding van de Scholekster in de broedtijd, uitgedrukt in aantal exemplaren/10 ha, samengesteld naar gegevens uit diverse bronnen (tabel 4). Alleen die inventarisaties zijn gebruikt waarbij het getelde oppervlak precies bekend was en het aantal opgegeven nesten, paren of exemplaren was geteld en niet geschat. Van de tellingen van de B.F.V.W. in 1974 (Van. 28, 1975, 64) zijn alleen de wachtgebieden met een geïnventariseerde oppervlakte van 200 ha of meer opgenomen en waarin bovendien tot in juni is doorgeteld in verband met het late leggen van de Scholekster. Scholeksters in groepen zijn niet meegeteld. Voor het vergelijkbaar maken van de waarnemingen zijn een paar en een nest gelijk gesteld met twee exemplaren.

Omdat de gegevens van fig. 2 niet systematisch zijn verzameld met het speciale doel de verspreiding van de Scholekster te bestuderen, moet niet te

Fig. 2

grote betekenis gehecht worden aan de gevonden verschillen in dichtheden in de verschillende regio's. Wel valt op dat de hogere dichtheden vooral liggen in een brede strook van ongeveer 15 km langs de Waddenzee en het IJsselmeer en de lagere dichtheden in de Wouden, be-oosten de lijn Buitenpost-Bergumermeer-Drachten-Gorredijk-Steggerda, dus in het besloten landschap met houtwallen. De dichtheden in dit laatste gebied sluiten aan bij die van het aangrenzende overeenkomstige landschapstype van het Groningse Zuidelijk-Westerkwartier (1,2 ex./10 ha over 23000 ha, Staatsbosbeheer-Groningen).

Het totale geïnventariseerde oppervlak is 32400 ha met een gemiddelde dichtheid van 2,6 ex./10 ha. De dichtheden in de wachtgebieden van de B.F.V.W., waarvan alleen nesten zijn opgegeven, vallen te laag uit, omdat er altijd paren zijn die niet broeden, soms wel tot 25% van de aanwezige

427

Tabel 4

Inventarisaties van Scholeksters in Friesland 1972 (1970) - 1975.

no.	atlasblok	terrein	ha	jaar	nest (n) paar (p) exemplaren (ex)	ex./ 10 ha	bron
1	2-55	Bantpolder, zomerpolder	210	1972	47 p	4,5	A. Timmerman Azn., Staatsbosbeheer-Friesland
2	6-11	Kwelders + zomerpolders	2570	1972	362 p	2,8	id.
3	6-23 + 24	Rinsumageest/Dokkum	117	1974	76-89 ex. ⎫	7,5	O. Hoekstra, Damwoude, atlasproject
		id.	117	1975	84-99 ex. ⎭		id.
4	6-25	Ee/Oostwoud	235	1974	135 ex. ⎫	6,1	A. Ettema, Kollum, atlasproject
		id.	235	1975	150 ex. ⎭		id.
5	6-26	Kollumerpomp	268	1974	32 ex.	1,2	A.G. Witteveen, Buitenpost, atlasproject
	5-38						
6	6-31	Stiens e.o.	1829	1974	132 n	1,4	B.F.V.W.-Stiens, verslag 1974
7	6-31	Wijns	212	1974	80 ex.	3,8	Y. Roukema, Leeuwarden, atlasproject
8	6-32	Wijnser-/Giekerker/Oenkerkerpolder	220	1972	25 p	2,3	A. Timmerman Azn., Staatsbosbeheer-Friesland
9	6-32	Oudkerk	42	1974	17 p ⎫	6,0	J. Biesma, Oudkerk, atlasproject
		Oudkerk	50	1975	21 ex. ⎭		id.
10	6-41	Lekkum	245	1974	44 n	3,6	B.F.V.W.-Lekkum, Van. 28. 1975. 64
11	6-43	Hardegarijp	65	1974	10 p	1,5	W.T. Jansma, Hardegarijp, atlasproject
12	6-45	Twijzel	230	1975	19 p	1,7	A. Timmerman Azn., Staatsbosbeheer-Friesland
13	5-56	Franeker e.o.	4128	1974	446 p	2,2	B.F.V.W.-Franeker, verslag 1974
14	6-51	Leeuwarden e.o.	2416	1974	142 n	1,2	B.F.V.W.-Leeuwarden, Van. 28. 1975. 64
15	6-54	Suameer	230	1974	55 n	4,8	B.F.V.W.-Suameer, Van. 28. 1975. 64
16	10-15	Arum	30	1974	10 n	6,7	H. Hilarides, Arum, atlasproject

Nr.	Code	Locatie	Aantal	Jaar			Bron
17	11-14	Oudega e.o.	1409	1974	558 ex.	4,0	G. Hijlkema, Openinde, atlasproject
18	11-21	Roordahuizum/Friens	385	1974	39 n	2,0	B.F.V.W.-Roordahuizum-Friens, Van. 28, 1975, 64
19	11-22	Grouw	2150	1974	226 n	2,1	B.F.V.W.-Grouw, verslag 1974
20	11-22+23	Polder Vlierbosch e.o.	161	1974	32 p	4,0	Staatsbosbeheer-Friesland, rapport 4
21	11-24	Smalle Ee e.o.	400	1974	39 p	1,9	P. Wagenaar, Boornbergum, atlasproject
22	11-25	Drachten e.o.	5680	1975	1651 ex.	2,9	J. Hulscher, Haren
23	10-35	Bolsward	703	1974	73 n	2,1	B.F.V.W.-Bolsward, Van. 28, 1975, 64
24	10-38	Sneek	175	1975	38 ex.	2,2	W. de Haas, Sneek, atlasproject
25	10-38	Sneek	249	1974	24 n	1,9	B.F.V.W.-Sneek, Van. 28, 1975, 64
26	11-31	Akkrum	800	1974	53 n	1,3	B.F.V.W.-Akkrum, Van. 28, 1975, 64
27	11-34	Nijbeets	232	1974	39 n	3,4	B.F.V.W.-Nijbeets, Van. 28, 1975, 64
28	11-35	Beetsterzwaag	740	1974	48 p	1,3	G. Stuiver, Hemrik, atlasproject
29	11-36	Duurswoude	1950	1974	32 p	0,3	J.R. de Vries, Hemrik, atlasproject
30	10-44	Jouke Sjoerds Polder	101	1974	23 n	4,5	P.W. Bouma, Workum, atlasproject
31	10-44+54	Workumerwaard	575	1970-1972	400 p	13,9	P.J. Zomerdijk en J. Philippona, Van. 25, 1972, 224-228
32	11-41	Goingarijp	80	1975	9 n	2,2	A. Timmerman Azn., Staatsbosbeheer-Friesland
33	11-45	Lippenhuizen	490	1974	15 p	0,6	G. Stuiver, Hemrik, atlasproject
34	10-54	Workumerwaard	48	1974	26 n	10,8	P.W. Bouma, Workum, atlasproject
35	11-51	Joure	245	1974	73 ex.	3,0	med. K. Koopman, Rotsterhaule
36	11-53	Heerenveen	430	1974	96 n	4,5	B.F.V.W.-Heerenveen, Van. 28, 1975, 64
37	11-54	Heerenveen	160	1974	20 p		J. Peetsma, Heerenveen, atlasproject
		Katlijk id.	70	1975	10-23 ex. gem. 17	2,5	
38	15-15	Elahuizen	200	1974	48 p	4,6	R.v.d. Wal, Elahuizen, atlasproject
		id.	300	1975	68 p		id.
39	16-11+12	Rotsterhaule	310	1974	56 p	3,6	med. K. Koopman, Rotsterhaule
40	16-21	Echtenerbrug	200	1974	12 n	1,2	J. Slump, Echtenerbrug
41	16-25	Steggerda	700	1975	35 n	1,0	F. Bouknegt, Steggerda, atlasproject

paren. Voor een schatting van de totale broedpopulatie wordt uitgegaan van een gemiddelde dichtheid voor geheel Friesland van 2 ex./10 ha. De totale grondoppervlakte van Friesland is 3300 km², waarvan ongeveer 220.000 ha cultuurgrond geschikt is als broedareaal (93% grasland, 7% akkerland). Dit geeft een totale populatie van 44.000 exemplaren. Daarbij komen nog een paar duizend in groepen overzomerende vogels. Stellen wij twee exemplaren gelijk aan één paar dan zal de Friese populatie ongeveer 22.000 paar bedragen (een minimumschatting, vgl. ook Hulscher, 1970).

3. De verspreiding in de winter

De Friese Waddenkust is doortrek-, overwinterings- en overzomeringsgebied voor de Scholeksters van het Noordwesteuropese vasteland, met name voor de Duitse, Scandinavische en Noordrussische populaties (vgl. o.a. tabel 7). Ook een belangrijk deel van de Friese broedvogels en van de broedvogels uit het Waddengebied overwintert hier (Hulscher, 1975b).

Fig. 3

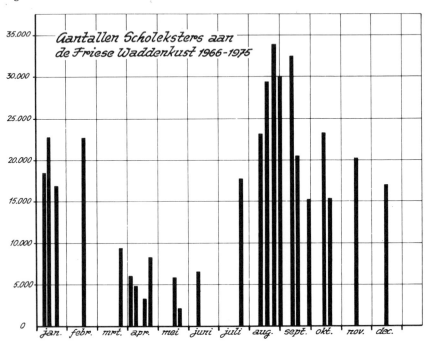

Tabel 5

Scholeksteraantallen langs de Friese Waddenkust.

1-4	aug.	1966	23.000[5]	Mooser 1967
22-27	aug.	1967	33.767[1]	Anonymus, Aythya 1968 no. 4
16-17	sept.	1967	32.572[1]	Anonymus, Aythya 1968 no. 4
29-30	sept,	1967	15.000[4]	Spaans 1967
5-6	april	1972	5.870	Zegers 1974
21	jan.	1973	16.800	Wadvogelwerkgroep-Friesland 1974
17	febr.	1973	22.700[2]	id.
24	mrt.	1973	9.400[2]	id.
7	april	1973	4.700[2]	id. (zie ook Boere en Zegers 1975)
21	april	1973	8.250[2]	id.
19	mei	1973	5.850[2]	id.
10	juni	1973	6.310[2]	id.
21	juli	1973	17.700[2]	id.
18	aug.	1973	29.350[2]	id.
1	sept.	1973	30.100[2]	id. (zie ook Boere en Zegers 1975)
15	sept.	1973	20.300[2]	id.
13	okt.	1973	23.000[2]	id.
17	nov.	1973	20.000[2]	id.
15	dec.	1973	17.000[2]	id.
12	jan.	1974	22.700[7]	Wadvogelwerkgroep-Friesland, ongepubliceerd
11	mei	1974	2.160[6]	id.
19	okt.	1974	15.250[6]	id.
11	jan.	1975	18.500[6]	id.
19	april	1975	3.300[6]	id.

[1] Afsluitdijk-Dokkumer Nieuwezijlen
[2] Afsluitdijk-Lauwersmeer
[3] Oude Bildtzijl-Paesens
[4] Afsluitdijk-Paesens
[5] Harlingen-Dokkumer Nieuwezijlen
[6] Noorderleeg-Lauwersmeer
[7] Zwarte Haan-Lauwersmeer

In de archieven van de AVF zijn veel oude gegevens te vinden over scholeksteraantallen aan de kust, maar alleen van verschillende dagen en van
verschillende plaatsen. Vanaf 1966 zijn er tellingen gedaan over de hele
kustlengte. Tabel 5 en fig. 3 geven hiervan een samenvatting. De aantallen
zijn het hoogst (max. 34.000) in augustus/september. Er is enige wegtrek
tot in oktober, daarna nemen de aantallen weer iets toe, met in de winter
17.000-24.000 exemplaren. Van alle Scholeksters in de Waddenzee bevindt zich 's winters (december/januari) en 's zomers (mei/juni) ongeveer
10% aan de Friese kust (vgl. Hulscher, 1971). De aanwezigheid van ge-

431

schikte overtijingsplaatsen (buitendijkse kwelders en zomerpolders) gecombineerd met nabij gelegen voedselgebieden (droogvallend wad) bepalen waar de grootste aantallen Scholeksters voorkomen. Dit is het gebied tussen Zwarte Haan en Holwerd en de Bantpolder bij Oostmahorn. De hoogste aantallen worden gevonden op het Noorderleeg en de Bildtpollen (7.500-10.000), op de kwelders bij Ferwerd en Blija (5.000-7.500), op de kwelder aan weerszijden van de veerdam bij Holwerd (2.500-5.000) en de Bantpolder (2.500-5.000) (D. 3). Tussen de Afsluitdijk en Zwarte Haan liggen geen kwelders en er valt ook geen wad droog van enige betekenis. In dit gebied komen weinig Scholeksters voor. De belangrijkste overtijingsplaats ligt bij Roptazijl onder Harlingen op een weilandje vlak achter de zeedijk met maximaal 1.000-2.500 exemplaren. Waar deze vogels furageren is niet bekend, misschien op het op 7 km afstand gelegen wad van Griend. Verder overtijen er regelmatig Scholeksters op de schelpenbank aan de noordkant van de Makkumerwaard. De hoogste aantallen (max. 1.000 exemplaren) worden hier 's zomers gevonden (A. 2; Van. 20, 1967, 56), 's winters zijn de aantallen lager (med. R. van Dekken). Ook treft men 's winters regelmatig kleine Scholeksters (max. enkele honderden) aan in de weilanden vlak achter de dijk tussen Harlingen en Zurich en soms op de Afsluitdijk zelf bij Kornwerderzand, bijv. op 10 februari 1957 100 exemplaren (A. 19). De meeste Scholeksters van deze drie laatstgenoemde overtijingsplaatsen furageren op de slikjes die bij Zurich droogvallen.

Bij langaanhoudende vorst wordt de Friese Waddenkust, evenals de rest van de Waddenzee verlaten (wintervluchten). Onder dergelijke omstandigheden komen veel Scholeksters om; voor de Friese kust is weinig informatie hierover. Ts. Gs. de Vries spreekt voor de winter van 1929 van duizenden slachtoffers (Leeuwarder Courant 25 juni 1937 en 2 juli 1937, „Uit de Natuur no. 65 en 66"). Ook in de winter van 1939/40 vielen slachtoffers aan de Friese kust (Lim. 13, 1940, 85-86; A. 1).

De Lauwerszee heeft na de afsluiting in 1969 zijn betekenis als belangrijk overwinteringsgebied voor Scholeksters verloren. Overwinterden hier (inclusief het Groninger deel) vroeger regelmatig vele duizenden Scholeksters (Timmerman, 1969), nu zijn het er hoogstens enkele honderden (waarneming Hulscher).

De IJsselmeerkust heeft 's winters voor Scholeksters geen betekenis. Er worden hoogstens enkele exemplaren waargenomen.

In het binnenland worden in de periode tussen het einde van de wegtrek (eind september) en het begin van de terugtrek (begin van de derde januaridecade) af en toe enkele Scholeksters waargenomen (vgl. fig. 4). Dit zijn

Noordse Stern, - H. F. de Boer

Koekoek Eernewoude, mei 1972. - D. Franke

soms gewonde, maar ook gezonde exemplaren, die zich lange tijd op een bepaalde plaats kunnen handhaven, mits er geen vorst optreedt. Is dit wel het geval dan vallen er slachtoffers, of trekken de vogels alsnog weg. Voor een overzicht van winterwaarnemingen in het binnenland zie Hulscher 1975a.

4. Trek

4.a. Voorjaarstrek

Als regel begint de voorjaarstrek van de broedvogels tussen 21 januari en 10 maart (fig. 4) afhankelijk van de weersomstandigheden. Bij zacht weer arriveren de vogels eerder dan bij koud weer (vorst en sneeuw). Bij uitzon-

Fig. 4

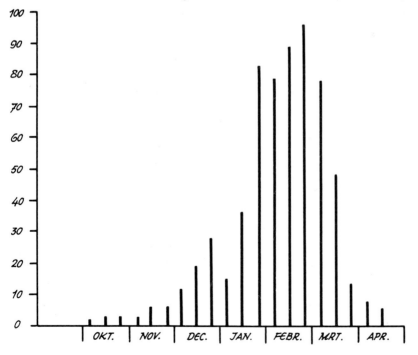

Aantal waarnemingen van eerst teruggekeerde scholeksters in het binnenland over de jaren 1920-1975 (Hulscher 1975.)

dering begint de trek al eind december zoals in 1974/75 (Hulscher, 1975a). De trek vindt vooral 's nachts plaats, maar ook overdag. De vogels arriveren in groepen tot maximaal enkele honderden exemplaren, maar waarschijnlijk ook solitair of in paren. Er zijn nl. vele eerste waarnemingen van twee vogels bij elkaar, waarschijnlijk paren die al eerder samen hebben gebroed en mogelijk samen hebben getrokken. Het einde van de voorjaarstrek is niet bekend, waarschijnlijk arriveren broedvogels nog tot in april. Onbekend is of zich onder de grote groepen in het voorjaar in het binnenland doortrekkers bevinden die buiten Friesland broeden.

4.b. Najaarstrek

Vanaf begin juli beginnen de adulte vogels hun territoria te verlaten, waarschijnlijk eerst de paren waarvan het broeden is mislukt. Deze vogels sluiten zich aan bij de groepen overzomeraars. Vanaf half juli begint de eigenlijke wegtrek. Deze bereikt zijn hoogtepunt eind juli/begin augustus. Eind augustus heeft de hoofdmacht van de adulte vogels het binnenland verlaten, de laatste exemplaren blijven tot in september hangen. Jonge vogels (1e kalenderjaar) sluiten zich na het zelfstandig worden ook bij de overzomeraars aan en blijven nog ongeveer vier weken in de buurt van hun geboorteplaats rondhangen, vroeg geboren jongen wat langer dan laat geboren jongen. De wegtrek begint iets later dan die van de oude vogels. De vroegste terugmelding van een 1e kalenderjaarsvogel is van 31 juli 1961, die geschoten was aan de Franse Kanaalkust (fig. 5).
De laatste Scholeksters die in september nog in het binnenland worden gezien zijn voor het merendeel jonge vogels (Hulscher, 1975a).

4.c. Overwinteringsgebied

Uit 179 terugmeldingen van in Friesland als pullus geringde Scholeksters (fig. 5) blijkt dat het doortrek- tevens overwinteringsgebied bestaat uit het Nederlandse Waddengebied inclusief de Friese Kust, de Noordzeekust van Nederland en België, de Franse noord- en westkust tot de monding van de Gironde, de westkust van Spanje en Portugal en de Engelse oost, west- en zuidkust. De belangrijkste gebieden zijn de Waddenzee, het Deltagebied en de Franse Kanaalkust. Een aantal Scholeksters overwintert in riviermondingen, soms tot enkele tientallen kilometers landinwaarts (Hulscher, 1975b).

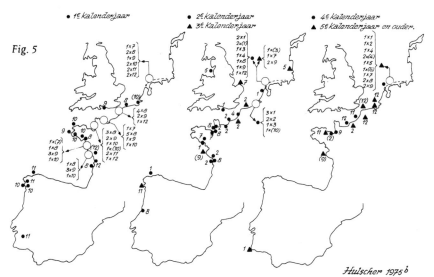

Fig. 5

• 1ᵉ kalenderjaar   • 2ᵉ kalenderjaar   • 4ᵉ kalenderjaar
                ▲ 3ᵉ kalenderjaar   ▲ 5ᵉ kalenderjaar en ouder.

Hulscher 1975ᵇ

Terugmeldingen van in Friesland als pullus geringde scholeksters van 1911-1974;
aangegeven is de maand van terugmelding. Indien onbetrouwbaar is deze met (⁻)aangegeven.

4.d. Overzomeren

Een deel van de 2e kalenderjaars overzomert in het zuidelijke deel van het
overwinteringsgebied (fig. 5), de rest van de 2e kalenderjaars samen met
het merendeel van de 3e kalenderjaars en een aantal oudere vogels in adult
kleed overzomert in de Nederlandse Waddenzee. Ook op de binnenlandse
broedgebieden wordt overzomerd, meestal op vaste plaatsen, in groepen
van enkele tientallen tot enkele honderden. Deze groepen bestaan vrijwel
geheel uit vogels in adult kleed. Het zijn voor het merendeel subadulte
dieren die nog niet eerder hebben gebroed, aangevuld met broedvogels die
het broeden om de één of andere reden hebben overgeslagen. De grootste
kans op overzomeraars heeft men met waarnemingen in juni. Plaatsen met
overzomeraars liggen over heel Friesland verspreid (fig. 6 en tabel 6).

4.e. Uitwisseling met andere populaties

Er zijn geen zekere aanwijzingen dat in Friesland geboren Scholeksters in latere jaren
buiten Friesland zijn gaan broeden. Er zijn in totaal 37 terugmeldingen uit de broedtijd, tien uit het Waddengebied, één uit Engeland en één uit Denemarken, dus gebieden
waar ook overzomerd wordt (fig. 5), 25 komen van de binnenlandse broedgebieden van

435

Tabel 6

Slaapplaatsen

no.	plaats	terrein	datum	aantal	
1	Noorderleeg	kwelder	begin juli '73	veel	med. D. Westra, Zevenaar
2	Geestmermeer	poel	mei '75	honderden	O. Hoekstra, Damwoude, atlasproject
3	Klaarkampstermeer	poel	mei '75	500	id.
4	Oudwoude	zandwiel	12 mei '74	30	A.G. Witteveen, Buitenpost, atlasproject, slaapplaats?
5	Houtwielen/Giekerk	meertje	10 april '74	210	A. Kiers, 1974
6	Hardegarijp	zandwinplas	voorj. '74	?	W.T. Jansma, Hardegarijp, atlasproject
7	Leeuwarden	opspuiting	aug. '75	150	med. H. Eikhoudt, Leeuwarden
8	Leeuwarden	opspuiting	26 mei '74	50	id.
9	Schuilenburg bij Eestrum	zandwinplaats	april '74	300	med. M. de Jong, Drachten
10	Franekerzeilvaart	zanddepot	zomer '74	40	F. Boersma, Oosterlittens, slaapplaats?
11	Eernewoude	opspuiting	nazomer '74	paar 100	P. Wagenaar, Boornbergum, atlasproject
12	Drachten	zanddepot	aug. '74	2000	J. Hulscher, Haren
13	Ureterp a/d Vaart	zandwinplas	mei '75	103	J. Hulscher, Haren
14	Frieschepalen	zandwinplas	4 april '75	65	med. Tjassing, Drachten
15	Siegerswoude	poel	4 april '75	50	J. de Vries, Drachten
16	Ureterp	poel	5 mei '75	110	J. Hulscher, Haren
17	Makkumerwaard	buitendijks gebied	hele zomer	honderden	Van 20, 1967, 56, med. R. van Dekken
18	Nijbeets	zandwinplas	mei '75	200	J. Hulscher, Haren
19	Broek/Goingarijp	zandwinplas	aug. '74	100	J. A. de Vries, Joure, atlasproject
20	Joure	zandwinplas	april '74	250	A. de Groot, Joure, atlasproject
21	Langweer	opspuiting	25 augustus '75	>100	med. P. Waardenburg
22	Luxwoude	zandwinplas	3 april '75	100	med. B. Baggerman, Haren
23	Heerenveen	zandwinplas	20 augustus '74	170	med. K. Koopman, Rotsterhaule
24	Nannewijd	steigers	23 maart '74	290	id.
25	Ouwsterhaule	zandafgraving	24 april '74	89	id.
26	Rotstergaast	zandwinplas	20 april '74	350	id.

no.	plaats		datum	aantal	
27	Rotstergaast	poeltje	18 april '74	150	id.
28	Tjeukemeer N.Z.	boezemland	23 maart '74	330	id.
29	Steggerda	oever v.d. Linde	voorj. '75	100	F. Bouknegt, Steggerda, atlasproject
30	Mokkebank	buitendijks gebied	31 maart '75	50	J. Hulscher, Haren
31	Steile Bank	id.	15 maart '60	1000	A. Timmerman (G. 5)

Overzomerende groepen in juni

no.	plaats	jaar	aantal	
1	Anjum, de Kolken	1968	30	A.G. Witteveen, Buitenpost (A. 2)
2	Dokkumer Nieuwezijlen	1974	60	A. Ettema, Kollum, atlasproject
3	id.	1974	40	id.
4	Marrum a/d Contributievaart	1975	groep	Tj. Walda, Marrum, atlasproject
5	Oudzijl a/d Zwemmer	1974	50	A.G. Witteveen, Buitenpost, atlasproj.
6	Hyum	1974	35	Y. Roukema, Leeuwarden, atlasproject
7	Wijns a/d Finkumervaart	1975	22	id.
8	Wijns	1974	22	id.
9	Stiens	1970	22	med. H. Eikhoudt, Leeuwarden
10	Sierdswiel bij Giekerk	1968	65	id.
11	Leeuwarden, opspuiting	1968	120	id.
12	Merriedobbe bij Tietjerk	1968	27	id.
13	Kleine Wielen bij Tietjerk	1969	22	id.
14	Oosterbierum	1968	groep	B.F.V.W.-Franeker, verslag 1968
15	Pietersbierum	1968	groep	id.
16	Roptazijl	1974	250	M. Dijkstra, Sexbierum. atlasproject
17	Boer	1969	60	B.F.V.W.-Franeker, verslag 1969
18	't War I	1969	groep	id.
19	Ungabuurt a/h Harinxmakanaal	1969	groep	id.
20	Tzum	1969	groep	id.
21	Oldeboorn	1968	100	med. B. Dijkstra, Gorredijk
22	id.	1968	200	id.
23	Gorredijk	1967	50	id.
24	St. Nicolaasga	1964	55	Archief Bosch (A. 1)
25	Rotsterhaule	1974	102	med. K. Koopman, Rotsterhaule

Fig. 6

Friesland. Hiervan vallen twaalf terugmeldingen binnen 10 km en dertien op meer dan 10 km van de ringplaats. Dat is een opvallende trouw aan de geboorteplaats.
Voor vestiging van elders geboren Scholeksters in Friesland is slechts één aanwijzing (tabel7) nl. een in Waterland (N. Holland) geringde pullus, die zeven jaar later in mei bij Eernewoude werd teruggemeld. Twee andere pulli uit Duitsland en Griend, teruggemeld respectievelijk op 29 januari 1937 aan de IJsselmeerkust en op 27 november 1968 bij Leeuwarden, kunnen niet als aanwijzing voor broeden gelden. Scholeksters die als volgroeid zijn geringd geven geen zekerheid over de geboorteplaats (tabel 7). Het is waarschijnlijk dat een deel van de in Friesland teruggemelde Scholeksters, die buiten Friesland als volgroeide exemplaren geringd zijn, in Friesland geboren Scholeksters betreffen.

5. Slaaptrek

In de broedtijd komen Scholeksters regelmatig op vaste plaatsen bijeen om te overnachten. In de archieven van de AVF komen opvallend weinig

Tabel 7

Terugmeldingen in Friesland van buiten Friesland als pullus of als volgroeid geringde Scholeksters.

Plaats en leeftijd bij ringen		Waddenkust	Binnenland + IJsselmeerkust
Zeeland	volgroeid	1	12
N. Holland	pullus	1	1
	volgroeid		1
Texel	pullus	2	
Vlieland	pullus	1	
	volgroeid	3	11
Griend	pullus	3	1
	volgroeid		2
Terschelling	pullus	1	
Ameland	pullus	2	
Gr. Brittannië	volgroeid	1	6
Duitsland	pullus		1
Noorwegen	pullus	1	
Zweden	volgroeid	1	1
Eur. Rusland	pullus	1	

gegevens voor over dit, toch algemene, verschijnsel. Het meest gedetailleerd is een kranteberichtje uit 1932 waar de onbekende auteur vermeldt: „Zolang Scholeksters nog niet flink paren hebben zij vaste plaatsen, waar zij 's avonds samenkomen, steeds gelegen aan het water en dan liefst op een eilandje of in de één of andere poel of meer" - „tegenwoordig is het z.g.n. groot-eiland in de Pikmeer hun geliefkoosde plaats. Tegen schemerdonker komen ze uit alle richtingen zich daar luid roepend verzamelen; komen weer enige nieuwe aangevlogen dan gaan even de vleugels omhoog, een oorverdovend geroep volgt en het volgende ogenblik is alles weer kalm; af en toe komen meerdere aangevlogen en als de vergadering voltallig is zijn er zeker wel een honderd bijelkaar, dikwijls kokmeeuwen erbij."

Verder is er een waarneming van 23 maart 1938 van 200 slapende Scholeksters op boezemland langs de Graft bij Wartena. Het is niet duidelijk of de vogels hier werkelijk overnachtten (A. 16). Lebret kende een slaapplaats in de Moentslanden bij de poeltjes langs de Lange Meer, waar in maart-juni 1944 geregeld 100-150 Scholeksters vergaderden en overnachtten (A. 3). In dezelfde buurt, langs het Woudmansdiep, overnachtten in de zomer van 1954 geregeld 200 Scholeksters (A. 1). Later, toen dit gebied werd omgevormd tot het recreatieoord Froskepôlle sliepen de Scholeksters bij de vijver, op 22 juli 1963 17 stuks (A. 2). Recente waarnemingen zijn: een groep van 339 overnachtende Scholeksters op 11 maart 1970 op een opgespoten terrein bij het Sneekermeer (A. 2), 700 Scholeksters tegen donker zich op 11 maart 1972 verzamelend op een landtong aan de oostoever van de Sierdswiel en 210 op 10 april 1974 bij de Houtwielen (Kiers, 1974).

De laatste jaren wordt speciaal onderzoek gedaan naar de slaaptrek van de Scholeksters (Hulscher, 1973; Hulscher en Koopman, 1973). Gebleken is dat tijdens de hele periode dat Scholeksters op de broedterreinen aanwezig zijn gemeenschappelijk overnachtende Scholeksters kunnen worden aangetroffen. De slaapplaatsen liggen over geheel Friesland verspreid (fig. 6 en tabel 6).

De slaapplaatsen bleken te zijn: afgelegen eilandjes in grote meren, zoals in bovengenoemd geval van het Pikmeer onder Grouw, oevers van meren, van kleine plassen, van poeltjes of van brede kanalen; heel dikwijls plassen waarin zand gewonnen wordt, zanddepots of opspuitterreinen. Ook buitendijkse kwelders kunnen als slaapplaats fungeren, zoals de kwelder bij Hallum (med. D. Westra) en vrijwel zeker ook de buitendijkse gebieden langs het IJsselmeer, zoals de Makkumerwaard (med. R. van Dekken), de Mokkebank onder Laaxum en de Steile Bank bij Nijemirdum. Al deze slaapplaatsen hebben gemeen dat zij relatief veilig zijn voor op de grond levende predatoren.

De Scholeksters van een bepaald gebied hebben hun eigen vaste slaapplaats (meestal één, mogelijk twee of drie), waar zij zich elke avond waarschijnlijk van jaar op jaar verzamelen. Tussen de slaapplaatsen is weinig uitwisseling. Na aankomst op de broedterreinen blijven de vogels overdag eerst in één of enkele grote groepen bijeen, meestal vlakbij de slaapplaats. Later delen deze groepen zich in kleinere groepjes, elk met een eigen vaste plaats (soos). Dezelfde exemplaren bezoeken steeds dezelfde soos. Deze liggen vaak in een grote cirkel rondom de gemeenschappelijke slaapplaats. Een deel van de soosbezoekers zijn gepaarde dieren die regelmatig tussen hun territorium en de soos heen en weer pendelen, een ander deel bestaat waarschijnlijk uit ongepaarde jonge, subadulte vogels.

De vogels arriveren solitair, paarsgewijs of in kleine tot grote groepen, tot ruim honderd stuks, op de slaapplaats. Naarmate het broedseizoen vordert wordt de gemiddelde groepsgrootte tot eind juni kleiner, daarna weer groter. De grote groepen zijn afkomstig van de sosen. Tegen de avond verzamelen de vogels zich eerst op deze sosen en dan verplaatsen zij zich in enkele grote groepen naar de slaapplaats. De solitair of gepaard op de slaapplaats arriverende vogels vertrekken meestal rechtstreeks uit hun territorium, maar soms ook vanaf de sosen. In het begin van het seizoen (eind maart) arriveren de eerste vogels al 1-1½ uur voor zonsondergang op de slaapplaats, de laatsten tegen zonsondergang, eind mei - begin juni arriveren de eerste vogels pas tegen zonsondergang, de laatste 1½ uur later, vanaf begin juli arriveren de vogels weer vroeger. Eind juni vliegen de eerste Scholeksters al 2¾ uur, de laatste ½ uur voor zonsopgang weg.

Het aantal Scholeksters (fig. 7) op de slaapplaats neemt na een aanvankelijke stijging tot half maart, als blijkbaar alle broedvogels zijn teruggekeerd, geleidelijk af tot een minimum in mei en de eerste helft van juni, om daarna tot het begin van de derde juli-decade weer toe te nemen, waarna de aantallen weer afnemen als de wegtrek begint. Waarnemingen met kleurgeringde Scholeksters hebben uitgewezen dat bij tenminste een deel van de paren één van de partners de slaapplaats blijft bezoeken tot enkele dagen na beëindiging van de leg. De bezoekers in mei en juni zijn waarschijnlijk voornamelijk overzomeraars of vogels waarvan het broeden mislukt is. Jonge vogels (1e kalenderjaar) bezoeken, zodra zij zelfstandig zijn en nog voordat de wegtrek begint, ook de slaapplaatsen.

Fig. 7

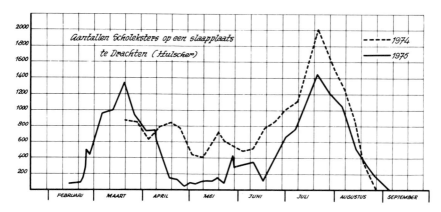

6. *Afwijkingen*

6.a. *Verenkleed*

In Friesland worden regelmatig Scholeksters met afwijkend kleurpatroon waargenomen. Dit hoeft niet te bevreemden omdat de Scholekster een talrijke soort is en kleurafwijkingen bij zwarte en bonte soorten veel voorkomen. Onder de afwijkingen zijn echte albino's (zonder pigment, geheel wit en rode ogen), partiële albino's (met een mozaïek van witte veren in de normaal zwarte velden, vaak links en rechts asymmetrisch) en vooral leucitische exemplaren (met minder pigment dan normaal in allerlei gradaties). Van deze laatste groep komen alle overgangen voor van roodbruin over bleekgeel en zilvergrijs naar zuiver wit. De grenzen tussen de types zijn niet scherp. Ook is er één waarneming van een bijna zwart exemplaar met alleen enkele witte veertjes in de vleugel (A. 1). Dit is een geval van melanisme, d.w.z. een overmaat aan donker pigment. Wat de adulte vogels betreft zijn er minstens twintig geregistreerde gevallen van kleurafwijkingen op de broedterreinen en minstens zes aan de kust.

Door hun opvallendheid is gebleken dat bepaalde afwijkende individuen jarenlang op dezelfde plaats terugkomen. De kroon spant een bruinwit exemplaar, een ♀, gepaard met een normaal getekend ♂, dat minstens 13 jaar van 1950-1962 bij Huizum heeft gebroed (Van. 7, 1954, 139; 8, 1955, 221; 12, 1959, 120; 15, 1962, 234). Een wit exemplaar broedde minstens 9 jaar bij Roodkerk (A. 2), een bijna wit exemplaar minstens 5 jaar (1968-1972) bij Gauw aan de Sneeker Oudvaart (A. 2; Drachtster Courant 7 april 1970), een bruinwit exemplaar, gepaard met een normaal getekende partner, minstens 4 jaar (1962-1966) bij Wolvega (A. 2).

Een wit exemplaar werd minstens 11 jaar lang (1957-1967) aan de kust bij Anjum waargenomen (Vj. 13, 1965, 532; A. 2, A. 5). Blijkbaar kunnen sommige exemplaren zich toch lange tijd handhaven ondanks hun afwijkend kleurpatroon. Interessant is dat in twee gevallen wordt vermeld dat een afwijkend exemplaar in de volgende jaren lichter van kleur werd.

6.b. Snavel

Er is een waarneming van een exemplaar met omhooggebogen (Kluten)-snavel, fouragerend op 26 juni 1969 op de gazons van de vliegbasis bij Leeuwarden en een exemplaar met een zeer lange snavel met gekruiste snaveltoppen, op 16 februari in de Lauwerszeepolder (med. H. Eikhoudt). Het op 10 april 1975 op de slaapplaats te Drachten gevangen exemplaar met afwijkende snavellengte van 98,8 mm (vgl. tabel 1) had ook gekruiste snaveltoppen.

7. Geschiedenis en jacht

Over de geschiedenis van de Scholekster als broedvogel in Friesland is weinig bekend. Aangenomen wordt dat het broeden in het binnenland van Friesland, evenals in de rest van Nederland, een recente ontwikkeling is, welke volgens Haverschmidt (1946) omstreeks 1920 zou zijn begonnen. Deze auteur vermeldt in 1942 dat de Scholekster in Friesland een talrijke broedvogel was langs de kust, vooral langs het IJsselmeer, maar dat hij ook broedde in de rest van de provincie. Maar in de tijd van Albarda (1866) scheen de soort ook al in de hele provincie te broeden.

In 1920 zijn er meerdere broedparen bij Ureterp (A. 1), ook nog in 1925 aldaar, evenals bij Siegerswoude (Ard. 15, 1926, 40). In de jaren 1924-

1930 zijn er in de broedtijd waarnemingen gedaan rond de Grote Wielen bij Giekerk, in 1933 bij Hardegarijp en Bakkeveen (B. 5).

Zeker is dat sinds ongeveer 1900 het aantal broedparen sterk is toegenomen en deze toename gaat nog steeds door, overal in de provincie. Over de oorzaken van deze toename is weinig bekend. Hulscher (1970 en 1972) vermoedt dat beschermingsmaatregelen vanaf de twintiger jaren, gepaard met een voortdurende toename van de vruchtbaarheid van het grasland (kunstmest), waardoor het aantal grote bodemdieren zoals regenwormen, emelten en rupsen waarmee de Scholekster zijn jongen voert, steeds groter werd, van invloed zijn geweest op deze toename.

Toen de vogels zich eenmaal in het binnenland hadden gevestigd speelde waarschijnlijk ook een verschuiving in het evenwicht tussen geboorte en sterfte een rol. De gemiddelde legselgrootte is toegenomen van iets minder dan 3 aan de kust tot ruim 3,4 in het binnenland. Mogelijk is ook de mortaliteit in het binnenland verminderd. Aan de kust spoelen regelmatig eieren en kleine jongen weg. Daarentegen is het verlies aan eieren en kleine jongen door maaien en beweiding en het binnenland groter. Belangrijk is ook de hoge ouderdom van de Scholekster, waardoor een scholeksterpaar vele jaren aan de voortplanting mee kan doen. Bij ontwateringswerkzaamheden is de Scholekster bij het voedselzoeken door zijn sterke en lange snavel minder kwetsbaar dan bijvoorbeeld Grutto en Kievit. Zo neemt na een ruilverkaveling het aantal broedparen van de Scholekster vaak sterk toe, zoals bijv. in de Lindevallei bij Steggerda, waar het aantal broedparen steeg van 10 vóór tot 35 paar na de ruilverkaveling (A. 18). Dit is mede het gevolg van de voorkeur van de Scholekster om in losse grond te nestelen.

Evenals overal elders werd ook in Friesland de Scholekster sterk vervolgd voor de consumptie. Albarda (1866) vermeldt dat de soort overal aan de kust in steekgarens werd gevangen. De vangst werd onder andere verhandeld via de poelier. Het viel Bosch op dat in december 1916 bijna alleen jonge vogels met witte kelen werden aangevoerd (A. 1).

De jacht op Scholeksters is evenals het rapen van hun eieren thans verboden. Een enkele maal worden scholekstereieren nog wel geraapt of vernietigd. Men meent dan dat de Scholekster andere weidevogels schaadt omdat hij wel eens jonge weidevogels, met name jonge Kieviten doodpikt. Dit komt inderdaad bij uitzondering wel eens voor, maar dit heeft geen enkele invloed op de kievitenpopulatie.

J.B.H.

DE LJIP

De Ljip, Vanellus vanellus, is yn Fryslân in tige bikende fûgel dy't suver oeral foarkomt, op bou en greide, op 'e heide en yn 'e dunen. It aeisykjen sil der grif ek ta
meiwurke hawwe, dat de fûgel tige populair is en hjir yn Fryslân wolris bititele is as
„ús nasionale fûgel". Gjin wûnder dat sa'n algemien bikende fûgel oeral bineamd
wurdt en in forskaet oan nammen kriget.

Nammen

Yn it suden en easten fan Fryslân is de meast brûkte namme: *kivyt*. Rûchwei kinne wy
de grins sa oanjaen: Starum, De Jouwer, Drachten, Surhústerfean. It wol fansels
net sizze dat oan 'e súdkant fan dy grins de namme „ljip" hielendal net brûkt
wurdt. Yn 'e gearstalling „ljipaeijen" is foar guon streken „ljip" dêr sels it gewoane
wurd. Dat dêr mear „kivyt" sein wurdt, kin fan it Oertsjongersk komme. Opmerklik is
fierder dat yn dy hoeke ornaris minder ljippen binne as yn it oare diel fan Fryslân. Yn
de oare dielen hearre wy: ljip, leep, lip, liip en lyp. Yn it noardeasten is *ljip* de
algemiene namme. As grins kinne wy oanjaen: de noardkant fan Harns, Frjentsjer,
Goutum, Drachten, Surhústerfean. Wol is hjir en dêr in hoeke dêr't „leep" sein wurdt:
De Biermen en om Rie en Doanjum hinne.
It oerbliuwende part, dat bigrinzge wurdt fan: Harns, Goutum, Wergea, Aldeboarn, De
Jouwer, Starum, Hylpen, Makkum, Harns, is in gebiet dêr't fjouwer nammen yn gebrûk binne. Yn it noarden: *leep*, oan 'e eastkant: *lip* en yn it suden: *liip* en *lyp*.
Forgelykje wy de sitewaesje mei dy fan J.J. Hof syn biskriuwing yn 1933[1], dan kinne
wy opmerke:
a. de namme „leep" giet hwat achterút[2]
b. de namme „ljip" buorket oeral hwat foarút.
Oan 'e rânne fan it Fryske taelgebiet ha wy inkelde ôfwikende dialekten: Skiermuontseach hat: kivyt, âldere foarmen: keeft, jiep, liep[3]. Skylge: kivyt. Hylpen: leep. W. Dykstra jowt ek noch „ljeap", mei as útspraek der by opjown: ljêp[4]. Dat is ús nou net
bikend.

Alde fynplakken

It âldste plak yn 'e literatuer, dêr't wy „ljeap" founen, is yn in Petear fan Gysbert
Japicx[5], dat troch dr. D. Kalma[6] datearre wurdt earne tusken 1640 en 1650. Wy lêze
dêr Ljeap yn ûndersteand fragmint:

Op 't Fjild iz nijgheit sonder eyn.
Hier iz in Blomme' in Bled ontsletten
Dear iz in griene leat uwt-schetten.
Hier draeyt in *Ljeap*, dear fluecht in Duw,
Hier rint in Schiep, dear giet in Kuw,
Hier buwgt it Nôt az wetter-weagen,
Dear bleack'ret uwz in Marr' foor eagen,
Hier sjeane y 't tjuester, jinsen klear;
In ondertwissche dreent uwz 't ear
Op 't swietst'; dear tuwzen kieltjes clinckje,
Min mey nin swietter luwd betinckje.

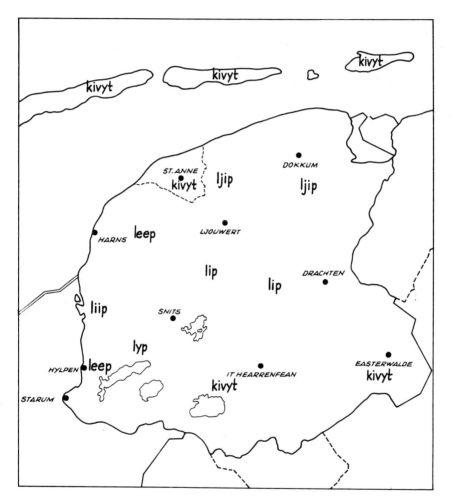

Mar yn in ôfskrift fan dit Petear, dat Gysbert Japicx oan Franciscus Junius jowt[7], lêze wy de rigel dêr't de fûgel yn foarkomt:

Hier draeyt in *leep,* dear flucht in duw.

Wy sjogge hjir dus al dialektforskil: ljeap en leep. Yn 'e earste helte fan de 19de ieu founen wy in pear foarbylden yn 'e literatuer dêr't dit ek dúdlik yn útkomt. Yn ,,De Boereschrieuwer oer it nys fen de dey" (1821) wurde aeijen neamd, û.o.: lypaayen, snipsaayen, tjirksaayen". Yn ,,De lapekoer fen Gabe Scroor" (1822) skriuwt E. Halbertsma: ,,De hoanne kraait in de lipkes lieppe iinn 'e finne". Yn in brief fan E. Hal-

445

bertsma oan syn broer Joast Halbertsma lêze wy: „Har twa dogters Klaske en Tiet wiene bij Jimme zwager Japik te oaljekoekjen, ik ha mei har in weak ljipaike ytten" (1823). Mar yn „De Noärcher ruen oan Gabe scroor" (1836) skriuwt Eeltsje Halbertsma: „Ik wier doe screach fjouwer jier ald, in sa flink as ien leep".

Etymology

Wolle wy „ljip" etymologysk bisjen, dan sille wy it miskien yn forbân bringe moatte mei de Aldfryske tiidwurden „hlapa" (rinne) en „hlapia" (springe) en it Goatyske „hlaupan" (rinne). Forgelykje wy hjirmei it Ingelske „to leap" en it Nijfryske „ljeppe", dan kinne wy tinke oan it karakteristike rinnen fan 'e ljip mei lytse, flugge stapkes. Guon fûgels hawwe har nammen krige nei it lûd dat hja útbringe. Sokke onomatopéen of lûdneibauwende nammen binne û.o.: koekoek, gielegou, klút, ka, hûpe, tsjiftsjaf, piipljurk. Ek de „kivyt" heart by dizze fûgels.

De frage komt by jin op, hoe soe it nou wêze mei it lûdneibauwende elemint yn: ljip, lyp, leep en lip? It roppen fan 'e ljippen komt dizze lûden soms nei-oan. Wy hawwe dêr sels in apart tiidwurd foar: liepe.

Yn „It Heitelân" fan 1923 skriuwt G.R. Veendorp op s. 100: „Liepe, lipe, het roepen der kieviten. De ljipkes liepe, d.i. de kieviten roepen. E. Halbertsma skriuwt yn 1822: De hoanne kraait in de lipkes lieppe iinn'e finne[8].

Wy moatte hast wol oannimme dat „ljip" foarme is troch in kombinaesje fan forskillende eleminten.

De namme *Vanellus* stiet yn forbân mei it Latynske eigenskipwurd „vanus", dat is idel, pronkerich! Via it wurd vanulus, dat twa forlytsingsútgongen hat, kin it wurd vanellus ûntstean. De namme bitsjut dus safolle as: idelteut, pronker.

Ljipaeisikerstael

Fynt in aeisiker mar ien aei yn in nêst, dan is dat in „ientsje". Twa aeijen: in „twake". Trije: in „trijke". Fjouwer: in „broedtsje". It ljipke bigjint dan to brieden. In „koai" is in ierappeltsje, inkeld in stientsje, dat yn it nêst lein wurdt as it aeike yn 'e pet bilânnet. It ljipke leit aeijen by de koai: se wurdt sa „útmolken". Nei it fjirde aei wurdt alles meinommen, oars soe it ljipke har „deabriede". It mantsje neame wy: doffert, âldhij, hij, hijke, hoantsje of mantsjeljip. It wyfke: ljipke, sij, sijke, jok, jokje, douke en wyfkeljip. As de doffert „oer de wjok" giet, dan wol er pearje („trêdzje of feile") of se hawwe al aeijen. As it ljipke „opspat", jin lyk foar de fuotten opfljocht, dan is der faek al in aei.

„In moai ljipke". Oan it hiele dwaen fan 'e fûgel is to sjen dat der al aeijen binne. De fûgel rint hoeden fan 't nêst troch in greppel of in sleatswâl, wipt der dan ek wol oer en fljocht leech by de groun op. Is it ljipke oan it „striekesmiten", dan wol er lizze, of hat krekt lein. Bytiden lizze der al in pear aeijen yn it gers, foar 't der in „kûltsje draeid" wurdt. De âldhij is oan 't kûltsjedraeijen, soms wol tweintich, mar it binne nêsten fan neat, „hijenêsten" of „mantsjeklauwen".

„Dat aei bin ik tsjinoan roun" (haw ik foun sûnder sykjen). As de âldhij „roekejaget", dan binne der grif aeijen. Yn 'e aeisikerswrâld forstiet men hjir ûnder, it forjeijen fan de âldroeken (de swarte krieën) troch de ljippen.

In aei (lotterje) of „farskje" wol sizze dat it aei even ûnder wetter hâlden wurdt om to sjen oft it ek „fûl" (biset) is. Driuwt it, dan is it fûl, sa net dan ha wy mei in klear aei to dwaen.

„Gelde ljippen" binne ljippen dy't hjir gjin aeijen lizze, mar ornaris yn noardliker kontreijen tahâlde.

In „bûnte ljip" is in folksnamme foar de strânljip.

„Ljippelân" is greidlân, dêr't de ljippen graech tahâlde en har aeijen lizze[9].

Taeleigen

Forgelykjende sizwizen mei ljip binne:
Hy rint as in ljip.
Hy is sa fluch as in ljip.
Hy is sa biweechlik as in ljip.
Ik bin noch sa flink as in ljip.
Sa foar de grap wurde skeinspruten wolris „ljipaeijen" neamd, in humoristyske omneaming.

Planten

De „ljippeblom" is in plant, ntl. de kievitsbloem, *Fritillaria meleagris* en de „ljippetop" is de Oostindische kers, *Tropaeolum majus*.

Folkskunde

Yn inkelde folksrymkes komt de ljip ek noch foar it ljocht:
Op Sinte Geartrúd moat it earste ljipaei der út[10].

Ek wol:
Mei Sint Geartrúd
Moat de ljip syn earste aei der út;
Al is 't ek op in skosse iis
De kivyt bliuwt dochs allike wiis[11].

Wy sjogge yn it lêste gefal dus dat ljip en kivyt hjir beide brûkt wurde. Dat komt faeks wol omt de twadde rigel ek bikend is as:
Moat it earste aei der út.
De tafoeging fan „de ljip" kin dus letter pleats hawn hawwe.
Sint Geartrúd is op 17 maert, dus wol hwat oan de bitide kant.

Maeije, maeije!
De ljippen kraeije en alles wurdt grien.
Dy't jit gjin wiif hat, dy siket nou ien[12].

As de ljip gûlend opfljocht fan reed of paed, foarseit er ûnwaer[13].
In pear tongbrekkersechjes:
Njoggen-en-njoggentich Frentsjerter ljippewjukken[14].
Fjouwer kleare, lottere ljipaeijen op in finneherne yn ien nêst[15].

J.B.

Noaten:
1. J. J. Hof, Friesche dialectgeografie, 's Gravenhage 1933.
2. Kr. Boelens. De lepen binne yn 't neigean. Yn: De Pompeblêdden 26, 1955, s. 41-42.
3. D. Fokkema, Wezzenlist fan it Schiermonnikoogs, Ljouwert 1968.

4. W. Dykstra, Friesch Woordenboek, dl. II, Leeuwarden 1903, s.v.: ljeap.
5. Gysbert Japicx Tyd-kirtige petear lanze wey, twissche Egge, Wyneringh in Goads-frjuen. Yn: Gysbert Japicx Wurken, bısoarge fan J. H. Brouwer, J. Ilaantjes en P. Sipma, 2de pr., Boalsert 1966, s. 67.
6. Dr. D. Kalma, Gysbert Japiks, in stúdzje yn dichterskip, Dokkum 1938, s. 81.
7. A. Campbell, Gysbert Japicx, The Oxford Text of Four Poems, Bolsward 1948, s. 41.
8. Br. Halbertsma, De lapekoer fen Gabe Scroor, Dimter 1822, s. 25.
9. As 4, s.v.: Ljippelân.
10. Folksmûle.
11. Tsj. de Vries, Aves Frisicae, Ljouwert 1928, s. 91.
12. W. Dykstra, Uit Friesland's Volksleven II, Leeuwarden 1896, s. 414.
13. Folksmûle.
14. As 12, s. 404.
15. Folksmûle. Sjoch ek: Burmania-sprekwurden fan 1614 (!) nû. 837.

Kievit - *Vanellus vanellus* (Linnaeus)

Ljip

Zeer talrijke broedvogel; doortrekker in zeer groot aantal en als wintervogel in wisselend aantal.

In de AVN (1970) wordt het voorkomen van deze soort in Nederland op vrijwel dezelfde wijze omschreven.

Uit de beschikbare gegevens blijkt dat de Kievit in alle delen van Friesland als broedvogel voorkomt. Op de klei- en zandgronden is de soort op de meeste plaatsen minder talrijk dan in het laagveengebied. De verschillen in dichtheid per grondsoort zijn nu echter beduidend kleiner dan vroeger. Er zijn kennelijk vrij sterke verschuivingen in het verspreidingspatroon opgetreden. Veel graslandpercelen in de ,,Greidhoeke'' zijn voor de Kievit minder aantrekkelijk geworden als broedgebied. Het aantal Kievit-paren dat zich thuis voelt op de vooralsnog minder weelderige grasmat in de Zuidoosthoek is daarentegen toegenomen. Er vestigen zich hier en elders in de provincie ook steeds meer Kieviten op bouwland. Vooral de percelen die door weiland worden omringd zijn thans als broedgebied vaak sterk in trek. De verklaring van deze areaalverschuivingen lijkt voor de hand liggend. Bij het onderzoek van Klomp (1954) is namelijk gebleken dat Kieviten gewassen met een geringe hoogte en dichtheid duidelijk prefereren boven een weelderige grasmat. Dit blijkt verband te houden met de moeilijkheden die vooral de jongen van deze soort ondervinden bij het lopen door lang gras.

Velduil met jongen Kollumerpomp, mei 1970,   -   H. F. de Boer

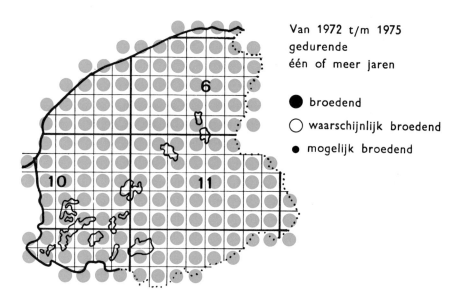

Van 1972 t/m 1975
gedurende
één of meer jaren

● broedend

○ waarschijnlijk broedend

• mogelijk broedend

Het is dan ook geen wonder dat vroeger vooral de „bûtlannen" (boezem-landen) erg in trek waren als broedgebied. De hier broedende vogels zoch-ten vaak voedsel op aangrenzende goed bemeste graslanden.

Uit recente onderzoekingen (Beintema schriftelijk) bleek dat thans op klei-gronden dichtheden van ± 20 (in ruilverkavelingen) tot ± 40 paar (in natuurgebieden) per 100 ha voorkomen, op veengronden van ± 6 paar (in ruilverkavelingen) tot ± 40 paar (in natuurgebieden) per 100 ha.

De uitgroeihoogte van het gras wordt in belangrijke mate bepaald door de vruchtbaarheid van de grond. Deze kan zoals bekend door stikstof-giften belangrijk worden verhoogd. Dat heeft behalve voor de plantengroei ook vergaande gevolgen voor de dierenwereld. Zo is uit onderzoekingen van Van der Bunt en van het echtpaar De Vries (1969) gebleken dat het aantal regenwormen bij bemesting van grasland sterk toeneemt.

Een aantal andere bodemdieren reageert echter helaas duidelijk negatief op kunstmestgiften. Hoewel Kieviten blijkens de onderzoekingen van Klomp (1953) e.a. lang niet alleen van wormen leven, is de vermindering van de andere prooidiersoorten bij een groot voedselaanbod waarschijnlijk van ondergeschikt belang. Het tegenstrijdige feit doet zich dan dus voor dat de Kievit enerzijds profiteert van de sterk verhoogde kunstmestgiften (=toe-name voedselhoeveelheid), maar er anderzijds door wordt bedreigd (=ver-mindering van broedgelegenheid). Hier komt nog bij dat juist de in landbouwkundig opzicht betere graslanden intensiever worden gebruikt en bewerkt (=meer koeien per hectare, vroeger maaien, etc.), met alle risico's van dien (Spijkerman 1957). Het is dan ook geen wonder dat deze intensivering vooral in de van oudsher goede graslandgebieden een duidelijk negatieve invloed heeft gehad op het aantal broedparen, terwijl op de armere gronden de verhoogde kunstmestgiften omgekeerd juist een toename van de kievitenstand hebben bewerkstelligd (zie ook Braaksma, 1967). Er moet echter helaas worden gevreesd dat deze toename van zeer tijdelijke aard zal zijn, vooral nu de waterstand op vele plaatsen zo drastisch wordt verlaagd (verg. Westra 1971).

Het effect van de polderpeil-verlagingen op de rijkdom van de bodemfauna - met name de regenwormen - is tot voor kort niet grondig onderzocht. Uit recent onderzoek (RIN, Arnhem) zou blijken dat ontwatering de wormenstand bevordert. Er moet echter worden aangenomen dat deze prooidieren op droge gronden door de vogels beduidend moeilijker kunnen worden bemachtigd dan op vochtige graslanden. Het is dan ook geen toeval dat juist de laagveengebieden vroeger verreweg de grootste aantallen weidevogels herbergden en dat dit - zij het vooral in en nabij de reservaatgebieden - plaatselijk nog steeds het geval is.

De omstandigheid dat de Kievit over een groot aanpassingsvermogen beschikt, wekt de hoop dat deze soort de intensiveringstendens in de landbouw ook in de toekomst zal kunnen overleven. De ,,omschakeling'' van grasland op bouwland, die hiervoor reeds is genoemd, is het bekendste voorbeeld van dit aanpassingsvermogen. Er zijn echter nog tal van andere voorbeelden. Zo werd bijvoorbeeld in 1945 een nest gevonden op een kaal zand-depôt aan het Bergumermeer, terwijl in 1951 te Leeuwarden met succes drie paar Kieviten hebben gebroed op een voetbalveld aan de Lekkumerdijk, dat aan weerszijden door huizen is omsloten. In 1969 nestelden ± 15 paren op een opgespoten terrein aan de zuidoostzijde van de stad (resp. A. 1 en A. 2). Frappant zijn ook de door Klomp (1953) beschreven voorbeelden van broedgevallen op kleine eilanden, met als meest curieus voorbeeld een nestvondst op een eilandje van 0,2 ha in het Jentjemeer, gelegen zuidoostelijk van het Sneekermeer. In de berm van de nieuw aan te leggen snelweg Sneek-Joure werden in mei 1975 op een afstand van 400 meter drie nesten gevonden waarvan de jongen zijn uitgekomen (A. 20). Het broeden op kortbegroeide heideterreinen, langs droog gevallen oevers van plassen, in gekapte rijshout-percelen en in gesneden rietvelden, dat in Friesland geregeld wordt geconstateerd is ook uit andere provincies bekend (o.m. Avifauna van Midden-Nederland, 1971 en Avifauna van Noord-Bra-

Dode Kieviten, voorjaar 1969 - M. J. van Kammen.

bant, 1967). Ook op de buitendijkse terreinen langs de Waddenkust en langs het IJsselmeer blijken op tal van plaatsen Kieviten te broeden.
Er is mogelijk tevens sprake van een aanpassing van de broedtijd aan de gewijzigde landbouwmethoden. Kieviten kunnen namelijk zowel erg vroeg als erg laat in het seizoen broeden en volgens sommige vogelkenners komt zowel het een als het ander steeds vaker voor. Beintema, die dit nader heeft onderzocht, is tot de conclusie gekomen, dat de gemiddelde eerste legdatum in de loop van deze eeuw hoogstens enkele dagen is vervroegd. Het hangt van de weersomstandigheden af hoe groot het nuttig effect hiervan is. Erg vroege broedsels kunnen namelijk vaak ten gevolge van kou verloren gaan. Zo zijn in 1975 in een gebied bij Vreeswijk (U.), waar geen eieren werden geraapt, slechts twee van de veertien in maart gevonden legsels met succes uitgebroed, van de overige twaalf gingen er minstens negen ten gevolge van de late sneeuw en vorst verloren.
Het is in dit verband interessant om enkele voorbeelden te noemen van extreem vroege en extreem late legsels. De vroegst bekende datum in deze eeuw is 4 maart 1961, toen een ei werd gevonden bij Vaassen. In zijn boek „De Kievit" citeert Rinke Tolman (1969) een krantebericht waaruit blijkt, dat in de extreem zachte winter van 1817 op 16 januari al twee legsels van respectievelijk twee en drie eieren werden gevonden in de Wieringerwaard.

Dergelijke vroege data zijn in Friesland echter voor zover bekend nooit vastgesteld. De eivondst bij Workum op 9 maart 1912 gold vele jaren lang als de Friese record-datum. Dit record werd echter in 1961 verbeterd. Er werd toen namelijk op 7 maart te Drachtster Compagnie al een ei gevonden. In vroege broedjaren worden soms in de eerste helft van april al jongen gezien. Zo werd op 10 april 1966 een jong bij Joure gezien (A. 2). Tegenover deze vroege data staan vrij veel late broedsels. Blijkens een bericht in de Leeuwarder Courant werden op 18 augustus 1959 vier kleine jongen gezien te Warns, terwijl bij Molkwerum in augustus van hetzelfde jaar nog vijf legsels werden gevonden. Te Garijp werden in 1965 op 28 augustus nog jongen geboren (A. 2). Het meest extreme voorbeeld wordt echter gevormd door de alarmerende Kieviten die half november 1945 met een ± vier weken oud jong werden aangetroffen bij Oosterlittens (A. 1).

Het zoeken van kievitseieren is in Friesland van oudsher altijd zeer populair geweest. Het eerste ei was ook voor de landelijke pers vaak voorpagina-nieuws. Vanaf tenminste 1867 is het steeds gebruikelijk geweest om dit ei aan de regerende vorst of vorstin aan te bieden (Hesselink, 1877). Aan deze traditie, die in de oorlogsjaren noodgedwongen werd onderbroken, werd echter in 1969 een einde gemaakt, toen de koningin na aandrang van vogelbeschermerszijde bekend maakte het eerste ei niet langer te zullen aanvaarden. De weerstand die in Friesland tegen de steeds verder gaande beperking van de eierzoekerij heeft bestaan (en nog bestaat) ligt nog zo vers in het geheugen dat het geen zin heeft om er hier veel over te schrijven (voor discussies pro en contra, zie b.v. Van der Mei en Otto, 1965 en Dijkstra en Westra, 1969).

De voorstanders van een algeheel raapverbod baseren hun standpunt - naast ethische motieven - vooral op de stelling dat de moderne landbouw de Kieviten onvoldoende ruimte laat om natuurlijke verliezen, bijvoorbeeld ten gevolge van roverij door de Zwarte Kraai, na de raaptijd nog te compenseren door succesvolle vervolglegsels. Ook de betere uitgangspositie van Nederlandse vertegenwoordigers bij internationale besprekingen over de beperking van jacht en vogelvangst in andere landen is meermalen als argument voor een raapverbod gehanteerd. De tegenstanders hiervan putten hun voornaamste tegen-motieven uit de resultaten van het onderzoek van Klomp (1951 en 1970) waaruit blijkt dat de kievitenstand niet door het eierrapen wordt bedreigd en uit het feit dat het aantal broedparen gedurende de laatste decennia in Europa eerder toe- dan afgenomen is. Bovendien beschouwen zij het eierzoeken als de kurk waarop de bescherming van de weidevogels in Friesland drijft. Ook wijzen zij graag op het niet te ontkennen feit dat de vroege broedsels door ongunstige weersom-standigheden of door de noodzakelijke bewerkingen van bouw- en graslanden, als er niet wordt geraapt, toch vrijwel alle verloren gaan. De bescherming van de legsels door de eierzoekers na de raaptijd is eveneens een argument dat geregeld naar voren is gebracht.

Nu de aloude traditie van het ,,aeisykjen'' steeds meer in gedrang is gekomen, is het goed om nog eens stil te staan bij de grote belangstelling die zoveel Friezen hiervoor altijd aan de dag hebben gelegd. Er blijken niet alleen tal van artikelen over het eierzoeken te zijn verschenen, maar er is ook in verschillende boeken ruimschoots aandacht aan dit onderwerp geschonken (zie b.v. Hijkes en Sijkes van C.J. van Dijk (1967) en De Kievit van R. Tolman (1969)). Er zijn zelfs drie boekjes verschenen waarin de kunst van het eierzoeken uitvoerig is behandeld (Dijkstra, 1857; Kaay, 1949 en Dijkstra, 1961). Uit gegevens blijkt dat vroeger, toen er eerst nog gedurende de hele maand april en na 1914 nog tot en met 28 april eieren mochten worden geraapt, alleen al in Leeuwarden en Sneek jaarlijks vaak meer dan 150.000 eieren werden verhandeld.

In sommige jaren werden, als men de niet verhandelde eieren meerekent, in Friesland waarschijnlijk meer dan 200.000 kievitseieren geraapt. Na 1936, toen de toegestane raaptijd werd ingekort tot 20 april, werden er nog vaak grote hoeveelheden eieren aangevoerd. Zo bedroeg bijvoorbeeld in 1949 de aanvoer nog meer dan 100.000 stuks (A. 1). Deze aantallen zijn overigens laag in vergelijking tot de naar schatting ± 800.000 weidevogel-eieren, die omstreeks 1870 ieder jaar uit Friesland naar Engeland werden verscheept. In Nederland zelf werd toen een nog groter aantal geconsumeerd (Hesselink, 1877). Dit waren overigens lang niet allemaal kievitseieren.

Het vinden van het eerste ei was niet alleen een nationale gebeurtenis, het was tevens een lucratieve bezigheid. In 1969 werd het eerste kievitsei van de gemeente Smallingerland verkocht voor ƒ 50 en een diner voor het gehele gezin van de vinder. En in 1971 werd het eerste Nederlandse kievits-ei verkocht voor ƒ 25. Dit is overigens voor beduidend minder dan de ƒ 100 die in 1943 voor het eerste ei per advertentie werden uitgeloofd door een Sneker poelier. Deze honderd gulden hadden mogelijk een politieke achtergrond. In het voorjaar van 1940 werd het eerste ei namelijk gevonden door een jachtopziener die dit niet naar Soestdijk stuurde, maar aanbood aan de leider van de N.S.B. ,,Volk en Vaderland'' vermeldde deze bijzondere onderscheiding die Mussert te beurt was gevallen uiteraard met grote letters. Vele andere bladen laakten het optreden van de betrokken jachtopziener. Dit voorval werd de aanleiding tot nieuwe ontwikkelingen rondom het eerste ei in 1943. De advertentie waarbij f 100 werd uitgeloofd, werd namelijk in de N.S.B.-pers fel bekritiseerd als zijnde een poging om het ei uit handen van de Rijkscommissaris of de leider van de N.S.B. te houden. Deze felle reacties leidden tot veel nauw verholen en zelfs openlijke spot. Zo werd er in een Fries weiland een tekening op een hek geprikt van Mussert, gedecoreerd met een kievitsei. De genoemde f 100 steken overigens op hun beurt pover af bij de 150 kilo kaas, die in 1891 door een inwoner van Bozum voor het eerste ei werd betaald om het te kunnen aanbieden aan zijn landheer in Zwaagwesteinde (zie Dijkstra, 1961). Er waren vroeger verschillende Friezen die in het voorjaar leefden van hetgeen het eierzoeken hun opbracht. Minder bekend is dat in 1542 bij ,,Ordonantie" werd bepaald dat het rapen van eieren voortaan aan de Friezen alleen nog op eigen land was toegestaan. Overtreders moesten drie Carolus-guldens boete betalen. Dat het eierzoeken al een heel oud gebruik is, blijkt verder wel uit het feit dat de 16de-eeuwse Friezen anderen hun tong lieten breken door hen ,,Op ús finneherne lizze fjouwer lotterkleare ljipaeijen yn ien nêst" te laten zeggen (Dijkstra, 1961).

Uit gegevens van het Vogeltrekstation te Arnhem blijkt dat de Friese Kieviten na enige ,,voorzomertrek" van jonge vogels (DNV 3) merendeels in nazomer en herfst wegtrekken naar hun overwinteringsgebieden op de Britse eilanden en in Frankrijk, Spanje, Portugal en - vooral in koude winters - Noord-Afrika (zie ook Speek, 1974). De drie in België en vier in Italië teruggemelde exemplaren waren mogelijk op doortrek. Het feit dat in totaal tien geringde vogels in een volgend broedseizoen in andere landen (zelfs uit Polen en Rusland!) zijn teruggemeld kan een aanwijzing zijn voor een mogelijke uitwisseling van broedvogels (zie tabel).

Hoewel de ,,eigen" vogels dan voor het overgrote deel naar het buitenland vertrokken zijn, verblijven er in november en december - zolang het niet vriest of sneeuwt - toch vele tienduizenden Kieviten in Friesland. Vooral de ,,Greidhoek" is sterk in trek. Zo werden er in 1963 op 26 november in Midden-Friesland en in de omgeving van Makkum in totaal circa 76.000 Kieviten geteld. Op 1 december van hetzelfde jaar verbleven er nog 20.000 tot 30.000 ex. in de omgeving van Akkrum (A. 1).

Blijkens ringgegevens zijn deze herfst- en wintervogels merendeels afkomstig uit Duitsland, Scandinavië, Polen en Rusland. Er zijn overigens ook enkele terugmeldingen in ons land bekend van Kieviten die in Tsjecho-Slowakije zijn geboren. Bij invallende koude vluchten de Kieviten massaal naar zuidelijker en zuidwestelijker gelegen gebieden, (zie b.v. Bosch, 1963) waar zij deels vlak achter de vorstgrens het invallen van de dooi afwachten om daarna weer terug te keren. Zodoende zijn er na 1963 slechts weinig weken geweest dat er geen Kieviten in Friesland verbleven. In sommige jaren trekt een deel van de vogels zelfs in het geheel niet weg. Zo waren er bijvoorbeeld in de winters van 1960-1961 en van 1969-1970 steeds Kieviten aanwezig (resp. A. 1 en Van. 23, 1970, 59).

Oude waarnemers zijn van mening dat er vroeger in de herfst en winter veel minder Kieviten in Friesland waren dan tegenwoordig het geval is. Er zijn aanwijzingen die de juistheid van deze opvatting kunnen bevestigen. Zo werd er in 1928 melding gemaakt van „sterke" vorsttrek in december. Deze trek betrof honderden exemplaren (Ard. 18, 1929, 20). In 1967 en 1969 waren bij een soortgelijke trek over Friesland in december vele duizenden exemplaren betrokken. Is de winter van korte duur dan lijkt het wel, alsof een deel van de vogels al van te voren aanvoelt dat het weer spoedig zal veranderen. Zo werd bij tellingen op 10 december 1967 een sterke vorsttrek gezien over zee. Bij Terhorne trokken op dezelfde dag evenals op vele andere plaatsen honderden Kieviten in zuidwestelijke richting. Er bleven echter ook een paar duizend Kieviten doodstil op het bevroren ondergelopen „bûtlân" zitten. De volgende dag dooide het (A. 2).

Terugmeldingen van Kieviten die in Friesland als nestjong zijn geringd.

Teruggemeld in	I	II	III	IV	V	VI	VII	VIII	IX	X	XI	XII	Totaal
Friesland			7	18	11	5	16	10	9	4	1	3	84
Overig Nederland				1	1	1		1					4
Engeland	2	2			1	1		2			2	3	13
België	1	1	1										3
Frankrijk	16	8	15						1		9	21	70
Spanje + Portugal	28	15	14	1		1				1	1	12	73
Italië			3									1	4
Noord-Afrika		2	1										3
Denemarken				1				1					2
Noorwegen		1											1
Polen					1								1
Rusland				2	1	1							4
Totaal	47	29	41	23	15	9	16	14	10	5	13	40	262

Al naar gelang de weersomstandigheden keren de Kieviten in januari, februari of maart weer op hun broedplaatsen terug. Deze terugkeer is soms slechts tijdelijk, want ook in deze maanden is meermalen sterke vorsttrek vastgesteld. Zo trokken na sneeuwval op 26 en 27 januari in totaal tienduizenden Kieviten over Staveren, Beers, Hempens en Leeuwarden (A. 1). In 1969 werd nog op 15, 16 en 17 maart een zeer sterke vorsttrek over Friesland vastgesteld. In Harlingen werden op 16 maart zelfs 5.000 tot 10.000 wegtrekkers geteld (A. 2). Het is bekend dat extreem late winters soms vrij veel sterfte onder de Kieviten kunnen veroorzaken. Deze sterfte wordt blijkbaar in de hand gewerkt door het feit dat de trekdrang door de ,,broeddrift" wordt verdrongen. Zo werden in 1969 honderden dode Kieviten gevonden. Dit waren overigens niet alleen ,,eigen" vogels, getuige de vondst van een in de D.D.R. geringde Kievit bij Kornwerderzand.

Bij dergelijke uitzonderlijke weersomstandigheden worden meermalen gedragingen gezien, die sterk van het normale patroon afwijken. Zo werd er op 6 maart 1947 een Kievit gezien, zittend op een hekpaal bij IJlst, ± 25 cm boven de sneeuw. Er zijn verder verscheidene voorbeelden van Kieviten die bij vorst en sneeuwval in stadsparken, op sportterreinen en boerenerven voedsel trachtten te vinden. Minder bekend is dat deze vogels dan soms met broodkruimels genoegen blijken te nemen. Dit werd in december 1950 meermalen gezien te Harlingen en in januari 1966 in Westhem. Te Welsrijp zocht in maart 1952 een Kievit tijdens een sneeuwstorm beschutting in een schuur (A. 1).

Het is verder verrassend hoe sterk de broed- en paringsdrang van de vogels nog door blijft werken. Zo werden er op 18 maart 1964 door J.T. Hendriksma baltsende mannetjes gezien in een park te Sneek. Eén der vogels draaide zelfs een nestkuiltje. Braaksma zag op 6 april 1970 bij Roden een Kievit kuiltjes draaien in de sneeuw. Het wijfje dat mogelijk in legnood verkeerde liep er luid roepend bij rond (zie Vj. 19, 1971, 130-131).

Het is opvallend dat de van hun winterverblijfplaatsen terugkerende Kieviten soms een andere trekroute volgen dan men zou verwachten. Zo trokken op 23 februari 1969 veel Kieviten in oostelijke richting langs de Afsluitdijk, waarna bij Kornwerderzand veel troepen in zuidelijke richting afbogen (A. 2). Deze waarneming klopt met de bevindingen van een berichtgever in Staveren die daar, blijkens een mededeling in 1952, de vogels in de herfst altijd over het IJsselmeer zag wegtrekken, maar in het voorjaar steeds over land uit noordoostelijke richting zag terugkeren.

Er is gebleken dat Kieviten vaak vele jaren lang op dezelfde percelen plegen te broeden. Zo werden zowel te Witmarsum als bij Sorremorre

Kievit Makkum, oktober 1975 - F. van Daalen.

onder Akkrum zes jaar lang eieren van een sterk afwijkend type gevonden. Bij Gerkesklooster was dit zelfs acht jaar het geval. Ook afwijkend gekleurde vogels bevestigen dit beeld van sterke plaatstrouw. Zo broedde er bij Hijlaard jaren achtereen een witte Kievit steeds op hetzelfde perceel. Tijdens de trek blijken afwijkend gekleurde vogels eveneens vaak steeds vrijwel op dezelfde plaatsen terug te keren. Zo is er jaren achtereen een bijna witte Kievit gezien in de omgeving van Anjum (A. 2). In de broedseizoenen 1973, 1974 en 1975 werd een albino wijfje op dezelfde percelen weiland in de omgeving van Vegelinsoord waargenomen (A. 20). Bij Wons werd een als nestjong geringde vogel tien jaar later aldaar in de broedtijd teruggemeld (DNV 3). Er kunnen echter omstandigheden zijn, die de Kieviten nopen om elders hun toevlucht te zoeken, zoals biotoopveranderingen of weersomstandigheden.

Zo kwam het vooral vroeger in Friesland meermalen voor dat broedplaatsen tot ver in het voorjaar onder water stonden. Omgekeerd kan ook aanhoudende droogte de Kieviten dwingen om de broedplaatsen of vaste pleisterplaatsen in de steek te laten omdat er niet genoeg voedsel te vinden is. De vogels tonen zich dan soms net zo ,,mak'' als bij aanhoudende vorst en sneeuwval. Vooral de droge zomer van 1959 is in dit opzicht berucht geworden. Er kwamen toen vele honderden Kieviten om het leven. Dit waren deels sterk verzwakte dieren, die hoopten op de wegbermen nog wat voedsel te kunnen vinden en die hierbij het slachtoffer werden van het verkeer, maar ook Kieviten die zonder meer waren verhongerd of waren omgekomen als gevolg van te veel ,,noodvoedsel'' in de vorm van insekten (zie Bosch, 1959; Straatsma, 1959; Taapken, 1960; Voous, 1960).

Er is boven reeds op gewezen dat de Kievit al in de 16de eeuw in Friesland broedde. Waarschijnlijk was dit toen al lang het geval. Hoe lang is helaas niet bekend. Het lijkt aannemelijk dat deze soort lang geleden dankzij menselijke activiteiten in aantal is toegenomen. In de natuurgebieden die aan hun lot werden overgelaten zullen immers slechts weinig geschikte broedgebieden te vinden zijn geweest. Over de geschiktheid van de verschillende typen cultuurgebieden is hiervoor reeds een en ander vermeld. Het is jammer dat er ter vergelijking met de huidige stand slechts weinig informatie over vroeger beschikbaar is. Alleen over de stand in de eerste helft van deze eeuw zijn wat incidentele kwantitatieve gegevens bekend. Tellingen op grotere schaal zijn pas later verricht. De beschikbare gegevens suggereren dat het aantal broedparen in Friesland vroeger hoger was dan nu het geval is. Zo blijkt uit archief Bosch (A. 1) dat in 1927 tussen 12 en 15 april in Leeuwarden en Sneek dagelijks 20.000 à 25.000 eieren werden aangevoerd. Als men er vanuit gaat dat de legpauzen bij de Kievit minstens ongeveer even lang duren als de legperioden (zie Klomp, 1951), dan betekent dit dat op de genoemde dagen minder dan de helft van de Friese broedparen aan de eierproduktie deelnam. Bovendien zijn stellig niet alle eieren gevonden en ook de natuurlijke vijanden hebben hun tol gegeven. Verder zijn ongetwijfeld niet alle gevonden eieren in Sneek en Leeuwarden verkocht. Hier staat tegenover dat er wel eieren uit andere provincies zijn aangevoerd. Het leeuwendeel van de aanvoer kwam echter uit Friesland. Alles bijeen lijkt het niet te gewaagd, om het toen minimaal in deze provincie aanwezige aantal broedparen op 50.000 te taxeren. Ter vergelijking kan worden vermeld dat blijkens opgaven van Hendriksma en De Jong in de jaren 1966 t/m 1970 door Friese vogelwachters in totaal ruim 16.500 ha grasland zijn onderzocht, ofwel ± 7,5% van het graslandareaal in deze provincie. Hierop werden ruim 8600 kievitlegsels geteld. Het lijkt aannemelijk dat de dubbeltellingen door mederekening van verlaten legsels ongeveer opwegen tegen het aantal legsels dat bij de tellingen aan de aandacht is ontsnapt. Erg belangrijk lijken deze factoren niet. Het is echter wel waarschijnlijk dat bij de keuze van de telgebieden vaak de voorkeur is gegeven aan de meest vogelrijke gedeelten (o.a. veel reservaten!). Rekening houdend met de genoemde factoren werd het aantal broedparen op de Friese graslanden getaxeerd op 35 à 40.000 (zie ook Hulscher, 1973). Op de ruim 30.000 ha bouwland nestelden eveneens duizenden Kieviten. De totale stand is daarom globaal geschat op 38.000 tot 48.000 paren. Het staat zonder meer vast dat Friesland de beste kievitenprovincie is (zie ook Beintema, 1975). Ter vergelijking kan worden verwezen naar de Avifauna's van Noord-Brabant (1965), Noord-Holland Noord (1971) en Midden-Nederland (1972), waarin voor de betrokken gebieden respectievelijk 1.500 à 2.000, 12.000 à 13.000 en bijna 10.000 broedparen worden vermeld. Zelfs in internationaal opzicht zijn de Friese graslanden als broedgebied voor de Kievit van uitzonderlijk groot belang (zie b.v. Bottema, 1966).

Er is overigens ook geen provincie, waar zoveel voor de bescherming van de Kieviten is gedaan als in Friesland. Het strenge toezicht gedurende vele decennia op het eierzoeken in gesloten tijd is hiervan slechts één facet. De brochure ,,Hoed en noed yn 't fjild'' vormt een goed voorbeeld van de actieve vogelbeschermings-methoden die de Bond van Friese Vogelbeschermingswachten met zo veel succes heeft gestimuleerd. Wij denken in dit verband vooral aan de propaganda voor het ontzien van eieren en jonge vogels bij het rollen, eggen en maaien en voor het plaatsen van nestbeschermers op beweide percelen (zie Hendriksma 1961, 1974; Span 1956, 1970; Bangma 1961, 1963, 1972).

Tenslotte dient nog te worden gewezen op het grote belang van het instellen van weidevogelreservaten. Vooral de reservaten met een eigen waterhuishouding en met voorschriften ten aanzien van het bemesten en maaien zijn voor de Kieviten van zeer grote betekenis.

S.B.

Zilverplevier - *Pluvialis squatarola* (Linnaeus)

Slykwilster
Oare nammen: Séwilster, Blanke Wilster; Warkum; Strânwilster. (J.B.)

Jaargast; doortrekker in groot aantal.

De Zilverplevier broedt in Arctisch gebied. De doortrek vindt in hoofdzaak plaats langs de kust van half juli tot in december en van eind maart tot begin juni.

Tijdens tellingen van vogels langs de gehele Friese Waddenkust in 1973 (D. 3) werden de volgende aantallen vastgesteld:

Zilverplevier in winterkleed, oktober 1974 Zwarte Haan - W. Grond.

21 januari	20 ex.	18 augustus	1120 ex.
17 februari	2 ex.	1 september	2580 ex.
24 maart	38 ex.	15 september	1360 ex.
21 april	145 ex.	13 oktober	1580 ex.
19 mei	4840 ex.	17 november	480 ex.
16 juni	103 ex.	15 december	204 ex.
21 juli	2250 ex.		

Volgens Boere en Zegers (1972 en 1973) werden aan de Friese Wadden-kust 320 exemplaren aangetroffen op 29 juli 1972; 2110 exemplaren op 2 september 1973 en 200 op 7 april 1973.

Uit bovenstaande en andere tot onze beschikking staande gegevens blijkt dat vooral de maand mei een hoge piek vertoont ten aanzien van de door-trek naar de broedgebieden. Eykman in DNV III (1949) vermeldde reeds: „De talrijkheid der waarnemingen in Mei, zoowel van het IJsselmeergebied als van elders wijst er op, dat in deze maand de hoofdtrek plaatsvindt". Recente tellingen hebben deze uitspraak dus bevestigd.

Overzomeren vindt plaats in vrij klein aantal langs de kust (103 ex. op 16 juni 1973). Andere juniwaarnemingen zijn: 23 juni 1956, 1 ex. Makku-merwaard (A. 1) en 7 juni 1968, 1 ex. in St. Johannesgaster Schar (A 2).

In het laatst van juli valt reeds een aanzienlijke toename van het aantal individuen te constateren en de trek uit de broedgebieden gaat regelmatig door, soms tot in november of december waarna, afhankelijk van de weersomstandigheden, overwinteren in klein aantal plaats vindt langs de kust. kust.

Vogels in hun eerste kalenderjaar zijn eind september-begin oktober langs onze kust aanwezig hetgeen kan worden afgeleid uit vangsten door Eenshuistra (5 oktober 1963, 24 september 1966, Noorderleeg).

Zowel in het najaar als in het voorjaar worden de grootste aantallen waargenomen tussen Zwarte Haan en de Veerdam bij Holwerd (D. 3). Ook onder Laaxum en Mirns langs het IJsselmeer worden vrij geregeld Zilverplevieren waargenomen.

Alhoewel de soort, wat de voedselterreinen betreft, in hoge mate gebonden is aan de slikken langs de kust, zijn er enige waarnemingen bekend uit meer landinwaarts gelegen gebieden. Ten dele hebben deze betrekking op doortrekkers.

12 mei 1935	7 ex. Eernewoude, oostelijk vliegend (Ard. 25, 1936, 94)
7 augustus 1935	gehoord boven Eernewoude (idem)
11 augustus 1936	3 ex. Eernewoude, westelijk vliegend (Ard. 26, 1937, 72)
26 maart 1943	1 ex. Eernewoude, noordoostelijk vliegend (Ard. 38, 1945, 210)
18 maart 1945	1 ex. in winterkleed in de Louwsmeer onder Tietjerk (A. 3)
8 mei 1953	4 ex. tussen Irnsum en het Sneekermeer (Van. 6, 1953, 113)
9 mei 1954	4 ex. Nijega (HO), overvliegend, wellicht meer (A. 1)
23 september 1964	1 ex. Duurswoude, aan een oever van een heideven (idem)
11 mei 1968	1 ex. opspuiting aan de Greuns onder Leeuwarden (A. 2)
7 juni 1968	1 ex. in St. Johannesgaster Schar (idem)

Albarda (1884) vermeldt: ,,Wordt jaarlijks op den trek, vooral in de nabijheid der kust gevangen''. Haverschmidt (1943) zegt: ,,Vrij dikwijls wordt ook de Zilverplevier *Squatarola squatarola (L.)* onder het wilsternet gevangen, zoo ontving ik op 11 December 1929 4 stuks, welke tezamen met Goudplevieren onder Marrum waren bemachtigd''.

Van een oude wilstervanger uit Marrum werd vernomen dat, bovenal met noordwestelijke winden als de slikken onder water staan, Zilverplevieren werden gevangen op de buitendijkse gronden. Ongetwijfeld heeft de soort zich vroeger bevonden onder de vogels die met behulp van de zogenaamde staltnetten werden gevangen. Deze wijze van vangen als jachtbedrijf is verboden en behoort reeds lang tot het verleden.

Voor slykwilsters, die vroeger bij de poeliers in Leeuwarden werden aangebracht, werd ongeveer 15 cent per stuk betaald. Ze brachten minder op dan wilsters (Goudplevieren) en de handel in slykwilsters was slechts van zeer weinig betekenis.

O.E.

Goudplevier - *Pluvialis apricaria* (Linnaeus)

Wilster

De fûgelnamme wilster (of wylster) kin forboun wurde mei it Aldingelske "hulfestre", dat gearhinget mei "hwilpe" (wylp). Wilster en wylp binne dus bisibbe wurden. It Angelsaksyske "hwelan" bitsjut: balte, raze. De bitsjutting fan wilster is dus: razer, skreauwer. (W.J. Buma, Us Wurk 23, 1974, 99) (J.B.).

a. **Zuidelijke Goudplevier** - *Pluvialis apricaria apricaria* (Linnaeus)

Voormalige broedvogel; doortrekker in vrij klein aantal; wintergast?

Volgens Albarda (1884) broedden er enkele paren op de heide in Opsterland en Ooststellingwerf. Dezelfde schrijver (1897) laat wat Friesland betreft weten: ,,In kleinen getale broedende op heidevelden''. Van Pelt Lechner schrijft in Versl. en Med. N.O.V. 3, 1906, 35 het volgende: ,,1 Mei ontving ik drie eieren uit de streek gelegen tusschen Sneek, Bolsward en Wommels (Fr.) en 19 April twee stuks gevonden bij Akkrum (Fr.)''. Brouwer (1948) tekent hierbij aan: ,,De 2 eieren, die Van Pelt Lechner op 19 April 1906 ontving kunnen moeilijk uit de directe omgeving van Akkrum afkomstig zijn, aangezien het biotoop van de Goudplevier daar ontbreekt''. Er bestaat een kleine mogelijkheid dat er eieren in legnood zijn geproduceerd. Snouckaert (1908) schrijft over broeden in Friesland: ,,Hier en daar in zeer kleinen getale broedende op heidevelden''.

De laatst bekende broedgevallen werden vastgesteld in Zuidoost-Friesland. Op 19 april 1937 ontving Ts. Gs. de Vries twee eieren afkomstig uit het Fochteloërveen, gelegen ten oosten van Fochteloo (Lim. 10, 1937, 118-119; Frysk en Frij 30-10-1953). Er is een notitie aanwezig van een tweede broedgeval (niet bevestigd) in 1937 (A. 1): ,,Gebroed onder Elsloo, niet ver van Schapepoel, op land van Gebr. Witvoet. Gehele zomer geweest, één jong doodgevonden op 28 augustus'' (A. 1).

Het verdwijnen van de Zuidelijke Goudplevier als broedvogel is duidelijk een gevolg van het ontginnen van heidevelden en hoogvenen, waarmee in vroeger jaren grote delen van Zuidoost-Friesland waren bedekt (zie Schotanus, Atlas van Friesland 1718).

Omtrent data en de mate van doortrekken zijn geen gegevens bekend. Op grond van publikaties ten aanzien van de aantallen broedvogels in Noordwest-Duitsland, Denemarken, Zuid-Scandinavië en Estland mag worden verondersteld dat deze vorm in vrij klein aantal in Friesland door kan trekken. Gegevens over het voorkomen in de winter ontbreken doordat beide vormen van de Goudplevier in dit jaargetijde niet te onderscheiden zijn.

Alle gegevens over voorkomen van de Goudplevier in de trektijd en in de winter, worden daarom bij de volgende, veel talrijker ondersoort *altifrons* ingedeeld.

b. **Noordelijke Goudplevier** - *Pluvialis apricaria altifrons* Brehm

Doortrekker in zeer groot aantal, wintergast in wisselend aantal.

De soort trekt door van juli tot in december en van eind februari tot eind mei. De vroegste vangst, door Eenshuistra ooit in juli gedaan, vond plaats op 6 juli 1963. Van vier uit het oosten komende vogels werden 2 exemplaren gevangen. De trek uit de broedgebieden wordt in het algemeen echter pas goed waarneembaar gedurende of na de derde week in juli.

Vrij recente tellingen, verricht in 1973 langs de gehele Friese Waddenkust (D. 3), leverden de volgende resultaten op:

21 januari	geen	18 augustus	3550 ex.
17 februari	geen	1 september	1700 ex.
24 maart	6150 ex.	15 september	2490 ex.
21 april	6450 ex.	13 oktober	3850 ex.
19 mei	91 ex.	17 november	350 ex.
16 juni	57 ex.	15 december	3 ex.
21 juli	202 ex.		

De hoofdtrek naar de broedgebieden vindt duidelijk plaats in maart en april. Boere en Zegers (1972 en 1973) delen mee dat aan de Friese kust 520 ex. werden aangetroffen op 29 juli 1972, 2.580 op 2 september 1973 en 390 ex. op 7 april 1973.

Het verblijf en voorkomen van de Goudplevier is echter niet uitsluitend beperkt tot een smal gebied langs de kust. Wel kan worden opgemerkt dat met name het Noorderleegs Buitenveld, kortweg Noorderleeg genoemd, tot een van de belangrijkste buitendijks gelegen pleisterplaatsen mag worden gerekend. Op hoogtepunten van de trek naar de broedgebieden werden aldaar de grootste aantallen waargenomen in 1966 (Eenshuistra, 1973).

11 maart	± 120 ex.
24 maart	± 8.000 ex.
25 maart	± 10.000 ex.
1 april	± 10.000 ex.
8 april	± 8.000 ex.
22 april	± 1.000 ex.

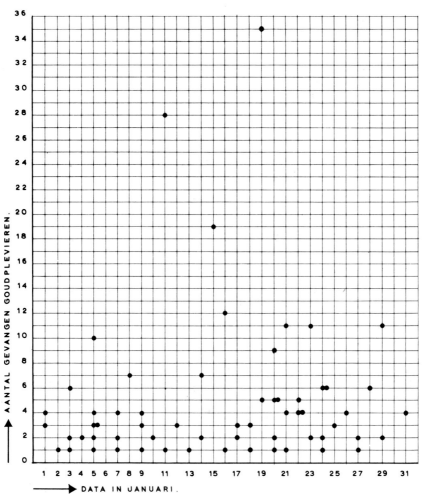

JANUARI – VANGSTEN VAN GOUDPLEVIEREN
1906 – 1943 (tot. 301 ex.)
door de vanger W.H. te Rinsumageest
vermeld door HAVERSCHMIDT in
Ardea 32: 35 – 74.

In het algemeen kan worden gezegd dat de Goudplevieren in het gehele Friese kleigebied alsmede in het zuidwesten van de provincie kunnen vertoeven. In deze gebieden waren dan ook in hoofdzaak de wilstervangers woonachtig.

In zachte winters verlaten de Goudplevieren Friesland niet en zijn dan in wisselend aantal aanwezig. Derhalve werden er vangsten gedaan in december, januari en februari (Haverschmidt, 1943; Eenshuistra, 1973). Zodra er vorst van betekenis invalt is er een snelle verplaatsing van grote scharen in zuidwestelijke richting waar te nemen. Uit opgaven betreffende vangsten, gepubliceerd door Haverschmidt (1943), blijkt dat door een vanger te Rinsumageest gedurende de jaren 1906-1943 met name in de maand januari in totaal 301 exemplaren werden bemachtigd (zie puntdiagram).

Aangenomen kan worden dat de Goudplevier overzomert in vrij klein aantal en wel het meest in gebieden grenzend aan de Waddenkust. Waarnemingen in juni - de beste indicatie voor overzomeren - worden hieronder vermeld (voor zover niet anders vermeld uit dagboek Eenshuistra).

24 juni 1944	1 ex. Noorderleeg (Ard. 34, 1946, 385)
1 juni 1945	4 ex. Noorderleeg (idem)
20 juni 1948	3 ex. Bantega (A. 1)
1 juni 1962	20 ex. Noorderleeg
9 juni 1962	7 ex. Noorderleeg
30 juni 1962	12 ex. Noorderleeg
22 juni 1963	3 ex. Noorderleeg
13 juni 1964	flinke troep Noorderleeg
22 juni 1964	31 ex. Noorderleeg
27 juni 1964	enige ex. Noorderleeg
30 juni 1964	16 ex. Noorderleeg
5 juni 1965	1 ex. kwelder onder Holwerd (A. 2)
22 juni 1968	2 ex. kwelder onder Blija (idem)
3 juni 1971	1 ex. Akkerwoude (Vj. 19, 1971, 620)
16 juni 1973	19 ex. Noorderleeg
16 juni 1973	57 ex. langs gehele Friese Waddenkust (D. 3)
22 juni 1974	6 ex. Noorderleeg
29 juni 1974	1 ex. Noorderleeg

Volgens mededeling van Arthur Watson, die beroepshalve sinds april 1971 regelmatig in het Noorderleeg aanwezig is, zijn ieder jaar gedurende de maand juni aldaar Goudplevieren in klein aantal aanwezig. In deze maand werden naast vogels van het uitgesproken *altifrons*-type ook sommige vogels waargenomen die leken op het *apricaria*-type (Eenshuistra).

Door het ringen van duizenden op de doortrek in Friesland aanwezige Goudplevieren werd een indrukwekkend aantal terugmeldingen verkregen.

Van de in Friesland als volgroeide vogel geringde exemplaren zijn de volgende terugmeldingen bekend:

Teruggemeld (1911-1974)	I	II	III	IV	V	VI	VII	VIII	IX	X	XI	XII	Totaal
Friesland	2	1	3	6						8	39	25	84
Overig Nederland	·		1	2						2	9	10	24
IJsland					1								1
Groot Brittannië en Ierland	3	1								2	1	5	12
Frankrijk	32	27	32		1					1	6	26	125
Spanje	18	16	6	1	1	1					1	12	56
Portugal	8	8	2									4	22
Italië		2	7	2					1				12
Denemarken						2		37	6	10		1	56
Noorwegen					2	2	4		1				9
Zweden				1	4			1		1			7
Finland					1								1
België			2		1						1	1	5
Duitsland								1			1		2
Polen										1	1		2
Europees Rusland				1	11	3	2	8	2				27
Aziatisch Rusland								1					1
Marokko	8	4	1	1							1	2	17
Totaal	71	59	54	14	23	6	7	48	10	25	60	86	463

Dit bedroeg circa 60% van het totale aantal terugmeldingen van in Nederland gedurende 1911-1974 geringde Goudplevieren. Uit de gegevens in het bijgaande overzicht blijkt dat de verst afgelegen broedplaatsen zich bevinden in Aziatisch Rusland en dat de meest zuidelijke overwinteringskwartieren in Marokko zijn gelegen.

Uit de broedgebieden kwamen relatief weinig terugmeldingen, hetgeen niet zo verwonderlijk behoeft te zijn als men weet, dat die gebieden door mensen weinig worden betreden. De meeste terugmeldingen wat betreft de broedgebieden kwamen uit Europees Rusland.

Een aanzienlijk aantal kwam uit de overwinteringskwartieren gedurende de maanden december, januari, februari en maart. Frankrijk leverde met 125 de meeste terugmeldingen. Denemarken valt op met 37 uit de maand augustus. Dit is een uitvloeisel van de vroeg geopende jacht op Goudplevieren.

Ten aanzien van Friesland kan worden opgemerkt dat de maanden november en december - de periode waarin op Goudplevieren mag worden gejaagd - een duidelijke verhoging van het aantal terugmeldingen te zien geven.

Al sinds eeuwen behoort de Goudplevier tot het jachtwild. Eén van de oudste jachtmethoden is wel die, waarbij de vogels worden gevangen met behulp van het zogenaamde wilsternet. Dit is een groot éénvleugelig slagnet, circa 25 m lang en 2,75 m breed.
Kalma (1963) zegt over de vangst: ,,It wilsterfangen of -flappen waerd algemien dien, al yn de 16de ieu en men wist tige goed: ,Hwa't wilsterfange wol moat fluitsje kinne'.''
Albarda (1884) merkt op: ,,Wordt met groote, enkele slagnetten gevangen welke vangst soms belangrijke voordeelen oplevert. Op de Londensche markt kon, ingeval van schaarschte, meer dan eens een shilling voor het stuk worden bedongen. Er zijn voorbeelden, dat een vogelvanger, op éénen dag, 400 stuks bemachtigde''.
Het zijn vooral de kustgemeenten en hieraan grenzende gemeenten waar de vangst door middel van netten werd of nog wordt uitgeoefend. Een groot deel van de ,,wilstervangers'' is lid van de vereniging ,,Het Friesche Vogelvangersbelang'', opgericht 20 mei 1909.
Omstreeks de jaren twintig was de jacht gedurende acht maanden open, van eind juli of begin augustus tot eind maart of begin april. Geleidelijk werd echter de jachtperiode ingekort. In 1941 is er een einde gekomen aan de vangst in het voorjaar, wanneer de vogels op doortrek zijn naar de broedgebieden. De laatste jaren is de jacht op Goudplevieren geopend van 1 november tot en met 31 december.
In 1936 werden in Friesland 100 jachtakten uitgegeven. Mede als gevolg van de voedselschaarste was er in de oorlogsjaren een sterke stijging van het aantal vangers waar te nemen. Voor het jachtseizoen 1942/1943 werden 168 jachtakten uitgegeven. Het is niet bekend hoeveel vogels er jaarlijks precies werden verhandeld. Volgens Tolsma (1936) zou dit circa 20.000 à 25.000 vogels per jaar zijn geweest, een schatting berustend op door de poeliers te Leeuwarden verhandelde vogels.
In de Jachtwet van 3 november 1954 onder art. 79 2e lid is gesteld, dat met betrekking tot de vangst van Ganzen en Goudplevieren alleen zij voor een jachtakte in aanmerking komen die in het tijdvak van 1 juli 1946 tot 1 juli 1951 de jacht op Ganzen en Goudplevieren door middel van slag- of treknetten hebben uitgeoefend. Dit betekent dat er een ,,uitsterfsysteem'' is ingebouwd, waardoor het gebruik van netten gestadig zal verminderen en

tenslotte een einde zal nemen. Als uitvloeisel van deze bepaling en gezien het feit dat de vangst weinig geldelijk gewin meer opleverde, was het aantal houders van bijzondere jachtakten in 1969 reeds gedaald tot 37.

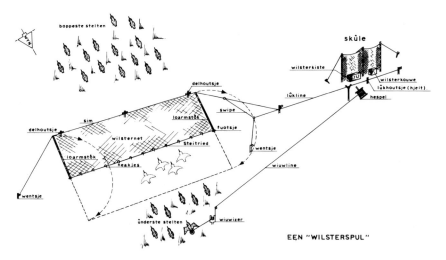

EEN "WILSTERSPUL"

Maar zij die er mee doorgaan zijn met hart en ziel verknocht aan dit eeuwenoude jachtbedrijf. Kennis en ervaring hieromtrent werden in vele gevallen overgedragen van vader op zoon. De wilstervangers hebben zo hun eigen terminologie, hetgeen onder meer tot uitdrukking komt in de benamingen van diverse onderdelen van de vanginstallatie welke hierbij is afgebeeld.

O.E.

Kleine Goudplevier - *Pluvialis dominica fulva* (Gmelin)

Sibearyske Wilster

Onregelmatige gast.

De Kleine Goudplevier heeft zijn broedgebied in Noord-Siberië en West-Alaska.
Waarnemingen zijn niet bekend, maar na 1900 zijn de volgende vondsten gepubliceerd:

november 1900	1 ♀ ex. bij Birdaard, coll. RML (Snouckaert, 1908)
12 december 1901	1 ♂ ex. bij Kootstertille, coll. Artis, Amsterdam (idem)

5 januari 1902	1 ♂ ex. bij Birdaard, coll. Artis, Amsterdam (idem)
8 november 1906	1 juv. ♀ ex. bij Oudkerk, coll. Snouckaert, Doorn (idem)
23 november 1909	1 ♂ ex. in Kollumerland (Jaarboekje N.O.V., 7, 1910, 54)
1 december 1912	1 ♀ ex. bij Buitenpost (Jaarbericht C.N.V., 3, 1913, 19)
24 maart 1916	1 ♀ ex. bij Dokkum (Ard. 5, 1916, 96)
oktober 1916	1 ♂ ex. in Friesland (Ard. 19, 1930, 32)
half oktober 1939	1 juv. ♂ ex. in Friesland (Lim. 12, 1939, 171)

Er zijn drie vondsten vóór 1900 bekend:

17 februari 1896	1 juv. ex. onder Birdaard, coll. RML (Snouckaert, 1908)
2 december 1897	1 ♀ ex. onder Munnekezijl, coll. Artis, Amsterdam (idem)
16 februari 1899	1 ♀ ex. bij Dokkum, coll. Snouckaert, Doorn (idem)

De vogels werden alle gevangen onder het wilsternet bij de vangst van ,,gewone" Goudplevieren. Dat dit tegenwoordig niet meer voorkomt, zou er op kunnen wijzen dat er in vorengenoemde jaren - in vergelijking met thans - een veel groter aantal Goudplevieren werd bemachtigd.

Op een totaal van 3750 Goudplevieren - gedurende de jaren 1957 t/m 1975 ten behoeve van het wetenschappelijk ringonderzoek in het Noorden van Friesland gevangen - kwam de Kleine Goudplevier niet voor (O. Eenshuistra).

O.E.

Morinelplevier - *Eudromias morinellus* (Linnaeus)

Greate Bûnte Wilster

Doortrekker in klein aantal van eind augustus tot eind september en van eind april tot in juni.

De soort broedt in het bergland van Noord-Wales, Noord-Engeland, Schotland, Midden- en Noord-Europa en Noord-Azië en is sedert 1961 broedvogel van Nederland (Noordoostpolder en Oostelijk Flevoland).

Hoewel de vondsten en waarnemingen van de Morinelplevier in Friesland niet een dusdanig beeld geven dat van een regelmatig in deze provincie doortrekkende vogel kan worden gesproken, is er toch gekozen voor de avifaunistische status van doortrekker. Dit mede op grond van het feit dat in de direct aan Friesland grenzende Noordoostpolder vrij regelmatig waarnemingen werden gedaan in de jaren 1948-1956, voornamelijk door G.J. Postma, vroeger woonachtig te Bantega, later te Lemmer. Volledige gegevens hierover zijn aanwezig in het archief Bosch (A.1). Hier wordt volstaan met het vermelden van de grootste aantallen die werden waargenomen in de jaren 1952-1956:

11 maart 1952	± 50 ex. N.O.P.
27 april 1953	± 60 ex. N.O.P.
22-31 augustus 1953	± 75 ex. N.O.P.
13 mei 1954	± 100 ex. N.O.P.
20 mei 1956	± 98 ex. N.O.P.

De eerste broedgevallen in de Noordoostpolder (bij Emmeloord) dateren van 1961 (Lim. 34, 1961, 274).

Men mag aannemen dat groepjes van deze vogels, op doortrek uit of naar de broedgebieden, geheel of ten dele Friesland zijn gepasseerd. Verder bestaat de mogelijkheid dat Morinelplevieren aan waarneming ontsnappen indien ze zich in gezelschap van Goudplevieren bevinden.

Buiten het normale patroon vallende vondsten en waarnemingen zijn de volgende:

12 maart 1936	2 ex. Metslawier (A. 1)
18 maart 1972	1 ex. Westhoek (Van. 25, 1972, 125)
7 september 1931	1 ♂ ex. geschoten bij Workum, tegelijk met vier Goudplevieren (A. 1)
25 oktober 1929	1 juv. ♂ ex. bij een poelier te Leeuwarden (Ard. 19, 1930, 33)
1 november 1894	1 ♀ ex. in winterkleed gevangen bij Dokkum (Albarda 1896)
17 november 1899	verschillende juv. ex. in herfstkleed bij een poelier te Leeuwarden, gevangen bij Holwerd (Snouckaert 1900)
14 november 1906	1 ad. ♂ ex. bij Oudkerk (Snouckaert 1908)
25 november 1920	1 ex. geschoten bij Workum (Ard. 12, 1923, 5)
9 november 1921	1 ex. geschoten bij Makkum (idem)
7 november 1922	1 ex. geschoten bij Heerenveen (idem)
1 en 21 december 1900	vangsten onder Ferwerd (Snouckaert 1908)
4 december 1917	1 juv. ♀ ex. Friesland (Ard. 7, 1918, 135)
30 december 1926	1 ♂ ex. bij een poelier te Leeuwarden, twee à drie dagen te voren aangebracht (Ard. 17, 1928, 31)
30 december 1932	1 ex. gevangen in een wilsternest bij Dokkum (Ard. 22, 1933, 183)

De vroegste datum is 12 maart 1936, de laatste 30 december 1932. Er werd niet speciaal jacht op de Morinelplevier gemaakt. De soort kwam vroeger soms toevallig onder het „wilsternet" bij de vangst van Goudplevieren.

O.E.

Bontbekplevier - *Charadrius hiaticula* Linnaeus

Bûnte Wilster

Jaarvogel; doortrekker in groot aantal; schaarse broedvogel.

Het broeden vindt plaats op zandige en schelpenrijke buitendijkse gebieden langs de IJsselmeerkust, soms aan de Waddenkust, in de Lauwerszeepolder en incidenteel in het binnenland op opgespoten zandige terreinen. Betreffende het broeden op opgespoten terreinen kan worden opgemerkt dat blijkens beschikbare gegevens de Bontbekplevier en de Kleine Plevier soms op dezelfde terreinen naast elkaar voorkomen.

De soort broedt onder meer aan de kusten van de Noordzee en Oostzee, op de Britse eilanden, de Faröer, IJsland en Groenland. Verder strekken de broedgebieden zich uit over de noordelijke delen van Rusland en Siberië, waar een aparte vorm wordt onderscheiden.

De eerste opgaven van broedgevallen, waarschijnlijke of mogelijke broedgevallen stammen uit gebieden langs de vroegere Zuiderzeekust en de latere IJsselmeerkust.

19-20 juni 1929	Lemsterhop, achter in de wei „enkele paren", beweringen Boersma bevestigd; waarschijnlijk wel in 1927 en 1928 aldaar gebroed (Med. Club VIII 1929: 1)
1929	enkele paren in Lemsterhop „waar zij ook de voorafgaande jaren reeds gebroed zouden hebben." (Med. VIII, juli 1929)
6 juni 1932	bij Lemmer een nest met 4 eieren (Ard. 22 1933, 13)
29 mei 1939	Hindeloopen nest met 4 eieren (3e Aanv., 1942, 17)
1941	Makkumerwaard, broedend (DLN 46, 1941, 105-106)
1944	Makkumerwaard, ± 4 broedparen (Ard. 34, 1945, 353)
1961	Bildtpollen, 1 nest (A. 19)
22 mei 1961	Makkum Noordwaard, 1 nest (A. 1)
25 juli 1961	Leeuwarden, Industrieterrein, 2 jongen 3 à 4 dagen oud (A. 1)
20 mei 1964	Werkeiland Lauwerszee, nest met 4 eieren, op een grindhoop (A. 5)
1964	Workumerwaard, 2 broedparen (G. 5)
1966	Zurich, broedvogel van opgespoten terrein (A. 4)
mei 1966	Workumerwaard, een ex. met twee jongen (A. 2)
30 mei 1967	Werkeiland Lauwerszee, nest met 4 eieren (A. 5)
mei/juni 1967	Workumer Buitenwaard, 4 broedparen (G. 5)
7 juni 1967	Werkeiland Lauwerszee, nest met 3 eieren, op 8 juni '67 waren er 4 eieren (A. 5)
10 juni 1967	tussen Zurich en kop Afsluitdijk, 1 broedpaar, ex. op nest (A. 2)
eind juni 1967	bij Gaast, waarschijnlijk 2 paartjes met jongen van hooguit een week oud (A. 2)
21 augustus 1967	bij Leeuwarden, opspuiting Froskepôlle, 3 ex. (2 juv). (A. 2)
11 mei 1968	bij Hindeloopen, opgespoten terrein, nest met 4 eieren (A. 2)
4 mei 1969	Leeuwarden, Industrieterrein, nest met 3 eieren (A. 2)
12 mei 1970	Makkum, Noordwaard, minstens 4 paartjes; hiervan 1 paar met jongen (A. 2)
1970	Lauwerszeepolder, Friese deel, 5 broedparen (Timmerman 1972)

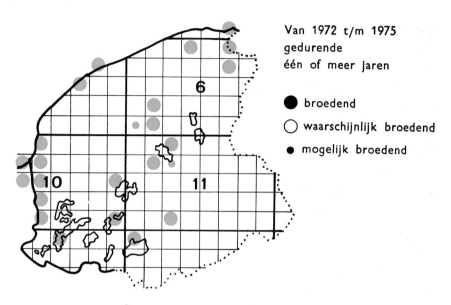

Van 1972 t/m 1975
gedurende
één of meer jaren

● broedend

○ waarschijnlijk broedend

• mogelijk broedend

29 mei 1971	Makkumer Noordwaard, 1 vier-legsel en een paar met pas uitgekomen jongen (A. 22)
31 mei 1972	Lauwersoog, naast Nissenhut nest met 4 jongen (A. 5)
28 juni 1972	Makkumer Noordwaard, tenminste twee broedparen (A. 22)
18 mei 1973	Makkumer Noordwaard, zeker drie broedparen (A. 22)

Bij het beschouwen van bovenstaande opgaven en van de gegevens uit het Atlasproject (zie kaartje) blijkt dat tot en met 1944 broedgevallen uitsluitend werden vastgesteld in gebieden langs de IJsselmeerkust. Hierna volgt een nestvondst aan de Waddenkust in 1961 en in hetzelfde jaar worden jongen gezien op een toekomstig industrieterrein bij Leeuwarden.

Het werkeiland in de Lauwerszee biedt voor het eerst broedgelegenheid in 1964 en vervolgens in 1967. Na de afsluiting van de Lauwerszee op 23 mei 1969 herbergde het Friese deel van de Lauwerszeepolder 5 broedparen in 1970. Ook in volgende jaren werden, bij het inventariseren van broedvogels in het kader van het Atlasproject, broedplaatsen in deze nieuwe polder gevonden.

Tot op heden blijkt dat in sommige kustgebieden, gelegen tussen Harlingen en Hindeloopen, de Bontbekplevier nog steeds broedvogel is.

De doortrek valt in de periode van half juli tot in november en van half februari tot eind mei. De trek vindt in hoofdzaak plaats langs de kust. Hier worden dan ook de grootste aantallen waargenomen, zoals mag blijken uit

tellingen verricht in 1973 langs de Friese Waddenkust (D. 3)
De maandelijkse tellingen leverden de volgende resultaten op:

21 januari	geen	18 augustus	285 ex.
17 februari	geen	1 september	1450 ex.
24 maart	99 ex.	15 september	253 ex.
21 april	18 ex.	13 oktober	370 ex.
19 mei	2680 ex.	17 november	geen
16 juni	1 ex.	15 december	geen
21 juli	6 ex.		

Op 23 augustus 1963 werd een aanzienlijk aantal (circa 1150 ex.) waargenomen bij de Lauwerszee (G. 5). Uit deze gegevens kan men concluderen dat in mei de hoofdtrek plaats vindt naar de broedgebieden en dat eind augustus, begin september de periode is waarin zich een duidelijke herfsttrek manifesteert.

Dat de herfsttrek omstreeks half juli aanvangt kan mede worden afgeleid uit de volgende opgaven:

13 juli 1972	Lauwersoog, Waddenzee, meerdere ex. gehoord (A. 12)
14 juli 1962	Bildtpollen 3 ex. (A. 2)
15 juli 1956	Bildtpollen, enkele tientallen (A. 1)
19 juli 1933	Dokkumer Nieuwezijlen, enige ex. (A. 12)
20 juli 1927	Munnekezijl, meerdere ex. (idem)
29 juli 1970	Ritsumazijl, ±40 ex. overvliegers (A. 2)

De trek gaat door tot in november maar is dan nog slechts van geringe omvang:

12 november 1943	Anjum, Kolken, 1 ex. gezien (A. 3)
15 november 1970	Holwerd, pier, 2 ex. (Vj. 18, 1970, 406)
30 november 1952	Harlingen, 2 ex. voedselzoekend (A. 1)

Er zijn weinig winterwaarnemingen bekend:

10 december 1967	Harlingen, op pier 1 ex. (A. 2)
20 januari 1951	Koehool, 3 ex. (A. 1)
22 januari 1950	Westhoek, Wad, 2 ex. (idem)

Omstreeks half februari vangt de trek naar de broedgebieden aan:

11 februari 1965	bij Nieuwebildtdijk op strekdam 5 ex. (A. 2)
21 februari 1970	bij Leeuwarden, Bullepolder, enige ex. roepend overvliegend (idem)
22 februari 1958	Anjum (de Bant), 5 ex. buitendijks (G. 5)

De trek naar de· broedgebieden gaat door tot in het laatst van mei of wellicht tot begin juni:

25 mei 1958	Bildtpolder, troep van 25 ex. (A. 2)
29 mei 1961	Dokkumer Nieuwezijlen, troepjes (A. 12)
1 juni 1962	Noorderleeg, 35-40 ex. in een troep op door schapen kaalgevreten land (A. 1)
2 juni 1961	Mokkebank, 11 ex. (idem)
3 juni 1951	Dokkumer Nieuwezijlen, enkele ex. (A. 12)

Latere waarnemingen in juni zullen waarschijnlijk betrekking hebben op overzomeraars:

16 juni 1973	Langs Friese kust, 1 ex. (D. 3)
19 juni 1916	bij Workum, 3 ex. overkomend (B. 11)
6 juli 1958	Bildtpollen, 4 ex. (A. 1)
7 juli 1962	Noorderleeg, boven tweede dobbe 4 ex. (A. 1)

Uit verschillende gegevens blijkt verder dat de soort bovenal in de maand maart tijdens de voorjaarstrek in klein aantal werd gezien op lage of drassige weilanden (zoet water) onder Leeuwarden aan de Murk, bij de Kleine Wielen, onder Giekerk en aan het Sneekermeer.

Volgens Timmerman in het rapport Wadvogelwerkgroep (1974) vindt de voorjaarstrek in mei zeer snel en in kleine groepjes plaats. Boven de kwelders vliegen dan veel vogels·voorbij. Tijdens de telling op 19 mei 1973 kon dit verschijnsel bijzonder goed worden waargenomen. Er werden toen 2680 exemplaren gezien (G. 5). Op genoemde dag was het weer zonnig en droog met goed zicht en er stond een krachtige noordoostelijke wind.

Timmerman (1974) deelt verder nog mee dat in het voorjaar grote aantallen worden waargenomen op zandbanken voor de Workumerwaard.

Wat de Friese Waddenkust betreft is het voorkomen tijdens de trek bovenal gebonden aan nieuw uitgegraven greppels en bemodderde akkers binnen de landaanwinningswerken. De grootste aantallen in 1973 werden gezien voor de Ferwerderadeels- en Blijabuitendijkspolder (D. 3).

Van als nestjong in Friesland geringde Bontbekplevieren werden twee terugmeldingen uit het buitenland verkregen. Eén vogel werd in augustus in Frankrijk aangetroffen en het andere exemplaar in april in Duitsland.

Uit gegevens vermeld in het Ringverslag van het Vogeltrekstation 1911-1970 door B. J. Speek (Lim. 46, 1973, 109-135) kan worden opgemaakt dat de winterkwartieren zijn gelegen op de Britse eilanden in Frankrijk en op het Iberisch schiereiland.

Albarda (1884) deelt onder „Bonte Wilster" mede: „In het najaar niet zeldzaam aan de kust. Wordt somtijds ook in het binnenland onder het wilsternet gevangen."

Snouckaert (1908) schrijft: „In den winter worden soms exemplaren gevangen; Februari- en Maartvogels zijn niet zeldzaam en vertegenwoordigd o.a. in de collectiën Crommelin en van Artis."

De mededelingen van beide schrijvers wettigen de veronderstelling dat er niet speciaal jacht werd gemaakt op de Bontbekplevier, maar dat de vangsten meer bij toeval werden gedaan.

O.E.

Kleine Plevier - *Charadrius dubius curonicus* Gmelin

Lytse Bûnte Wilster

Zomervogel; schaarse (soms vrij schaarse) broedvogel; doortrekker in klein tot vrij klein aantal.

De biotoop van de Kleine Plevier bestaat uit vrijwel kale of schaars begroeide zandvlakten bij voorkeur ten dele bedekt met steentjes of schelpen en waar bovendien nog enig water in de nabijheid is. In sommige gevallen kunnen drooggevallen oevers van plassen als broedplaats dienen.

Opspuitingen ten behoeve van kanaalwerken, bruggenbouw, stadsuitbreiding, aanleg van industrieterreinen en rijkswegen enz. hebben echter de mogelijkheid geschapen dat de soort zich als broedvogel meer over de provincie kan verspreiden en ook uitbreiden. Doordat deze door menselijk toedoen ontstane terreinen slechts tijdelijk broedgelegenheid kunnen verschaffen zal er sprake zijn van een wisselend aantal broedparen.

Het eerst bekende broedgeval in Friesland is: 23 mei 1906 bij Tietjerk een legsel van 4 eieren gevonden door Ts. Gs. de Vries (Versl. en Med. N.O.V. 4, 1907, 33). Hierna volgt een bijna dertig jaar durende periode zonder opgaven van broedgevallen. In 1935 en later beginnen er meldingen te komen over (mogelijke) broedgevallen aan de IJsselmeerkust waar de biotoop reeds aanwezig was.

De volgende gegevens hebben hierop betrekking:

1935	Workum, buitendijkse gronden, waarschijnlijk genesteld (Ard. 15, 1926, 82)
29 mei 1939	Hindeloopen, op Stoenkharne een legsel van 3 eieren (Ard. 29, 1940, 201)

476

Kleine Plevier Eernewoude - D. Franke.

1 juni 1941	Makkum, Noordwaard minstens 3 paar, 1 legsel gevonden (Ard. 31, 1942, 196)
begin juli 1942	Makkum, Noordwaard 3 paar; op de Zuidwaard verscheidene paren met jongen (Ard. 32, 1943, 206)
9 juni 1943	Makkum, Noordelijke schelpenbank, alarmerend paar (Ard. 33, 1945, 67)
19 mei 1944	Makkumerwaard ten Zuiden van kanaal een legsel met 4 eieren (Ard. 34, 1946, 353)

Vervolgens verschijnen er ook meldingen over broedgevallen op baggerstortterreinen en zandopspuitingen. Daarna werden - mede als gevolg van de na de oorlogsjaren weer begonnen uitvoering van grondwerken - min of meer regelmatig broedgevallen vastgesteld op verschillende plaatsen in de provincie.

Sedert 1942-1944	op baggerstortterreinen westelijk van het Bergumermeer maximaal 3 broedgevallen (Lim. 24, 1951, 108)
26 mei 1945	Bergum, broedend op ,,zandbult'', 4 eieren (A. 4)
24 juni 1945	Koevordermeer, nieuwe terrein, 3 jongen en 2 eieren (A. 19)
1 mei 1946	Bergumermeer, 3 paartjes op ,,zandbult'', 2 nesten gezien (A. 4)
25 mei 1946	Bergum, zandopspuiting, opnieuw nest met 2 eieren (idem)
26 april 1947	Bergum, 2 eieren (idem)
1 mei 1947	Bergum, 4 eieren (idem)
17 mei 1947	Akkrum, 1 ei (coll. FNM)
9 juni 1947	bij Akkrum aan nieuwe kanaal gebroed (A. 1)
24 april 1948	Bergum 2 × vierlegsel (A. 4)
5 mei 1948	Oudeschouw 2 nesten, 4 en 2 eieren, 12 mei verdwenen (A. 1)

5 juni 1948	Bergum 2 × vierlegsel (A. 4)
6 juni 1948	Oudeschouw, nieuwe kanaal, 4 eieren uitgebroed en jongen groot geworden. Er waren nog een paar nesten met 3, één ervan is uitgekomen (A. 1)
22 april 1949	Bergum 2 × vierlegsel, wellicht meer (A. 4)
7 mei 1949	Bergum, zanddepot, 2 × vierlegsel (idem)
3 juli 1949	tussen Akkrum en Grouw 2 en 4 eieren (A. 1)
19 juni 1950	Makkumerwaard, 1 ei (coll. FNM)

Kleine Plevier zandopspuiting Buitenpost - H. F. de Boer.

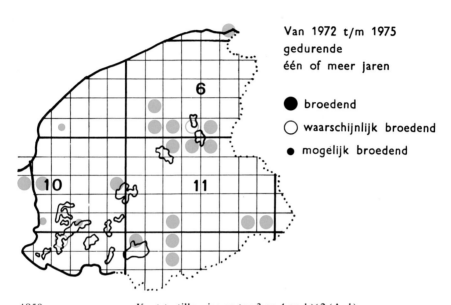

Van 1972 t/m 1975
gedurende
één of meer jaren

● broedend
○ waarschijnlijk broedend
• mogelijk broedend

6

10   11

1950	Kootstertille, vier nesten 3 en 4 en 1 × 2 (A. 1)
1951	dezelfde plaats, één nest gevonden (idem)
3 mei 1951	Bergum, een vierlegsel (A. 4)
30 juni 1951	baggerstortterrein ten Noorden van de spoorlijn Leeuwarden-Harlingen, nest met 4 eieren (DLN 60, 1957, 237)
1 juli 1951	Franeker baggerstortterrein ten Zuiden van spoorlijn Franeker-Harlingen, nest met 3 eieren (DLN 60, 1957, 237-238)
19 mei 1952	onder Leeuwarden, opspuiting Woudmansdiep, 4 eieren (A. 1)
8 juni 1952	Lemmer, nest met 4 eieren (idem)
april en mei 1953	onder Leeuwarden, opspuiting Kalverdijk, minstens 2 paar. In mei zijn de eieren uitgehaald (idem)
5 juli 1953 en 6 augustus 1954	onder Leeuwarden, opspuiting Woudmansdiep jonge ex. aangetroffen (DLN 60, 1957, 237)
mei 1961	bij Oudeschouw onder Akkrum, opgespoten terrein, vier pas uitgekomen jongen (A. 20; Van. 14, 1961, 239)
22 juli 1961	Leeuwarden, industrieterrein Van Harinxmakanaal, een alarmerend ex., in 1960 broedvogel met 1 paar, mogelijk 2 of 3 paren (A. 2)
5 mei 1962	Leeuwarden, industrieterrein Van Harinxmakanaal 1 of 2 ex. (idem)
23 juli 1962	dezelfde plaats, roepende ex., hebben hier kennelijk dit jaar gebroed (idem)
18 mei 1963	onder Leeuwarden opspuiting bij Kleine Wielen, legsel van 4 (idem)
10 mei 1964	onder Leeuwarden, opspuiting bij Kleine Wielen, vierlegsel (coll. FNM)

479

1964	Sneek, broedgeval (Lim. 39, 1964, 56)
1964	bij Franeker, 3 broedgevallen (A. 2)
mei 1965	Lemmer, opspuiting industrieterrein, nest met 4 eieren, wellicht meer nesten (A. 1)
1965	Sneek, broedgeval (Lim. 40, 1967, 29)
21 juni 1965	Franeker, 5 broedgevallen (A. 2)
21 juli 1965	onder Franeker, opspuiting, een ex. broedend op 3 eieren. Er zijn hier een achttal uitgekomen (A. 2)
18 mei 1966	Zurich, ex. broedend op 4 eieren (A. 4)
1968	Workumerwaard, 2 paar (G. 5)
juni 1969	bij Staveren, opgespoten terrein, alarmerend paar met pulli (A. 4)

De broedgevallen van 1972 t/m 1975 zijn op het Atlaskaartje ingetekend.

Albarda (1884) deelt mede: ,,In augustus en september in kleine vlugten bij Tietjerk en Suawoude waargenomen''. Er waren toentertijd blijkbaar nog geen gegevens bekend over voorjaarstrek en broedgegevens.

Volgens AVN (1970) is de soort doortrekker in vrij klein aantal van augustus tot begin oktober en van eind maart tot in mei.

Tijdens de maandelijkse telling van vogels langs de Friese Waddenkust in 1973 werd de soort slechts vijfmaal waargenomen, namelijk 2 ex. op 16 juni, 2 ex. op 18 augustus en 1 ex. op 1 september (D. 3).

Voor Friesland zijn slechts weinig opgaven bekend met betrekking tot doortrek. Het is niet altijd met zekerheid te zeggen of de zeer vroeg in de maanden mei en augustus waargenomen vogels tot de broedvogels of tot de doortrekkers moeten worden gerekend.

Waarnemingen die met een grote mate van waarschijnlijkheid betrekking hebben op doortrekkers worden hierna vermeld:

25 augustus 1936	Mokkebank 2 ex. (1e Aanv. 1938 (4))
27 april 1938	Wartena, Rommertsmeer, 1 ex. overvliegend (A. 16)
23 augustus 1943	Warga, 1 ex. voedselzoekend (idem)
14 augustus 1954	Bildtpollen, 1 ex. vliegend (A. 1)
23 augustus 1959	Bildtpollen, 1 ex. in sloot achter dijk (idem)
23 augutus 1963	Lauwerszee, 10 ex. (G. 5)
19 maart 1964	onder Harlingen bij Stenen Man 4 ex. (A. 1)
19 september 1965	Huizum, opspuiting, zes ex. fouragerend (A. 2)

De vroegste datum is 9 maart 1964 en de laatste datum is 19 september 1965.

Uit de gegevens vermeld in het Ringverslag van het Vogeltrekstation. 1911-1970 is af te leiden dat de soort overwintert in Frankrijk, het Iberisch schiereiland en Italië.

O.E.

Strandplevier - *Charadrius alexandrinus alexandrinus* Linnaeus

Dûkelmantsje
Op it Amelân: Kreuteltsje. (J.B.)

Zomervogel; over het algemeen schaarse, in sommige jaren vrij schaarse broedvogel; doortrekker in klein aantal.

De broedbiotoop in Friesland wordt gevormd door zandige en schelpenrijke terreinen langs de IJsselmeerkust en in de Bant- en de Lauwerszeepolder.

De Strandplevier is onder meer broedvogel aan de kusten van vrijwel alle Europese landen met uitzondering van de Baltische Staten en Scandinavië, waar alleen in Zuid-Zweden broedplaatsen zijn gelegen en de Britse eilanden, waar de soort uitsluitend aan de Kanaalkust broedt.

De verspreiding van de Strandplevier is voornamelijk beperkt tot gebieden langs de kust. Veranderingen in de biotoop door indijken van gebieden, milieuwijzigingen etc. hebben tot gevolg gehad dat er broedplaatsen verloren zijn gegaan, maar ook dat er weer nieuwe broedplaatsen bij zijn gekomen.

Het Lemsterhop bijvoorbeeld is als broedplaats verloren gegaan als gevolg van indijking en cultivering. Klaarblijkelijk moet het Lemsterhop in vroeger jaren van bijzondere betekenis zijn geweest.

In het excursieverslag ,,Friesland, 23 en 24 mei 1925" (Versl. en Med. 1924-1928 van de Nederlandse Vereniging tot Bescherming van Vogels, 96-112) staat het volgende beschreven: ,,Voor den middag konden wij nog een kort bezoek brengen aan het Lemsterhop, het pas ingedijkte en nagenoeg nog ongecultiveerde gebied ten oosten van Lemmer. Het terrein was alleen te bereiken door een klauterpartij over de lange rij palen, de oude beschutting van den zeedijk."

In het excursieverslag ,,Zwolle-Staveren 14/15 mei 1927" wordt gezegd dat er veel was veranderd in het Lemsterhop sedert het bezoek in 1925, ,,de cultuur had vorderingen gemaakt en het vele zand van toen was nu veranderd in een grazige vlakte. Aan vogels was het Hop evenwel rijker geworden; de Kluten hadden de hooggelegen plaatsen betrokken, als gevolg van den velen regen; hun nesten lagen er dicht bijeen. Vlak daarbij huisden de Strandpleviertjes, die het terrein trouw bleven, ondanks de dichtere begroeiing."

De Mokkebank bij Laaxum heeft na de afsluiting van de Zuiderzee ook een dusdanige verandering ondergaan dat de biotoop van de Strandplevier niet meer aanwezig is.

481

In Door het Fryske Gea (1971), door S. J. van der Molen, wordt onder „De Mokkebank bij Laaksum; zandbank werd rietmoeras" in het kort de geschiedenis verteld van deze rug in de voormalige Zuiderzee die bij laag tij droogviel en dan als rustplaats diende voor de mokken. Hieraan wordt verder nog ontleend dat na de afsluiting van de Zuiderzee in 1932 het water binnen enige jaren zoet werd en, als gevolg van verlaging van het peil van het IJsselmeer, grotere delen van de platen droog vielen. Na 1932 vestigden zich hierop kolonies van Grote Stern, Visdief en Kluut. Tot in de jaren vijftig hebben deze vogels zich gedeeltelijk kunnen handhaven maar ze verdwenen toen door de snel toenemende begroeiing de Mokkebank veranderde in een rietmoeras. Uit het jaar 1935 zijn opgaven bekend met betrekking tot broedgevallen van de Strandplevier (A. 1).

Nieuwe mogelijkheden tot broeden vloeiden voort uit de werkzaamheden ten behoeve van de inpoldering van de Lauwerszee. De eerste broedgevallen werden vastgesteld op het zogenaamde Werkeiland. Na de afsluiting van de Lauwerszee, in 1969, vestigde de soort zich in de Lauwerszeepolder. Het is zeer de vraag of de Strandplevier zich hier op den duur zal kunnen handhaven, mede in verband met het toenemen van de vegetatie.

Per gebied vermelden we hier de bekende broedgevallen:

Lemmer-Lemsterhop:

20 mei 1914	Lemmer, kwelder zandig deel, tussen schelpjes nest met 3 eieren (A. 16)
mei 1927	Lemmer, 3 eieren (coll. FNM)
juni 1927 en juli 1928	Lemsterhop, broedt in ettelijke paren (Med. Club Z.W. VII, 1929, 2)
9 juni 1929	Lemmer, 1 ei (coll. FNM)
april 1934	bij Lemmer, 2 nesten met 3 eieren (Med. Club Z.W. XXII, 1936, 11)
8 juni 1952	bij Lemmer in vier nestjes tussen schelpen één eitje in ieder nest (A. 1)

Laaxum-Mokkebank:

25 april 1935	4 nesten met eieren (A. 1)
26 april 1935	8 eieren (idem)
4 mei 1935	3 nesten met totaal 10 eieren (idem)
8 mei 1935	4 nesten met eieren (idem)

Later zijn hier voorzover de gegevens strekken, geen broedgevallen meer vastgesteld.

Makkum-Makkumerwaard:

1942	Makkumerwaard „weer verscheidene paren" o.a. in het noordelijk deel van de Schelpenbank en zuidelijk van de vaargeul naar Makkum „Niesen meldt dat hij hier eind juni met Strijbos zeker 10 legsels vond" (Ard. 32, 1943, 206)
9 juni 1943	Makkum, Schelpenbank een negental legsels, resp. 1 x 1, 1 x 2, 7 x 3 eieren (Ard. 33, 1945, 166-167)
30 juni 1943	Makkum, 1 ei (coll. FNM)
13 juni 1944	Makkum, 3 eieren (idem)
1945	Makkumerwaard, Schelpenbank door lage waterstand sterk vergroot, circa 30 paren; 16 legsels (4 x 1, 5 x 2, 7 x 3 eieren) (Ard. 34, 1946, 353)
25-31 mei 1947	Makkumer Zuidwaard, 7 broedparen (G. 5)
begin 1950-1955	in het nog kale cultuurgedeelte enige tientallen broedparen, die bij het verder in cultuur brengen zijn verdwenen (A. 22)
1 juni 1950	Makkumerwaard, 3 eieren (coll. FNM)
1951	Makkumerwaard, 13 paar (G. 5)
1952	Makkumerwaard, 17 paar (idem)
1 juli 1955	Makkum, Noordwaard„nest met 3 eieren (A. 15)
6 juni 1956	Makkum, Noordwaard, 4 ex. gezien waarvan 1 alarmerend (idem)
1961	Makkum, Noordwaard, dit seizoen 4 nesten (A. 1)
1975	Noordwaard, 1 paartje. Slechts 1 ei dat niet bebroed werd (A. 22)

Workum - Workumerwaard:

1936	bij Workum broedend (Vogels Zuiderzeegebied 1e aanv.)
1942	Workumerwaard, in groot aantal broedend (Ard. 32, 1943, 206)
9 juni 1945	Workumerwaard, op droge gedeelten ± 1 dozijn paren (Ard. 34, 1946, 353)
1949	Workum, 1 ei (coll. FNM)
4 mei 1955	Workumerwaard, 3 eieren (A. 16)
23 april 1963	eitje ontvangen uit Workum, volgens Hellebrekers van Strandplevier (A. 1)
1964	1 broedpaar (G. 5)

Overige gebieden langs de IJsselmeerkust:

8 augustus 1924	Hindeloopen, 1 juv. ex. in coll. v. d. Meer (B. 11)
18 mei 1944	Piaam, Schelphoek, een legsel van 3 (A. 3)
15 mei 1946	bij het Roode Klif, 1 ei in nest met 2 eieren van andere soort (coll. FNM)
4 mei 1955	Gaast-Workum, twee nesten met 3 eieren (A. 1)

Gebieden langs de Afsluitdijk:

9 mei 1959	Kornwerderzand, 2 broedparen, elk met 3 eieren (A. 1)
12 mei 1962	Breezanddijk, 2 nesten met resp. 1 en 2 eieren (A. 2)

De Bant- en de Lauwerszeepolder:

16 mei 1956	De Bant, verscheidene nesten gevonden (G. 5)
19 juli 1957	De Bant, ± 20 broedvogels (idem)
12 juni 1960	De Bant, 3 nesten buitendijks (idem)
15 juni 1964	Werkeiland Lauwerszee, nest met 3 eieren (A. 5)
30 juni 1964	Werkeiland Lauwerszee, nest met 2 eieren (idem)
26 juni 1968	Langs Lauwerszee, NO van Anjum buitendijks, 1 paar alarmerend (A. 15)
1969	Lauwerszeegebied, Friese deel, 4 broedparen (Timmerman 1972)
1970	Lauwerszeegebied, Friese deel, 16 broedparen (idem)
13 juli 1972	Lauwersoog, Waddenzee, alarmerend (A. 12)
13 juni 1974	Lauwerszeepolder, 2 nesten met 3 eieren (A. 5)

Uit het binnenland zijn slechts enkele broedgevallen bekend. Eind mei 1945 vond men bij Nijega (H.O.) drie licht bebroede eieren (A. 1). Het bijzondere van deze vondst was enerzijds de grote afstand tot de IJsselmeerkust (hemelsbreed ± 9 km) en anderzijds het feit dat het nest ontdekt werd in grasland dat tot begin mei onder water had gestaan. Van dit legsel bevinden zich thans twee eieren in FNM. In 1972 en 1973 heeft de soort in de (opgespoten) Hemrikpolder onder Leeuwarden resp. waarschijnlijk en zeker gebroed. De afstand tot de Waddenzee betreft in dit geval zelfs ongeveer 20 km.

De trek valt in de periode van juli tot in oktober en van eind maart tot in mei.

De najaarstrek vangt aan in juli:

4 juli 1963	2 ex. langs de dijk van de Bantpolder bij Anjum (A. 15)
27 juli 1926	2 ex. bij Dokkumer Nieuwezijlen (A. 12)
28 juli 1921	bij Workum, vermoedelijk (Vogels Zuiderzeegebied, 1936, 30)
2 augustus 1940	vele tientallen Workumerwaard (Ard. 30, 1941, 245)
8 augustus 1924	1 ex. Hindeloopen (Vogels Zuiderzeegebied, 1936, 30)
13 augustus 1935	verscheidene ex. Workum, aan het strand, in kleine clubjes (idem)
18 augustus 1973	1 ex. Friese Waddenkust (D. 3)
5 september 1920	1 ex. aan de Wadden (A. 1)
10 oktober 1948	enige ex. Zwarte Haan (A. 16)
13 oktober 1973	15 ex. Friese Waddenkust (D. 3)
14 oktober 1965	5 ex. Lauwerszee, Werkeiland (A. 5)

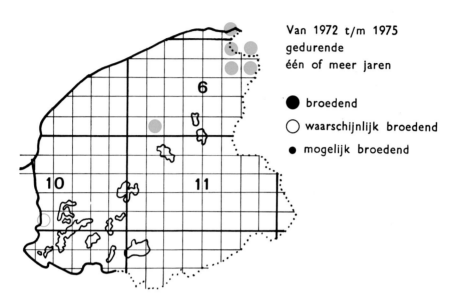

Van 1972 t/m 1975
gedurende
één of meer jaren

● broedend
○ waarschijnlijk broedend
● mogelijk broedend

Er zijn twee winterwaarnemingen bekend, merkwaardigerwijs aan zoet water waar de soort slechts bij uitzondering wordt gezien:

20 februari 1974	2 ex. in „De Deelen" (G. 5)
28 februari 1974	4 ex. dezelfde plaats (idem)

Omstreeks eind maart begint de voorjaarstrek:

24 maart 1973	12 ex. Friese Waddenkust (Timmerman 1974)
22 april 1958	1 ex. Workumerwaard (A. 15)
5 mei 1967	2 ex. op terrein noord van Harlingen (A. 2)
12 mei 1960	1 ex. Kornwerderzand (A. 15)
20 mei 1954	een twintigtal, op de Makkumer Noordwaard (A. 22)
30 mei 1927	1 ex. bij Hindeloopen (Vogels Zuiderzeegebied, 1936, 30)

Uit de beschikbare gegevens blijkt duidelijk dat de Strandplevier in veel kleiner aantal doortrekt dan de Bontbekplevier. Dit wordt wellicht het beste toegelicht aan de hand van de resultaten van de tellingen langs de Friese Waddenkust in 1973 (D. 3). In totaal werden in dat jaar slechts 28 exemplaren van de Strandplevier waargenomen en 5162 exemplaren van de Bontbekplevier.

De winterkwartieren van de Nederlandse populatie van de Strandplevier bevinden zich in Frankrijk, op het Iberisch schiereiland en in Noord-Afrika, zoals is op te maken uit de gegevens in het Ringverslag van het Vogeltrekstation 1911-1970 (Lim. 46, 1973, 109-135).

O.E.

Steenloper - *Arenaria interpres interpres* (Linnaeus)

Stienpikker

De fûgel hat de namme krige om't er stiennen en skulpen omkeart by it iten sykjen.
(J.B.)

Jaargast; doortrekker in vrij groot aantal; zomergast in klein aantal en wintergast in vrij klein aantal.

Het gehele jaar door, als de vorst niet al te streng is en te lang aanhoudt, kunnen langs de Friese Waddenkust Steenlopers worden waargenomen. Veel bezochte plaatsen in dit kustgebied zijn de zogenaamde Pollendam voor de Harlinger haven, de dijkvoet aan de Wadzijde van de zeedijk tussen Harlingen en Zwarte Haan, de Holwerder Pier en de bitumen zomerkade van de Paesenserpolder.

In juli komen de eerste broedvogels uit de Scandinavische landen en Noord-Siberië in Friesland aan. De hoogste aantallen van het gehele jaar zijn aanwezig in augustus en september. Daarna neemt het aantal gewoonlijk af (zie fig.) om eerst in april weer toe te nemen. De voorjaarstrek duurt tot in mei, doch het aantal dat wordt opgemerkt is lager dan het najaarsaantal (D. 3).

De grootste aantallen worden gemeld van de zogenaamde Pollendam voor de Harlinger haven. Gedurende de beide trekperioden verblijven hier enige

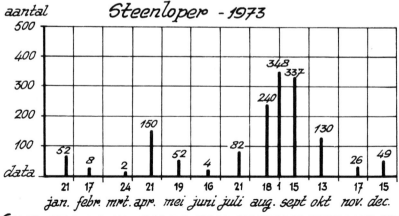

Steenloper - 1973

(NAAR GEGEVENS VAN DE WADVOGELWERKGROEP FRIESLAND, 1974)

tientallen tot soms 100 - 150 vogels. Uitzonderingen vormen de volgende winterwaarnemingen:

1953 30 december	ca. 300 ex. (Lim. 27, 1954, 154)
1954 30 december	200 à 300 ex. (A. 16)
1955 14 december	±300 ex. (A. 15)

De tellingen in 1973 van de Wadvogelwerkgroep Friesland beperkten zich tot het kustgebied direct oost van Harlingen tot aan Lauwersoog. Bovenvermelde hoge aantallen liggen dus bijna in dezelfde orde van grootte als de totale herfstaantallen, geteld op één dag uit de rest van het Friese Waddenkustgebied (zie fig.).

Opmerkelijk voor de Harlinger haven zijn voorts de mededelingen dat in de winter - zoals bijvoorbeeld op 15 december 1968 - Steenlopers ten tijde van voedselschaarste op vissersschepen garnalen zoeken en eten en zelfs in de straten verschijnen (P. de Bruin te Harlingen) en dat enige tientallen vogels dikwijls overtijen op het platte dak van een schuurtje op een werf in de binnenhaven (C. Swennen te Texel).

Hoewel de aantallen in de herfst op het dijkje van de Paesenserpolder ook enige tientallen vogels kunnen bedragen, evenaren deze en de aantallen van plaatsen elders in dit kustgebied die van de Pollendam niet. De gegevens uit het voormalige Lauwerszeegebied stemmen hiermee overeen evenals het voorkomen van de soort langs de voormalige Friese Zuiderzeekust (Jaarbericht C.N.V. 13, 1923, 126). Gedurende de trekperiode worden namelijk zowel in de nieuwe Lauwerszeepolder als langs het IJsselmeer af en toe enkele exemplaren gesignaleerd.

In tegenstelling tot overwinterende Steenlopers worden overzomerende exemplaren nogal eens waargenomen op de Makkumer Noordwaard en op de Workumerwaard.

Waarnemingen uit het binnenland van de provincie zijn schaars:

1945 19 augustus	2 ex. Princehof onder Eernewoude (dagboek G.A. Brouwer)
1961 15 mei	1 ex. Opspuitterrein Leeuwarden (A. 1)
1970 13 mei	1 ex. Opspuitterrein Sneekermeer (dagboek J. Bos)
1970 25 mei	1 ex. dezelfde plaats (idem)
1970 20 juli	1 ex. dezelfde plaats (idem)
1971 28 mei	1 ex. Strandje „De Potten" Sneekermeer (dagboek Tj. v.d. Meulen)

Op grasland grenzend aan de Waddenzeedijk worden nogal eens Steenlopers aangetroffen, onder andere in de Polder Kimswerd, het Zuricher Laagland, nabij Roptazijl, in de Holwerder Oostpolder, in het oostelijk deel van de Bantpolder en (voorheen) in de Anjumerkolken. Dit gebeurt indien de vogels als gevolg van zeer hoge vloedstanden niet op hun normaal bezette en eerder genoemde plaatsen kunnen overtijen.

De Steenloper is wegens het ontbreken van een geschikte biotoop op het vasteland van Friesland aanzienlijk minder talrijk dan op de Waddeneilanden (Boere, 1973).

A.T./A.T.-K.

afkortingen

♂	mannetje(s)
♀	vrouwtje(s)
ad.	adult
Albarda (1884)	H. Albarda, Naamlijst der in de provincie Friesland in wilden staat waargenomen vogels, 1884
Ard.	Ardea
AVF	Avifauna van Friesland
AVN	Avifauna van Nederland, 1970
BFVW	Bond van Friese Vogelbeschermingswachten
CNV	Club van de Nederlandsche Vogelkundigen
coll.	collectie(s)
DLN	De Levende Natuur
DNV	De Nederlandsche Vogels (1936-1949)
ex.	exempla(a)r(en)
FNM	Fries Natuurhistorisch Museum, Leeuwarden Jaarber(icht) Club van Nederlandsche Vogelkundigen.
Jaarboekje NOV	Jaarboekje van de Nederlandsche Ornithologische Vereeniging
juv.	juveniel
Lim.	Limosa
Lwd. Crt.	Leeuwarder Courant
Med. Club Z(uiderzee) W(aarnemers)	Mededeelingen der Club van Zuiderzee-waarnemers
NOV	Nederlands(ch)e Ornithologische Vere(e)niging
Ned. Orn. Ver.	Nederlands(ch)e Ornithologische Vere(e)niging
Org(aan)	Orgaan der Club van Nederlandsche Vogelkundigen
pul.	pullus, pulli
RML	Rijksmuseum van Natuurlijke Historie, Leiden.
Snouckaert 1908	R. C. E. G. J. Baron Snouckaert van Schauburg, Avifauna Neerlandica, 1908
TNDV	Tijdschrift der Nederlandsche Dierkundige Vereeniging
Van.	Vanellus
Verslagen en Med. NOV	Verslagen en Mededeelingen der Nederlandsche Ornithologische Vereeniging
Vj.	Het Vogeljaar
V/V	Veld en Vitrine
Vogels Z.G.	De vogels van het Zuiderzeegebied, C. G. B. ten Kate, 1936
ZMA	Zoölogisch Museum te Amsterdam, nu Instituut voor taxonomische Zoölogie

489

register

inhoud

In de beide volgende delen worden opgenomen hoofdstukken over o.m. de Friese vogelwereld in vroeger tijden, jacht en vogelbescherming, vogelstudie in Friesland, landschap en milieu en het Fries Natuurhistorisch Museum en de systematische beschrijving van de overige op het vasteland van Friesland voorkomende vogelsoorten zoals snippen, wulpen, grutto's, ruiters, strandlopers, kluten, franjepoten, jagers, meeuwen, sterns, alken, duiven, uilen, spechten, leeuweriken, zwaluwen, piepers, kwikstaarten, klauwieren, lijsters, zangers, vliegenvangers, mezen, vinken, gorzen, mussen, spreeuwen en kraaien. De literatuurlijst en het volledige register worden gepubliceerd in het derde deel.